동아시아의
우   물

하

동아시아의 우물 ㉵
중국·일본

초판1쇄 발행 2017년 12월 30일

글쓴이 김광언
펴낸이 홍기원

총괄 홍종화
편집주간 박호원
편집·디자인 오경희·조정화·오성현·신나래
　　　　　　 김윤희·이상재·이상민
관리 박정대·최기엽

펴낸곳 민속원
출판등록 제18-1호
주소 서울 마포구 토정로 25길 41(대흥동 337-25)
전화 02) 804-3320, 805-3320, 806-3320(代)
팩스 02) 802-3346
이메일 minsok1@chollian.net, minsokwon@naver.com
홈페이지 www.minsokwon.com

ISBN 978-89-285-1128-0 94380
SET 978-89-285-1126-6

동아시아의
우 물
㉦—중국일본

김광언

민속원

일러두기

1. 한시는 주로 여섯 구절만 가려 실었다.
2. 다른 기사와 연관되는 부분은 ☞로 알렸다.
3. 사진과 그림 번호는 나라마다 달리 붙였다.
4. 남의 사진이나 그림은 있는 데를 밝혔다. 인터넷 자료 가운데 일본의 것(야후 재팬)은 '야후'로, 중국의 것(百度一下)은 '백도'로 적었다. 그러나 보고서나 논문의 것은 따로 밝히지 않았다.
5. 북한의 지명은 글에 실린 대로 적었다.

머리말

1.

내가 1939년에 태어난 집(서울시 서대문구 옥천동玉川洞 85번지) 장독대 앞에 우물이 있었다. 깊이 7미터에 입 지름 1.5미터쯤이었으며, 모레 시멘트로 빚은 둥근 전은 높이 90센티미터에 너비 8센티미터였다.

우리 동네(3통統 9반班)는 초가 셋, 기와집 다섯, 왜 기와집 한 채로 이루어졌으며 우물을 갖춘 집은 네 집이었다. 그러나 두 집에서 우물 전 가운데에 낮은 널벽을 치고 같이 썼으므로 실제로는 다섯이 있었던 셈이다. 나머지 한 집에서는 수도를 끌고, 한 집은 이웃에서 길어갔다.

우물을 함께 쓰는 안쪽의 서울 토박이 한씨네와 바깥쪽의 함경도 황씨네는 늘 앙숙이어서 오르내리던 두레박이 서로 부딪기라도 하면 곧 다툼으로 번졌다. 이들의 소리가 워낙 커서 온 동네에 울려 퍼진 것은 말할 것도 없지만, 특히 황씨네 부부가 쉬지 않고 쏘아대던 함경도 사투리는 하도 귀에 설어서 신기하기 그지없었다. 나는 바로 그곳으로 다가갔고, 조용해지면 오히려 아쉬웠다.

젖은 손으로 문고리를 잡으면 쩍쩍 들러붙는 한 겨울에 우물에서 무럭무럭 김이 솟는 모습도 신기하였다. 할아버지가 얼굴을 씻으시며 오른 손에 움켜쥔 물을 뒤통수에 끼얹으시는 것을 볼 때마다 감기 들지 않으실까 걱정도 되었다. 물을 따로 데우기 어려운 시절이라, 나는 언제나 물을 얼굴에 서너 번 찍어 바르는 고양이세수로 마쳤다.

우물은 여름철에 빛났다. 그 안에 채워두었던 참외나 수박 따위를 저녁 무렵에 끌어올려서 식구들끼리 둘러 앉아 맛보는 것은 큰 행복이었다. 겨울과 달리 얼굴을 씻는 일도 즐거웠다. 놋대야에 손을 담그자마자 잔물결이 퍼지고, 이에 따라 햇빛이 춤을 추면서 번쩍번쩍 빛이 뿜어 나왔던 것이다. 물을 휘저을수록 황금빛이 온 집안과 천지에 가득 차는 듯하여, 나는 아예 눈을 감기도 하였다. 넋을 앗아갔던 그 물결은 지금도 어른거린다.

한 여름 날 저녁의 등목도 뺄 수 없다. 빨래 돌에 손을 뻗치고 엎드린 내 등위로 쏟아지는 우물물은 숨이 막힐 듯 차가워서 '어어' 소리가 절로 터졌다. 대여섯 살 적 여름날 저녁, 나를 대야에 들여앉히고 씻기시던 어머니 손길도 그립다.

우리 집에는 수도가 1955년에야 들어왔다. 할아버지가 '멀쩡한 우물을 두고 왜 수도를 쓰느냐?'고 하신 까닭이다. 이 때문에 할머니는 빨래는 수돗물에 헹구어야 빛이 난다며 앞집으로 들고 가셨다.

1945년 무렵에는 공동수도가 자주 끊겼고, 그때마다 물통을 들거나 멘 사람들이 우리 집으로 몰려들었다. 어느 해인가는 하도 퍼 댄 바람에 우물 바닥의 모래가 드러나기도 하였다.

할머니가 동지冬至고사 때, 여러 켜의 팥떡을 우물가에 놓고 자손의 건강과 집안의 평안을 축원하시던 일과, 물을 헤피 쓰면 저승에 가서 그것을 다 마시는 벌을 받는다고 이르시던 말씀도 떠오른다.

2.

우물은 서너 해마다 쳤다. 이웃집에서 빌려온 긴 사다리를 벽에 비스듬히 기대 놓은 뒤, 내가 들어가고 아버지는 위에서 두레박을 끌어올리셨다. 물을 다 푸고 손으로 바닥을 훑으면 설거지하다가 빠뜨린 비녀, 젓가락과 숟가락 짝, 빗 따위가 걸렸다.

그 날도 이런저런 것을 거두고 나서 바닥을 더듬는 내 손에 묵직한 막대기가 잡혔다. 그것은 번쩍이는 황금 막대기였다. 나는 얼른 주머니에 넣었다. '아버지를 속이다니…' 꺼림칙하고 송구스러웠지만 욕심을 버리지 못하였다. 혹시나 하는 마음으로 바닥에 손을 한 번 더 대는 순간, 이번에는 작은 은방울 두 개가 들어왔다. 이마저 챙겼다.

그것은 꿈이었다. 그 무렵 아내가 첫 아이를 가졌었다. '황금 막대기에 은방울 두

개'는 틀림없는 사내이므로 '가람'이라는 이름을 짓고 기다렸다. 과연, 녀석은 고추에 방울 두 개를 차고 나왔다. 그러나 이태 뒤, 둘째 때는 아무 징조가 없더니 이 무슨 조화인가? 딸, 그것도 쌍둥이가 태어난 것이다. 그제야 막대기는 아들 몫이고, 은방울은 딸네들 차지였음을 알았다. 고맙게도 셋이 제 몫을 하며 지내고 있으니, 태몽이 빗나갔다고 할 수는 없을 터이다. 나는 지금도 우물의 신령스러움을 굳게 믿는다.

또 하나.

맑고 찬 물이 끊임없이 솟던 우물이 1985년 무렵, 지하철 3호선이 개통되면서 점점 흐려지다가 두어 해 뒤에는 퀴퀴한 냄새까지 났다. 나는 독립문 어름에서 경복궁쪽으로 꺾인 노선이 인왕산仁王山(338미터)의 물길을 끊은 탓이라는 사실을 그제야 깨달았다. 집이 안산鞍山(295.9미터) 기슭이라, 물도 이 산에서 흐르거니 여긴 나머지, 인왕산이 어미라는 사실을 꿈에도 올랐던 것이다. '열 길 물속은 알아도 한 길 사람 속은 모른다'는 속담은 '열 길 사람 속은 알아도 한 길 물속은 모른다'로 바꿀 일이다.

나와 30여 년을 함께 지낸 우물은 이렇게 빛을 잃어갔다.

3.

사진 1은 2012년 봄, 경주에 온 중학생들이 다투어 분황사芬皇寺 우물을 들여다보는 모습이다. 바로 앞의 국보 30호로 지정된 모전석탑模塼石塔은 아랑곳 않고, 우물에 모여든 것은 태어나서 처음 보는 신기한 시설이었던 까닭이다.

일본도 마찬가지이다. 사진 2는 북해도北海道 삿포로시札幌市 개척촌 펌프에 둘러선 초등학생들이다. 어린이뿐만 아니라 청소년들도 몰려들어서 아예 19세기 관리복장을 한 사람이 종일 해설을 하

사진 1

는 판이다.

중국에서 들어온 우물문화는 신라에서 꽃피었다. 벌써, 1920년대에 일본학자들이 우물 전이 일본은 말할 것도 없고 저 유명한 바빌론의 석조 미술품보다 뛰어난 예술품이라며 찬탄해 마지않은 것이 좋은 보기이다. 그러함에도 정작 우리는 보호는커녕 오래 전부터 경주박물관 뒷

사진 2

마당에 팽개쳐 놓았다. 또 기자조선箕子朝鮮 적의 기자정箕子井이 1930년대까지 평양시에 있었던 것을 까맣게 잊고 있다.

어디 그 뿐이랴? 김대성金大城(?~774)이 석굴암 본존불本尊佛을 지금의 자리에 앉힌 것이 바로 그 아래에서 요내정遙乃井이라는 샘이 솟은 까닭임을 아는 이도 없다. 요내정은 불교에서 이르는 알가정閼伽井이고, 석굴암은 샘을 기리려고 세운 알가옥閼伽屋에 지나지 않는다. 진실이 이러함에도 일제강점기에 세 차례나 보수공사를 벌이면서 샘물을 빼돌리기에만 정신을 팔았다. 그리고 1960년대의 우리도 그 본을 떠서 석굴암에서 200여 미터 떨어진 아래로 물을 뺀 다음, 감로수甘露水라는 얼토당토않은 이름을 붙이고 말았다. 따라서 지금의 석굴암은 알맹이 빠진 껍데기라고 할 밖에 없다. 답답하고 한심한 일이다.

사진 3

사진 4

우리와 달리 일본은 우물문화를 아끼면서 가꾸었다. 우물을 영물靈物로 떠받드는 나머지 좀체 메우지 않고, 하는 수 없으면 반만 메우며, 그렇더라도 지기가 숨을 쉬도록 마디를 멘 청죽靑竹 따위를 꽂아둔다. 또 중국 산동성의 제남시濟南市나(사진 3), 휘주성의 황산시黃山市에서, 나이 먹은 우물을 문화재로 지정해서 기리는 일도 배울 만하다(사진 4).

4.

　중국 안휘성 휘주시徽州市의 우물 조사는 윤영기 박사 덕분에 이루어졌다. 학위논문을 위해 여섯 달이나 머무는 동안, 음덕을 어찌 깊이 쌓았던지 만나는 이마다 반겼다. 공무원 왕위동汪衛東님은 이틀, 나래한羅來漢·장요상張躍祥님은 하루 길라잡이로 나섰고, 휘주문화박물관 진기陣琪관장은 우리 일행을 지역신문에 소개하였다. 또 고봉高峰선생은 '무릉도원武陵桃源의 만찬'에 불러주었다. 윤 박사는 중요한 문헌을 찾는 외에 여러 곳의 사진도 찍어 보냈다. 이러한 후배를 다시 만나기 어려울 터이다.

　사진가 김기운 선생은 그 많은 자료 가운데 우물 필름을 골라서 사진관에 맡겨 인화까지 해서 보내주셨다. 사진은 두어 달 뒤 한 차례 더 왔으며, 고맙다는 인사에 '좋은 책 내세요' 할 뿐이었다.

　북경의 길라잡이 최수현님은 비행장으로 가던 차를 일부러 유명 과자점으로 돌리더니 두 봉지를 사 건네며 이렇게 덧붙였다. '좋은 일 하십니다.'

　전북문화재연구원 오승환 부위원장을 비롯한 국립민속박물관 정연학 박사, 중국민속학회 부회장 섭도葉濤 박사, 문화재청 김재길 사무관, 산동성의 길라잡이 전화자田禾子님, 국립국악원의 송현석님, 낯선 이를 위해 자동차를 반나절이나 몰아준 제주도의 김순이님, 우물 찾기에 따라나서 준 아내 등 여러 분의 도움을 크게 입었다. 민속원의 천사표 조과장의 공도 적지 않다. 새 자료가 나올 때마다 넣어달라고 떼를 써서 끌탕하였을 터임에도 다 들어주었으니 여간 고마운 일이 아니다.

2017년 10월

지은이

CONTENTS

중국

일본

CONTENTS

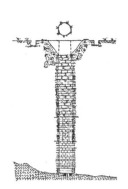

동아시아의
우 물

중국

1장

어원

1. 천泉

1) 천은 물이 자연히 솟는 곳이다

『광운廣韻』에 '천은 물이 솟아나오는 데水源也'라 적혔고, 『일체경음의一切經音義』는 '천은 물이 저절로 나오는 곳'이라고 새겼다. '저절로'는 샘의 본질을 꿰뚫은 말로, 사람이 손을 대지 않은 자연 그대로의 것이라는 뜻이다. 사람이 여러 가지로 손을 댄 우물과 대비되는 말이다. 한편, 『설문說文』은 '천은 물이 흘러서 이룬 내川를 본뜬 것 泉水原也象水流出成川形'이라 하였다.

'셴泉'의 소리 값도 물이 구멍에서 솟는다는 '출出'이 뿌리이며, 모든 것을 아우르는 '전全'과 같아서 삼라만상의 바탕이라는 뜻으로도 쓴다. 『맹자』에 '근원이 있는 샘물은 혼혼混混이 흘러 밤낮을 쉬지 않되, 구덩이를 만나면 가득 채우고 나서, 다시 흘러 사해四海에 이른다. 뿌리本를 지닌 자도 이와 같다. (…) 진실로 뿌리가 없으면, 7·8월에 한꺼번에 쏟아지는 비로 도랑과 개천이 모두 찼다가도 서서 기다리는 동안에 마르고 만다. 이 때문에 군자는 이름이 실상보다 지나치는 것을 부끄러이 여긴다'는 기사가 있다(離婁章句 下「水哉」).

'혼혼'은 물이 솟는 모습이다(『集註』).

땅 속 깊은 곳의 샘을 삼천三泉이라 한다. 이는 하늘 가운데와 여덟 방향을 이르는 구천九天에 견줄 수 있다. 중앙의 균천鈞天·동쪽의 창천蒼天·동북쪽의 변천變天·북쪽의 현천玄天·서북쪽의 유천幽天·서쪽의 호천顥天·서남쪽의 주천朱天·남쪽의 염천炎天·동북쪽의 양천陽天이 그들이다. 『회남자』에 '성인은 아래로 삼천을 살피고, 위로 구천을 찾는다'는 구절이 보인다.

2) 천은 돈을 나타낸다

천은 돈錢을 가리킨다.

『광운』에 '천은 돈의 다른 이름泉又錢之別名'이라 적혔고, 『주례周禮』에도 '돈과 천은 예부터 같은 것을 이르는 다른 이름錢與泉古今異名'이라는 기사가 있다(「地官序官泉府疏」). 『관자管子』의 '제齊나라 서쪽의 양식 값은 1부釜에 백 천泉이고, 1구金區에 20천泉'이라는 기사에 대해 '천은 돈錢'이라는 주를 달았다(「輕重丁」).

이처럼 샘이 돈을 가리킨 것은 샘처럼 두루두루 도는 데서 왔다. 『주역周易』의 '돈이 널리 돌아가는 이치는 샘물이 흘러내리는 것과 같다山下出泉'는 대목이 그것이다. 『한서漢書』에도 '돈의 가치는 금보다 귀하며 쓰임은 칼날보다 날카롭고 샘보다 더 잘 돌아간다'고 적혔다(「식화지」).

고대에는 돈을 천잡泉帀이라 이르고, 화폐에 찍은 문자를 천잡문자泉帀文字라 불렀다. 세금을 거두고 공비公費로 물품을 사두었다가 값이 올랐을 때 싸게 파는 주周나라 관청 이름도 천부泉府였다.

① 『주례』의 기사이다.

───────

○ 천부는 돈이 없는 백성의 물건을 거두어 팔아서 세금을 떼고 장부에 적었다가 정산한다(제4권 地官司徒 下「司市」).

○ 천부는 시장에서 세금으로 낸 포布를 관리하고, 물건이 팔리지 않아 백성이 살기 어려우면 받아두었다가 물건의 목록을 내걸고 살 사람을 기다린다. 그가 나타나면 본디 값으로 셈하되, 도都와 비鄙에서는 담당 대부의 뜻에 따르고, 국인國人 및 교인郊人들은 관리의 허가를 받아 물건을 내준다. (…) 천부에 상사上士 여덟, 하사下士 16, 부府 넷, 사史 여덟, 가賈 여덟, 도徒 80명을

둔다(下「泉府」).

신新나라 왕망王莽(전 45~전 25)이 퍼뜨린 엽전을 화천貨泉이라 불렀고, 이 뒤부터 돈과 재산의 뜻으로 썼다. 이때의 전문錢文을 화천이라 일렀으며 천泉을 파자破字하면 백수白水, 화貨를 파자하면 진인眞人이 되어 백수진인白水眞人이라 일컬었다. 화폐를 천폐泉幣·천화泉貨·천금泉金이라고도 한다.

천泉의 옛 소리 값은 전錢과 통한다. 화폐가 샘물처럼 흐른다고 하여 '錢'을 '泉'으로 부르기도 하였다. 후세의 문인들은 '泉'을 '錢'보다 우아하게 여겨서 '泉'으로 적었다.

본디 박鎛과 같은 고대의 농기구 전錢을 춘추전국시대에는 물물교환 때 썼으며 뒤에 포布라고 하였다. 진秦대에 여러 종류의 화폐가 나왔지만 전이라는 이름이 남아 오늘날에는 돈의 대명사로 쓴다.

천포泉布의 '포'도 널리 돈다는 뜻이다.

② 앞 책의 기사이다.

포布는 전錢이며 선포지포先布之布라고 읽는다. 이를 갈무리한 것을 천, 돌아가는 것行을 포라 하며, 이름은 수천水泉에서 왔다. 물이 어디서나 고루 흐르는 까닭이다. 돈이 널리 쓰이는 것을 물이 널리 흐르는 이치에 견준 것이다. 화천貨泉은 지름 일촌一寸에 무게 오수五銖이며 오른쪽에 화貨, 왼쪽에 천일직야泉一直也라고 새겼다(「天官外府掌邦布之出入注」).

'수'는 냥兩의 24분의 1이다.

사진 1·2는 천진天津민속박물관 한 전각의 우물이다. 네모우물 둥근 덮개에 '재운을 크게 일으키는 신財運大神'이라는 네 글자를 돈을새김으로 베풀었다. 사다리꼴 전은 50×50센티미터에 높이 30센티미터이다. 앞과 같은 곳에 있는 천비궁天妃宮 재신전財神殿 앞의 재윤천財潤泉도 마찬가지이다. 이는 '재윤'의 소리 값이 '재운財運'과 같은 데서 왔다.

사진 3은 북경시 자금성 우물 전 가운데 입구를 옛 동전처럼 네모로 뚫었으며

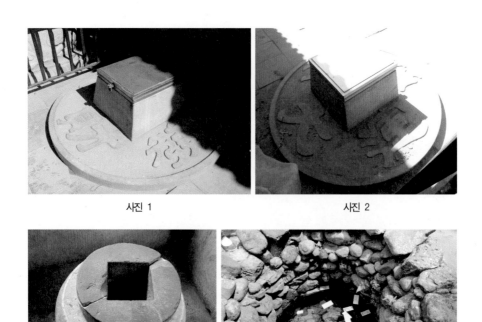

사진 1   사진 2

사진 3   사진 4

사고를 막으려고 올려놓은 덮개도 같은 꼴이다. 우물은 입 지름 20×20센티미터에
전 높이 16센티미터이며, 받침은 높이 50센티미터이다. 사람들은 첨재운沾財運이라
하여 동전을 우물에 넣고 부자가 되기를 빌었다.

　사진 4는 운남성 서맹와족西盟佤族자치현의 우물이다. 행운을 비는 사람들이 바친
여러 장의 돈이 물 위에 떠 있다.

③ 이에 대한 『신선전神仙傳』 기사이다.

　　―――――

　　　갈현葛玄(164?~244?)은 좌원방左元放에서 『구단액선경九丹液仙經』을 익혔다. (…) 사
　　　람들에게 동전 수십 냥을 나누어 주고 우물에 넣으라고 이른 뒤, 우물로 가서
　　　불렀더니 한 닢씩 그릇 속으로 날아들었다(권1 「法術」).

　　―――――

　오래 전부터 우물에 소원을 빌 때, 동전을 바친 풍속과 연관이 있을 터이다. 그는

삼국시대 오吳의 도사로 오경자사五經子史에 통했으나 벼슬을 마다하고 숨어 지내다가 신선이 되었다고 한다.

『촉중광기蜀中廣記』에도 '옹기우물陶井에서 지름 6센티미터쯤의 동전 세 닢을 주운 사람이 하도 겁이 나서 다시 넣었더니 바로 섰다'는 기사가 있다. 이를 '군평君平(?~?)이 던져서 걸린 동전君平擲卦錢'이라 한다.

그는 전한시대 촉蜀의 점쟁이다. 어떤 사람이 황하黃河의 뿌리를 찾아 거슬러 오르다가 비단 빠는 아낙을 만나 '여기가 어디냐?' 물었더니 천하天河라는 대답이 돌아왔다. 그네는 돌 한 개를 주며 군평에게 가져가 물어보라기에 돌아와 그대로 따르자 '직녀織女의 베틀을 괴었던 것'이라 일렀다고 한다.

우리 최치원崔致遠(857~?)의 『고운집孤雲集』에도 '오 임금 손권孫權(182~252)의 병이 깊어 도사 갈현이 찾아가자, 공중에서 대덕大德 도사가 왔으니 아뢰어 올리라는 소리가 들리고 나서 마침내 병이 나았다'는 기사가 있다(제1권 「善安住院壁記」).

④ 『우초신지虞初新志』 기사이다.

고려사高麗寺(강소성 항주시杭州市 서호구西湖區)는 고려왕이 세자를 위해 지은 절이다. 송宋 신종神宗(1067·1005) 때, 왕이 부처에게 빌어서 얻은 아들이 아침저녁으로 울다가도 목어木魚소리만 들으면 뚝 그쳤다. 그것은 바다 건너 무림武林(강소성 항주시)의 경호鏡湖 부근에서 한 스님이 치는 소리였다. 왕의 사자가 그를 찾아가 조선朝鮮에 가서 세자의 병을 고쳐달라고 청하였다. 세자를 만난 스님의 말이다.

"당신은 저의 스승으로, 본디 비구니였으며 그 전에는 가마꾼이었습니다. 쓰고 남은 돈을 우물에 던졌더니 세월이 지나 넉넉하게 불어난 덕분에 호숫가에 절을 세운 뒤 스님이 되고 저는 제자로 들어갔습니다. 그러나 한 해 뒤 절름발이가 되고, 이듬해 눈이 멀더니 이듬해 벼락을 맞아 돌아가셨습니다. 너무나 실망한 저는 '부처는 신령하지 않다'는 글도 지었지만, 여기서 태어나실 줄은 꿈에도 몰랐습니다."

이어 옛터에 절을 짓고 고려라는 편액을 달았다. 지금은 무량전無量殿만 남았다.

절의 본디 이름 혜인사원慧因寺院은 고려 대각국사 의천義天(1055~1101)이 중국에 없던 불경 7,500여 권을 바치고 화엄경각華嚴經閣 고치는 비용을 댄 덕분에 '혜인慧因 고려사高麗寺'로 바뀌었다.

1324년에 세운 비(「항주 고려혜인사 토지희사기」)에 '고려 고관 원관元瓘(1247~ 1316)이 절 터를 바쳤'고 적혔다. 세자에 관한 부분은 의천이 문종文宗(1046~1083)의 넷째아들인 점과 연관이 있을 터이다.

부처에게 빌어서 태어난 세자가 목어 소리에 울음을 그치고, 동전을 모아 절까지 세웠음에도 몹쓸 병에 걸렸다가 벼락을 맞아 죽었다니 누구든지 부처를 탓하지 않을 수 없다. 그것은 그렇거니와 불교를 중국에서 받아들인 우리가 저들을 감탄시킨 것은 놀라운 일이다.

첨의찬성사僉議贊成事를 지낸 원관은 1314년에도 원나라 혜인사慧因寺에 대장경을 시주하였으며, 절은 김준엽金俊燁(1920~2011) 등이 150년 만에 다시 지었다.

사진 5는 '혜인고려사'라는 현판이 걸린 전각이다. 지붕을 팔작으로 꾸미는 외에 용마루에 취미까지 올린 번듯한 모습이다.

사진 5(ⓒ 百度)

3) 샘은 저승을 상징한다

천泉은 저승·주검·무덤 따위를 가리킨다.

주검을 땅에 묻은 것은 그 밑의 샘이 저승으로 가는 길이기 때문이다. 천하泉下·천양泉壤·천향泉鄕·천리泉裏·구천九泉·황천黃泉 따위도 마찬가지이다. 오늘날에도 장례 때, 우물에 대고 이름을 외쳐서 죽은 사람의 혼을 부른다.

이밖에 저승길을 가리키는 천도泉途 또는 천로泉路나 천와泉窩 따위의 무덤을 이르는 낱말은 풍수론風水論에서 왔다.

① 『장서葬書』의 기사이다.

　　───────

　　죽은 사람은 정기精氣를 타야 한다. 그것은 바람을 타면 흩어지고 물이 둘려 있으
면 머문다. 바람과 물로 정기를 모으는 수법이 풍수風水이다. 따라서 첫째 물을
얻어야 하고得水, 둘째 정기가 흩어지는 것을 막아야 한다(「藏風」).

　　───────

　『수룡경水龍經』에도 '정기는 물의 어미이고 물은 정기의 아들이다. 정기가 움직이
면 물이 따르고 물이 머물면 정기도 멈춘다. 정기가 솟은 것이 물이고, 땅으로 스민
것이 물'이라는 기사가 있다.

② 소순蘇洵(1006~1066)이 아내 무덤을 샘가에 쓴 까닭도 이것이다. 그의 「노옹정명老翁井銘」
이다.

　　───────

　　정유년(1057)에 죽은 아내의 무덤 터를 고르다가 (사천성) 무양현武陽縣 안진향安
鎭鄕에 있는 산을 찾았다. 산은 매우 높고 웅장하며 둘로 나뉜 자락이 끝에서 둥
글게 합친 것이 서로 끌어안은 듯 하였다. 샘泉은 줄이어 솟아 두 자락 가운데로
흐르다가 북쪽 오른쪽 아래에서 큰 우물大井을 이룬 더분에 하루 배여 집이 먹을
만하다.
　　지관은 '명당입니다. 무덤 터에 관한 책에 이러한 곳에 신령이 깃든다고 적혔습
니다' 하였다. 물길은 늘 산과 같이 하여 산이 끝나는 곳의 샘이 맑으며, 먼 곳
에서 흘러온 온 산의 정기와 힘이 뭉쳐 쌓여서 떠나지 않는다. 이곳에 묻으면
해가 없을 터이다(『蘇洵集』 嘉祐集 15권 「雜文」).

　　───────

③ 『중국신화전설』 기사이다.

　　───────

　　상商나라 시조 순舜의 아비는 후처와 그 자식만 아끼고 전실 자식은 돌보지 않
았으며, 순과 아내가 정성껏 받들었음에도 오히려 죽이려 들었다. 순을 곳간으
로 올려 보내고 불을 질렀지만 살아나자, 이번에는 우물 청소를 시켰다. 순의

아내들은 용을 그린 옷을 주며 속에 입었다가 위험할 때 겉옷을 벗으라고 일렀다. 그가 줄을 잡고 우물 속으로 들어갔을 때, 줄이 끊기면서 돌과 진흙이 쏟아지는 순간, 겉옷을 벗자 용으로 변하여 지하의 황천黃泉을 뚫고 천천히 다른 우물로 솟아올랐다(4「요순편」).

———

우물이 용의 거처인 것을 떠올리면 순이 용이 되고 황천을 거쳐 다른 우물로 솟아오른 것은 놀랄 일이 아니다.

상은 고대 왕국(전 1600~전 1046)이며, 전설에 등장하는 순은 요堯임금에 이어 황제가 되었다고 한다.

사진 6은 그의 이름을 빌린 우물舜井이다. 같은 이름의 우물은 산동성 제남시를 비롯한 여러 곳에 있다.

사진 6(ⓒ 百度)

④ 『춘추좌전』 기사이다.

———

전 722년 5월, 단段을 언鄢에서 물리친 정백鄭伯(전 757~전 701)은 어머니를 성영城潁(하남성 양성현襄城縣 동북쪽)에 가두고, 황천에 가기 전까지 만나지 않겠다고 마음먹었다. 그러나 어머니를 정성껏 받드는 정鄭의 대부 영고숙潁考叔(?~전 712)을 보고 깊이 뉘우쳤다. 상대의 말이다.

"군주는 근심 마소서. 만일 너른 땅에 샘을 파고 수도隧道를 뚫어 이으면 누가 황천에서 만난다는 맹세를 잊었다고 하겠습니까?"

이로써 어머니를 만난 정백은 '이 큰 굴 안에서 어머니를 만나는 즐거움이 아주 크구나' 노래하였다(「魯隱公」 원년[전 722]).

———

그가 어머니 강씨姜氏를 가둔 것은 반란을 일으킨 아우 숙단叔段의 편을 든 까닭이다. 그러나 영고숙이 자신이 준 고기를 어머니 드린다며 먹지 않는 것을 보고 감동하여 뉘우친 것이다. 수도는 무덤으로 향하는 긴 땅굴을 이른다.

우리 장유張維(1587~1638)는 한 제문(「무안현에서 청풍 김공을 사당에 봉안함務安縣淸風金公祠宇奉安告祭文」)에 '영고숙이 효성을 만대에 끼쳤다'고 적었다(『谿谷集』 「谿谷先生集」 제9권).

⑤ **왕유王維(699?~759)의 시**(「진시황릉을 찾아서過秦皇墓」)**이다**(부분).

古墓成蒼嶺	옛 능은 잡초 무성한 산봉우리이지만
幽宮象紫臺	지하 궁전은 화려한 왕궁 그대로일세
星辰七曜隔	일월성신은 윗벽에 흩어지고
河漢九泉開	은하는 구천에서 흐르는구나
有海人寧渡	강과 바다 있으나 사람 어찌 건너며
無春雁不迴	봄 없으니 기러기 어찌 돌아오랴

『왕유 시전집』

유궁은 지하궁전 곧 진시황릉을, 바다는 무덤 안에 채운 수은水銀의 강을 이른다. 구천은 구지九地의 바로 밑에 있는 황천으로, 흔히 저승을 이르는 뜻으로 쓴다. 우리 두 마찬가지이다.

위응물韋應物(737~840)의 시(「친구들과 들에서 술 마시며與友生野飲—도연명체를 본떠效陶體—」)에도 '지금 우리들 함께 마시지 않고於時不共酌 / 황천에 묻히면 어찌하랴柰此泉下人'는 구절이 있다.

황천은 중천重泉으로도 적는다. 백거이白居易(772~846)의 시(「한식에 들을 보며 읊음寒食野望吟」)의 '저승과 중천에서 곡해도 듣지 못하니冥漠重泉哭不聞 / 우수수 비 비람에 사람들 돌아가네蕭蕭風雨人歸去'라는 구절이 그것이다.

⑥ **두보杜甫(712~770)의 시**(「태주사호로 귀양 가는 정건을 보내며—그가 늘그막에 잡혀 벼슬한 것이 마음아프지만, 직접 송별할 수 없어 시로써 마음을 보임送鄭十八虔貶台州司戶 傷其臨老陷賊之故 厥爲面別 情見於詩」)**이다**(부분).

| 鄭公樗散髮成絲 | 선생은 머리가 희어져도 |
| 酒後常稱老畵家 | 술 마시면 곧잘 자신을 늙은 화가라 불렀지 |

蒼黃已就壯途往	그대 황망히 먼 길에 올랐건만
邂逅無斷出餞遲	내 갑자기 생긴 일로 전별하지 못 했네
使與先生應永訣	만약 선생과 내가 다시 못 만나도
九重泉路盡交期	구중 황천에서 영원한 우정을 나누리라

『당시별재집唐詩別裁集』 3

———

⑦ 『유양잡조酉陽雜俎』 기사이다.

———

이사李斯(?~전 208)는 죄수徒刑手 72만 명을 부려서 진시황(전 259~전 210)의 능을 짓는 한편, 규정대로 37년이나 파서 지하의 샘水泉을 굳혔다. 그는 매우 깊이 팠지만 끝이 없고, 태워도 타지 않으며, 두드려도 소리가 없어 (…) 두터운 땅 아래에 다른 세상이 있는 것을 알았다고 하였다(권15 「諸皐記」 下).

———

'땅 아래의 다른 세상'은 바로 저승이자 황천이다.

이사는 진시황의 승상丞相이 되어 군현제郡縣制를 펴는 외에 소전小篆을 표준문자로 통일하고, 『창힐편倉頡篇』을 지어 모범을 보였다. 진말의 농민봉기 때 군권 통치를 강화했다가 조고趙高(?~전 207?)의 참소로 목숨을 잃었다.

⑧ 『태평광기太平廣記』 기사이다.

———

당 개원開元 18년(730), 낙양에 갔던 진창晉昌의 당훤唐暄은 꽃나무 뒤에서 울던 아내가 우물을 엿보며 웃는 꿈을 꾸었다. 점쟁이日子는 '꽃나무 뒤에서 웃은 것은 용모가 세월에 따라 시들고, 우물을 들여다보며 웃은 것은 황천길에 있음을 기뻐하는 뜻'이라고 풀었다.

과연 며칠 뒤 아내가 죽었다는 소식을 들었다(14 「당훤」).

———

앞에서 든 대로 우물은 황천으로 연결된다. 죽음을 앞둔 사람이 웃으며 기뻐하다니 말 못할 사연이 있을 터이다.

⑨ 『유양잡조』 기사이다.

당唐 개성開成(836~840) 말, 장안長安 영흥방永興坊의 왕을王乙이 보통 우물보다 한 발 더 파도 물이 나오지 않더니 갑자기 바닥 아래에서 사람 말소리와 닭 우는 소리가 들렸다. 상당히 시끄러운 것이 벽을 사이에 둔 듯하였다. 인부는 두려워 더 이상 파지 못했다.

가사街司가 금오金吾 위처인韋處仁 장군에게 알리자, 상부에 보고하지 말고 급히 덮으라고 일렀다(권15 「諸皐記」 下).

우물 아래에 저승(황천)이 있다는 뜻이다.

가사는 도성의 도로를 순찰하는 관리이고, 금오는 궁궐 수비를 맡은 관부이다. 좌우 금오위金吾衛에 장군 둘씩 두었다.

⑩ 『태평광기』 기사이다.

건주建州(복건성福建省 건구시建甌市) 위사군魏使君의 집을 군영으로 쓸 때이다. 오대五代 임자년(952)에 메운 그 집 우물을 다시 파던 군사 둘이 죽고 주검도 못 찾았다. 한 사람이 몸에 밧줄을 묶고 들어가면서 내가 당기면 곧 꺼내 올리라고 하였다. 줄이 움직여 건졌더니 한참 뒤 정신을 차리고 일렀다.

"성곽과 성읍이 있고 사람과 물건도 많았으며, 주인 이장군李將軍도 공무로 바빴습니다. 저는 두려워 급히 나오느라 주검을 못 찾았습니다."

이를 들은 건주유후建州 留後 주척업朱斥業은 우물을 다시 메웠다(16 「軍井」).

우물 아래에 저승이 있다는 말이다. 죽은 군사의 주검을 못 찾은 것은 그들이 거기서 되살아났다는 뜻인가? 밧줄타고 내려간 군인은 말 그대로 죽을 뻔한 셈이다.

⑪ 앞 책의 기사이다.

금화金華(절강성 금화시) 현령縣令이자 왕축王祝의 조카 아무개가 읍내에 집을 지었

다. 여름 소나기에 불어난 큰물이 집 동남쪽으로 몰리다가 곧 빠져 나가면서 깊은 우물이 생겼다. 실을 돌에 매달아 넣었더니 수십 발도 더들어갔다. 실에 달려 나온 갓 튀긴 꽈배기 하나는 사람이 먹는 것과 똑같았다(16 「금화현령」).

————

꽈배기는 저승과 이승이 크게 다르지 않다는 뜻일 터이다.

⑫ 『태평광기』 기사이다.

————

(안휘성) 수춘현壽春縣의 안봉安鳳은 젊은 시절, 서간徐侃과 장안에서 벼슬을 살기로 약속하였다. 10년 뒤 뜻을 못 이룬 안봉이 고향으로 갈 때, 서간은 끝까지 남는다며 '자네를 저승에 가서도 잊지 않는다'는 시를 지어주었다.
안봉의 꿈에 나타난 서간이 어머니에게 편지를 전해 달라는 바람에 사람을 보냈더니, 그가 세 해 전에 죽었다는 것이었다. 안봉은 '오늘에야 비로소 저승에서도 나를 잊지 않겠다泉下亦難忘고 한 뜻을 알겠다'며 탄식하였다(14 「안봉」).

————

이 글의 샘泉은 저승이다.

⑬ 하완순夏完淳(1631~1647)의 시(「별운간別雲間」)이다(부분).

————

三年羈旅客	세 해 동안 나그네 신세더니
今日又南冠	오늘 또 잡힌 몸 되었구나
已知泉路近	황천길 가까운 것 알지만
欲別故鄕難	고향 떠나려니 쉽지 않네
毅魄歸來日	꿋꿋한 내 영혼 돌아오는 날
靈旗空際間	영기 하늘가에 나부끼리라

『명대시선明代詩選』

————

남관은 초楚의 종의鍾儀(?~?)가 정鄭나라에 잡혀가고도 초나라 남관을 쓰고 지낸데서 옥살이를 나타낸다. 죽음이 가까운 것을 알면서도 세상에 대한 미련을 못 버리고 주춤거리는 모습이 눈에 선하고, 죽어 영혼이라도 되돌아오겠다니 애처로운 마음도 든다. 어느 인간인들 그와 같지 않으랴?

14살에 아버지와 스승 따라 군대를 일으켜 청에 항거하다가 사로잡힌 그는 두 해 뒤, 남경南京에서 홍승주洪承疇를 날카롭게 꾸짖고 나서 장하게 죽었다.

⑭ 괘지아掛枝兒(1674~1646)의 시(「분리分離」)에 '죽어 황천에 있을지라도就死在黃泉也 / 헤어지지 않으리라做不得分離鬼'는 구절이 있다(『명대시선』).

백거이白居易(772~846)도 「장한가長恨歌」에서 '위로 벽락에서 아래로 황천까지 뒤졌지만上窮碧落下黃泉 / 모두 아득할 뿐 양귀비 혼백 못 만났네兩處茫茫皆不見'라고 읊조렸다(『백낙천』).

그러나 그는 다른 시(「달통한 백낙천達哉白樂天」)에서 '지금 내 나이 71세吾今巳年七十一 / 눈 어둡고 수염 희고 정신 흐리니眼昏鬚白頭風眩 / 아마도 내 몫 다 쓰지 못하고但恐此錢用不盡 / 아침 이슬보다 빨리 야천에 가리라卽先朝露歸夜泉'고 하여, 황천을 '야천夜泉'으로 적었다. 황천은 어둡게 마련이니 그럴듯한 표현이다.

4) 천으로 성을 삼기도 한다

『통지通志』의 기사이다.

천씨泉氏는 장狀에 본성은 전씨全氏로 전종全琮(198~247)의 자손이다. 종손琮孫 휘휘暉는 위魏나라 남양후南陽侯가 되었고 식봉食封은 백수白水이며, 마침내 천천으로 바꾸었다.

『삼국사기』에 고구려 개소문蓋蘇文의 성이 천씨라고 적혔고, 『동국통감東國通鑑』에도 '천개소문泉蓋蘇文이 영류왕榮留王을 죽였다'는 기사가 보인다. 그러나 본디 성은 연淵이다. 『해동역사海東繹史』는 '『신당서』에서 당唐 고조 이연李淵의 이름 자를 피하려고 천씨로 고쳤으며, 『구당서』에 전씨錢氏로 적힌 것은 옛적에 천천과 전전錢을 함께 쓴 까닭'이라고 하였다(속집 제6권 지리고 6 「고구려」).

우리와 대조적으로 일본에는 천씨 성이 많다. (☞ 1120)

5) 천을 여러 가지 뜻으로 쓴다

천안泉眼은 샘이 솟는 구멍, 천수泉水는 바위 사이에서 나오는 샘, 남천濫泉은 솟는 샘, 옥천玉泉은 흘러 떨어지는 샘물, 구천氿泉은 구멍에서 나오는 물, 천운泉韻은 물이 흐르는 소리, 천우泉雨는 샘과 비, 천영泉英은 꽃처럼 아름다운 샘을 가리킨다.

물속에 사는 사람이나 인어는 천객泉客, 산수의 아름다움은 천석泉石이라 한다.

2. 정井

1) 정은 땅을 파서 만든 시설이다

그림 1

『한문대사전漢文大辭典』은 '땅을 파서 물이 나오는 곳을 정이라 하며, 井과 丼은 같은 낱말掘地出水曰井 井與丼同'이라 하였고, 『정자통正字通』에서도 같은 말로 다루었다.

한편, 정井의 본디 글자는 정丼으로, 가운데의 점은 질 두레박을 가리킨다고도 한다(그림 1). 『주역』에도 '옛적에 땅을 파서 얻은 물을 두레박瓶으로 긷는 것을 정이라 일렀다 古者穿地取水以瓶引汲謂之爲井'는 대목이 보인다(「疏」).

'정井 또는 정호井戶'의 용례에 대한 호리 다이스케堀大介의 설명이다.

———

정井은 옛 갑골문자에 나타난대로 우물 입 주위에 세운 전의 형태를 본뜬 상형문자이다. 이는 우물 위의 시설, 특히 귀틀井衕 부분의 형상에서 왔다고 한다. 그러나 고고학적으로 보면 '정'을 본뜬 상부시설은 한대漢代 이전에는 나타나지 않으며, 신석기시대(전 5000~전 4500) 및 서주西周(전 1046~전 771)시대의 우물 바닥에 박은 목재에서 본떴을 가능성이 높다. (☞ 그림 2·6)

또 중국에서 정은 시중市中의 집을 가리키며, 우물을 의미하는 용어는 '수정水井'

또는 '정'이다. 좁은 뜻으로 여러 가지 형태의 우물을 나타내는 경우, 땅을 파기만 한 것은 '맨우물土井', 벽을 귀틀로 짠 것은 '목정木井' 또는 '목권정木圈井', 푸레독으로 벽을 쌓은 것은 '도권정陶圈井' 또는 '도권첩체陶圈疊砌', 대와 갈대로 꾸민 것은 '죽권정竹圈井' 따위로 부른다(1999 ; 35~36).

────

『설문』은 '정井은 여덟 집마다 하나씩 있으며 (…) 옛적에 백익伯益이 처음 팠다' 하였고, 『회남자』에도 같은 기사가 보인다(「本經」).

도종의陶宗儀(?~1369)도 『설부說郛』에 같은 말을 남겼다. 순舜 임금의 보좌관이라는 그는 익益·백예伯翳·백예柏翳라고도 하는 전설상의 인물이다. 순은 초목草木과 조수鳥獸를 맡겼으며, 우禹 임금 때는 치수를 도운 덕분에 영嬴씨 성을 얻었고, 우물 파는 기술을 개발한 공으로 우물지기井神가 되었다. 그러나 『주서周書』에는 황제黃帝로 올랐다.

『석명釋名』에 '정은 깨끗하다는 뜻이며 정결한 샘을 가리킨다井淸也 泉之淨潔者也'고 적혔다(「宮室」).

한편, 정은 앞에서 든대로 벽에서 흘러내린 흙이 물이 솟는 데를 덮지 않도록 바닥에 박은 정자꼴 틀이라는 설도 있다(그림 2의 아래). 이밖에 우물 난간이라고도 한다.

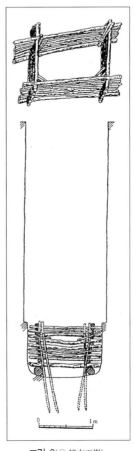

그림 2(ⓒ 鐘方正樹)

2) 정은 고대의 토지제도를 나타낸다

정井이라는 글자는 옛적의 농업경영 형태를 보인다. 가운데를 제외한 주위의 여덟 구역을 여덟 집이 갈아먹고, 우물이 있는 가운데는 공동경작해서 국가에 세금을 낸다는 뜻이다.

① 『맹자』의 기사이다.

경卿 이하는 반드시 50무畝의 규전圭田을 가지며, 여부餘夫에게는 25무를 준다.
(…) 고을 땅 향전鄕田은 정井을 함께 하여 가꾼다. 토지를 네모로 나누어 1리里를
1정으로 삼는다. 1정은 900무이며 그 가운데를 공전公田으로 하여 여덟 집 모두
100무를 사전私田으로 받되, 함께 공전을 가꾼다(「藤文公章句」上).

---

② 『한시외전韓詩外傳』의 설명은 더 구체적이다.

옛적에 여덟 집을 정전井田의 잣대로 삼았다. 사방 1리里는 1정井, 너비와 길이
3백 보步인 1리는 9백 무畝이다. 또 너비 1보에 길이 백 보는 1무, 너비와 길이
백 보는 백 무이다.
여덟 집이 한 동아리隣를 이루어 집집마다 백무를 받으며, 남자들 몫으로 각기
25무씩 나눈다. 이밖에 집집마다 공전公田 10무를 받고 나머지 12무씩을 여사廬舍로
삼아 각기 2무반씩 경작한다(권4「古子八家而井田」).

서광계徐光啓(1562~1633)도 『농전전서』에 '정전제井田制는 여덟 개의 부夫(농민)와 왕
의 공전公典으로 이루어졌다'고 적었다.

3) 정은 세금을 나타낸다

① 왕유王維의 시(「유 남전에게贈劉藍田」)이다(부분).

籬中犬迎吠	울타리에서 개가 짖어대기에
出屋候柴扉	방문을 나섰더니 관리가 사립문에 있었네
歲安輸井稅	연말에야 겨우 세금을 내고
山村人夜歸	산촌 사람 밤늦게 돌아왔네

| 晚田始家食 | 이삭 주워 겨우 양식으로 삼고 |
| 餘布成裁衣 | 자투리 베 조각으로 옷 짓는다네 |

『왕유 시전집』

———

② **원결**元結(723~772)**의 시**(「도적이 물러간 뒤 관리들에게 보임賊退示官吏 并序」)**이다**(부분).

———

癸卯歲西原賊入道州 焚燒殺掠 幾盡而去 明年 賊又攻 永州破邵不犯此州邊鄙而
退 豈力能制敵歟 蓋蒙其傷憐而已 諸使何爲忍苦徵 故作詩一篇以示官吏
(계묘년에 서원의 도적들이 도주로 쳐들어와 불을 지르고 살상과 약탈을 자행하
여 거의 다 쓸어버린 뒤에 물러갔다. 이듬해 도적들이 또 영주를 공격해 소주를
휩쓸었지만, 고을의 주변지역은 그대로 두었으니 어찌 힘으로 적을 막을 수 있었
겠는가. 적들이 가엾게 여겨준 덕분이었다. 그러함에도 여러 관리들은 어쩌면 그
리도 잔인하리만큼 혹독하게 세금을 거둘 수 있단 말인가. 이로써 시 한 편을 지
어 관리들에게 보인다).

昔歲逢太平	시난 닐 태평시절엔
山林二十年	자연에서 스무 해 보냈지요
泉源在庭戶	샘은 뜨락에
洞壑當門前	계곡은 문 앞에 있었지요
井稅有常期	세금에도 정해진 기한이 있어
日晏猶得眠	해가 높이 솟도록 잠들었지요
忽然遭世變	그런데 갑자기 시절이 변해
數歲親戎旃	여러 해 전쟁을 겪었습니다,

『당시 300수』

———

계묘세는 당唐 대종代宗 광덕廣德 원년元年(763)으로 시인은 도주자사道州刺史였다.
서원西原은 지금의 광서성廣西省 부남현扶南縣 서남지역이고, 영주는 호남성湖南省
영릉현零陵縣이며, 소주邵州는 호남성湖南省 보경현寶慶縣이다.

천원泉源은 물이 솟는 부근으로 천원이라고도 하며, 골짜기나 깊은 동굴을 가리키는 동학洞壑은 주로 신선이 사는 곳을 가리킨다. 친융전은 전쟁을 나타낸다.

③ 유장경劉長卿(752 ?~786 ?)의 시(「행영에서 여시어에 답하여行營酬呂侍御」)에 '옷을 기워 입은 백성도 기꺼이 토지세를 내고井稅鶉衣樂 / 백발노인도 밥과 물을 들고 맞으리라壺漿鶴髮迎'는 구절이 있다.

4) 정은 넓이를 나타낸다

정은 면적의 잣대이기도 하였다. 여섯 자는 1보步, 100보는 1무畝, 100무는 1부夫, 3부는 1옥屋, 3옥은 1정井, 1정은 앞에서 든 대로 사방 1리里이다.

① 『주례』의 기사이다.

전야田野를 정井과 목牧으로 나누되, 구부九夫로 정을, 4정으로 읍邑을, 4읍으로 구丘를, 4구로 전甸을, 4전으로 현縣을, 4현으로 도都를 삼는다(제3권 「地官司徒」 上).

---

② 왕유王維의 시(「최오 태수를 보내며送崔五太守」)이다(부분).

黃花縣西九折坂	황하현 서쪽 산길 험하고
玉樹宮南五丈原	옥수궁 남쪽 오장원 드넓다
子午山裏杜鵑啼	자오곡의 두견새 슬피 울고
嘉陵水頭行客飯	가릉강가에서 나그네 허기 채우네
劍門山忽斷蜀川開	검문산 자락 끊기며 익주 환히 열리고
萬井雙流滿眼開	너른 땅으로 흐르는 두 물줄기 눈에 들어오누나

『왕유 시전집』

고대에는 방方 1리里를 1정井으로 잡았으므로, 만정은 곧 1만 평방리이다.

5) 정은 큰 마을을 나타낸다

『풍속통風俗通』에 '옛적에 20무畝를 1정井으로 삼았고 이에서 교역이 이루어진 까닭에 시정市井이라 한다'는 대목이 있으며, 『백호통白虎通』도 '시정은 정井이 있는 곳에 시市가 생긴 것'이라 하였다. '정리井里'도 마찬가지이다. 우물이 거주지의 중심이었던 까닭에 정호井戶와 정옥井屋을 인가人家의 뜻으로 삼은 것이다. 큰 마을大處을 만정萬井이라 한 것은 이를 나타낸다.

왕유王維의 시(「새벽에 파협으로 가며曉行巴峽」)이다(부분).

晴江一女浣	맑은 강가의 아낙 빨래하고
朝日衆鷄鳴	해 뜨자 닭들 우는구나
水國舟中市	물의 나라인지라 배에서 장사하고
山橋樹抄行	산의 다리 나뭇가지 끝처럼 위태롭네
登高萬井出	높이 오르자 많은 마을 보이고
眺逈二流明	멀리 두 줄기 강물도 밝게 빛난다

『왕유 시전집』

두보杜甫(712~770)의 시(「우두산 정자에 올라登牛頭山亭子」)에도 '길 따라 쌍림 밖으로 나와路出雙林外 / 정자에서 큰 마을을 굽어본다亭窺萬井中'는 구절이 있다.

위응물韋應物(747~791)도 시(「봄에 원이를 생각함春中憶元二」)에 '비 그친 온 마을의 봄雨歇萬井春 / 부드러운 가지 벌써 녹색 머금었네柳條已含綠'라고 읊조렸다(『靜言妙選』).

'정읍'이라는 말은 『주례』의 '장정 아홉이 모여 일정一井이 되고, 사정四井이 모여 일읍一邑이 된다'는 말에서 왔다(「小司徒」).

'정읍井邑'도 마을의 뜻으로 썼다.

두보杜甫 시(「충주 용흥사 소거원 벽에 적음題忠州龍興寺所居院壁」)의 '삼협 안의 충주 고을忠州三峽內

/ 인가들 운근 아래 모였구나井邑聚雲根'라는 구절이 그것이다(『杜少陵詩集』권14).

당의 주하周賀(?~?)도 '기러기 고향 연못가 달을 지나고雁度池塘月 / 산 이어져 마을의 봄에 닿으리山連井邑春'라고 읊조렸다(「長安送人」).

6) 시정市井은 시장을 가리킨다

두보杜甫의 시(「농가農家」)이다(부분).

―――

田舍淸江曲	농가는 맑은 강 구비에 한가롭고
柴門古道傍	사립문은 옛길 한쪽에 나 있네
草深迷市井	풀 우거져 장보러 가는 길 헷갈리고
地僻懶衣裳	땅 외지니 매무새 상관 않네
鸕鷀西日照	석양 받는 가마우지
曬翅滿漁梁	날개 쬐며 어살에 가득하네

『두보 시 300수』

―――

『맹자』에 '서울에 사는 자는 시정지신市井之臣이고, 초야에 묻힌 자는 초분지신草莽之臣이며, 이들은 서인庶人이라'는 기사가 보인다(「萬章章句」下).

7) 정읍은 고향을 나타낸다

이덕유李德裕(787~849)의 시(「가을날 군 성루에 올라 찬황산을 바라보며 감흥을 읊픔秋日登郡樓望贊皇山 感而成詠」)이다(부분).

―――

昔人懷井邑	옛 사람들 고향이 그리워도
爲有挂冠期	공훈 세운 뒤 벼슬 바리고 갔다네
顧我飄蓬者	내 모습 바람에 날리는 쑥대 같아

長隨泛梗移	물에 뜬 나뭇가지처럼 헤매었네
越吟因病感	자주 병들어 고향노래 읊조리고
潘鬢入秋悲	빈약처럼 머리 희어져 가을 슬퍼하네

『당시별재집』 3

———

월음은 고향을 생각하며 부르는 노래이고, 반빈은 숱이 적은 귀 밑 머리로 젊음이 쉬 사라져서 아쉽다는 말이다.

8) 군대의 우물을 막정羃井이라고 한다

두보杜甫의 시(「진주잡시秦州雜詩」)이다(부분).

———

鳳林戈未息	봉림에서 전쟁 끝나지 않아
魚海路長難	어해로 가는 길 아주 힘들겠네
候火雲峰峻	봉화 구름 위까지 솟아오르고
懸軍幕井乾	외떨어진 군대 우물 말랐다네
故老思飛將	노인들 서한의 이광 같은 장군 그리니
何時議築壇	조정에서 언제 단 쌓고 그런 장수 임명하랴

『당시별재집』 3

———

진주 일대의 봉화와 군대를 바라보며 서북 지역을 안정시킬 장수를 기다리는 마음을 읊조렸다.

봉림은 지금의 감숙성 임하현臨夏縣 동북쪽으로 그때는 티베트 영토였다. 현군은 적진 깊이 들어간 군대를, 서극은 서쪽 끝의 진주를 가리킨다. 비장은 한 무제武帝 때 활약한 이광李廣(?~전 119) 장군이고, '축단'은 한 고조 유방劉邦이 한왕漢王 때 단을 쌓고 한신韓信(?~전 196)을 대장군에 임명한 고사를 이른다.

9) 우물 입을 사람의 눈에 견준다

물이 넉넉한 중북부에서는 물이 고이는 데를 너럭바위로 덮고 작은 입 여러 개를 뚫어서 눈眼에 견준다. 사진 7의 하나짜리는 일안정一眼井, 둘은 이안정二眼井(사진 8), 셋은 삼안정三眼井(사진 9), 넷은 사안정四眼井(사진 10)이라 부른다. 이어 오안정五眼井(사진 11)·육안정六眼井(사진 12)·칠안정七眼井·팔안정八眼井을 거쳐 구안정九眼井짜리도

사진 7(ⓒ 百度)

사진 8(ⓒ 百度)

사진 9(ⓒ 百度)

사진 10(ⓒ 百度)

사진 11(ⓒ 百度)

사진 12(ⓒ 百度)

있다(사진 13·그림 3). 따라서 눈은 우물 크기에 따라 늘어나게 마련이다.

사진 13(ⓒ 百度)

이들은 여러 사람이 동시에 뜰 수 있어 편리도 하거니와 사람이 빠지거나 할 위험도 없다. 그러나 여섯 개가 넘으면 오히려 혼란이 따르는 까닭에 여러 개의 구멍을 한 줄로도 뚫었다. 구안정은 '아홉'을 길수吉數로 여기는 상징적 의미가 짙다. (☞ 777·778) 이는 우리나 일본에 없는 독특한 방식이다.

눈썹을 정미井眉, 마른 우물을 장님우물盲井이라 부르는 것은 이것에서 왔다.

명의 황간재黃諫在(1403~1465)는 『광주수기廣州水記』에 '성내에 샘·우물·시냇물이 넉넉하다. 이 가운데 광동과학관廣東科學館의 구안정을 첫 손에 꼽으며 물을 마시면 장수

그림 3(ⓒ 百度)

를 누린다'고 적었다. 월왕정越王井이라는 별명은 남월국南越國의 왕궁에서 전용한 데서 왔다. 본디 지름 한 발쯤의 샘이었으나 송대에 지금처럼 너럭바위로 덮고 입을 마련하였다. 오늘날에도 차를 끓이거나 죽을 쑤어 먹으면 건강해진다고 이른다.

한편, 물이 솟는 바위의 구멍을 석안石眼이라 한다. 왕안석王安石(1021~1086)의 시(「우연히 지음偶題」)에 '산허리 바위에서 솟아 흐르는 천년의 시내山要石有千年碉 / 석안의 샘물 하루도 쉬지 않네石眼泉無一日乾'라는 구절이 있다(『古今事文類聚』後集 권33).

일안정에는 전을 놓지 않고 입만 뚫은 것이 적지 않으며(사진 14), 이 때문에 우물에 빠지는 사고가 자주 일어났다. 또 일안정의 대부분은 구멍과 전이 둥글지만, 여유가 있으면 돌로 깎은 귀틀전을 올려놓았다.

사진 15는 양쪽에 네모 입을 뚫은 두툼한 돌을 나란히 놓고 그 안에 같은 수의 돌로 사궤를 맞춘 보기 드문 명품이다. 맨 앞의 것을 뺀 나머지 돌들의 가운데를 조금 우묵하게 다듬어서 두레박을 끌어올리기 쉽게 한 것도 돋보인다. 이로써 일안정임에도 실제로는 한꺼번에 넷이 물을 긷는다.

사진 14(ⓒ 百度)

사진 15(ⓒ 百度)

사진 16을 밖에서 보면 둥근 전 하나뿐이지만, 그 안에 입 둘을 마련해서 실제로는 이안정 구실을 한다.

삼안정도 흔히 세 개의 전을 놓지만, 사진 17처럼 한 개의 네모 또는 둥근 돌에 입을 셋 뚫은 것도 있다.

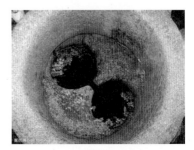

사진 16

사진 18은 강소성 진현현進賢縣 장산안향長山晏鄕 오회촌五姫村의 사안정四眼井이다. 앞에서 든 사진 10과 달리, 연자매를 닮은 돌에 입 네 개를 뚫었다.

쪼그려 앉은 왼쪽 아래의 아낙은 씻은 채소를 바구니에 담고, 나머지 세 사람은 물을 푸는 중이다. 오른쪽 노인과 젊은 아낙이 오른발을 전 위에 올려놓은 것은 두레박을 들어 올리는 오른손에 힘을 주기 위해서이다.

주위에 두른 난간도 오늘날의 우물로는 보기 드물게 화려하다.

『아세아대관亞細亞大觀』 기사이다.

사진 19는 북경시 북부 우란산牛欄山

사진 17

사진 18(ⓒ 百度)

(80미터) 기슭의 사안정에서 1920
년대에 물을 긷는 모습이다. 이 물
로「우란산」이라는 이름의 명주名
酒도 빚었다고 한다. 보고자는 '입
주위에 파인 홈은 수백 년 동안
마을에서 물을 길은 자취'라고 하
였다(1937~1938 14-3).

사진 19

───────

고리버들로 짠 두레박은 산동성 일
대뿐 아니라 여러 곳에서 쓴 것을 알려준다.

10) '정'에 여러 가지 뜻이 있다

정정井井은 조리가 있거나 변치 않는 깨끗한 모습, 정정유방井井有方·정정유서井
井有序·정정유법井井有法·정정유조井井有條·정정유서井井有緒는 일을 법도에 맞게
처리하는 것, 정실井室은 물을 모아놓은 구덩이, 정맥井陌은 큰길, 정옥井屋은 농가,
정병井屛은 뒷간, 정경井徑은 논밭 사이의 작은 길, 정락井落·정려井閭·정곡井曲·
정리井裏는 시골 마을, 정사井肆는 저자, 정강井疆은 마을의 경계, 정연井然은 단정한
모습, 정설井渫은 우물청소, 정수井遂는 토지구획, 정도井桃는 우물가의 복숭아나무,
정구井臼는 아낙이 물긷고 방아 찧어서 가정 꾸리는 일을 가리킨다.

정간루井幹樓는 한漢의 무제武帝(전 141~전 87)가 우물 귀틀처럼 쌓은 높은 누각, 정의
井儀는 화살 다섯 대 가운데 넉 대를 과녁에 맞힌 것, 정거井渠는 물을 모으려고 땅에
판 구멍에 내를 끌어들이는 일, 정화井華는 새벽에 처음 길은 물(이 물로 얼굴을 씻으면
빛이 난다고 한다)을 일컫는다.

시장은 정시井市, 우물가의 오동나무는 정오井梧, 깊은 산으로 들어간 선비는 정공
井公, 우물 바닥은 정곡井谷, 우물물 긷는 일은 정수井收, 우물에 돌을 새로 쌓아서 손
보는 일은 정추井甃, 우물 파는 기술자는 정장井匠, 음식을 먹으며 쉬는 곳은 정수井
樹이다.

정양井養은 끊이지 않고 덕을 베푸는 일, 정감井坎은 얕은 우물이나 메운 우물, 정화수井花水는 정화수井華水, 정어井漁는 좁은 소견, 정식井植은 우물의 네모 전, 정부井鮒는 고향에 대한 그리움, 정석井石은 우물의 돌 전, 정자井字와 정상井牀은 나무귀틀, 정리제井裡制는 정전제丁田制, 정천井穿은 함정을 나타낸다.

그림 4는 하남성 급현汲縣의 전국시대(기원전 403~221) 무덤에서 나온 『상주금문녹유商周金文錄遺』에 실린 '은대 술잔에 새긴 글자의 탁본殷尊器銘拓片'이다. 이에 대해 섬서성 서안시西安市 대당서시박물관大唐西市博物館에서 「감문으로 꾸민 음주도鑑紋飾飲酒圖」라며 '정자부호井字符號 위의 사람이 무릎을 꿇은 채, 한 손에 술잔을 든 것으로 (…) 고대의 음주문화를 잘 알 수 있다'고 덧붙인 다음, 오른쪽에 술잔을 옮기는 그림을 덧붙였다(그림 4). 그러나 이 글의 '정자부호'야말로 단순한 '부호'가 아니라 우물 자체를 가리키는 것이다. 따라서 '우물물로 빚은 술을 바치는 장면'으로 보는 것이

그림 4

그림 5

자연스럽다. '우물의 물을 뜬다'는 고을 이름汲縣도 이에서 왔을 터이다.

그림 5의 왼쪽 위는 주周나라(전 1046~전 771) 초기의 것이고, 가운데에 점이 찍힌 나머지 셋은 말기의 글자이다.

2장

우물의 종류

장명화張明華를 비롯한 여러 학자는 우물이 장강長江 하류지역을 중심으로 발달하였다며, 저지대에 마을이 많이 생긴데다가 지하수위가 높은 자연조건을 들었다. 그러나 호리 다이스케堀大介는 산동성 제녕시濟寧市 장산長山유적과, 황하중류지역에서도 우물유적이 나온 것으로 보아 재검토가 필요하다고 적었다(1999b ; 50~51). 한편, 1800년대에 나온 절강성 가선현嘉善縣 신항新港의 4천여 년 전 것은 바닥에 두께 10여 센티미터의 조개껍질을 깔았다.

전이 나온 시기는 알 수 없다. 신석기시대의 하모도河姆渡유적에 보이지 않으며, 5천 년 전의 양저문화良渚文化 유적과 강소성 오강吳江의 용남龍南 및 징호澄湖 유적(2개소), 그리고 3천여 년 전 안양安陽 은허殷墟의 한데우물도 마찬가지이다.

이에 대해 안사고顔師古(581~645)는 『전한서』에 '정간루井幹樓는 우물 귀틀을 닮은 높은 나무 다락이며 정간은 우물 위의 난간이다. 그 꼴은 네모 또는 여덟모井幹樓 積木而高爲樓 若井幹之形也 井幹者 井上之木蘭也 其形四角或八角…'라고 적었다(「郊祀志」 주). 정간루는 나무 귀틀을 이르며, 근래에는 여덟모 돌전도 썼다.

한편, 호리 다이스케는 귀틀이 한대 이전 우물에 없는 점을 들어, 신석기시대부터 서주西周시대에 우물 바닥을 보강하려고 박은 시설을 가리킬 가능성이 높다고 하였다(1999b ; 37). 하야시 미나오林巳奈夫가 소개한 전 2000년대 후반의 하북성 고성藁城유적 바닥에 박은 귀틀과(그림 6)(1992 ; 15~16), 하남성容城縣 午方의 우물이 좋은 보기이다(그림 2).

한대漢代 화상석畵像石 가운데 도르래우물은 모난 것이 일곱이고, 물레우물은 둥근 것이 셋이다. 이들은 모두 돌을 깎았지만 서민들은 나무로 짜기도 하였을 것이다. 무슨 까닭인지 근래의 물레우물에는 보이지 않는다.

고대에는 우물 관리자를 따로 두었다.

『주례』의 '설호씨가 물병壺을 매달아 군대의 우물 있는 곳을 알렸다挈壺氏 掌挈壺 以令軍井'는 대목이 그것이다(제7권 「夏官司馬」 上). 설호씨는 군대에서 물건을 내걸어 그곳에 무엇이 있는지와 부대원에게 시간을 알리는 일을 맡은 직책이다.

또 『주례』에 '야려씨野廬氏는 국가의 교郊와 야野의 도로를 살피고 숙식·우물·울타리를 검열한다野廬氏 掌達國道 至于四畿 比國郊 及野之道路 宿息井樹'고 적혔다(제10권 「秋官司寇」 下).

고대의 우물을 벽이나 바닥에 붙인 시설 따위로 나누면 다음과 같다.

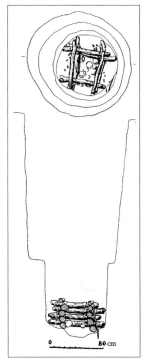

그림 6(ⓒ 林巳奈夫)

1. 둥글게 파내려간 구멍에 벽을 치지 않은 맨우물土井
2. 갈대·나무껍질·대 따위의 울을 두른 대울우물竹圈井
3. 독이나 항아리로 쌓은 옹기우물陶圈井
4. 속을 판 통나무를 이어 세운 통나무우물木圈井
5. 널을 네모로 짜서 박은 귀틀우물井圈井
6. 벽돌로 쌓은 벽돌우물磚圈井
7. 기와로 쌓은 기와우물瓦圈井
8. 돌우물石圈井
9. 펌프泵

형태는 원통형이 대부분이지만 네모꼴이나 긴 네모꼴도 있으며, 물은 주로 도르래와 길고로 길어 올렸다.

1. 맨우물

절강성 여항현余杭縣 양저良渚문화기의 유적吳江 龍南에서 바닥에 옹기두레박 10여 개가 깔린 지름 50센티미터에, 깊이 2미터의 것이 나왔다. 또 절강성 소주시蘇州市 동남쪽의 징호澄湖 바닥에서도 앞의 것과 같은 유적이 발견되었다(林已奈夫 1995 ; 95).

이 우물은 흙이 차져서 잘 무너지지 않는 산서성 황토고원지대에 퍼져 있다.

『중국생활지中國生活誌─황토고원의 의식주黃土高原の衣食住─』 기사이다.

───────

나양명羅陽明의 집 우물은 깊이 15미터에 이른다. 벽을 쌓지 않고 그대로 파내려 가기도 하고, 위에서 바닥 가까이까지 벽돌 벽을 치기도 한다. 흙벽이라도 흙이 차져서 폭탄이 떨어져도 무너지지 않는다. 전쟁 때는 위에서 3.5미터쯤 되는 곳 을 옆으로 파서 방공호로도 썼다(竹內 實 외 1984 ; 214).

───────

사진 20은 벽을 따로 쌓지 않은 맨우물에 소가 빠져서 허우적거리는 모습이다. 전이 없는 탓에 집짐승 뿐 아니라 사람도 자주 빠졌다. (☞ 827~829)

『이십사차기二十四箚記』에 '어렸을 때 아버지가 아끼던 소가 우물에 빠지자 몸소 좌우를 거느리고 소를 구했지만 나는 돌아보지도 않았다'는 기사가 있다(『南史』 권28 「彦回傳」).

사진 20

그림 7은 산동성 서하시栖霞市 채리진寨里 鎭 박자촌泊子村에서 나온 동주東周시대(전 770~전 256)의 맨우물土坑竪穴圓筒井 모습이다. 입 지름 0.8미터에 깊이 3.32미터이며 아랫도리가 조붓하다. 제1층은 황갈색에 두께 1.1미터로 유물은 나오지 않았으며, 제2층은 갈색점토에 두께 0.9미터이며 옹기조각이 나왔다. 제3층은 청회색 진흙층으로 두께 0.42미터에 푸레독陶罐과 옹기조각이 선보였으며, 제4층은 검은 진흙층으로 두께 0.92미터에 도관과 단지 따위가 들어있었다.

이 마을에서 시기와 형식이 같은 우물 셋을 발굴하였으며, 나머지 둘은 앞의 것들과 달리 중간에서 아래로 내려가면서 불룩하게 튀어나왔다(「山東西霞市寨里鎭泊子村東周和唐代水井清理簡報」; 419~420).

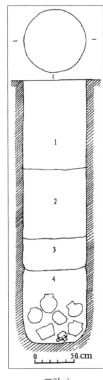

그림 /

2. 대울우물

장강 하류지역에서 모습을 드러낸 상주商周시대(전 7~전 11세기)의 것이 가장 오래다.

호북성 형주荊州의 초도楚都 기남성紀南城에서 발견된 것은 벽에 다섯 개에 대오리와 버들가지로 짠 둥근 울이 붙어 있었다. 울은 12단으로 짜 올렸고 각 단마다 대오리와 버들줄기 6~7개로 엮었다. 울의 지름은 85센티미터에 두께 3~6센티미터이며, 남은 부분의 높이는 70센티미터이다(「楚都紀南城的勘査與發掘」 下; 495~496).

3. 옹기우물

옹기우물이 신석기시대 유적에서 많이 선보여서 그 무렵에 널리 퍼진 것을 알려준다. 나무를 비롯한 식물은 썩기 쉬운 탓에 푸레독으로 대신한 것이다.

사진 21은 앞에서 든 호북성 초도 기남성의 우물 벽으로 쓴 푸레독으로 중간 부위 양쪽에 지름 0.5센티미터의 구멍을 뚫었다. 보고서에 설명이 없으나 차오른 물이 밖으로 흘러나갔을 터이다.

지름과 높이 80센티미터씩이며, 위와

사진 21

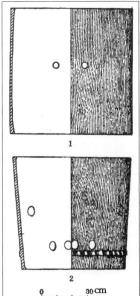

그림 8

아래의 두께는 3센티미터임에도 가운데는 1.5센티미터에 지나지 않는다. 그림 8의 아랫도리에 보이는 새끼줄 무늬는 벽이 든든하도록 새끼를 감은 몽둥이로 두들긴 자취이다. 시기는 그림 9와 같다(「楚都紀南城的勘査與發掘」 490~491).

사진 22

사진 22는 섬서성 함양시咸陽市 장릉長陵 일대에서 나온 진秦대(전 221~206)의 푸레독으로 입 지름 88센티미터에 높이 35센티미터이며 두께는 2.5센티미터이다. 사진 23도 같은 것 네 개로 벽을 친 모습이다(「咸陽長陵車站一帶考古調査」 12~23).

사진 24는 근래 북경시에서 발굴한 한대漢代(전 206~후 219)의 옹기우물 벽이다. 입 지름 76~78센티미터에 높이 37센티미터쯤이다. 보고서(「北京地區的古瓦井」)에는 '와정瓦井'으로 적혔다.

사진 23

사진 24

4. 통나무우물

그림 9는 절강성 가선현 신항에서 선보인 양저良渚문화기(전 3300~전 2200) 우물의 통나무 벽이다. 안에 회흑색의 진흙이 가득 차있고, 바닥에서 불순물을 걸러내기 위한

두께 10센티미터쯤의 조개껍질이 드러났다.

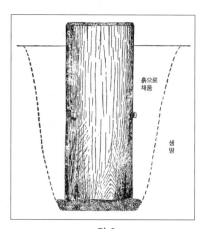

단면은 타원형이며 맨 위는 훼손되었다. 남
북의 지름 63센티미터에, 동서지름 45센티미
터이며, 남은 부위는 높이 1.63미터에 두께 5
센티미터이다. 통나무를 길이로 자른 다음 속
을 파내고 마주 붙였으며, 땅을 화분처럼 위
는 너르게, 아랫도리는 조붓하게 파서 박았다.
그리고 나무와 생땅 사이는 진흙으로 메웠다
(「浙江嘉善新港發現良渚文化木筒水井」).

그림 9

그림 10은 호북성 형주荊州 초도 기남성에 위치한 전
505년~전 435년대의 통나무우물 벽의 단면도이다. 지름
1.05미터의 구덩이에 나무통을 박았으며 통과 벽 사이
(10~16센티미터)를 황갈색 흙으로 채웠다. 반으로 자른 통
나무 양쪽의 속을 파내고 마주 붙인 것은 앞의 것과 같
으며, 지름 70~82센티미터에 두께 2~6센티미터이고 (남
은) 높이 1.8미터이다. 우물 위에 형태를 지탱하는 나무
가 있었는지 알 수 없으나 바닥(지름 72센티미터)에 귀틀
을 박았다(그림 11). 우물 깊이는 2미터를 넘지 않을 듯
하다.

이 일대에서 같은 형식의 우물이 두 개 더 발견되었다
(「楚都紀南城的勘查與發掘」 492~493).

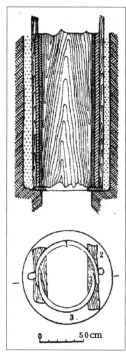

그림 10

한편, 강소성 해안현海安縣에서는 속을 파낸 큰 향나무
로 벽을 삼은 당대唐代의 우물이 나왔다. 깊이 6미터에 입
지름 1.3미터로, 천 년여나 물에 잠겨 있었음에도 썩지 않고
향기를 뿜었다(『晩報文萃』 1998년 제2기).

그림 11

5. 귀틀우물

주周대부터 전국시대(전 403~전 221)에 걸쳐 황하유역과 산동반도 등지의 화북지방에서 나타난다. 사진 25는 상대商代 (전 17세기~전 1046) 우물의 잡목雜木으로 쌓은 귀틀벽이다.

사진 25(ⓒ 穆祥桐)

6. 벽돌우물

그림 12는 앞에서 든 호북성 초도 기남성에 있던 전 505년~전 435년대의 벽돌우물 단면도이다.

우물은 긴 지름 1.35미터에 짧은 지름 1.28미터의 타원형이다. 위는 지름 0.8미터에 깊이 2.2미터인 원형이지만 아랫두리는 정방형이며 바닥은 평평하다. 벽돌을 쌓고 나서 생땅 사이를 진흙으로 메운 것은 앞에서 든 것들과 같다. 이 부위에 진흙이 흘러든 탓에 시간이 지나면서 청회색으로 바뀌었다. 벽돌 양쪽에 마름모꼴 무늬를 놓아서 꾸민 것이 돋보인다(「楚都紀南城的勘査與發掘」 490~491).

사진 26은 복건성 천주시泉州市박물관에서 2012년 11월, 시내에서 발굴한 송대 우물(지름 75센티미터) 벽 모습이다. 벽돌은 길이 22센티미터에 높이 20센티미터이며 두께는 4센티미터이다. 벽돌을 14켜로 둥글게 쌓아올리되, 바닥은 아홉 모로 짜서 무게를 받게 하였다.

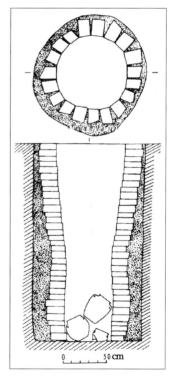

그림 12

사진 27처럼 한쪽을 맞물려가며 쌓은 덕분에 오래 견딜 수 있다(台海網—海峽 2012년 11월 9일자 보도[「泉州華僑職校操場齋建工地發現—古井泉州宋代古井出凹凸」]).

| 사진 26 | 사진 27 |

7. 기와우물

사진 28은 광동성 광주시廣州市 남월왕궁박물관南越王宮博物館 안에 있는 남한南漢시대(909~971)에 푸른 기와로 쌓은 우물벽이다. 깊이 14.5미터에 이른다(廣州日報 2013년 5월 11일자).

남한은 당唐을 이은 오대십국五代十國시대(907~979)에 광동성과 광서성 서부의 창족壯族자치구와 베트남 북부 등지를 차지했던 지방 정권을 가리킨다. 벽을 벽돌이나 기와로 친 우물은 우리나 일본에 없다.

사진 28

8. 돌우물

사진 29는 산동성 내무시萊蕪市 교외의 돌우물이다. 두터운 돌을 일매지게 깎고 다듬어서 벽을 쳤다.

이와 달리 오늘날에는 형태가 일정하지 않은 막돌로 쌓기도 한다(사진 30).

사진 29   사진 30

9. 펌프泵

사진 31은 강소성 소주蘇州시 교외 마을의 펌프이다. 샘 위에 긴네모꼴의 시멘트벽을 쌓고 앞쪽에 작은 물구멍, 오른쪽에 물음표(?)꼴 손잡이를 붙였다. 입의 형태를 보면 펌프 마개도 여섯모일 터이다. 여기에 마중물을 붓는다.

사진 32는 물을 잣는 모습이다.

사진 31   사진 32

사진 33도 같은 곳의 것이다. 우물에 파이프를 박고 여섯 켜로 쌓은 좌우 양쪽 벽돌

에 펌프를 놓았다. 손잡이는 앞의 것과 같지만 마개 통은 둥글다.

사진 34는 안휘성 황산시黃山市 휘주구徽州區 정감진묵坎鎭 정감촌묵坎村 나羅씨네 펌프이다. 구조는 놀라울 만큼 간단하다. 물을 끌어올리는 철관鐵管 주위에 같은 굵기의 다리 세 개를 둘러서 받쳤다. 몸통 또한 길이 30센티미터에 지름 15센티미터에 지나지 않는다. 손잡이도 곧은데다가 아주 짧으며(길이 50센티미터쯤), 10여 센티미터의 입에도 플라스틱 관을 끼웠다. 사진 35는 끝을 물음표처럼 구부린 손잡이 끝이다.

이것을 대문 밖에 둔 것(사진 36)은 빨래를 위해서다. 왼쪽 물두멍 위의 빨래판이 그것이다. 때가 빠지면 펌프 왼쪽에 설치한 수돗물을 받아서 헹군다.

사진 33

사진 34

사진 35

사진 37도 같은 마을의 펌프이다. 우리네 함지처럼 파서 만든 돌확은 좀처럼 찾아보기 어렵다.

사진 36

사진 37

3장

—

옛적 우물

—

1. 길고우물桔橰

1) 옛 기록

땅에 박은 기둥 위에 두레박과 돌을 양쪽에 매단 장대를 가로 걸어서 물을 푸는 우물이다. 줄을 당겨서 두레박을 우물에 넣고 물이 찼을 때, 줄을 놓으면 돌의 무게에 따라 저절로 올라온다.

그림 13은 『농서農書』(1313년간)의 것으로, 길고로 물을 퍼서 밭에 댄다. 기둥에 장대를 꿰고 한쪽에 돌을, 다른 쪽에 두레박을 달았다. 오른쪽 사람은 손에 잡은 두레박줄을 당겨서 두레박을 아래로 내리고, 왼쪽 사람은 씨앗을 뿌린다.

『설문說文』의 '길桔은 곧은 나무桔一曰直木'라는 말의 '곧은 나무'는 기둥일 터이다. 이어 '결結의 뜻을 지닌 '길'은 단단히 붙박은 것桔結也 所以固屬이고, 언덕皐을 이르는 '고'는 움직이는 것所以利轉'이라 하였다. 앞에서 든 대로 '붙박은 것'은 기둥이고, 움직이는 것은 '장대'이다.

한편, 물가의 너른 땅, 언덕岸, 못澤 따위를 이르

그림 13

는 '고皐'에 대해 『광운廣韻』은 '높다는 말皐 高也'이라고 새겼다. 실제로 두레박은 높이 올라간다.

『한자성립사전漢字の成立ち辭典』은 '고'를 '白(희다)+大(크다)+十(모으다)'의 합성어로 보고, 밝고 크고 너른 공간이라고 새긴 반면, 『한화대사전漢和大辭典』은 백(흰 기운白氣)과 본本(앞으로 나간다)이 합친 말이며, 흰 기운이 점점 올라가듯 앞으로 나아가는 것을 가리킨다고 풀었다. 길고가 너른 공간을 차지하는 점을 떠올리면 앞의 풀이에 무게가 실린다.

이보다 『자통字通』의 '길고 두 글자는 쌍성雙聲의 연어連語로, 길桔은 빠른 소리, 고槔는 늦은 소리를 나타내며, 장대가 오르내리는 것을 본뜬 의성어擬聲語일 것이라'는 설명이 더 그럴듯하다. 『춘추좌전春秋左傳』에도 '고는 느리고 길게 끄는 소리皐者緩聲而長引之'라는 대목이 있다(「疏」).

『농서』에서 '은殷(전 1600 무렵~전 11세기)의 탕湯왕 때, 가뭄이 들자 이윤伊尹이 백성들에게 우물을 파서 논밭에 물 대는 법을 가르친 것이 지금의 길고桔槔'라 하여 농기구로 다루었지만, 뒤에 설명하는 대로 한대漢代에는 물을 뜨는 두레박 구실을 하였다. 『농정전서農政全書』(1639년간)의 '길고는 물 뜨는 기구桔槹水幾也'라는 설명이 그것이다(「桔槹圖說」).

이윤은 은대 초기 사람으로 이름은 이伊, 윤尹은 관직이다. 하夏를 치고 은나라 세우기에 공을 세워 재상에 올랐다. 앞의 기사는 그가 실제로 길고를 발명하였다기보다 역사가 그만큼 오랜 것을 강조하는 듯하다.

① 『회남자淮南子』 기사이다.

———

옛적에 날카로운 가래로 밭 갈고, 조개를 갈아 김매며, 굽은 나무로 섶나무를 거두고, 단지를 안고 물을 길은 탓에 힘만 들고 효과는 아주 적었다. 뒤에 쟁기·보습·괭이·호미로 농사짓고, 도끼에 자루를 박아 나무를 거두고, 길고로 물을 길은 덕분에 백성들은 수고를 덜 들이고도 많은 덕을 보았다(제13편 「氾論」 1).

———

단지를 안고 다니며 물을 댄 일에 견주면, 길고야말로 아주 편리한 기구임에 틀림없다.

② 『장자莊子』의 기사이다.

___

춘주전국시대에 남쪽의 초楚를 돌아보고 진晉으로 돌아오던 자공子貢(전 520~전 456?)이 밭에 물대는 노인을 만났다. 웅덩이에 들어가 단지에 물을 담아 안고 다니며 밭에 뿌린 탓에 힘만 많이 들고 효과는 적었다. 자공이 '하루 백 고랑에 물을 대는 길고가 있다'고 알려주었더니 (…) 낯을 붉혔다가 웃으며 말하였다. "내 스승은 기구를 쓰면 반드시 잇따라 다른 일이 일어나고 마음도 그것에 사로잡히며, 그 마음이 가슴속에 자리 잡으면 진실하고 깨끗한 것이 없어져서 정신이나 마음이 흔들리며, 이러한 자에게는 도道가 깃들지 않는다고 하셨소. 길고가 있는 줄은 알지만 부끄럽지 않으려고 쓰지 않는 것이오."(「天地」)

___

새로운 것에 한눈팔지 말고 본마음을 지키라는 교훈담이지만 옳다고 하기는 어렵다. 편리한 기구는 쓰게 마련인 까닭이다. 그것은 어떻든, 이 무렵에는 길고가 널리 퍼지지 않은 듯하다.

③ 전국시대(전 403~전 221)의 제齊나라 오릉자於陵子가 길고로 물 푸는 모습을 읊조린 왕유王維의 시(「망천한거도輞川閒居圖」)이다(부분).

___

一從歸白社	백사마을로 돌아온 뒤
不復到青門	다시 당안성 청문에 가지 않고
時倚簷前樹	이따금 처마 앞 나무에 기대어
遠看原上村	멀리 벌판의 마을 바라보네
寂寞於陵子	쓸쓸함 즐기는 오릉자
桔橰方灌園	길고로 채마 밭에 물 대누나

『왕유 시전집』

___

청문은 당나라 장안성長安城의 동문東門을 가리키지만 장안 자체를 이르기도 한다. 오릉자는 제齊의 선비 진중자陳仲子(?~?)이다. 공경公卿인 형 진대陳戴가 봉록 만종萬鍾을 받자 의롭지 않다며 처자와 함께 초楚의 오릉으로 들어간 데서 오릉중자라는 별명을 얻었다. 초 왕이 그를 정승으로 삼으려 하였으나 듣지 않고 남의 전원지기로 지냈다고 한다(『高士傳』 「진중자」).

④ 다음 시(「봄날의 전원풍경春園卽事」)도 앞 사람 작품이다(부분).

———

宿雨乘輕屐	간밤에 비 내려 가벼운 나막신 신고
春寒著弊袍	봄추위 으슬으슬 헌 솜옷 걸쳤네
開畦分白水	논뙈기 터서 흰 물 나누어 대려니
間柳發紅桃	버들 사이로 붉은 복사꽃 피었구나
草際成棋局	풀밭 가에서 장기 두고
林端擧桔橰	수풀 끝에서 길고 오르내리누나

『왕유 시전집』

———

길고가 커서 오르내리는 모습이 멀리서도 보인다는 뜻이다. 이는 당대에 길고가 널리 퍼진 것을 알려준다.

2) 한대의 화상석

그림 14는 산동성 가상현嘉祥縣 만동향滿硐鄕 송산촌宋山村 소석사小石祠 동쪽벽에 보이는 한대漢代 화상석畵像石의 길고우물이다. 아래로 가면서 좁게 깎은 기둥을 땅에 박고 장대가 벗어나지 않도록 II자꼴 틀을 붙박았다. 그림에는 공중에 떠있지만 틀

그림 14

안에 턱을 붙였을 것이다. 장대 왼쪽은 가늘게, 오른쪽은 굵게 다듬은 것이 눈에 띈다.

옷갓을 한 남자(제관?)가 오른손으로 줄을 잡은 채, 개가죽을 벗기는 뒷사람에게 '물을 더 끼었으랴?' 묻는 듯하다. 고대에는 흔히 개를 제물로 썼다. 『예기』에 주나라 때부터 여름 제사에 개를 제물로 바쳤다는 기사가 있으며(「월령」), 『사기』에도 복날 읍문邑門에 개를 걸어놓고 제사를 올렸다는 대목이 보인다(「12제후 연표」 및 「秦本紀」). 한편, 『풍속통의風俗通儀』에 섣달그믐의 문호門戶제사 때 닭을 올렸다고 적힌 것을 보면 이때는 두 가지를 쓴 듯하다.

줄을 걸려고 오지 두레박의 목을 좁혔지만 물을 채우는데 동안이 걸릴 것이다. 전의 허리가 잘록하고 위쪽에 놓은 둥근 무늬를 보면 돌이 아니고 오지인 듯하다. 장대 양쪽의 까마귀는 성스러운 제사임을 알려준다.

위의 까마귀 두 마리는 특별한 의미를 지녔다. 화상석 자료 가운데 장대에 앉은 까마귀가 다섯 점이고, 주위에서 나는 것이 두 점이다. 이밖에 두 마리 이상인 것이 넉 점이며, 세 마리도 등장한다. 세발까마귀三足烏가 중국·고구려·백제·신라 등지에서 신조神鳥로 등장한 사실은 널리 알려졌다. 그림 15는 앙소仰韶문화기(전 5000~전 4300)의 삼성퇴三星堆에서 나온 중국의 삼족오이다

그림 15(ⓒ 百度)

『산해경山海經』의 '태양 가운데에 세발까마귀가 있다日中有鳥謂三足烏也'는 기사처럼, 까마귀가 해를 타고 하늘을 날아다닌다고 여겼다. '발 셋'도 해와 같은 양陽이라는 뜻이며, 신석기시대 앙소문화기의 유적에서 나온 토기에도 보인다. 옛적唐堯에 해 열 개가 함께 떠올라 초목이 타버린 탓에 요堯가 예羿더러 '한 개만 남기고 쏘아 없애라' 하였고, 그 결과 삼족오가 죽으면서 깃털이 사방으로 날렸다는 말이 있다. 굴원屈原(전 343?~전 278?)은 이를 두고 '예는 어찌하여 해를 쏘았는가羿焉彈日 / 해 속의 까마귀는 어찌하여 깃털이 떨어졌나烏焉解羽'고 읊조렸다(「天問」). 이백李白(701~762)의 '옛적에 예가 아홉 개의 해를 떨어뜨려羿昔落九烏 / 하늘과 땅이 모두 맑고 편안해졌다天人淸且安'는 시(「古朗月行」)의 한 구절은 이에서 왔다.

우리네 고구려의 씨름무덤, 쌍영총雙楹塚, 천왕지신총天王地神塚에도 세발까마귀가 보인다. 그림 16은 쌍영총의 삼족오를 도형으로 나타낸 것이다. 중국이나 일본 까마귀와 달리 머리에

그림 16

시원始源을 나타내는 볏이 달렸다. 『삼국유사』에도 신라 소지왕炤知王 10년(488), 임금을 구한 까마귀를 위해 대보름을 까마귀 제사날烏忌日로 정하고 찰밥을 지어 받들었다는 기사가 있다(「기이」 1). 또 신라 아달라왕阿達羅王 4년(157), 일본으로 건너가서 왕이 된 연오랑延烏郎과 그의 아내 세오녀細烏女 이름에 까마귀烏가 들어간 것도 우연이 아니다(『삼국유사』「기이」 1).

일본 개국 신화에서 천황의 군대에게 길을 안내한 태양신의 사자 야타가라스八咫烏도 세발까마귀이다. 천황이 즉위식 때 입는 곤룡포 왼쪽 어깨에도 자수를 놓았다. 화상석의 까마귀도 신성神聖을 나타낸다.

그림 17은 같은 현, 같은 시대 무량사武梁祠 전실前室 모습이다. 좌우가 바뀌었을 뿐 구도는 앞의 것을 닮았다. 여인이 길은 물을 남자의 물통에 붓는다. 앞의 것과 달리 장대 왼쪽에 돌을 매달았다.

그림 17

그림 18은 동한東漢(25~220)의 유적인 같은 성 임기시臨沂市 백장白莊에서 나왔다 (51.5센티미터×3.11미터). 앞의 것보다 기둥이 가늘며 그 위에 삽 모양의 틀을 붙박았다. 우물 전은 사다리꼴이다. 두레박 양쪽에 맨 끈을 줄에 연결한 덕분에 물 뜨기가 훨씬 쉽다. 까마귀 두 마리가 보인다. 오른쪽 성수聖樹 아래의 소는 한가롭게 물을 마시지만, 왼쪽의 양은 오른손에 칼을 든 백정에게 끌려간다.

그림 18

그림 19도 같은 성 장청현長淸縣 효당산孝堂山에서 나왔다.

기둥 위를 긴 네모꼴로 파낸 그림 14나

그림 19

17과 달리 가위다리처럼 벌어진 나무를 기둥으로 삼았다. 생나무를 파느니 이러한 나무를 얻기가 훨씬 쉬운 점에서 한 걸음 발전한 셈이다. 까마귀 세 마리가 보인다. 전 대신 돌을 둘러서 빗물 따위가 스며들지 않도록 하였다.

3) 근대

1637년에 나온 『천공개물天工開物』에 실린 그림 20의 기둥은 언덕에, 우물은 아래에 있어 길고라는 이름에 딱 들어맞는다. 정강이를 걷어 올린 주인공이 물을 대는 중이다. 나란히 박은 통대나무 위쪽에 세장을 걸고 역시 대나무 장대를 얹어서 안정감을 살렸다. 오른쪽에 매단 돌에 '추석墜石', 낮은 전에 '정井'이라고 적었다.

그림 20

두레박에 대나무를 걸어서 줄에 대신한 것도 돋보인다. 두레박은 오늘날의 물통을 닮았다.

그림 21은 『농정전서』의 것이다. 장대를 기둥이 아니라 벌어진 나무 몸통에 걸고 내외가 논에 물을 댄다.

장대에 견주어 꽤 큰 돌을 달았음에도 오른쪽에 줄을 걸어 나뭇가지에 연결한 까닭을 알 수 없다. 두레박은 오늘날과 같으며, 우물 위에 가운데를 둥글게 판 돌을 박았다. 물을 뜨기도 불편하거니와 사람이 빠질 위험도 크다.

그림 22는 『수시통고授時通考』의 길고우물이다(1742년간). 구도는 그림 21과 같지만, 우물에 낮은 전을 붙인 것이 다르다. 앞에서 든 대로, 가지에 연결된 줄을 장대에 잡아매면 두레박을 아래로 내릴 수 없음에

그림 21

그림 22

도 왜 이렇게 했는지 궁금하다. 이 줄이 다른 그림이나 사진에 보이지 않는 것도 마찬가지이다.

그림 23은 청대淸代 경직도의 것이다. '6월 모 심은 논에 길고로 못의 물을 옮긴다'는 글이 보인다. 농부는 저수지의 물을 큰 물통에 떠서 논에 붓는다. 장대 한쪽에 꿰 놓은 것이 나무라면 평형을 유지하기 어려울 터이다. 장대를 기둥에 박은 것도 의문이다.

『청속기문淸俗紀問』에 실린 그림 24도 시기는 앞의 것과 같다. 아래는 너르고 위는 좁게

그림 23

다듬은 여섯모 전을 놓았다. 오른쪽 위에 붙인 고리에 두레박줄을 걸어둘 터이다.

그림 25는 1940년 무렵의 화북華北지역 길고우물이다.

앞의 것들과 달리, 철봉처럼 좌우 양쪽에 박은 기둥 위쪽에 짧은 막대를 건너지르고 한쪽에 둥근 돌을 꿴 장대를 걸었다. 두레박은 버들로 결었으며 줄이 아닌 장대로 연결하였다.

그림 24

① 『**중국북부 농구조사**北支の農具に關する調査』 **기사이다.**

―――

길고는 일본의 발조병撥釣瓶과 같은 것으로, 우물·작은 내·웅덩이의 물을 뜬다. 구조로 미루어 수면까지의 깊이는 2미터쯤이며, 수위가 일정해야 쓰기 편하다. 기둥·장대·두레박으로 간단히 꾸몄으며, 장대의 가운데나 3분의 1쯤 되는 데를 기둥 막대에 잡아맨다. (…) 두레박은 버들이나 대오리로 엮은 것, 나무통, 양철통 따위가 있지만 형태와 크기는 곳에 따라 다르다.

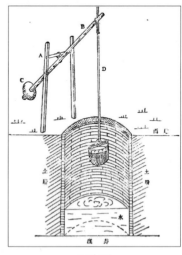

그림 25

둘이 물을 뜰 때, 한 사람은 두레박을 끌어올리고 다른 사람은 장대 끝의 돌을

아래로 내린다. 두레박은 대체로 두 말 들이이다.

나는 천진시天津市 교외에서 길고로 냇물을 퍼서 채소밭에 대는 것을 보았다. 나무둥치 두 개를 땅에 박고 끝에 길이 6미터쯤의 장대를 걸었으며, 다른 한 끝에 연결한 2.2미터의 작대기에 두레박을 매달았다. 그리고 장대 한쪽에 두 장의 기와를 잡아맸다.

닷 되들이 두레박은 43×35센티미터에 깊이 23센티미터이다. 1미터 깊이의 물을 1분에 열서너 번 길어 올린다. 두 사람 중에 하나는 물을 긷고, 다른 하나는 도랑을 돌본다. 하루 2~4무畝에 물을 댄다(二甁貞一 외 1942 ; 48~49).

―――――

근래에는 길고를 이처럼 주로 논밭에 물 대는 데 썼다. 1무畝는 200평坪이다.

사진 38은 천진시 교외에서 길고로 물을 푸는 모습이다. 강에 박은 말뚝에 걸어놓은 받침대에 올라서서 퍼 담은 물을 도랑에 붓는다.

사진 39는 산동성 제남시 교외의 것으로, 돌기둥을 장대 받침으로 삼았다. 지아비가 장대를 손으로 들거나 내리고 안쪽의 아낙은 두레박의 물을 쏟아붓는다.

사진 40은 천진시 교외의 길고우물이다. 구조는 사진 38을 닮았다.

사진 38

사진 39

사진 40

사진 41은 강서성 남창南昌의 1920년대 길고이다. 땅에 나란히 박은 기둥 위쪽에 장대를 걸고 긴 작대기를 붙박았다. 두레박줄은 끝에 달린 쇠고리(길이 10센티미터)에 감았다. 장대에 연결한 줄은 길이 7미터이며, 기둥이 기우는 것을 막으려고 아랫도리에 버팀대를 붙였다.

사진 41

② 『**중국수공업지**中國手工業誌』 **기사이다.**

―――

강서성 남창에서 찍었다. 이 우물은 강서성에 널리 퍼졌다. (…)

나무로 짠 구조는 다음과 같다. 양쪽에 비스듬히 붙인 버팀대로 땅에 단단히 박은 기둥에 굵은 장대를 걸어서 위아래로 오르내린다. 한쪽에 무거운 돌을 달고, 반대쪽에 줄을 맨 다음 두레박을 걸어서 평형을 이룬다. 장대에서 두레박까지의 줄 길이는 2.7미터이다. 줄이 끊어져서 두레박이 우물에 빠지면 (…) 길이 10센티미터의 미늘이 달린 장대로 끌어 올린다. 줄은 장대 끝에 꿴 고리에 잡아맨다(R.P. 홈멜 1992 ; 182~183).

―――

사진 42

사진 42도 앞 사람이 찍은 절강성 가선현嘉善縣의 길고이다. 기둥 높이 1.2미터에 지나지 않는 소형으로, 줄이 아닌 대나무 장대에 두레박(위 지름 22센티미터에 높이 30센티미터)을 걸었다(사진 42의 오른쪽 위).

사진 43은 운남성 시사 팡나西雙版納의 다이족泰族이 길고를 이용해서 소를 먹이는 모습이다. 구조는 앞의 것들과 같지만, 두레박 대신 잡아맨 작대기를 쇠코에 꿰어서 고삐로 삼았다. 이로써 소는 장대 길이만큼 너른 풀밭을 오가며 풀을 뜯는다(사진 44). 사람이 곁에서 지킬 필요가 없는 것도 장점이다. 기둥과 장대는 대나무이다.

사진 43(ⓒ 尹紹亭)　　　　사진 44(ⓒ 尹紹亭)

2. 도르래우물吊井

1) 한대의 화상석

우물 전이나 곁 양쪽에 세운 기둥 위에 붙박은 도르래에 두레박줄을 걸어서 물을 푸는 우물이다.

그림 26은 산동성 제성현諸城縣 밀도향密都鄉 안지리安持里 손종孫琮(?~?) 무덤에서 나온 한대의 화상석(「屠宰庖廚釀造畫像石」)이다. 긴 네모꼴 전 위에 세운 양쪽 기둥에 장구처럼 허리가 잘록한 도르래를 걸었다. 그리고 오지 두레박에 대오리를 둘러서 깨지지 않도록 하는 외에, 목에 줄을 매는 대신 ⌐자꼴 손잡이를 붙였다.

그림 26

전 네 귀에 두레박이나 물그릇 따위를 올려놓기 위해 널을 덧대고, 도르래집의 움직임을 막으려고 기둥을 널 안쪽으로 꿰어 바닥에 붙박은 것이 돋보인다. 전은 나무로 짰을 터이다. 전 아랫도리를 비스듬히 기울여서 물이 흘러내리기 쉽게 한 것도 예사 솜씨가 아니지만, 두레박줄의 남은 부분을 회오리처럼 둥글게 말아 붙인 것도 뛰어난 착상이다. 오리와 거위들이 목을 축이려고 물그릇으로 바삐 다가가는 모습을 그려서 우물의 정취를 살린 것도 마찬가지이다.

그림 27

그림 27은 산동성 기남현沂南縣 북채촌北寨村에서 나온 앞과 같은 시기의 화상석(「豊收宴享畵像磚」)이다. 전 위의 지붕이 보이지 않을 뿐, 도르래 형태나 구도는 앞의 것을 빼닮았다. 전 아랫도리에 쪽 널을 깔아서 물이 잘 빠진다.

두레박을 줄 양쪽에 모두 걸었는지 앞의 줄에만 걸었는지 가늠하기 어렵지만, 뒤의 줄이 귀틀 밖으로 나간 것을 보면 그림 28처럼 한쪽에 걸었을 가능성이 높다.

그림 28

그림 29가 이를 알려준다.

그림 30은 섬서성 휴녕현睢寧縣 장우징집張圩徵集에서 선보인 부엌(「庖廚」)이다. 왼쪽 부뚜막 위의 장대에 물고기와 짐승고기를 걸었다. 가운데에서 도마의 고기를 썰고 술을 거르며 오른쪽에서 물을 긷는 등 바쁘게 돌아간다. 한쪽에, 그것도 간단히 나타낸 것을 보면 부엌 안에 마련한 우물인 듯하다. 질 두레박은 기름하다. 도르래는 앞의 것과 같은 장구꼴로 생각된다.

전 벽에 그린 동그라미에 칼 두 자루를 꿴 것은 악귀를 쫓기 위한 주문呪紋이거나 권력자의 위세를 나타낸 것일 터이다.

그림 29

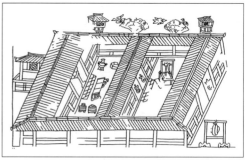

그림 30(ⓒ 林巳奈夫)

그림 27과 같은 곳에서 나온 그림 30은 2세기 무렵에 죽은 이를 위해 무덤 옆에 마련한 상류가옥이다. 오른쪽 대문채에 이어 바깥마당·안대문채·안마당·안채 따위가 일日자꼴로 들어섰다.

바깥마당 오른쪽에 있는 도르래우물 형태는 그림 26~28과 같다. 부엌도 우물 근처에 있을 터이다. 뒤로 보이는 좌우 양쪽의 망루는 세월이 매우 수상한 것을 알려준다. 오른쪽 앞에 걸어놓은 것도 위급을 알리기 위한 징으로 보인다. 왼쪽 담 밖의 건물은 뒷간이다. 도르래는 앞의 것들과 같다.

이에 대해 하야시 미나오林巳奈夫는 '안채 앞 제단臺과 양쪽에 보이는 술병과 음식물 상자는 죽은 이에게 바치는 제물이다. 이때는 큰 무덤 옆에 이승의 집을 상징하는 건물을 짓고 의식衣食을 올리는 풍습이 있었다'고 적었다(1992 ; 204~205).

그림 31은 산동성 평읍현平邑縣 동부읍東埠陰에서 선보인 동한東漢시대 화상석(1.12미터×82센티미터)이다. 말에게 먹일 물을 긷는 듯하다.

그림 31

2) 명기明器

사진 45

사진 46

사진 45는 같은 성 제녕시濟寧市에서 나온 구리 우물(「銅井」) 명기이며, 시기는 앞의 것과 같다. 우물 주위를 흙으로 돋우고 가장

자리에 물길을 돌렸다. 전과 도르래 형태는 그림 26~28을 닮았다.

사진 46은 귀틀전과 두레박이다. 두레박 왼쪽에 붙인 고리에 줄을 꿴 것을 보면 무쇠로 구운 듯하다. 전 아랫도리에 물매를 잡아서 물이 바로 흘러내린다.

그림 32는 하남성 낙양시洛陽市 소구촌燒溝村에 있는 전 한(전 142~전 180) 중기에서 후한 말(180) 무덤에서 나온 명기의 앞과 옆모습이다.

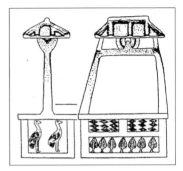

그림 32

가장 큰 특징은 장구도르래가 바퀴도르래로 바뀐 점이다. 이로써 초기의 도르래는 가운데가 잘록한 장구꼴을 보이다가 시대가 지나면서 바퀴꼴로 발전한 것을 알 수 있다. 그 결과 두레박도 줄 양쪽에 매달게 되어 힘이 덜 드는 것은 물론이고 능률도 훨씬 높아졌다.

긴 네모꼴 우물 전 옆에 새 두 마리, 전면 아래에 나무 일곱 그루, 위에 주판 알 모양의 구슬을 아홉 개씩 그렸다. 죽은 이의 영생을 바라는 꾸밈이다. 기와 골이 선명한 기와지붕도 볼거리이다.

그림 33은 하남성 정주시鄭州市 타호정打虎亭의 한대 무덤 벽화이다. 우물 전 앞을 터놓은 덕분에 두레박의 물을 물통에 붓기 쉬울뿐더러, 물이 넉넉하면 앉아서도 퍼 담게 되어 여간 편리하지 않다. 틀 가운데의 도르래가 보이지 않을 만큼 작은 것도 연관이 있을 터이다. 두레박은 오지로 구웠다.

그림 33

그림 34는 산동성 가상현 무량사에서 나온 한대의 화상석이다. 두 패로 나뉜 사람들이 사수교泗水橋 아래에서 물에 빠진 보정寶鼎에 줄을 걸고 양쪽의 바퀴도르래를 이용해서 끌어올린다. 이 같은 쌍도르래는 매우 드물다. 고대에는 솥이 곧 권력을 상징하였던 까닭에 제후국들이 제여곰 차지하려고 온 힘을 기울였다.

그림 34

사진 47도 같은 시기의 것이다. 두레박은 오지이며 줄을 목에 둘러 감았다. 정井자꼴 전도 매우 낮아서 땅바닥과 큰 차이가 없다.

우물 벽이 무너지는 것을 막기 위해 오지독 다섯 개를 쌓아 올린 전형적인 옹기우물이다(산동성박물관 소장).

사진 48도 앞과 같은 시기의 것으로, 오지 두레박을 도르래줄 양쪽에 매달았다. 오르내리다가 부딪히면 깨지지 않도록 기름하게 구웠다. 전에 두른 무늬도 눈에 띈다. 귀틀 가장자리를 가위다리꼴 무늬로 채우고, 아래에 목마른 물소가 물을 들이켜는 모습을 베풀었다.

사진 47(ⓒ 百度)

사진 49는 섬서성 위남시渭南市 동관현潼關縣 적교향吊橋鄕의 양진楊震(50?~124) 무덤에서 나왔다. 우물 벽의 푸레독은 사진 101과 같지만, 귀틀에 닿는 목부위를 조금 좁혀서 맵시를 살렸다. 도르래를 위한 앙증맞은 기와집을 따로 마련한 것도 다른 데 없는 볼거리이다(산동성박물관 소장).

형주자사荊州刺史와 동래태수東萊太守를 지낸 주인공은 자신의 천거로 창읍령昌邑令이 된 왕밀王密(?~?)이 찾아와 '늦은 밤이라 아무로 모른다'며 금 열 근을 건네자 '하늘

사진 48(ⓒ『昨日盛宴』)

사진 49

이 알고 귀신이 알며, 내가 알고 그대가 안다'고 물리친 인물로 유명하다(『후한서』 권54 「양진열전」). 이를 사지四知라 이른다.

우리 기대승奇大升(1527~1572)도 그를 기리는 시(「양진이 사지를 두려워함震畏四知」)를 지었다(부분).

夫子當時學不欺	부자는 속이지 않는 것 배워
入官風義更無私	벼슬살이에 풍의는 더욱 사심이 없었네
懷金來遺驚三夜	금 숨겨와 건네니 한밤중에 놀라고
撫己相參洞四知	자신까지 들어서 넷이 안다 일렀네
道該人我豈須疑	드러내나 감추나 이치는 마찬가지
理合顯微眞可畏	도에 어찌 나와 남 따로 있으랴

『고봉속집高峯續集』 제1권 「시」

사진 50은 섬서성 면현勉縣 장림진長林鎭 양가채촌楊家寨村에서 나온 3세기 초의 아주 드문 쌍도르래우물이다(섬서역사박물관 소장). 눈에 잘 띄게 하려고 전에 오지 두레박 둘을 올려놓았다. 전 아래에 봉황 두 마리를 새기고, 도르래 지붕을 치미로 꾸민 화려한 자태 또한 천하제일이다.

사진 51은 산동성 장구시章丘市 보집진普集鎭에서 나온 한대의 것

사진 50   사진 51

(「綠釉陶井」)이다. 둥근 전에 세운 말굽꼴 기둥 양쪽에 영생의 상징인 절곡문竊曲紋과 불로초를 새겼다. 우물 벽을 푸레독으로 쌓은 것은 사진 47·49·50과 같지만 가운데가 조붓해서 안정성이 높다. 물을 뜨려고 두 손을 든 색시가 수줍은 듯 이쪽을 건너다본다(산동성박물관 소장).

사진 52는 산동성 제남시濟南市에서 나온 북조北朝(386~534)시대의 우물陶井 모형이

다. 전 앞뒤에 세운 말굽꼴 틀을 위에서 하나로 모으고, 화려
한 장식을 베푼 것이 꽃바구니를 연상시킨다. 도르래가 보이
지 않지만 앞과 같은 형식의 우물일 터이다. 두레박을 전 한
쪽에 마련한 받침대에 올려놓은 덕분에 깨질 염려가 적다(산
동성박물관 소장). 둥근 옹기벽이 위가 너르고 아래가 좁은 네
모꼴로 바뀐 것이 큰 변화이다.

사진 52

그림 35는 감숙성 가욕관嘉峪關 위진魏晉시대(220~316) 1호
무덤에서 나왔다. 물 항아리를 두 사람이
들것으로 나른다. 항아리 밑이 좁은 까닭을
알만하다. 전은 너르고 배가 부르며 입 주위
에 구름무늬를 놓았다. 부엌의 물두멍일 터
이다.

그림 35

그림 36도 같은 곳, 같은 시기의 것으로
건물 안에서 목동이 물을 길어 양쪽의 구
유에 붓는다. 이 사이 오른쪽에서는 말이
물을 마시고, 왼쪽에서는 소·양·오리들
이 다가온다. 이들 위의 새는 봉황이나 까
마귀일 터이다. 두레박은 앞의 것과 같으
며, 오른쪽 위에 '우물물을 마신다井飮'고
적었다.

그림 36

같은 성 주천酒泉에서 나온 그림 37은 도르래 대신
지게 세장처럼 꿴 짧은 작대기 둘 사이에 줄을 걸고 두
레박을 끌어 올린다. 도르래가 깨졌거나 아예 없는 곳
에서 이용할 터이다. 우물이 깊으면 줄을 아래에, 얕으
면 위에 걸어서 당기게 마련이지만 한끝이 위로 말린
것을 보면 깊지 않은 듯하다. 오른쪽의 물그릇은 밑이
좁다.

그림 37

3) 근대

사진 53은 북경시 천단天壇에서 쓸 제
물을 마련하는 자미헌紫薇軒 앞의 우물
건물이다. 여섯모 기와집에 처마는 겹처
마이며 용마루에 치미, 내림마루에 잡상
雜像을 얹어서 격식을 갖추었다. 여섯모
로 뚫은 천장과 기둥 상부의 채색이 눈
에 들어온다. 빛을 끌어들일 필요가 없
을뿐더러 눈비가 들이치므로 불편이 따

사진 53

를 터임에도 천장을 뚫은 까닭이 궁금하
다. 자금성의 모든 우물에 마련한 것을 보면 하늘과 땅을 연결하는 상징물인 듯하다.

사진 54는 돌을 여섯모로 다듬은 우물
전이다. 깨진 것을 복원할 때 꺾쇠를 질
러서 붙박았다. 사진 55의 양쪽 기둥은
도르래 설치를 위한 것으로 위에 마련한
凵자꼴 홈에 장대를 걸었을 터이다.

사진 54

사진 55

자금성의 우물 72개 가운데 사진 56처럼 건물 안에 있는 것은 거의 모두 도르래를
갖추었다. 사진 57의 네모 천장 아래쪽에 달린 쇠 도르래가 그것이다.

사진 57

사진 56

사진 58

사진 58은 우물 위에 올려놓은 공모양의 전이다. 양쪽에 붙인 손잡이꼴 돌기는 운반할 때 줄을 걸었던 것인가? 양쪽에 구멍을 뚫어서 물이 차면 흘러나온다.

전 주위의 톱날처럼 나란히 패인 홈을 두레박줄 자국으로 보기는 어렵다. 도르래 우물에서는 두레박줄을 전에 대고 끌어 올리지 않기 때문이다. 두레박우물을 근래 도르래우물로 바꾸면서 옛것을 그 대로 두었거나, 궁궐 복원 때 다른 곳의 것을 옮겨 놓았을 것이다. 이곳 뿐 아니라 이화원梨花園의 우 물 전도 마찬가지이다.

현재 자금성 옛 우물의 대부분 은 사진 59처럼 관광객의 쉼터로 바뀌었으며, 사람이 빠지지 않도 록 전 위에 크고 무거운 돌을 올 려놓았다(사진 60). 천장에 나란히 건너지른 두 개의 들보 사이에 도

사진 59

르래 틀을 걸었다. 도르래는 나무로 깎았다(사진 61).

우물 덮개는 지름 87센티미터에 두께 16센티미터이며, 전의 높이는 38센티미터이다.

사진 60 사진 61

사진 62는 물두멍이다. 앞에서 든 대로 자금성 안에 많은 우물은 불을 끄거나消防水 청소에 쓰기 위한 것이며, 우물에서 떨어진 건물 주변에 마련해 둔 308개의 길상항吉祥缸·태평항太平缸·태평수항太平水缸이라는 이름의 큰 물두멍들도 마찬가지이다. 명대의 무쇠제품을 청대에 구리제품으로 바꾸었다. 겨울에 물이 얼면 쓸모가 없는 탓에 내시들이 불을 지펴서 얼지 않게 하였다.

사진 62

지름 148센티미터에 깊이 1미터이다.

음료수는 서북쪽의 산에서 길어 왔다. 『태평광기』에 '선화방善和坊의 오래된 어정御井은 마시지 못하지만 부드러워 무엇을 씻기 알맞다. 개원開元 때(713~741), 물을 수십 바리의 낙타 등에 실어 육궁六宮으로 날랐다'는 기사가 그것이다(16 「어정」). 육궁은 황후皇后의 궁정宮庭과 부인夫人 이하의 다섯 궁실을 가리킨다.

그림 38은 청대의 여섯모 도르래우물이다. 아랫도리보다 위를 조붓하게 다듬은 돌전이 돋보인다. 바닥에도 물매를 잡아서 빗물이 흘러들지 않는다. 수박꼴 두레박은 쪽나무를 둥글게 세우고 가운데에 쇠테를 메워서 붙박았다.

사진 63은 근래까지 쓴 농촌의 도르래우물이다. 우물에 견주어 도르래 틀을 설치한 기둥은 하늘이라도 받치려는 듯 굵고 높직하다. 기둥 위쪽에 나란히 걸어놓은 나무에 세운 Ⅱ자꼴 틀에 도르래를 붙박았을 것이다.

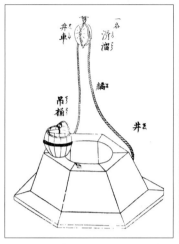

그림 38(ⓒ 中川忠英)

사진 63(ⓒ 百度)

우리 박제가朴齊家(1750~1850)가 남긴 중국 도르래우물 기사이다.

우물이 아무리 커도 반드시 돌이나 널에 입을 뚫어서 덮는다. 또 이것을 작게 해서 사람이 빠지거나 먼지가 들어가는 것을 막는다. 도르래를 설치하고 두레박 두 개에 줄을 매달아 하나는 왼쪽으로, 다른 하나는 오른쪽으로 움직인다. 하나는 올라가고 다른 것은 내려가므로 보통 보다 두 배의 물을 긷는다(『北學議』「市井」).

---

3. 물레우물轆轤

1) 옛 농서와 한대의 화상석

'녹轆'은 '거車'와 '녹鹿'이 합친 낱말로, '녹'은 소리 값이고 '거'는 '돌아간다回'는 뜻이다. 『정자통』은 '녹은 우물 위에 걸어서 물을 긷는 굴대軸이며 '녹로'는 '두레박줄을 감는 틀纏綆機也'이라고 새겼으며, 『당운唐韻』에는 '둥글게 도는 나무圓轉木也'로 적혔다.

『대한화사전大漢和辭典』은 '모든 물건을 달거나 끌어올리는 도르래滑車'라고 하였다. 『자통』에서 '도르래우물車井戶의 두레박을 올리거나 내리는 녹로'라고 한 것은 이를 가리킨다. 이밖에 녹로는 굴대가 돌아가는 소리를 나타낸 것이라는 설도 있다.

그림 39

녹로에는 목화의 씨를 걸러서 실을 잣는 물레와, 질그릇 빚을 때 흙을 올려놓고 돌리는 둥근 받침의 두 가지가 있지만, 이 글에서는 실 잣는 물레를 으뜸꼴로 삼는다.

그림 39는 『농서』의 것이다. 우물 왼쪽에 박은 두 개의 기둥에 굴대를 걸고, 끝에 붙인 손잡이를 사람이 돌려서 두레박을 끌어올리거나 내린다.

우물 깊이는 12미터쯤이 알맞으며, 더 깊으면 줄이 길어져서 불편하다.

① 『송원시대의 과학기술사宋元時代の科學 技術史』 기사이다.

───────

물레우물은 도르래우물의 개량형이다. (…) 발명연대는 알 수 없지만 남제南齊 왕승건僧虔(426~485)이 쓴 『능서록能書錄』에 위魏 명제明帝(227~239)가 능운대凌雲臺를 지을 때, 광주리籠를 등에 진 위탄韋誕을 물레틀로 25발 높이로 끌어 올렸다는 기사가 있고, 진晉 육홰陸翽(?~?)의 『업중기鄴中記』에 후조後趙(335~348)의 석호石虎가 이것으로 봉조鳳詔를 띄웠다는 것을 보면 이 무렵 논밭에 물을 댄 것으로 생각된다. 후위後魏(386~534) 가사협賈思勰(?~?)의 『제민요술濟民要術』에도 '깊은 우물에서는 물레틀을, 낮으면 길고를 쓴다'는 대목이 보인다(1967 ; 440~441).

───────

② 『제민요술』 기사이다.

───────

아욱 밭의 긴 고랑을 따라 10여 군데에 우물#을 판다. (…) 긴 네모꼴 밭은 반드시 한 줄로 파고, 네모꼴은 두 줄이나 석 줄로 마련한다. 우물 마다 길고나 물레틀을 설치한다. 우물이 깊으면 길고, 얕으면 물레틀을 세운다. 고리두레박柳鑵의 크기는 한 섬들이가 알맞다. 지나치게 작으면 힘이 더 드는 까닭이다.

이 글의 우물은 샘 정도의 크기일 터이다. 우리 번역본(2007)에서 길고를 두레박, 녹로를 도르래로 새긴 것은 잘못이다(구자옥 외 2007 ; 193).

그림 40은 산동성 가상현 송산촌宋山村 동한 시대 화상석의 물레우물이다. 양쪽으로 벌려 세운 기둥 위에 걸어놓은 장대에 장구꼴 굴대를 걸고 두레박줄을 감아올린다. 이로써 보면 도르래우물의 초기형이나 변형인 셈이다.

그림 40

그림 41은 강소성 동산현銅山縣 묘산苗山에서 선보인 한대의 물레우물이다. 둥근꼴 전은 아래로 내려오면서 퍼져서 사다리를 연상시킨다. 가운데 동그라미에 그은 가위다리꼴 선은 신성한 우물임을 나타낸 것인가? 입 주위에도 닮은 것이 보인다. 줄을 잡은 사람이 뒤쪽에 대고 무엇인가 이른다,

그림 42는 사천성 성도成都 증가포曾家包의 한대무덤에서 나왔다. 장대 고리에 달린 꽃병 모양의 두레박이 눈에 들어온다. 긴 나무로 귀틀을 받쳤다. 뚜렷하지 않지만

그림 41

그림 42

그림 43

오른손에 굴대 손잡이를 쥐고 돌리는 듯
하다.

그림 43은 『농정전서』의 것이다.

가위다리꼴로 세운 두 개의 작대기 위
쪽을 묶고 그 위에 걸어놓은 통나무 오
른쪽에 굴대를, 왼쪽에 돌을 달아서 움
직이지 않도록 하였다. ㄱ자꼴 손잡이를
돌려서 줄을 감아올리면 두레박도 따라
올라온다. 가장 큰 특징은 기둥 사이에
걸었던 굴대가 밖으로 나온 덕분에 효율
이 높아진 점이다.

우물 벽은 벽돌로 쌓았으며 두레박은 고리버들로 엮었다. 논으로 향하는 물길을
따로 마련한 것이 돋보인다. 『수시통고授時通考』에도 같은 그림이 있다.

2) 근대

그림 44는 『만주 재래농구滿洲の在來農具』의 것이다.
기둥 네 개를 나란히 박고 작대기를 가로 질러서 힘
을 보탰다. 굵은 굴대의 제 손잡이는 매우 독특하지만,
실제로 돌리려면 불편이 따를 터이다. 우물벽을 잡석
으로 쌓았다.

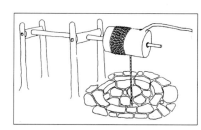
그림 44

① 『제민요술』 기사이다.

물레우물 구조는 우물 깊이와 곳에 따라 크고 작은 차이가 있지만 중요부위의
구조는 거의 같다.

채소밭 뿐 아니라 (…) 일반 우물에도 많이 설치하며, 이를 녹로정轆轤井이라 부
른다. (…) 우물 한쪽에 나무나 돌(돌은 관동주關東州에 많다)로 지은 틀을 세우고 지

름 7~13센티미터의 막대를 가로지른 다음, 길이 40~60센티미터, 지름 30센티미
터의 굴대를 끼우고 한 끝에 구부러진 자연목이나 지름 3.5센티미터의 쇠막대를
손잡이로 박는다. 줄 지름 3센티미터쯤에 길이는 우물 깊이에 따라 다르다. (…)
굴대에 콩기름을 쳐서 마찰을 줄인다.

고리버들로 엮은 두레박은 너비 4~5센티미터, 두께 4.5센티미터의 버드나무쪽
을 끼워서 손잡이로 삼으며 가운데에 두레박줄을 맨다. 틀의 수명은 6년쯤이고,
두레박은 2~3년이다(1930 ; 44).

———

그림 45는 1940년대 초 하북성 석문石門(石家莊)의 것이다. 왼쪽에 세운 넓적한 돌기
둥에 둥근 작대기를 박고 오른쪽에 유난히 큰 굴대를 걸었다. 아래에 벽돌로 쌓은
벽과 고리두레박이 보인다.

그림 46은 굴대를 좌우 양쪽에 붙인 복식複式이고, 그림 47은 굴대 셋을 설치한 복
복식復複式이다.

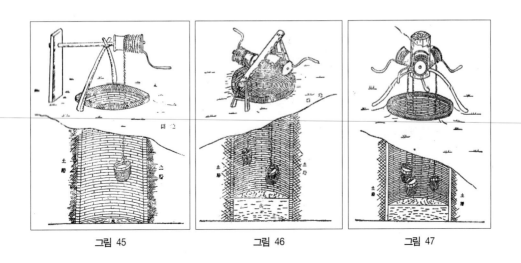

| 그림 45 | 그림 46 | 그림 47 |

② 『중국북부 농구조사北支の農具に關する調査』 기사이다.

———

복식은 양쪽에 두레박 한 개씩을 걸어서 하나가 올라오면 다른 쪽은 내려가며,
손잡이를 반대로 돌리면 두레박 방향도 바뀐다. 따라서 두 사람이 마주 서서 돌
린다.

작은 우물에 설치하는 단식은 하루 0.5~1무畝에 물을 대며 큰 우물의 복식은 두 배이다. 이것은 구조가 간단하고 설치비용도 적어서 소농가에서도 쓴다(1942 ; 48-49).

───────

이밖에 홰나무 굴대에 손잡이 네 개를 꽂고 같은 수의 두레박으로 물을 긷는 이동식도 있다.

③ 이에 대한 앞 책의 설명이다.

───────

2~6명이 다루며 아침저녁으로 외바퀴수레에 실어 나른다. 넷 가운데 한 사람은 도랑을 손보고, 셋은 손잡이를 돌리며, 하나는 교대한다. 우물 깊이 9.7미터에 지름 0.7미터이며, 한 시간에 31섬石을 떠 옮긴다(1942 ; 55).

───────

사진 64의 복식은 앞의 것들과 달리 굴대를 ㅅ자꼴 받침 위에 올려놓고, 건너편에 박은 낮은 돌기둥에 끼운 작대기를 건너질러서 붙박았다(사진 65).

사진 64   사진 65

사진 66은 1995년 무렵의 산동성 문등시文登市 교외의 것이다. 두툼한 돌에 턱을 붙여 깎고 위쪽을 조붓하게 다듬은 뒤, 굴대 구멍을 뚫었다. 그리고 굴대 사이에 가위다리꼴의 보조 기둥을 세웠다. 굴대 한쪽에 꽂은 긴 작대기가 손잡이이다.

사진 66

무쇠 두레박에 가로지른 둥근 나무 가운데 굴대 줄이 달린 쇠고리를 걸었다. 사진 67에서 굴대를 천천히 돌려서 두레박을 끌어올리고, 사진 68에서는 두레박의 물을 도랑에 붓는다.

사진 67

사진 68

사진 69는 1920년대 북경시의 것이다. 손잡이 셋을 통나무에 박은 점 따위는 그림 47과 같다. 굴대와 손잡이는 무쇠이다. 한데우물에서 물장수로 보이는 남자 둘이 물을 긷는다. 앞 왼쪽은 양철통, 오른쪽은 니무통이다.

사진 70의 오른쪽은 산동성 장구시

사진 69(ⓒ 內田道夫)

章丘市 주가욕朱家峪마을 어귀에 있는

단정壇井이라는 이름의 한데물레우물이고, 사진 71은 앞모습이다. 돌기둥에 붙인

사진 70

사진 71

'우물이 깊으니 안전에 주의합시다#深危險 注意安全'라
고 적은 팻말을 보면 사람이 적지 않게 빠진 모양이다.
한데우물인 만큼 기다리는 사람들을 위해 돌 의자를 둘
러놓았다. 물긷는 고달픔을 잠시 잊은 채, 마을 소문이
나 세상 돌아가는 이야기를 주고받았을 것이다(사진 72).

사진 72

사진 73은 위에서 내려다 본 모습이다. 사람이 많으
면 우물 가운데 건너지른 돌판(길이 1.64미터, 너비 40센티
미터)의 아래쪽에서는 물레로, 위쪽에서는 두레박으로
길었으며 쌍정雙井이라는 이름은 이에서 왔다. 우물 깊이 1.8미터에 너비 1.4미터이
다. 굴대는 길이 2.28미터에 지름 7센티미터, 바닥에서의 높이 1.5미터이다. 굴대를
받친 긴 네모꼴 돌 기둥의 한쪽 너비는 44센티미터에 둘 사이는 67센티미터이다.

사진 74는 정명井銘이다.

사진 73

사진 74

단정壇井의 입구는 작지만 안은 너르다. 이름은 흙을 쌓은 단처럼 생긴 데서 왔
다. 문봉산에서 흐르는 물이 솟아오른 우물의 물은 달고 차며 지금까지 마른 적
이 없다. 우물의 북·동·남 세 곳에 구름다리 일곱 개를 놓아서 길이 구불구불
종횡으로 갈라졌다가도 합친다. 옛적에는 푸른 버드나무 아래 돌다리 옆에서 빨
래하는 시골처녀들이 어느 때나 끊이지 않았다.

사진 75는 아름다운 구름다리와 아기자기한 길 모습이다.

사진 76은 우물 주위의 돌에 새긴 고누판이다. 우리와 달리 남자들이 물을 길었으므로 차례를 기다리거나 하는 동안 즐겼을 터이다.

사진 75

사진 76

이 마을에 같은 우물이 또 있다.

사진 77은 1940년대 초, 요녕성 금주錦州에서 쓴 물레우물이다. 굴대는 길고 굵다. 굴대와 돌기둥 사이에 끼워놓은 함지꼴 기구는 약한 가로대에 힘을 실어주기 위한 것인가?

사진 77

④ 『만주민구 채방수기滿洲民具採訪手記』의 설명이다.

> 만주(동북 삼성三省을 아우르는 옛 이름)에 길고나 도르래우물이 거의 없지만, 물레우물은 농촌은 물론, 도시에도 아주 흔하다. 식수뿐 아니라 채소밭에도 고리두레박水斗子으로 떠서 나른다(染木 煦 1941 ; 64~67).

니담J. Needam은 흑룡강과 감숙성에서도 쓴다고 적었다(『中國の科學と文明』 제8권 1978 ; 153).

사진 78은 운남성 초웅시楚雄市 교외 이彝족 마을의 한데우물이다. 앞의 것들과 달리 굴대가 달린, 사다리꼴 틀을 전에 올려놓고 붙박아서 허리를 굽히지 않아도 좋으며, 손잡이도 90도로 꺾어서 훨씬 편하다. 굴대가 지나치게 긴 것을 제외하면 틀은 물론이고 손잡이도 구조가 단순하면서도 효율적이다. 물이 마르지 않기를 바라는 뜻으로

전 주위에 구름과 용무늬를 새겨 놓았다.

사진 79는 앞과 같은 마을의 주민이 물레우물의 손잡이를 돌리는 모습이다.

사진 78

사진 79

사진 80의 물레우물은 돌기둥 구멍에 굴대를 박고 가위다리꼴로 세운 나무로 받쳤다. 통돌로 깎은 두툼한 전은 흔치 않은 볼거리이다. 손잡이도 기름해서 사람 둘이 돌릴 수 있다. 두레박 양쪽에 짧은 기둥을 붙이고 가로대를 걸어서 물을 쏟기도 훨씬 쉽다.

사진 80(ⓒ 百度)

사진 81은 매우 특이한 형태를 지닌 쌍도르래우물이다. 기둥을 아예 우물에 박고 아랫도리에 무지개꼴 다리를 십+자로 걸은 다음, 다리 바닥 사이에 가로대를 꿰어서 힘을 보탰다. 흙이나 빗물이 흘러들 터임에도 전을 놓지 않은 것을 보면 음료수용이 아니라 논밭에 물을 대려고 마련하였을 터이다.

사진 81(ⓒ 百度)

사진 82는 섬서성 서안시西安市 장안구의 관중 민속예술박물원關中民俗藝術博物院에 복원한 상류가옥 대문 오른쪽 끝에 있는 1930년대의 물레우물이다. 사진 83의 일日자꼴 바닥을 뺀 나머지 부품은 모두 쇠붙이이며, 바퀴를 돌리면 굴대에 걸린 쇠줄에 따라 두레박이 오르내린다.

사진 82

바닥에 붙인 쓰레받기 모양의 그릇은 논밭에 물을 댄 것을 알려준다(사진 84). 이름은 입정수차立井水車, 시대는 청지민국淸至民國, 길이 132센티미터에, 너비 61센티미터이다. 높이 86센티미터라고 적은 글이 보인다. '청지'는 '청나라 밀기'라는 뜻이다.

사진 83

사진 84

산동성 제남시 부용가에 세운 사진 85는 이 일대에서 도르래우물이 널리 사용된 것을 알려준다. 돌기둥은 물을 상징하는 용의 형상을 본떴다.

⑤ 우리 홍대용洪大容(1731~1783)이 쓴 『담헌서湛軒書』의 요녕성 물레우물 기사이다.

사진 85

물레우물에 돌 뚜껑을 덮고 겨우 두레박이 들어갈 만한 입을 마련한 것은 평양平壤의 기자정箕子井과 같다. 이로써 재와 티끌은 물론 바람과 햇빛도 들지 않아 (…) 물맛이 한결같다. 또 우물가에서 기어 다니는 어린이를 걱정할 필요도 없다. 중국 사람들의 치밀한 점은 본받을 만하다.

입이 너르면 두레박 둘을 맨다. 굴대가 돌 때 한 줄이 풀리고 하나는 감기며, 이에 따라 빈 두레박은 내려가고 물이 담긴 것은 올라온다. (…)

고리버들로 엮은 두레박은 우리네 광주리를 닮았다. 물에 불면 틈이 메워지므로 물이 많이 새지 않는데다가 든든하고 질겨서 오래 쓰며, 바가지처럼 쉬이 깨지지도 않는다(「外集」 10권 燕記 「器用」).

———

기자정의 입이 아주 작다고 하였지만 사진 41을 보면 오히려 큰 편이다. 그리고 우물을 '물레우물'로 적은 것은 의문이다. (☞ 73~81)

4. 용두레우물

사진 86은 길림성 조선족자치주 용정시龍井市의 것이다. 현지에서 용두레우물이라 부르며, 시市 이름도 이에서 왔다고 한다.

① 다음은 기념비(사진 87) 내용이다.

———

이 우물은 1879년부터 1880년간에 조선 이민 김인석·박인건이 발견하였다. 이민들은 우물가에다 '용드레'를 새겼는데 룡정 지명은 여기서부터 나왔다. 1934년 룡정촌의 주민 이기섭이 발견하여 우물을 수선하고 약 2미터 높이의

사진 86

사진 87

비석 하나를 세웠는데 그 비문을 '룡정 지명 기원지 우물'이라고 새겼다. 1986년 용정현 인민정부에서는 '문화대혁명'에 의하여 파괴되었던 이 우물을 다시 파고 비석을 세웠다.

───────

이 우물은 잊혔다가 다시 세우는 세 단계를 거쳤다. 첫째는 1879년에 새로 찾아 비를 세우고, 둘째는 다시 버린 것을 되찾아 1934년에 비석을 마련하며, 셋째는 메운 것을 되 파서 지금의 꼴을 갖춘 것이다.

본디 여진족이 쓰던 것으로 오가는 길손들이 두레박을 빌리는 일이 잦아지자 두레박, 곧 용두레를 마련하였고 그때부터 용두레우물이라 불렀다는 말도 있다.

따라서 지금은 본디 모습을 가늠하기 어렵다. 용두레우물이라는 이름도 걸맞지 않는다. 용두레는 긴 작대기 세 개를 세모꼴로 세우고 위에서 내린 줄에 배船처럼 좁고 기름한 두레박을 매달고 밀고 당겨서 논밭에 물을 대는 기구이므로(사진 88), 일정한 깊이를 지닌 우물에서는 제구실을 할 수 없기 때문이다. '용두레'라는 이름도 사람이 두레박 손잡이를 밀었을 때, 수평으로 나갔다가 위로 올라가는 모습이 용이 머리를 번쩍 드는 것을 연상시키는 데서 온 것이다.

사진 88

우물 위의 틀을 보면 본디 물레우물이었을 가능성이 높으며 복원하면서 '용두레'라고 잘못 붙인 듯하다. 그러나 본디 길고였던 것을 용두레라고 불렀을 가능성도 있다.

② **『연행일기**燕行日記**』의 물레우물 기사이다**(1713년 1월 5일).

───────

(…) 저녁 먹은 뒤 천천히 북정으로 가서 우물을 들여다보았더니 깊이가 서 발 남짓이었다. 돌에 겨우 두레박이 드나들만한 입을 뚫어서 사람이 빠지는 것을 막았다. 버들로 삼태기처럼 엮은 두레박은 물도 새지 않고 가벼우면서 깨지지

않는다. 맛이 매우 나쁨에도 아랫것들이 마시는 까닭을 알 수 없다. 물이 넉넉해서 일행과 말이 마셔도 떨어지지 않는다고 한다(제4권).

──────

③ 『**열하일기**熱河日記』 **기사이다**(1780년 6월 27일).

──────

옆에 벽돌로 쌓은 우물이 있다. 위는 큰 돌을 다듬어 덮고, 양쪽에 겨우 두레박만 드나드는 입을 뚫었다. 이로써 사람이 빠지거나 먼지가 들어가지 않지만 태양을 가려서 물의 본성인 음陰을 북돋우어 활수活水가 된다. (…) 물을 종일 길어 올려도 힘이 빠지지 않는다. 물통은 모두 쇠테를 두르고 작은 못을 촘촘히 박았다. 대나무 두레박은 오래 지나면 썩어 끊어지고, 통이 마르면 테가 저절로 헐거워서 벗겨지므로 쇠테를 이용한다.

물은 모두 어깨에 메어 나른다. 팔뚝 굵기의 나무를 길이 한 길쯤 다듬어서 양 끝에 물통을 거는 멜대扁擔를 쓰며, 물통은 땅에서 한 자쯤 떨어진다. 이로써 물이 출렁거려도 넘치지 않는다. 우리나라에는 오직 평양에서 이용하지만, 그것도 어깨에 메지 않고 등에 지는 까닭에 고샅길에서는 여간 거추장스럽지 않다. (…) 서한西漢 포선鮑宣(?~3)의 아내가 물동이를 손에 들어 날랐다는 대목을 읽고 왜 머리에 이지 않았을까 궁금히 여긴 적이 있다. 여기 와서 부인들의 쪽진 머리가 모두 높은 까닭임을 알았다(「渡江錄」).

사진 89(ⓒ 百度)

──────

'입을 양쪽에 뚫었다니' 이안정二眼井일 터이다. 절강성 항주시杭州市에도 용정이 있다(사진 89).

4장

—

옛 기록의 우물

—

1. 신화시대

1) 신령스러운 우물

① 『중국신화전설』 기사이다.

태양신이자 농업신인 염제炎帝가 태어나자마자 주위에서 아홉 개의 샘이 저절로 솟았다. 이들은 서로 이어져서, 한 곳에서 물을 길으면 나머지도 흔들렸다(3 「黃炎篇」).

『태평어람太平御覽』에도 노자老子의 고향인 뇌향瀨鄉에 그를 기리는 사당을 짓고 우물 아홉 개를 팠으며, 한 곳의 물을 푸면 다른 우물의 물도 따라 움직였다는 기사가 있다(권189 「瀨鄉記」).

'샘 아홉 개'는 한 샘에 물 푸는 입이 아홉 개 있다는 뜻으로, 큰 물 웅덩이를 덮은 너럭바위에 아홉 개의 구멍을 뚫은 데서 왔다. (☞ 사진 13·그림 3)

아홉이라는 수는 매우 특별한 뜻을 지닌다. 나라를 구주九州로 나누고 토지를 정전제로 관리하며, 아홉 개의 산과 강이 등장하고, 황하의 지류도 아홉 개라고 한다. 『주례』에 도성을 동서남북 아홉 구역으로 나누고 각각의 도로를 구리九里로 잡으며, 관료조직을 아홉 부서로 짜고 각기 재상을 둔다는 기사가 있다. 『황제내경黃帝內經』에서도 사람의 몸은 아홉 마디, 장기와 구멍은 아홉 개씩이라고 하였다(「素問」).

염제는 전설의 임금 신농씨神農氏이다. 따비를 만들어 백성에게 밭 가는 법을 가르치고, 백초百草로 의약을 지으며, 저자를 세워 물품을 사고팔게 하였다는 인물이다. 몸은 사람이고 머리는 소라고도 한다.

사진 90은 섬서성 서안시西安市 장안성長安城 서남쪽에 있는 한대漢代 미앙궁未央宮 우물이다. 전 200년에 세운 이 궁전은 서궁西宮이라고도 하며, 장락궁長樂宮과 함께 한나라 2대 궁궐의 하나로 꼽혔다.

내부를 벽돌로 쌓은 전형적인 벽돌우물이다.

사진 90(ⓒ 국립문화재연구소)

② **앞 책의 기사이다.**

곤륜산崑崙山 꼭대기에 세운 옥돌 난간 각 방향마다 아홉 개의 우물과 아홉 개의 문이 있다. 그 안에 다섯 개의 성과 누각 열두 개로 이루어진 궁전의 가장 높은 곳에 길이 네 길, 둘레 다섯 아름의 큰 벼가 자란다. 이밖에 맑고 향기로우며 달콤한 예천醴泉 주위에서 기이하고 신기한 초목이 자라서 곤륜산의 명승지로 꼽힌다(3 「황염편」).

곤륜산의 아홉 우물은 앞에서 든 대로이지만, 문 아홉은 우물의 신령스러움을 북돋으려고 붙였을 터이다. 길이 네 길, 둘레 다섯 아름의 벼와, 예천 주위의 기이하고 신기한 초목은 만물을 생성시키는 우물의 속성을 알리는 대목이다. 전설에 등장하는 이 산에 서왕모西王母가 살며, 불사不死의 물이 흐른다고도 한다.

③ **『습유기拾遺記』 기사이다.**

염제 및 신농 시절, 준환峻鐶의 구리를 캐서 그릇을 빚었다. 준환은 산 이름으로, 희뿌연 기운이 산 아래의 금정金井을 덮었다. 사람이 그 사이로 올라서면 땅 밑에서 우레 소리가 들렸다. 우물 안의 금은 부드럽고 가벼워서 (물건을) 끈처럼 묶을 수 있었다(1권 「염제 신농」).

염제와 신농은 신화에 등장하는 인물이지만 구리를 캐서 그릇을 빚었다니 청동기 시대(전 1600~전 221)일 터이다. 준환은 어디인지 모른다. 금을 끈처럼 묶은 것은 쇠붙이 다루는 솜씨가 크게 발전한 시대임을 알려준다. 우물 이름 금정은 특별한 존재라는 뜻이다.

사진 91은 당나라 장안에 있던 대명궁 大明宮 인덕전麟德殿 우물의 여섯모 전이다. 본디 궁궐에 딸린 정원이었던 만큼, 우물 모서리를 벽돌을 모로 세워 붙이는 외에 입 주위에도 꽃무늬를 놓은 것이 한눈에 보아도 황궁의 우물답다.

사진 91(ⓒ 국립문화재연구소)

④ 『김선자의 이야기 중국신화』 기사이다.

먀오족苗族의 낭아사娘阿沙는 산골짜기의 맑은 샘에서 태어났다. 이름도 '맑은 물 아가씨'라는 뜻이다. 미인이라는 소문이 돌자 검은 구름이 해에게 시집보냈다. 해는 못생긴데다가 게으르고 성격도 사나웠다. 그네는 해가 데려다가 부리는 달과 눈이 맞아 달아났다. 자존심이 상한 해는 부끄러운 나머지 사람들이 쳐다보지 못하도록 언제나 황금빛 바늘 만 개를 쏜다(김선자 2011 ; 63~65).

마지막 부분은 우리네 민담 「해와 달이 된 오누이」를 닮았다.
샘이 생명의 원천이라는 말이다.

⑤ 『습유기』 기사이다.

빈사국頻斯國의 붉은 돌우물丹石井은 사람이 판 것이 아니다. 바닥은 누천漏泉에 이른다. 물이 늘 용솟음쳐서 신선들은 긴 두레박줄로 긷는다長綆引汲也. 그 나라 사람들은 (…) 계수나무즙과 구름과 안개를 마신다. (…) 머리털로 꼰 끈을 우물에 넣으면 한참 뒤에야 물 한 되를 긷는다.

물에 사는 흰 개구리는 두 날개로 우물 위를 오가며, 신선은 그것을 먹는다. 주周 영왕靈王(?~전 545)의 아들 진晉이 이곳에 오자 푸른 까치가 옥 국자를 물고 와 건네주었다. 그가 물을 떠 마신 뒤, 구름이 일고 눈발이 날렸으며, 옷소매로 휘저었더니 저절로 그쳤다(9권 「晉代時事」).

───────

빈사국은 신선의 나라이다. 머리털로 엮은 끈을 한참동안 내리고도 겨우 물 한 되를 길은 것은 우물이 그만큼 신령스럽다는 뜻이다. 영왕의 아들 진에게 푸른 까치가 바쳤다는 옥 국자와, 물을 떠 마신 뒤 구름이 일고 눈발이 날렸다는 대목도 마찬가지이다. '우물 안 개구리'라는 말대로 고대에는 그 안에 개구리가 산다고 여겼다.

누천은 물이 조금씩 밖으로 새는 우물로, 풍수지리에서는 용의 기운이 약해서 명당이 되지 않는다고 한다. 『묵자』에 '적의 화공火攻을 막으려면 성 밖 주위를 깊이 파서 물길을 내고 누천을 마련한다'는 기사가 있다(58편 「備水」).

⑥ 『박물지博物志』 기사이다.

───────

고석소高石沼 가운데 있는 신인神人의 신궁神宮에 기린이 많고 영지·신초神草·영천英泉도 있다. 이를 마시거나 먹으면 3백 살이 되어야 깨어나며 죽지 않는다. 그곳은 낭야琅琊에서 4만 5천 리 떨어졌으며, 적수赤水에서 삼주수三珠樹가 자란다(「고석소의 신궁」).

───────

신령스러운 풀을 먹고 영천의 물을 마신 까닭에 죽었다가 3백 년 뒤에나 깨어난다니 허망한 일이다. 그 뒤 영세를 누린다지만 반갑지만은 않다. 영천英泉의 영은 영靈으로 적어야 그럴듯하다.

고석소는 사천청 무승현武勝縣 서북쪽에 있으며, 낭야는 산동성에 딸린 지명이다. 신화에 등장하는 적수는 곤륜산 동남쪽으로 흐르며, 삼주수라는 이름은 잎이 모두 진주인 데서 왔다.

⑦ 『태평광기太平廣記』 기사이다.

───────

남방의 황야에 사는 검은 살갗의 불사민不死民들은 부근의 원구산員邱山에서 자라는 감목甘木 열매를 먹고, 산기슭의 적천赤泉 물을 마신 덕분에 장생불사를 누린다(6「羿羽篇」下).

———

불사민은 신선이고, 원구는 그들이 사는 땅이며, 적천은 신비하고 상서로운 샘이라는 뜻이다.

⑧ 이에 대한 『회남자』 기사이다.

———

적천은 7백년 만에 적단赤丹을 낳고, 적단은 7백년 만에 적홍赤瀆을 낳는다. 적홍은 7백년 만에 적금赤金을 낳고, 적금은 천년 만에 적룡赤龍을 낳으며, 적룡은 땅속으로 들어가 적천赤泉을 이룬다. 적천의 먼지가 위로 올라가 적운赤雲이 되면, 음양이 서로 다투어 우레가 되고 거세게 부딪쳐 번개가 된다. 이로써 위에 있던 적천赤天의 기운이 아래로 내려와 물이 되어 흘러 적해赤海로 모여든다(제4편「墜形」).

———

⑨ 도연명陶淵明(365~427)의 시(「산해경을 읽음讀山海經」)이다(부분).

———

自古皆有沒	사람은 죽게 마련이라
何人得靈長	신령만큼 못 사네
不死復不老	죽지도 늙지도 않고
萬歲如平常	만년 살 수 있을까
給我飲赤泉	적천 물 마시고
員丘足我糧	원구의 곡식 먹으면 모를까

『도연명 전집』

⑩ 『김선자의 이야기 중국신화』 기사이다.

———

하늘에서 내려온 두우斗牛는 우물에서 나온 여자와 혼인하였고, 뒤에 망제望帝가 되어 사천성 성도成都 일대의 홍수를 다스렸다.

우禹임금이 북쪽 끝에 이르렀을 때, 바람도 비도 없고 덥지도 춥지도 않은 것은 호령산壺領山에서 흐르는 신들의 샘물神瀆 덕분이었다. 그가 한모금 마시자 배가 부르고 취기가 돌더니 잠에 빠졌다. 사람들은 일하지 않아도 배가 불렀고, 목이 마르면 마셨으며, 마시다가 졸리면 잠들었다. 이로써 백 살을 살았고 두 다리를 뻗어 하늘로 올라가기도 하였다(김선자 2011 ; 326~334).

────

하늘의 두우와 우물의 여자가 한 몸이 된 것은 음양의 신비로운 조화를 알리는 대목이다. 이름 '호령산'도 우물을 나타낸다. 우물은 자연환경을 다스릴 뿐 아니라 인간에게 불로장생을 허락하고, 하늘로 올라가 신선이 되는 특혜까지 베풀었다.

두우는 이십팔수 가운데 두성斗星과 우성牛星을 가리킨다. 망제는 촉왕蜀王 두우가 왕위를 물려주고 서산西山으로 물러났을 때의 이름으로, 그는 두견새 곧 소쩍새로 바뀌었다고 한다. 두보杜甫(712~770)의 시(「두견杜鵑」)에 '두견새 볼 때마다 두 번 절하여我見常再拜 / 옛 망제의 넋 기리네重是古帝魂'라는 구절이 있다.

사진 92는 사천성 성도의 망제릉이다.

우리 최립崔岦(1539~1612)도 '난리에 임금 은혜 더 깊고恩深金革際 / 찌르는 기상 두우에 이르네氣上斗牛傍'라는 구절을 남겼다(『簡易集』「公山錄」). 뒤의 구는 상대가 아무도 따르지 못하는 호연浩然의 기상을 지녔다는 말이다. 이는 옛적에 보검寶劍 기운이 하늘로 치솟아 북두성과 견우성 사이를 비췄다는 고사에서 왔다(『진서』 권36 「張華 열전」).

『태종실록』에 '햇무리日暈와 해가 귀고리日珥하고, 유성流星이 두우간斗牛間에서 남쪽으로 가는 모습이 됫박升 같다'는 기사가 보인다(14년[1414] 7월 7일).

『산해경』에도 '고전산高前山 위에서 솟는 아주 차고도 맑은 샘은 제대帝臺가 마시던 것으로, 마시면 가슴앓이에 걸리지 않는다'는 대목이 보인다(「中次十一經」).

고전산은 하남성 내향현內鄕縣 서남쪽 10

사진 92(ⓒ 百度)

리에 있으며, 제대는 신화전설에 나오는 신선으로 소천제小天帝라고도 한다.

⑪ 『태평광기』 기사이다.

———

구의산九嶷山 꼭대기에 물이 없어 선녀 노묘전魯妙典이 어려움 겪는 것을 본 한 신인神人이 깊이 세 척의 돌 하나를 마련해 주었다. 그 동이에서 늘 물이 넘쳐서 아무리 퍼도 마르지 않았다(3 「노묘전」).

———

구의산에서 20년을 지내다가 세상에 내려온 노묘전은 영약靈藥을 먹고 대낮에 하늘로 올라갔다고 한다. 구의산은 호남성 영주시永州市 영원현寧遠縣에 있으며, 남쪽을 순수巡狩하다가 죽은 순舜임금이 묻힌 곳이기도 하다.

⑫ 『형주기荊州記』에 '신농씨는 수부隋部·隨部 북쪽 중산重山기슭의 큰 굴穴에서 태어났다. 그 안의 주위 일 경頃 20보步 크기의 광장에 구정九井이 있다'고 적혔다. 이때의 구정은 오정五井과 마찬가지로 신성한 우물이라는 뜻이다.

『유명록幽明錄』의 '노자정老子井'에도 구정이 등장한다.

⑬ 술사術士들은 평지에서 샘이 솟거나, 샘이 마르는 것은 지나치게 강한 음기 탓이라며, 소인배가 권력을 휘두를 징조로 여겼다.

후한 안제安帝 원년(107), 하남성 신성新城 일대에 깊이 세 발의 샘이 솟은 뒤, 등鄧태후가 13세의 청하왕淸河王 유호劉祜(94~125)를 임금(안제)으로 앉히고 섭정하면서 반대하는 대신들을 모두 죽이는 일이 벌어졌다.

⑭ 『중국신화전설』 기사이다.

———

여신 희화羲和가 열 개의 태양을 아들로 낳고 동남쪽 바다 밖에 있는 감연甘淵의 맑고 달콤한 샘물로 씻긴 덕분에, 그들은 차례로 세상을 밝게 비추었다. 열 개의 달을 낳은 달의 여신 상희常羲도 황야에서 딸들을 씻겼다(4 「요순편」).

———

하늘에 있는 열 개의 태양이 갑을병정의 십간十干에 따라 날마다 하나씩 솟아서 열흘마다 돌며 이들을 희화가 낳았다고 한다.

그에 대한 두 가지 설이 있다. 하나는 태양의 수레를 모는 신이어서 세월을 나타낸다는 것이다. 우리 기대승奇大升(1527~1572)의 시(「연경 사신 박우상을 보냄送朴右相赴京」)의 '나그네 먼 길 걱정하니客行憂遠道 / 흰 이슬 옷 적시네白露霑衣裳 / 쉬지 않고 수레 몰아驅車不得息 / 희화 곧 지려하네羲和將欲藏'라는 구절이 그것이다(『高峰續集』 제1권 「시」).

다른 하나는 요 임금 때 천문을 살펴서 역법曆法을 만들었다는 희씨羲氏와 화씨和氏라는 설이다. 역상曆像 담당관을 희화라 부른 것도 이에서 왔다고 한다. 『서경書經』에 그가 하夏나라에서 게으름을 피우다가 술에 빠져 고을을 망치자, 천자 중강仲康이 윤후胤侯에게 치라는 명을 내렸다는 기사가 있다(「胤征」).

우리 정약용丁若鏞(1762~1836)의 시(「苦寒行」)에 '갑작스런 날씨 변덕에 뭇 생령 놀라니變移卒暴衆生驚 / 희화여 네 게으름 탓 아닌가羲和汝職無乃失'라는 구절이 보인다(『다산 시문집』 제1권 「시」).

그러나 이를 따르면 희화자는 여신이 아니라 남신이 된다.

⑮ 『회남자』에 '동해바다 부상扶桑나무 뿌리에 있는 함지咸池에서 생명수가 솟아서 태양을 씻기는 산탕으로 썼다'고 적혔다. 또 이곳에서 태어난 전욱顓頊의 아들은 대를 이어 해를 섬겼다고 한다.

⑯ 진晉 영가永嘉 때(307~313), 읍邑의 진陳씨가 판 우물물을 진무제晉武帝의 산탕産湯으로 쓴 까닭에 후세 사람들이 '성정聖井'이라 불렀다지만 그의 재위 기간(265~289)과 걸맞지 않는다.

산탕은 '갓난아기를 씻기는 더운 물'이다. 이로써 우물의 신령스러움을 받아 위대한 인물이 된다는 뜻이다. 중국 뿐 아니라 일본의 옛 기록에도 자주 등장하지만 우리 쪽에는 보이지 않는다. 다섯 황제黃帝의 하나로 손꼽히는 전욱은 황제의 손자이자 우왕禹王의 할아버지라고 하며, 천하를 잘 다스린 명군明君으로 알려졌다. 진秦과 초楚에서 그를 조상遠祖으로 섬긴 까닭이 이것이다.

2) 군자와 우물

① 『주역정의周易正義』 기사이다.

>정井은 물상物象의 이름이다. 옛적에 땅을 파고 물 길을 때, 병에 담아 끌어올린
까닭에 정이라 한다. 이는 군자가 덕행을 쌓고 백성 이끌기에 영원한 법도가 있
으며, 처음부터 끝까지 생물을 기르는 데에 우물보다 더한 것이 없음을 말한다.
그러므로 덕을 닦는 괘에 견주어 정이라 부른다.

'병에 담아 올렸다'는 대목은 '정井'을 본디 두레박을 가리키는 '정井'으로 적은 것을
가리킨다. (☞ 그림 1)

『주역』의 '물에 들어가 물을 긷는 것이 정이니 이는 기르는 데 다 함이 없다는 뜻彖
曰 巽乎水而上水井 井養而不窮也'이라는 기사도 마찬가지이다(「水風井」). 뒤의 말은 우물의
생명이 영원한데다가, 양 또한 무궁무진하여 모든 사람들이 바라는 대로 떠간다는 말
이다.

② 『주역』에 '우물은 땅이 덕井德地之也'이라고 저혔으며(「수풍정」), 「괘사卦辭」는 '인간
의 덕처럼 우물도 변치 않는 장점을 지녔다는 뜻이다. 또 마을은 다른 곳으로 옮길
수 있지만 우물은 바꾸지 못한다. 우물물은 아무리 퍼도 마르지 않으며 또 넘치지도
않는다. 많은 사람들이 오가며 마셔도 늘 맑고 차다'고 하였다.

이에 대해 왕필王弼(226~249)은 '늘지도 줄지도 않는 것은 언제나 수위가 안정되어
퍼도 줄지 않고 그대로 두어도 늘지 않는다는 뜻이고, 오가며 물을 푸는 것은 모두
이 물을 먹는다는 뜻'이라고 풀었다(정병석 2010 ; 260 재인용). 따라서 앞의 기사는 덕행을
꾸준히 베풀어야 불행을 맞지 않는다는 말이다.

③ 『주역』에 '우물이 깨끗해도 마시지 못하여 내 마음이 아쉽다. 마땅히 모두 길어
마실 수 있어야 한다. 왕이 슬기로우면 모두 복 받는다井渫不食 爲我心惻 可用汲 王明井
受其福'는 대목이 그것이다(「수풍정」).

뒤의 구절은 슬기로운 임금을 만나면 누구나 복을 누린다는 뜻이다.

④『주역』에 '나무 위의 물을 정이라 한다. 군자는 이를 본받아 백성을 위로하고 그들이 서로 돕도록 이끌어야 한다木上有水井 君子以勞民勸相'는 기사가 있다(「수풍정」).

이 글의 '나무'는 흙이 흘러들지 않도록 바닥에 박은 귀틀이다. 그 안의 물을 길어서 사람들이 마시듯이, 군자도 이 도리에 맞추어 백성을 위로하고 서로 돕기를 부추기는 정치를 베풀어야 한다는 뜻이다.

3) 모두의 우물

『주역』에 '우물물을 길은 뒤 덮개를 덮지 않으면 진실한 믿음을 얻어 크게 길하다 井收勿幕有復元吉'는 기사가 있다(「수풍정」).

우물을 덮지 않는 것은 누구든지 언제나 물을 긷게 한다는 말로 우물의 공공성을 강조한 것으로, '오가며 긷는다往來井井'는 말과 같다. 유복은 물을 퍼도 줄지 않고 다시 찬다는 뜻이고无喪无得, 원길은 백성과 덕망 있는 인재에게 믿음을 얻어 백성을 잘 다스린 경지를 가리킨다. 『순자』의 '정정하구나 조리 있음이여井井兮 其有理也'라는 구절이 그것이다(「儒效」). 어떤 일에 조리가 있는 것을 이르는 '정정유조井井有條'라는 말은 이에서 왔다.

사진 93

사진 93은 북경시 자금성紫禁城에 있는 한 우물의 덮개이다. 만두꼴 전에 물이 넉넉하기를 비는 거북이를 새긴 외에 여러 가지 길상吉祥무늬를 베풀었다.

그 위에 올려놓은 여덟모 덮개에도 끊임이 없기를 바라는 절곡문竊曲紋이 보인다. 사진 94는 둥근 구멍 위에 마련한 손잡이이다. 허리가 모래시계처럼 홀쭉해서 잡기 쉽다.

사진 94

4) 마음의 우물

『중국신화전설』 기사이다.

북쪽바다 밖의 고야국姑射國 사람들은 모두 선인仙人이다. 그들은 오곡을 입에 대지 않고 신선한 공기만 들이 쉬며, 이슬을 마시고 사는 까닭에 마음은 깊은 샘처럼 평온하고 부드럽다(6 「羿羽篇」).

『산해경山海經』에 '고야국은 바다 한 가운데 있다'고 적혔다(「海內東經」).

5) 기타

『중국신화전설』 기사이다.

진秦에 인질로 잡혔던 연燕의 태자 단丹(?~전 226)이 놓아달라고 끈질기게 조르자 까마귀 머리를 하얗게 만들고, 말 머리에 뿔이 돋게 하면 들어준다는 조건을 걸었다. 단이 한숨을 쉬는 사이, 날아오던 까마귀 머리가 하얗게 쇠고, 마구간 말 머리에서 뿔이 돋은 덕분에 하는 수 없이 놓아주었다.

사람들이 문제가 너무 쉽다고 탓하는 바람에 다시 네 가지 시험을 보였다. 첫째 태양이 다시 한 번 하늘 꼭대기에 나타나고, 둘째 하늘에서 곡식이 쏟아지며, 셋째 부엌문에 새긴 나무 코끼리가 걸어 나오고, 넷째 우물 위의 도르래가 개울을 건너가게 하라는 것이었다.

이들도 다 해결하여 마침내 뜻을 이루었다(「주진편」 하).

'우물 건너는 도르래'는 의문이다. 사진 95에 보이는 대로 두 기둥 사이에 걸린 도르래가 개울을 건너가는 것은 아예 상상할 수도 없기 때문이다.

사진 95(ⓒ 百度)

응소應邵(153?~196)의 말대로 '진에서 달아날 때 우물 위 나무 기둥 끝에 올라서서 도랑을 뛰어넘었다井上株木跳渡瀆'고 해야 옳을 듯하다(『風俗通義』). 그것은 어떻든지, 진대(전 249~전 207)에 도르래우물이 널리 퍼진 것을 알 수 있다.

2. 춘추전국시대(전 3세기~한대漢代[219])

1) 신령스러운 우물

① 『중국신화전설』 기사이다.

―――

윤길보尹吉甫(?~?)는 후처의 말을 믿고 효자 백기伯奇를 죽였다. 뒤에 잘못을 깨달은 그가 아들을 그리다가 사냥터로 갔더니 이상한 새가 뽕나무에서 울었다. '네가 백기이냐?' 묻자 깃을 쳐서 그렇다는 뜻을 보였다. 이어 '내 아들이라면 수레에 깃들거라' 일렀더니 덮개에 앉았다. 집으로 돌아와 새를 우물 위에 앉힌 길보는 활로 아내를 쏘아 죽였다(「周秦篇」 上).

―――

훌륭한 재상의 전형으로 손꼽히는 윤길보는 서주西周 선왕宣王(전 828~전 782) 때의 재상이며, 윤尹은 벼슬 이름이다.

② 『열녀전烈女傳』 기사는 다르다.

―――

효자 백기가 의붓어미를 잘 섬겼음에도 그녀는 탓을 잡아 죽이려고 벌의 독침을 치마에 매달았다. 이를 본 아들이 다가가서 떼었더니 옷을 벗기려 들었다고 들씌웠다. 아비의 의심을 견디지 못한 백기는 마침내 스스로 목숨을 끊었다.

―――

아들이 죽은 것은 아비 탓이라는 것이다.

그의 변신인 새가 뽕나무에서 운 것이나, 아비가 새를 우물에 앉힌 것은 모두 나무와 우물의 신령스러움을 알리는 내용이다.

이백李白(701~762)은 공자의 제자 안회顔回가 밥 짓던 중 티끌이 묻은 밥이 아까워서 입에 넣었다가 동료들에게 의심을 받은 고사와, 백기가 계모 옷에 붙은 독벌毒蜂을 떼려다가 참소를 받은 고사를 들어 '티끌 묻은 밥 걷어내고 독벌 떼려 하였건만拾塵掇蜂 / 세상은 성인 의심하고 현인 시기했네疑聖猜賢'라고 읊조렸다(『이태백집』권8「雪讒詩贈友人」).

『조선왕조실록』에도 '대순大舜 같은 성인도 소경瞽叟이 못 알아보고, 윤백기의 효성도 윤길보 눈에 벗어났으니 고금 인륜人倫의 변고가 또한 많다'는 기사가 있다(문종 2년 [1452] 4월 16일).

③ 『수신기搜神記』 기사이다.

안징재顔徵在가 공자孔子(전 551~전 459)를 낳았다는 공상空桑은 지금 공두孔竇라고 부른다. 노魯나라 남산南山의 이 굴 앞에 큰 집 기둥처럼 똑바로 서 있는 높이 서너 길의 돌 두 개에 사람들이 풍악을 잡히며 제사를 올린다.

물이 없어 물을 뿌리고 청소한 다음 사정을 알리면, 맑은 물이 바위 사이에서 넉넉히 흘러나오지만, 제사를 마치면 샘도 마른다. 지금도 마찬가지이다(권13「孔竇淸泉」).

안징재는 공자 어머니이고, 남산은 산동성 추현鄒縣 동남쪽에 있다. 공자에게 신령스러움을 더하려고 지어낸 이야기인가? 제사도 공자에게 지냈다는 말인지 궁금하다.

④ 『후한서後漢書』 기사이다.

본명이 조평曹平인 노나라 조증曹曾은 증삼曾參(전 505~전 436)을 사모한 나머지 이름까지 바꾸었다. 부자이자 효자인 그는 날마다 세 가지 희생양을 잡았고, 새 음식은 반드시 부모에게 먼저 드렸다. (…)

어느 때 심한 가뭄 탓에 모든 샘과 우물이 말랐음에도 달고 찬 물을 마시고 싶어 하는 어머니를 위해 무릎 꿇고 물병을 잡는 순간 샘이 솟았으며, 그 어느 곳의 것보다 맑고 맛이 좋았다(6권 「後漢」).

———

그의 효성에 대한 하늘이 보답하였다는 뜻이다.

⑤ 『중국신화전설』 기사이다.

———

동해의 불사약不死藥을 찾던 진시황秦始皇(전 259~전 210) 일행이 상湘지방의 형산
衡山(호남성 형산현)으로 가던 중, 물이 떨어지자 서복徐福(전 278~전 208)이 소매에
서 옥으로 깎은 여의如意를 꺼내 땅 바닥을 세 번 두드렸더니 맑은 샘이 솟았다.
뒤에 더 파서 우물을 마련하고 진황정秦皇井이라 불렀다(「주진편」 하).

———

⑥ 이에 대한 『사기』의 기사이다.

———

진시황 28년(전219), 제齊나라 서불徐市(서복의 다른 이름) 등이 삼신산二神山에 불로약
不老藥이 있다고 일렀다. 황제는 그에게 총각童男과 처녀童女 수천 명을 데리고 가서
선인仙人을 찾으라 이르는 한편, 자신은 서남의 회수淮水를 건너 형산으로 간 다음,
남군南郡을 거쳐 양자강에서 배에 올라 상산商山에 이르렀다(권6 「진시황 본기」).

———

⑦ 우리 강항姜沆(1567~1618)도 『간양록看羊錄』에 이렇게 적었다.

———

진시황 때 서복이 동남동녀를 배에 싣고 바다로 들어가 왜의 기이주紀伊州(와카야
마현和歌山県 및 미에현三重県 남부) 웅야산熊野山에 머물렀고, 그 산에 지금도 서복의
사당이 있습니다. 자손이 지금의 진씨秦氏가 되었는데, 세상에서 서복의 후손이
왜황倭皇이 되었다고 하지만 사실이 아닙니다(「賊中封疏」 倭國八道六十六州圖).

———

진씨는 신라 사람이다. '왜황' 운운한 부분은 그가 일본에서 그만큼 세력을 쥐고
있었다는 뜻이다. (☞ 1287)

사진 96(ⓒ 百度)

사진 97(ⓒ 야후)

사진 96은 그의 상이고, 사진 97은 그를 기리는 서복공원 문루이다.

우리 제주도에도 관련유적이 있다. 서귀포시 정방폭포 절벽에 그가 새겼다는 '서시 지나가다徐市過之'는 글자이다. 김석익金錫翼(?~1686)의 『파한록破閑錄』에 '제주목사 백낙연白樂淵(?~?)이 절벽에 긴 밧줄을 걸고 12글자를 떠오게 하였더니 과두문자蝌蚪文字인 탓에 새기지 못하였다'는 기사가 있다. 서귀포西歸浦라는 지명도 이에서 나왔다고 한다. 시에서 기념관을 세웠다.

우리 김창협金昌協(1651~1708)이 시(「연경에 가는 홍생 세태에게贈朴燕洪生世泰」)에 '젊어 바다 멀리 일본에 사신 가서少年賓日到咸池 / 바닷가 서복 사당에 배를 대고海上停舟徐福祠'라는 구절이 보인다(『農巖集』 제4권).

『한서』에 '삼신산은 발해渤海에 있으며 궁궐을 금은으로 지었다'고 적혔다.

⑧ 『서경잡기西京雜記』 기사이다.

―――――

제북왕濟北王 유흥劉興(전 178~전 177)이 모반을 일으켰을 때, 동풍이 거세게 불어 군기가 날아갔다. 깃발이 하늘로 솟구쳐서 구름 속에 묻히더니 성 서쪽 우물로 떨어졌다. 이어 말들이 비명을 지르며 꼼짝도 않았다. 측근 이곽李廓 등이 물러서 자고 하였으나 듣지 않다가 마침내 스스로 목숨을 끊었다(「旌旗飛天墮井」).

―――――

바람에 날린 깃발이 우물로 들어간 것은 누가 보아도 흉조이다. 유흥은 한 고조의 맏이 유비劉肥(221~189)의 아들로, 이복동생 혜제惠帝(전 194~전 188)를 내쫓으려 들었다.

⑨ 『태평광기』 기사이다.

___

한 무제武帝(전 142~전 87) 때 죽왕竹王이 돈수豚水에서 일어났다. 한 여자가 빨래하는 중에 마디 셋 달린 큰 대나무가 다리 사이로 흘러들더니 밀어도 그대로 있었다. 대나무에서 나는 소리를 들은 그네가 반으로 쪼개자 사내아이가 나왔다. 뒤에 이수夷水와 복수濮水의 패권을 잡은 그는 성을 죽竹씨로 삼았다.

그때 버린 대나무 한쪽이 지금의 죽왕사竹王寺 숲을 이루었다. 어느 때 물이 없어 국을 못 끓인다는 종의 말을 듣고 칼로 바위를 쳐서 얻은 샘이 죽왕수이다 (12 「죽왕」).

___

대나무 고장이기에 시조가 대에서 태어났다고 한 것이다. '바위를 칼로 쳐서 물을 얻은 것'은 한족漢族 영향이며, 이러한 고사는 동아시아 일대에 퍼져 있다.

죽왕은 전한前漢 말까지 귀주 및 운남성 일대에 있었던 부이족布衣族이 세운 야랑국夜郎國(전 523~전 27)의 시조이다.

『사기』에 자신의 능력과 분수를 모르고 설쳐대는 사람을 야랑왕이라 부르는 것은 그가 자신을 한나라 황제에 견주며 '우리와 한나라 가운데 어느 쪽이 더 큰가?' 하고 뻐긴 데서 왔다는 기사가 있다(「西南夷列傳」).

⑩ 앞 책의 기사이다.

___

한漢의 유자광劉子光(?~?)이 서역을 정벌하던 중, 산에서 물을 찾다가 만난 석인石人에게 샘이 있는 곳을 물었음에도 입을 열지 않았다. 화가 난 그가 칼을 들어 베었더니 그 자리에서 물이 솟았다(16 「유자광」).

___

유자광의 정벌 사업이 얼마나 어려웠던가를 알 수 있다. 석인은 서역의 장군일 터이다.

⑪ 『후한서』 기사이다.

처음 금포성金蒲城에 주둔했던 경공耿恭(?~?)은 소륵성疏勒城 곁으로 흐르는 내를 보고 (…) 병사들을 이끌고 들어갔다. 그러나 흉노가 성 아래의 물길을 끊은 탓에 목이 타는 이졸吏卒들은 말똥을 짜서 마셨으며, 땅을 열다섯 발이나 팠음에도 물은 나오지 않았다.

장군 이사貳師(?~전 88)가 패도佩刀로 산을 찌르자 물이 솟았다는 말을 떠올린 그가, 옷갓을 갖추고 절을 두 번 올렸더니 물이 나왔다. 이를 본 적은 신명이 돕는다고 믿은 나머지 돌아갔다(권19 「경공 열전」).

후한(25~220)의 경공은 명제明帝 영평永平(58~75) 말, 무기교위戊己校尉가 되어 치적을 쌓았으며, 뒤에 반란을 일으킨 차사車師가 흉노와 함께 침범하자 소륵성에서 막았다. 그는 해가 바뀌도록 산을 파서 우물을 마련하였고, 식량이 떨어지면 활을 삶아 가죽 끈을 씹으며 적을 물리쳤다.

왕유王維(699?~759)의 시(「늙은 장군의 노래老將行」)에 '맹세코 소륵성에 샘물 솟게 하리니誓令疏勒出飛泉 / 영천潁川의 관부처럼 부질없이 주정 않으리不似潁川空使酒'라는 구절이 있다. 이는 한의 명장 이광李廣(전 165~전 119)을 기리는 시이며, 뒤의 구절은 전한의 장수 관부灌夫(?~131) 고사에서 왔다. 성품이 강직한 그는 아첨을 싫어하여 권문세족을 깔보았고, 벼슬이 잘린 뒤에는 늘 주정을 하며 불만을 털어놓았다고 한다.

『조선왕조실록』에 '옛 경공耿恭이 독약 바른 살을 쏘아서 맞은 자가 모두 극심한 신열身熱로 죽었다며, 왜적을 물리치려면 임금도 이를 배워야 한다고 일렀다'는 기사가 있다(선조 27년[1594] 2월 2일).

소륵성은 신강성 창길회족昌吉回族 자치주 기태현奇台縣에 있다.

⑫ 한漢의 어느 자매가 우물에서 달걀꼴 돌에 입을 맞추다가 잘못하여 삼켰다. 언니가 곧 아기를 배더니 용을 낳았으며, 가뭄 때 이 우물에 비를 빈다는 기록이 있다.

'달걀꼴 돌'은 바로 생명의 터전인 달걀 자체이다. 신라 시조 혁거세도 알에서 태어났다. 사람이 아닌 용을 낳은 것은 우물곁에서 우물의 정령을 삼켰다는 뜻인가? 언니와 달리 동생에게 아무 일이 없었던 까닭이 궁금하다.

⑬ 『강표전江表傳』 기사이다.

———

산동성山東省 출신 간길干吉(?~200)은 오행설五行說을 비롯하여 의술醫術과 예언 따위에 정통한 방사方士였다. 후한後漢 순제順帝(125~144) 때, 곡양曲陽(하북성 서쪽)의 한 우물가에서 『태평청령서太平淸領書』라는 신서神書를 얻어 그것을 경전으로 하는 종교단체를 조직하고 정사精舍를 세웠다. 그리고 소향燒香 등의 종교의식을 베풀기도 하고, 도서道書였던 『태평청령서』를 낭송케 하며, 부수符水(부적을 담갔던 물)를 마련하여 사람들의 질병을 고쳤다.

당시 유력한 군웅群雄의 하나였던 손책孫策(175~200)은 그를 두려워한 나머지 죽이고 말았다.

———

『강표전』은 서진西晉의 우부虞溥(?~?)가 편찬한 오吳나라 역사책이다.

⑭ 『회남자』 기사이다.

———

무릇 도라는 것은 하늘을 덮고 땅을 실으며, 사방을 펼치고 팔극八極을 열고, 아주 높고 깊어 헤아리기 어려우며, 천지를 두루 감싸서 무형無形을 낳는다. 이는 샘물이 용솟음쳐서 천천히 빈 곳을 채우고, 콸콸 흐르면서 뿌옇던 물이 점점 맑아지는 이치와 같다(「原道」).

———

도가 만물의 바탕인 것은 샘이 삶의 뿌리인 점과 같다.

팔극은 여덟 방위八方의 멀고 너른 범위라는 뜻으로, 온 세상을 가리킨다. 팔굉八紘 또는 팔황八荒과 같은 낱말이다.

⑮ 『태평광기』 기사이다.

———

한 문제文帝(전 179~전 157) 때, 득도한 효자 소선공蘇仙公이 신선이 되어 어머니에게 말하였다.

"내년에 퍼지는 돌림병에 걸리면 뜰에 있는 우물물 한 되를 마시고, 처마 밑의 귤잎 한 장을 먹으면 낫습니다."(권1 「소선공」)

———

⑯ 이에 대한 『중국문화 중국정신』의 기사이다.

———

중국에서 나는 여러 귤 가운데 금사길金砂桔은 연금술에서 영생과 행운을 상징한
다. 궁중에서도 해마다 설 제사에 복건성 복주福州에서 귤을 바쳤고, 새해맞이 때
에도 주고받아서 한 해의 번영과 행운을 빌었다(C.A.S. 윌리암스 1989 ; 60~61).

———

(☞ 844)

⑰ 『습유기』 기사이다.

———

왕망王莽(전 45~전 23)의 섭정 때, 유경劉京이 말하였다.
"임치현臨淄縣(산동성 치박시淄博市) 정장亭長인 신당辛當의 꿈에 여러 번 나타난 하늘
의 사자가 지금 황제 대신 섭정하는 사람이 황제가 될 것이라며, 정자 아래에서
솟는 물을 증거로 들었습니다. 과연 백 자 깊이에서 새 우물이 솟았다고 합니
다."(권5 「臨緇出新井」)

———

새 우물을 새 왕조 출현에 견준 것이다.
『한서』에도 '왕망이 두 살 박이를 황제로 삼아 섭정할 때, 섬서성 무공武功 현령이
우물을 치우자 위는 둥글고 아래는 네모난 흰 돌에 붉은 글씨로 안한공安漢公 망莽이
황제가 된다'고 쓴 것이 나왔다는 기사가 있다(권99 「왕망전」 상). 이는 그가 전한前漢을
뒤엎고 '신新'왕조(8~24)를 세운 사실을 가리킨다.
필연성을 강조하려고 일부러 넣었을 가능성이 높다.

⑱ 『태평광기』 기사이다.

———

하늘의 삼족오三足烏가 남방의 지일초地日草를 먹으려들 때마다 희화羲和가 태양

수레를 몰고 와서 눈을 가렸다. 먹으면 숨이 막혀 움직이지 못하는 까닭이다. 동방삭東方朔(전 154~전 94)의 말이다.

"어린 적 우물에 빠진 탓에 수십 년 동안 머물 곳을 못 찾았다. 한 사람을 만나 그 풀을 찾으러 가다가 홍천紅泉에 막혔지만, 신발 한 짝을 벗어준 덕분에 건너가 풀을 먹었다."(17 「지일초」)

————

삼족오는 해 속에서 사는 세발까마귀로 태양太陽의 별명이며, 희화는 요堯 임금 때 역법曆法을 다룬 해를 맡은 희씨羲氏와 달을 맡은 화씨和氏이다. 동방삭은 한 무제武帝(전 156~전 87) 때 사람으로 금마문金馬門 시중侍中을 지냈으며 해학諧謔과 변설에 뛰어났다. (☞ 872)

⑲ 같은 책의 다른 대목에는 동방삭이 무제에게 이렇게 일렀다고 적혔다.

————

어렸을 때 우물을 파다가 떨어져 수십 년 동안 홀로 지냈습니다. 저를 데리고 영지靈芝를 찾으러 가던 한 사람이 홍천을 만나자 신발 한 짝을 벗어 주었습니다. 저는 그것을 타고 건너가 영지를 캐 먹었습니다. 그 나라 사람들은 모두 주옥으로 짠 대나무 자리와 모기 털로 짠 요를 깔고 지냈습니다(1 「동방삭」).

————

홍천은 맛있는 샘이나 세상에서 아주 뛰어난 샘을 가리키는 말로 '단사丹砂 있는 곳에 홍천 있다'고 이른다. 그러나 '홍천에 막혔다'고 한 것을 보면 샘이 아니라 너르고 깊게 흐르는 내川인 듯하다. 앞의 지일초가 영지로 바뀌었다.

우리 정약용丁若鏞(1672~1836)의 시(「사월 이십육일 금곡에서四月二十六日遊金谷作」)에 '푸른 절벽 구름 속에 멀고翠壁含雲逈 / 햇빛 받아 붉은 샘 흐른다紅泉帶日流'는 구절이 보인다(『다산시문집』 제4권 「시」).

우물에 전이 없는 탓에 어린 나이에 빠진 것이다. 이러한 우물은 오늘날에도 어디서나 눈에 띄며, 뒤에 드는 대로 『논어』나 『맹자』를 비롯한 옛 기록에도 자주 등장한다. 더러 우물 입을 아주 작게 해서 사고를 막으려 하였지만 어린이에게는 큰 도움이 되지 않았고, 어른이라도 어두운 밤중에는 불행에서 벗어나기 어려웠다.

사진 98은 산동성 내무시萊蕪市 교외 한 농촌의 한데우물이다. 우물이 오른쪽의

사진 98   사진 99

도로와 같은 평지에 있어서 자칫하면 빠지기 십상이다. 사고가 이어지자 근래에 쇠
틀을 마련해서 물을 긷지 않을 때는 입 안쪽에 걸쳐둔다(사진 99).

　유종원柳宗元(773~819)의 시(「강화장로에게 줌贈江華長老」)에 '바람 부는 창엔 성근 대숲 소
리風窓疎竹響 / 덮개 없는 우물엔 찬 솔 물방울 진다露井寒松滴'는 구절을 보면, 더러
덮개를 쓰기도 한 것을 알 수 있다(『精言妙選』).

　그러나 이 글에서는 일찍부터 신선도를 닦았다는 뜻인 듯하다. 홍천은 속세와 선계
를 가르는 경계이고, 신발 벗어준 이는 신선일 터이다.

2) 삶과 우물

① 『설원說苑』의 기사이다.

　주周 문왕文王(전 1152~전 1056)은 숭崇을 치기에 앞서 군사들에게 절대로 사람을
죽이거나, 집을 부수거나, 우물을 메우거나, 집짐승을 함부로 잡지 말라고 이르
는 한편, 어기면 목을 벤다는 다짐을 두었다. 이를 들은 숭의 백성들은 오히려
자기네 임금이 항복하기를 바랐다.

실제로는 집보다 더 요긴한 것이 우물이다.

② 『춘추좌전』 기사이다.

———

제齊 환공桓公(전 685~전 643)이 관중管仲(전 720~전 106)에게 세금 매기는 방법을 묻
자 이렇게 대답하였다.
"땅의 기름지고 거친 정도에 맞추면 백성들이 떠나지 않습니다. (…) 평지·언덕
·도랑·우물·곡식 가꾸는 밭·뽕과 마늘 심는 땅 따위를 고루 나누어주면 원한
을 품지 않습니다."

———

이 글에 나타난 대로 땅에 앞서는 것이 우물이다.

③ 『회남자』에 '불은 남에게 얻지 말고 스스로 부싯돌로 치며, 남의 우물의 물을 긷
지 말고 스스로 파는 것이 좋다. 모두 자기 자신에게 의지해야 한다'는 대목이 있다.
비록 비유이지만, 부싯돌과 달라서 집집마다 우물을 갖추기는 어렵다.

성냥 따위가 없었던 옛적에는 아궁이의 불씨를 화로의 재에 꼭꼭 묻어두었다가 필
요한 때, 가랑잎 따위에 올려놓고 호호 불어서 불을 일구었다. 이것이 꺼지기라도 하
면 이웃에서 불씨를 빌릴 수밖에 없었다.

3) 죽음과 우물

① 『습유기』 기사이다.

———

진왕秦王 자영子嬰(?~전 206)이 왕위에 올라 백일 되는 날, 내시 조고趙高가 죽일
마음을 먹었다. 진왕이 망이궁望夷宮에서 잘 때, 꿈에 키 열 발에 수염과 살쩍이
시퍼런 사람이 옥 신발을 신고 붉은 말이 끄는 수레에 앉은 채 들어와 '저는 하
늘의 사신으로 사구沙丘에서 왔습니다. 세상이 곧 어지러워지면 당신과 같은 성
을 가진 사람이 잔인하게 죽일 것입니다' 일렀다.

조고를 의심한 그가 함양咸陽 옥에 가두었다가 우물에 매달았지만懸於井中 일주일이 지나도 숨이 끊어지지 않았다. (…) 죽은 뒤 주검을 큰 네거리에 버렸더니 울며 지나는 사람 수천 명에, 시신에서 파랑새가 나와 구름 속으로 날아가는 것을 보았다는 사람도 있었다. (…)

꿈에 나타난 이는 진시황의 혼령이고 옥 신발은 안기생安期生의 유품이다. 조상신이 이처럼 위험을 알려주는 것은 아주 드문 일이다(4권 「秦」).

———

자영은 진의 3대이자 마지막 왕이다. 2대 호해胡亥의 뒤를 이었으나, 전국시대 여섯 나라가 각기 나라를 다시 세운 탓에 황제가 아니라 진왕으로 불린다. 사구는 진시황이 죽은 곳이다. 천하순행 중 갑자기 죽음이 가까운 것을 안 그가 맏이 부소扶蘇로 뒤를 이으라는 유서를 남겼음에도, 조고의 술수 탓에 자결하고 막내 호해가 올랐다. 이 뒤부터 사구를 신하의 간교한 속임수로 형이 죽고 아우가 보위에 오른다는 뜻으로 쓴다. 안기생은 봉래산蓬萊山에 산다는 전설의 인물이다.

이백李白(701~762)의 시(「술 따르는 노래對酒行」)에 '송자는 금화에 숨고松子棲金華 / 안기생은 동해 봉래산에 들었구나安期入蓬海 / 이러한 옛 신선들此人古之仙 / 날개 돋쳐 어디로 갔나羽化何竟在'라는 구절이 들어있다.

②『중국신화전설』 기사이다.

———

오吳에 이른 오자서伍子胥(전 559~전 485)는 지친 나머지 율양栗陽에서 한 발자국도 떼지 못하였다. 그때 우물가에서 빨래하는 아낙 옆에 놓인 밥 바구니가 보였다. (…) 밥을 먹은 뒤, 그가 다른 사람 눈에 띄지 않게 뚜껑을 덮어달라고 하자 상대가 말하였다.

"나이 삼십이 되도록 홀어미 모시고 살며 외간 남자와 말 한마디 나누지 않았거늘, 왜 이렇게 골치 아픈 일을 시킵니까? 어서 마음 놓고 떠나세요."

몇 걸음도 떼기 전, 풍덩 소리에 놀라 돌아보았더니 그네가 돌을 안은 채 우물로 뛰어들었다(「주진편」 하).

———

모르는 남자에게 밥 주고 말 몇 마디 나누었다고 우물로 뛰어들었으니 첫손에 꼽을

만한 열녀이다.

오자서는 춘추전국시대 초楚의 정치가였으나 아버지와 형이 목숨을 잃자 오吳로 가서 원수를 갚았다. 오의 왕 합려闔閭(전 514~전 496)를 도와 나라를 키웠음에도 그의 아들 부차夫差에게 중용되지 못하고 모함을 받아 자결하였다. 부차는 주검을 말가죽으로 만든 술 부대에 넣어 강물에 던졌다.

4) 군자와 우물

① 『맹자』의 기사이다.

———

나는 제齊나라 선비 가운데 진중자陳仲子를 첫 손에 꼽지만, 참으로 깨끗하다고는 생각지 않는다. 그의 지조를 따르려면 지렁이가 되어 위로는 마른 흙을 먹고, 아래로는 황천물(구정물)만 마시고 살아야 하는 까닭이다. 그가 사는 집을 백이伯夷와 도척盜拓 중에 누가 지었는지, 또 그가 먹는 곡식을 둘 가운데 누가 심었는지도 알 수 없는 일이다(「滕文公」下).

———

진중자는 깨끗한 선비이지만 하찮은 청렴결백을 지키려다 대의를 잃은 사람의 대명사로 쓴다. 어머니가 주는 음식과 형의 집이 의롭지 않다며 (산동성) 오릉於陵에 들어가 자신은 짚신을 꼬고 아내는 길쌈하며 지냈으며, 초楚에서 재상으로 불렀으나 가지 않았다. (☞ 745~746)

② 그에 대한 앞 책의 다른 대목이다.

———

제齊의 광장匡章(?~?)이 '진중자는 참으로 깨끗한 선비입니다. 오릉에서 사흘을 굶어 귀와 눈이 멀자 굼벵이가 반쯤 파먹다 남긴 우물가의 오얏을 기어가서 세 번 씹어 삼키고서야 귀가 열리고 눈이 뜨였습니다' 하였다(「등문공」하).

———

긴말할 것 없이 그는 참으로 딱한 사람이다.

백이는 은殷말에서 주周초(전 12세기쯤)의 전설적인 성인이고, 도척은 춘추시대 노나라를 휘저은 9천여 명이나 되는 도적의 두목이다.

『주자어류朱子語類』에도 '어떤 이는 몸가짐이 지나치게 검소해서 절조를 지키려면 지렁이처럼 위로 마른 흙을 먹고 아래로 누런 흙탕물을 마셔야 할 정도임에도 오직 관직만 사랑하고, 어떤 이는 몸가짐이 바름에도 여색女色을 좋아한다. (…) 그들은 관직만 좇는 탓에 아비와 임금도 서슴없이 죽인다'는 대목이 보인다.

우리 기대승奇大升(1527~1572)도 장필무張弼武(1510~1574)의 인물됨을 들어 임금에게 '무식한 무부武夫임에도 몸가짐을 잘 지키는 것은 귀한 일이지만, 청렴이 오릉중자를 닮아 한쪽으로 치우쳐서 가소로운 일이 많습니다' 하였다(『高峯集』 「論思錄」 하권 5월 21일). 선조宣祖 (1567~1608)는 그를 함경북도 회령會寧 병사兵使로 보내며 '경의 깨끗하고 성실한 점은 본보기가 되지만, 인명을 아끼지 않는 것은 장수의 도리에 어긋나니 조심하라'고 일렀다.

정약용丁若鏞(1762~1836)도 이웃집 호박을 훔친 계집종 꾸짖는 이를 보고 '아서라 죄 없는 아이 꾸짖지 마라嗚呼無罪且莫嗔 / 이 호박 나 먹을 터이니 두 말 말라我喫此瓜休再說 / 옆집 가서 떳떳하게 사실대로 말하라爲我磊落告圃翁 / 오릉중자 갓잖은 청렴 달갑지 않으니於陵小廉吾不屑'라며 비꼬았다(『시로 읽는 다산의 생애와 사상』).

그러나 조선시대에는 흔히 오릉중자를 깨끗한 선비의 표상으로 삼았다. 김창협金昌協의 시(「홍생이 지은 시에 차운함次洪生韻」)의 '지쳐 세상에서 숨어 산 뒤로吾衰自逃世 / 진중자와 다름없이 지내네人道似於陵'라는 구절이 그것이다(『농암집』 제5권 「시」).

③ 『맹자』의 기사이다.

———

어린아이가 곧 우물에 빠지려 하면 누구나 두렵고 가여운 마음이 들 것이다. 이는 그의 부모를 잘 알거나, 마을 친구들에게 칭찬을 듣거나, 구해주지 않았다고 욕먹기를 겁내서가 아니다(「公孫丑章句」 上).

———

설명을 덧붙일 것이 없는 옳은 말이다. 사람의 성품은 본디 착하다는 그의 주장 그대로이다.

사진 100에서 한 어린이가 이쪽을 쳐다보고, 다른

사진 100(ⓒ 百度)

아이가 우물을 들여다보는 모습이 여간 위태롭지 않다.

④ 『회남자』 기사이다.

———

물레우물의 기둥이 곧게 서서 움직이지 않는 덕분에 두레박이 오르내린다. (마찬가
지로) 통치자가 고요히 머물며 흔들리지 않아야 관리들이 제 일을 다 한다(「主術」).

———

이로써 물레우물이 아주 널리 퍼진 것을 알 수 있다.

⑤ 『맹자』의 기사이다.

———

"공자가 자주 물의 덕德을 들어 '물이여, 물이여' 하신 까닭이 무엇입니까?" 묻는
서자徐子에게 맹자가 일렀다.
"근원이 있는 샘은 끊임없이 밤낮을 가리지 않고 흘러 구덩이를 채운 뒤, 다시 앞으로
나가 사해四海에 이른다. (…) 진실로 근본이 없으면 장마 때 모인 빗물이 크고 작은
도랑을 다 채우기는 하지만, 서서 기다릴 만한 짧은 동안에 마르고 만다. 군자가
명성이 실제보다 지나치게 높은 것을 부끄러워하는 까닭이 이것이다."(「離婁章句」下)

조선왕조의 건국을 노래한 『용비어천가龍飛御天歌』에도 '샘이 깊은 물은 가뭄에 아
니 그치므로 냇물이 이르러 바다에 간다源遠之水 旱亦不渴流斯爲川 于海必達'는 대목이
있다(제2장).

⑥ 『논어論語』의 기사이다.

———

재아宰我가 공자에게 '어떤 이가 사람이 우물에 빠졌다는 거짓말을 해도 어진 이의
말이라고 그의 지시를 따라야 합니까?' 묻자, 이렇게 대답하였다.
"그렇지 않다. 군자는 가서 꺼내주기는 해도 (우물에) 빠뜨릴 수는 없다. 군자
를 비록 속여도 웃음거리로 만들면 안 된다宰我問曰 仁者 雖告之曰 井有人焉 其從之
也 子曰 何爲其然也 君子可逝也 不可陷也 可欺也 不可罔也."(「雍也篇」)

원문을 덧붙인 것은 질문과 대답이 동떨어진 까닭이다. 사람이 우물에 빠졌다는 거짓말을 듣고 들어가야 하느냐는 질문부터 어리석기 그지없다. 상대가 어질든 악하든 거짓이라면 움직일 필요가 없기 때문이다. 그것은 그렇거니와 공자의 대답도 무슨 뜻인지 아리송하기는 마찬가지이다. 사람을 우물에 빠뜨리는 인간이 짐승만도 못한 것은 군자가 아니라 삼척동자도 다 아는 일 아닌가?

『도산본陶山本』 언해諺解에서는 '군자는 가히 가게 할지언정 가히 빠지게 못하며, 가히 기欺할지언정 가히 망罔치 못할 것이라' 새겼고, 『율곡본栗谷本』도 다를 것이 없다. 우리네 대석학들도 손을 들어버린 셈이다. 따라서 앞 기사는 스승의 어록을 정리한 후학들의 잘못일 터이다. 이 뒤부터 '군자는 비록 속여도 놀리면 안 된다'는 말이 선비정신을 높이는 잣대가 되었다.

⑦ 『장자』의 기사이다.

자사子祀, 자여子輿, 자려子黎, 자래子來 네 사람이 이야기를 나누었다. '누가 과연 무無로 머리를 삼고, 삶을 등뼈로 삼으며, 죽음을 꽁무니로 삼을 수 있을까? 누가 과연 삶과 죽음, 있음과 없음이 하나인 줄 알 수 있을까? 그러한 사람을 벗으로 삼고 싶구나.' 서로 쳐다보며 빙긋 웃은 넷은 뜻이 맞아 마침내 벗이 되었다.

얼마 뒤 자여가 병들자 자사가 문안을 갔다. 이때 그는 '위대하구나 조물주여, 내 몸을 이처럼 구부려 놓다니' 하였다. 굽은 등은 불쑥 나오고, 오장은 위로 올라가 붙었으며, 턱은 배꼽에 가려지고, 어깨는 정수리보다 높이 솟았으며, 굽은 혹은 하늘을 가리켰다. 이처럼 음양의 기운이 뒤죽박죽이 되었음에도 그의 마음은 한가롭고 고요하기만 하였다. 이윽고 그는 비틀거리며 우물가로 가서 자신의 모습을 비추면서 중얼거렸다.

"아, 조물주가 나를 이렇게 구부려 놓았구나."(「應帝王篇」)

구리거울로는 온몸을 비추어보기 어려워서 우물(샘)을 이용하였을 터이다.

5) 사람의 재주와 우물

① 『세설신어』 기사이다.

———

곽태郭泰(128~169)는 설공조薛恭祖에게 '원봉고袁奉高의 기량은 솟는 샘물 같아서 맑기는 하지만 퍼 올리기 쉽다雖淸易挹耳'고 일렀다(곽태별전 「德行」 제1).

———

전적典籍에 밝은 곽태는 높은 학문과 큰 덕으로 일세의 추앙을 받았다. '원봉고의 기량이 퍼 올리기 쉽다'는 말은 귀가 얇아서 남의 말에 잘 쏠린다는 뜻인가?

② 『한시외전韓詩外傳』 기사이다.

———

슬기가 샘물 같아 행동이 남의 본보기가 되면 여럿의 스승이 되고, 지혜가 숫돌 같아 행동이 반듯하면 모두의 친구가 될 수 있다(권5 「智如泉源」).

———

'샘물 같은 슬기'는 끝없는 지혜를 가리킨다.

6) 전쟁과 우물

『춘추좌전』 기사이다.

———

초楚와 진陳을 다독이려고 진에 갔던 성자聲子(?~?)가 돌아와 초의 영윤令尹 자목子木에게 일렀다.

"노魯 성공成公 16년(전 575), 어느 날 새벽 초 군사가 진의 진영으로 가서 기세를 올리자 모두 내빼려 들었습니다. 이때 묘분황苗賁皇(?~?)이 '초의 정예군사는 중군中軍의 왕족군王族軍 뿐이다. 만일 우물을 다 메우고 부뚜막을 부순 다음, 난欒씨와 범范씨가 이항易行해서 꾀면 (…) 반드시 이긴다' 외쳤고, 마침내 그대로 되었습니다."(「魯襄公」 26년[전 547])

우물을 메우고 부뚜막을 부수면 목숨을 부지하기 어려우므로 죽기를 결심하고 대들 수밖에 없다. 임란 때 장수 신립申砬(1546~1592)이 요새인 새재鳥嶺를 버리고 남한강을 등진 탄금대彈琴臺 부근에서 싸움을 벌인 까닭도 이에 있다.

성자는 채蔡의 고관이고, 묘분황은 초 영윤 투월초鬪越椒의 아들이다. 반란을 일으킨 아비가 진으로 달아나 묘의 땅을 받고 얻은 이름이다.

7) 귀중품과 우물

① 『습유기』 기사이다.

> 범여范蠡(?~?)는 나라越를 위해 날마다 이익을 거두었다. 어린 하인 중에 산술에 밝은 자가 만 명이고, 사해四海 각지에서 거둔 희귀한 재화가 도읍에 가득 쌓였다. 또 구리나 쇠가 언덕을 이루고, 일부는 우물과 참호에 숨겼다. 이를 보정寶井이라 불렀다(권3 「周靈王」).

물이 가득 찬 우물은 귀중품을 감추기 알맞다.

범여는 춘추전국시대 정치가이자 군인으로 왕 구천句踐을 도운 덕분에 월은 춘추시대 오대국의 하나로 꼽혔다. 19년 동안 막대한 재물을 세 번 모았지만, 두 번은 가난한 친지들에게 나누어 주었다고 한다.

② 앞 책의 기사이다.

> 한 고조高祖 6년(전 201), 관영灌嬰이 쌓은 분구성湓口城(강서성 구강현九江縣 서쪽)에 손권孫權(182~252)이 들어가 우물 자리를 찾다가 옛 우물터에서 다음 글을 새긴 비석을 발견하였다.
>
> "이 우물은 한漢 6년에 영음후潁陰侯(관영)가 팠다. 3백 년 뒤 막히지만 백 년 안에 운이 닿는 자가 다시 뚫으리라."

그는 매우 기뻐하였다(권7 「손권」).

―――――

젊어 비단과 명주를 팔던 관영은 진秦 말, 유방劉邦(전 247?~전 195)을 따라 나서서 제齊를 치고, 항적項籍을 죽인 공로로 영음후가 되었으며 이어 승상丞相의 자리에 올랐다. 손권은 오의 초대 황제이다.

막혔던 우물이 뚫린 것은 손권이 오나라를 세운다는 조짐이다.

8) 기타

① **하북성 탁주**涿州**의** 푸줏간 주인 장비張飛(?~221)는 장사를 점심때까지만 하고, 오후에는 고기를 우물 안에 걸어두고 위를 500근의 큰 돌로 덮은 뒤, '돌을 들어 올리는 사람에게 고기를 준다'고 큰 소리쳤다. 해질 무렵에 간 관우關羽(162?~220)는 주인이 없자 돌을 들고 고기를 가져갔다. 장비가 싸움을 걸었지만 쉽게 결판이 나지 않는 중에, 짚신 장수 유비劉備(161~223)가 나서서 말렸다고 한다(허우범 2009 ; 31).

우물이 식품 창고구실을 한 것이다.

사진 101은 우물 위에 세운 정각亭閣이고 사진 102는 한백옥석漢白玉石으로 깎은 전으로 주위에 비천상·짐승머리·구름무늬 따위를 새겼다(사진 103). 입이 좁음에도 사

사진 101(ⓒ 허우범)

사진 102(ⓒ 허우범)

사진 103(ⓒ 허우범)

람이 빠지지 않도록 쇠몽둥이를 정井자 꼴로 건너질렀다.

20세기 초 탁주장관 동국익佟國翼이 돈을 모아 유적을 복원하고, 마을에서 비를 세우며 장비의 무덤까지 마련한 덕분에 장비의 고향張飛故里으로 불린다.

② 『춘추좌전』 기사이다.

초楚 장왕莊王(?~전 591)이 소蕭를 치자, 초의 대부 신숙전申叔展이 소의 대부 환무사還無社를 대부 사마묘司馬卯에게 부탁해서 큰 소리로 부르게 했다. 신숙전이 환무사에게 물었다.

"맥국麥麴(술 담그는 효모) 있소?"

"없소."

"산국궁山鞠窮은?"

"없소."

"하어복질河魚腹疾은 어떻게 고치오?"

환무사는 비로소 묻는 뜻을 알아채고 말하였다.

"그대는 조심스럽게 마른 우물眢井에서 나를 끌어 올리시오. 새茅로 꼰 줄을 우물에 올려놓았다가 바닥에서 울음소리가 들리면 바로 나인 줄 아시오."

다음날 소가 망하여 신숙전이 우물로 갔더니 줄이 보였다. 이에 큰 소리로 곡을 하고 선무사를 끌어 올렸다(「魯宣公」 12년[전 579]).

주대周代 송宋나라에 딸렸던 작은 나라 소는 안휘성 소현蕭縣 서북쪽에 있었으며 초나라가 전 597년에 멸망시켰다.

소를 포위한 초에서 이튿날 치기로 결정하자 신숙전은 가깝게 지내는 환무사가 걱정되었다. 사실을 직접 알릴 수 없어 '추위를 견디는 데 쓰는 약초인 맥국과 산국궁을 가졌느냐?'며 위급을 넌지시 일렀음에도 상대가 여전히 말뜻을 모르자 다시 '배탈이 났을 때 어찌하면 좋은가?' 물었고, 그제야 우물에 숨을 터이니 찾아서 살려달라고 하였다. 우물을 새茅덮개로 표시했던 신숙전이 다음날 소읍이 떨어지자 살린 것이다.

하어복질은 물속에 오래 있을 때 배가 부풀어 오르는 병이다. 이는 '물고기는 배부터 상한다'는 뜻에서 온 말로, 배앓이나 설사를 비유하는 고사성어가 되었다.

③ 앞 책의 기사이다.

전 607년, 송宋의 대부 광교狂狡와 마주친 정鄭나라 병사가 달아나다가 우물에 빠졌을 때, 광교가 창을 거꾸로 쥐고 구해주었음에도 정나라는 그를 잡아갔다. 이에 대해 군자君子는 '광교가 작전의 기본을 지키지 않고 적을 죽이라는 명도 어겼으므로 포로가 된 것은 당연하다'고 일렀다(권7 「魯宣公 2년[569]」).

죽고 죽이는 일이 전쟁이므로 광교의 행동이 잘못이기는 하나, 명분을 잣대로 삼으면 그른 처사가 아니다. 그것은 그렇거니와 대부라는 사람의 이름이 '미친 듯 날 뛴다'는 뜻(광교)인 것은 우스꽝스럽다.

④ 『서경잡기西京雜記』 기사이다.

노魯나라에 증삼曾參(전 505~전 436) 둘이, 조趙나라에도 같은 이름의 모수毛遂 둘이 있었다. 남쪽의 증삼이 사람을 죽여 잡히자 어떤 이가 북쪽의 어머니에게 알렸고, 야인野人 모수가 우물에 빠져 죽자 한 식객이 잘못 알고 평원군平原君에게 일렀다. 이에 그는 '아, 하늘이 나를 버리셨구나' 탄식했다가 뒤늦게 전혀 다른 사람임을 알았다. (…)
사물이 매우 닮았어도 실상은 전혀 다른 경우가 있으므로 (…) 마땅히 잘 분별해야 한다(권6 「兩秋胡曾參毛遂」).

한 증삼은 공자의 제자, 한 모수는 전국시대 조趙나라 평원군의 식객이다. 진秦의 침략을 받은 평원군이 초楚의 도움을 얻으러 갈 때 그는 '주머니 속에 넣어만 주면 끝뿐만 아니라 자루柄까지 드러내 보이겠다'며 따라 나섰다. 낭중지추囊中之錐라는 고사는 이에서 왔다. 그의 말솜씨 덕분에 위기에서 벗어난 평원군은 '세 치 혀가 백만 대군보다 낫다'며 상객上客으로 삼았다.

⑥ 『전국책戰國策』 기사이다.

강을江乙이 초楚 선왕宣王(?~전 340)에게 재상 소해휼昭奚恤을 헐뜯었다.

"어떤 사람이 개가 집을 잘 지킨다며 매우 귀여워하였습니다. 우물에 오줌 누는 것을 본 이웃이 주인에게 알리려 하자, 문을 지키던 개가 달려들어 무는 바람에 當門嚙人 끝내 입을 다물었습니다.

한단邯鄲싸움 때 초의 군사가 위魏의 도읍 대량大梁(하남성 개봉시開封市)으로 들어갔다면 우리가 차지하였을 것임에도, 위의 뇌물을 받은 소해휼이 반대한 탓에 군사가 움직이지 않았습니다. 신은 그곳에 있었기에 잘 압니다. 제가 대왕 만나는 것을 그가 꺼리는 까닭이 이것입니다."(권14 「楚策」 1)

———

신하를 지나치게 총애하면 해롭다는 뜻이다. 남의 권세를 등지고 위세를 부린다는 호가호위狐假虎威라는 말은 이에서 나왔다. 이를 차호위호借虎威狐라고도 한다.

'우물에 오줌 누는 개'는 비유에 지나지 않을 터이지만, 사진 104처럼 전 없는 우물이 적지 않으므로 개가 마음만 먹으면 일을 벌이기는 어렵지 않다.

사진 104는 산동성 장구시章丘市 가욕향家峪鄉의 우물로, 입 72×72센티미터에 깊이는 5미터가 더 된다.

사진 104

⑦ 앞 책의 기사이다.

———

초 선왕에게 뽑힌 강을은 소昭·경景·굴屈 세 씨족 때문에 새로운 이상을 펴지 못하였다. (…) 어느 날 선왕이 '북쪽에서 소해휼을 두려워한다는데 그것이 사실이냐?' 물었을 때, 신하들은 두려워 입을 다물었으나 그가 나섰다.

"어느 날 호랑이에게 잡힌 여우가 '천제天帝께서 모든 짐승의 어른으로 삼은 나를 먹으면 그 말씀을 어기는 것이 됩니다. 믿지 못하겠거든 내 뒤를 따르며 도망치지 않는 짐승이 있는지 살피시오' 하였습니다. 말과 다르지 않은 것을 본 호랑이는 사실인 줄 알았습니다.

임금님은 땅이 사방 5천 리에, 군대가 백만이나 됨에도 오로지 소해휼 한 사람에게 맡기셨습니다. 따라서 북에서 실제로 두려워하는 것은 임금이 아니라 소해휼입니다. 이는 짐승들이 호랑이가 두려워 도망치는 것과 같습니다."(권14 「초책」 1)

3. 오吳~수隋대(222~618)

1) 신령스러운 우물

① 『문선文選』의 기사이다.

(하북성 형태시刑台市) 임성현臨城縣 남쪽 40리 개산蓋山 중턱에 서고천舒姑泉이 있다. 옛적에 아비를 따라 나무를 하러 간 딸이 그 자리에 앉은 뒤 몸이 땅에 붙어 아무리 당겨도 떨어지지 않았다.

아비가 집안사람들을 불러 다시 갔더니 딸은 간 데 없고 오직 맑은 샘이 솟을 뿐이었다. 어미가 '우리 딸은 본디 음악을 좋아한다'며 현악기를 뜯고 노래 부르자 물이 용솟음쳐 맴돌고, 흐르자마자 그 안에 붉은 잉어 한 쌍이 있었다(「宣城記」).

그네가 앉은 자리에서 샘이 솟은 것은 여성의 출산을 가리키는 듯하다. 풍류에 맞추어 물이 움직이면서 한 쌍의 잉어가 노닌 것도 마찬가지이다.

② 이에 대한 백거이白居易(772~846)의 시(「사리에 통달하여達理」)이다(부분).

舒姑化爲泉	서고가 샘으로 바뀌고
牛哀病作虎	우애가 병들어 범이 되듯
時來不可遏	다가오는 운 막지 못하고
命去焉能取	떠나는 운 잡지 못하네
唯當養浩然	오직 마음 너르게 먹고
吾聞達人語	달인의 말 들으리라

『전당시全唐詩』 권 430

이는 노魯의 우애牛哀가 병에 걸리더니 한 이레 뒤 호랑이로 변하여 자신의 형을 잡아먹었다는 고사에서 왔다. 사람의 일은 모두 하늘에 매였으므로 마음을 크게 먹고 슬기로운 이를 따르겠다는 뜻이다.

우리 장유張維(1587~1638)도 '천지 안의 존재는 모두 변한다. 매는 비둘기, 참새는 대합, 뱁새는 수리, 올챙이는 개구리, 풀은 썩어 반딧불이가 된다. (…) 또 곤鯤은 황웅黃熊, 망제望帝는 두견새, 용의 거품은 포녀褒女, 우애牛哀는 호랑이, 팽생彭生은 돼지로 바뀌었다. 이들은 요망스럽게 변하여 재앙을 끼쳤다'고 적었다(『谿谷集』化堂說「續稿」).

③ 『문선』의 기사이다.

──────

포양蒲陽 호공산壺公山 큰 암벽 옆에 게 샘蟹泉이 있다. 깊이 서너 자에 구멍은 팔이 들어갈 만하다. 발원지는 언제나 바싹 말라서 한 방울의 물도 보이지 않는다. 가뭄이 든 해, 한 관리가 깨끗한 그릇에 새茅를 덮어놓자 물이 흐르더니 가득차면서 멈추었다. 곧 동전만한 붉은 게가 나타나 안에 들어가 놀다가 사라졌다. 이 뒤부터 게가 보이면 비가 내린다고 일러온다(제20권 「神奇」).

──────

새를 덮은 그릇에서 물이 흘렀다지만 마른 샘에서 물이 흘렀다고 해야 사리에 맞을 터이다.

게가 물에 사는 동물이라기보다 샘이 게를 닮아서 해천이라 불렀을 것이다. 서울특별시 강동구 상일동에 가뭄에도 마르지 않는 게 샘이 있다. 마을 이름 해천리도 샘 덕분에 생겼다고 한다.

④ 『태평광기』 기사이다.

──────

좌원방左元放(156?~289?)에게 『구단금액선경九丹金液仙經』을 받은 갈현葛玄(164~244)이 단약丹藥은 못 지었지만 귀신이나 도깨비는 잘 쫓았다. 어떤 때는 술을 한 곡斛이나 마시고 깊은 산골짜기의 샘에 들어가 자다가 나와도 옷이 젖지 않았다(3 「갈현」).

──────

선약은 아무나 지을 수 없다는 뜻이다. 좌원방은 후한 말(2세기)의 술사術士이다. 『후한서後漢書』에 '그가 일찍이 조조曺操(전 200~전 154)의 좌상座上에 있을 때, 상대가 송강松江의 농어鱸魚를 먹고 싶다고 하자 소반에 물을 담아오게 한 뒤 그 물에 낚시를 넣어 낚았으며, 또 좋은 술을 찾자 맑은 물로 술을 빚었다'는 기사가 있다(「左慈傳」).

우리 김정희金正喜(1786~1856)가 '영감의 정체政體가 평안하고 다복하신지요? 주묵朱墨의 결재가 날로 익숙해지고 모두 구율穀率에 맞아서 온 섬의 주리고 목마른 자들이 빠짐없이 좌원방左元放의 술을 마시고 있겠지요' 한 것도 이 고사에서 왔다(『阮堂全集』 제4권 「書牘」).

갈현은 『포박자』를 쓴 갈홍葛洪의 할아버지뻘로, 물과 연관된 마술도 잘 부렸다. 『구단금액선경』은 만물을 변화시키는 술법에 관한 책이다.

본디 열 말斗이던 한 곡은 뒤에 닷 말斗로 줄었다.

⑤ 『수신기』 기사이다.

———

좌원방의 『구단액선경』을 읽은 갈현이 (…) 동전 수십 냥을 사람들에게 나누어 주고 마음 내키는 대로 우물에 던지라고 일렀다. 그 뒤 우물 위에서 부르자 한 개씩 그릇 속으로 날아들었다(권1 「葛玄法術」).

———

오늘날에도 우물에 소원을 빌 때 흔히 돈을 넣는다. (☞ 사진 4 · 244)

⑥ 앞 책의 기사이다.

———

여강廬江(안휘성 소호巢湖)에 이른 곽박郭璞(276~324)이 태수 호맹강胡孟康에게 강 건너 남방으로 떠나라고 하였지만 듣지 않았다. 곽박은 좋아하는 여종에게 태수 집 둘레에 팥 서 말을 뿌리라고 일렀다. 이튿날 새벽, 붉은 옷차림의 군사 수천 명이 집을 에워싸더니 태수가 다가가자 사라졌다. 까닭을 묻자 곽박은 '대감댁의 불길한 여종을 동남쪽 20리 되는 곳으로 데려가서 파십시오. 값 때문에 시비가 일지 않으면 요괴들은 사라집니다' 하였다.

그가 뒤로 사람을 보내 여종을 손에 넣은 뒤, 우물에 부적을 던지자 붉은 군사들이 차례로 들어갔다. (…) 여종과 떠난 수십 일 뒤, 여강은 적의 손에 떨어졌다(권3 「郭璞撤豆成兵」).

———

악귀를 쫓는다는 팥이 해를 끼치는 군사로 바뀐 것은 의문이다.

동진東晉의 곽박은 천문·고문기자古文奇字·역산曆算·복서술卜筮術에 밝았으며 시부詩賦에도 뛰어났다. 무제武帝의 사위 왕돈王敦이 태녕太寧 2년(324), 명제明帝가 중병에 걸린 틈을 타 모반하였을 때, 점괘를 들어 막으려다 실패하였다.

⑦ 『수신기』 기사이다.

사규謝糾(?~?)가 잔치 때 붉은 부적을 그려서 우물에 던졌더니 갑자기 잉어 두 마리가 튀어나왔다. 하인들은 회를 떠서 손님들에게 대접하였다(권2 「謝糾作膾」).

'우물의 잉어' 관련 기사가 드물지 않은 것을 보면 실제로 잉어를 키운 듯하다. 사진 105의 사천성 안악현安岳縣 서운향瑞雲鄕의 오래 된 우물이 좋은 보기이다. 정명을 새긴 바위 아래의 우물 가까운 쪽에 마주보고 뛰어오른 물고기 두 마리를 새긴 것이다.

김병모는 가락국 김수로 왕비인 허황옥許黃玉(?~188)이 이곳에서 건너왔다면서 김해시의 김수로 왕릉 출입문 상인방의 쌍어무雙魚紋과 앞에서 든 물고기 그림을 증거의 하나로 삼았다. 그렇다면 사진의 잉어는 위대한 인물의 탄생에 대한 기원과 축복을 나타낸 것일 터이다.

사규는 누구인지 모른다.

사진 105(ⓒ 김병모)

⑧ 『물류상감지物類相感志』에 '종이 달아났을 때, 그의 옷을 우물에 넣고 빙빙 돌리면 스스로 돌아온다'는 대목이 있다(『지봉유설』「언어부」에서 재인용).

좁은 공간인 우물은 멀리가지 못하는 것을 나타내며, 옷을 돌리는 것은 돌아오라는 유감주술類感呪術이다.

『예기禮記』에 '사람이 죽으면 지붕에서 혼을 부르는 것을 복이라 한다升屋而號告曰皐某復'는 기사가 있으며(「禮運篇」), 우리도 예부터 옷에 주인의 혼이 깃든다고 여겼다. 상례 때 죽은 이의 옷을 들고 지붕에 올라가 '아무개여 돌아오라'고 소리치는 '고복

皐復'이 그것이다.

⑨ 『태평광기』 기사이다.

—————

북제北齊(409~436) 때, 형주성荊州城(하남성 남양시南陽市) 동쪽의 천자정天子井에서 비
단이 나왔다. 여러 사람이 옷을 지었더니 보통 것과 같았으며, 한 달이 지나자
더 나오지 않았다(15 「盧恒」).

—————

비단은 우물의 풍요로움을 나타낸 것인가? 천자정이라는 드문 이름도 비단과 연관
이 있을 듯하다.

⑩ 앞 책의 기사이다.

—————

초군譙郡(안휘성 박현亳縣)의 공조功曹 최서崔恕는 일찍부터 자질이 남다르다는 평을
들었다. 천통天統(565~570) 어느 봄부터 가뭄이 극심했음에도 그를 전송하는 사람
이 천 명이 넘었다. (…) 골짜기에 이르자 태수를 비롯한 모든 사람의 목이 탔다.
이때 푸른 새 한 마리가 앉았다 날기를 거듭하는 것을 보고 따라갔더니 사방
5~6촌의 돌이 있었고 그가 채찍으로 치자 물이 솟았다. 그러나 은병銀瓶에 물을
담은 뒤 곧 말라버린 탓에 태수와 자신만 목을 축였다. 사람들은 그의 덕이 천지
신명을 감동시켰다고 일렀다(7 「최서」).

—————

자신과 태수 둘이 마신 뒤 샘이 곧 말라붙었다니 이해하기 어렵다. 더구나 목 타는
나머지 사람들이 천지신명의 감동덕분이라고 한 것은 무슨 뜻인가?
『유양잡조』에도 같은 내용이 있다(권9).

⑪ 『태평광기』 기사이다.

—————

저양성沮陽城(북경시 창평현昌平縣) 동쪽 80리 목우산牧牛山 아래의 샘 99개는 바로
창하滄河 상류이다. 산에 위魏나라 도무道武(371~409)황제의 사당이 있다. 노인들

말이다.

"산 아래에서 백 개의 샘이 다투어 솟자 박駮의 몸을 지닌 신우神牛 한 마리가
산에서 내려와 물을 다 마신 탓에 목우산이라 부른다."

지금도 99개의 샘이 내를 이루며 서남쪽으로 흐른다(16 「신우천」).

———

도무는 북위北魏의 초대황제로 한민족의 문화를 적
극적으로 받아들이는 한편, 여러 민족을 하나로 묶기
위해 불교를 퍼뜨리려고 노력하였다. 사진 106은 산서
성 대동시大同市 운강雲岡석굴(제20굴)에 마련된 그의 상
이다.

『산해경』에서 '박은 말을 닮았으며 톱날 같은 이로
호랑이와 표범을 잡아먹는다. 이것을 기르면 병기兵
器의 재앙을 피할 수 있다'고 하였음에도, 이를 저자
가 소로 바꾼 까닭이 궁금하다(「海外北經」).

사진 106(ⓒ 百度)

⑫ 앞 책의 기사이다.

갈홍葛洪의 말이다.

"내 조부가 임원臨元 현령이던 때, 팔구십에서 백 살까지 사는 유명한 가문이 다
른 곳으로 이사한 뒤 후손이 모두 일찍 죽었다. 그러나 그 집으로 이사한 사람들
은 장수를 누렸다. 우물물이 붉은 것을 이상히 여겨 살폈더니, 바닥 옆에서 단사
丹砂 수십 곡斛이 나왔다. 이로써 장수의 비결이 밝혀졌다."(16 「臨元井」)

———

마시면 신선이 된다는 단사가 나온 것은 우물이 불로장생의 상징임을 나타낸다.
단사는 붉은 색의 광물이다. 갈홍은 『신선전神仙傳』을 지은 도교 사상가이다.
『수신기』에도 같은 기사가 있다.

⑬ 『박물지博物志』 기사이다.

———

아이 배고 석 달 안에 해 뜨기 전, 남편의 옷갓을 하고 우물을 세 번 돌고 나서 안에 비친 자신의 그림자를 들여다본다. 이어 바로 떠나되, 남편이 몰라야 아들을 낳는다.

진성陳成은 딸만 열을 두었다. 그의 아내가 우물을 세 바퀴 돌고 '여자는 음이고 남자는 양이니, 여자가 많으면 재앙이고 남자가 많으면 상서롭다'는 주문을 읊조린 다음, 우물을 돌고 사흘 동안 물을 긷지 않더니 과연 아들을 낳았다(권10 「雜說」下).

─────

남편 차림으로 아들을 바라고, 세 번 돌아서 양기陽氣를 북돋우며, 그림자를 보고 확인한 것이다. 남편이 몰라야 하는 것은 겸연쩍음을 덜기 위해서인가? 왼쪽으로 도는 것도 양기와 연관이 있을 터이다.

⑭ 『목민심서牧民心書』 기사이다.

─────

낙안성樂安城 서쪽의 묵은 우물에 깃든 독사毒蛇의 독기를 쐬면 사람이 죽었다. 때로 밖으로 나와서 개나 돼지를 잡아먹기도 하여 사람들이 신물神物이라며 떠들었다.

소신공蕭信公이 고을에 부임한 뒤 나오지 않더니 임기가 차서 떠난 사흘 만에 다시 나와 근심거리가 되었다. 소신공(…)의 옷과 신을 얻어다가 늘어놓고 받든 뒤부터 조용하였다. 마을에서 활과 창을 가지고 가서 우물을 메우고 큰 돌로 덮은 다음, 곁에 공의 사당을 짓고 제사를 드렸다.

살피건대, 이 역시 괴기한 말이니 믿을 것이 못 된다(권5 제9부 刑典 제6장 「除害」).

─────

'독사'가 아니라 용이라야 걸맞다.

'낙안성'은 중국 한나라 초에 있던 낙안군이며, 소신공은 소낭蕭琅(?~?)의 시호이다.

우리 정약용丁若鏞(1762~1836) 재앙이 닥쳤을 때 덮어놓고 귀신에게 비는 어리석음을 깨우치려고 옮겨 놓았을 터이다.

⑮ 수隨나라 영은산靈隱山 남천축사南天竺寺의 진관眞寛(?~?)은 어린 적에 혓바닥이 자라면서 이상한 무늬가 생기고, 좌우 손바닥에 선인善人이라는 글자가 보이는 따위의 이

적이 일어났다.

　개황開荒 14년(594), 몹시 가물어서 고통을 겪을 때 그가 용왕을 청하는 용왕경龍王經의 서문을 읊조리자마자 단비가 내렸다. 그 뒤 남천축사를 짓고 날마다 대중에게 법화경을 강설하였으며, 땅에 떨어진 물방울로 낯을 씻어서 사람들이 기이하게 여겼다.

⑯ 『태평광기』 기사이다.

　　진晉 영가永嘉 때(307~312), 진국陳國의 원무기袁無忌는 일가 백여 명이 돌림병에 걸려 거의 죽게 되자, 아우와 함께 작은 농가의 들마루平床에서 잤다. 아침에 깨었더니 들마루가 문밖에 있었고 같은 일이 거듭되었다. 겁이나 잠을 못 이루는 중에 한 여자가 들어오려다가 다시 나갔다. 그네를 뒤좇자 우물 안으로 뛰어들었고, 그 안의 헌 가래나무 관에 주검이 들어있었다. 관을 새로 짜고 새 옷으로 갈아입혀 마른 땅에 묻었더니 다시 나타나지 않았다(13 「원무기」).

　여자가 자신의 억울한 죽음을 알리려고 그들에게 나타난 것은 그렇다고 하거니와, 사람 백여 명을 죽음으로 몰아넣은 것은 지나치다. '여자의 원한은 오뉴월 서릿발보다 차다'는 말 그대로이다.

⑰ 앞 책의 기사이다.

　　진晉의 양호羊祜(221~278)가 세 살적, 유모에게 이웃집 나무 구멍에서 팔찌를 꺼내 달라고 하자 그 집 사람이 내 아들은 일곱 살 때 우물에 빠졌고, 가지고 놀던 금팔찌도 없어졌다고 하였다. 이에 양호의 전생을 점쳤더니 바로 그 아들이었다 (16 「양호」).

　양호는 오랫동안 양양襄陽을 다스리며 은혜로운 정사를 베풀었다. 그가 죽자 백성들이 평소에 노닐던 현산峴山에 비를 세우고 사당을 지어 제사를 모셨다. 두예杜預(222~285)는 비를 읽은 사람들이 모두 눈물을 흘렸다며 타루비墮淚碑라 이름 지었다.

사진 107은 그의 상이다.

전라남도 여수시 진남관鎭南館에도 이순신李舜臣(1545~
1598) 제독을 기리는 타루비가 있다. (사진 108)

사진 107(ⓒ 百度)

⑱ 『태평광기』 기사이다.

———

진晋 태화太和 때(366~371), 광릉廣陵의 양생楊生이 술
취해 풀밭에 잠들었을 때 불이 나자 개가 몸을 물에
적시고 끈 덕분에 목숨을 건졌다.

그 뒤 어둔 밤길을 걷다가 우물에 빠졌을 때도 개가
짖어서 근처 사람이 꺼내주었다. 은혜를 갚겠다고
하자 상대는 개를 달라고 하였다. 머뭇거리는 사이
개는 목을 빼어 우물을 들여다보았고 이 뜻을 안 양
생은 건네주었다. 닷새 뒤, 개는 다시 도망쳐 왔다
(18「양생」).

———

사진 108(ⓒ 문화재청)

전라북도 임실군 오수면獒樹面 오수리獒樹里에도 불길
에서 주인을 구한 개를 기리는 의견비義犬碑가 있다. 고
려 최자崔滋(1181~1260)의 『보한집補閑集』에 그 내용이
보인다. 지쳐 죽은 우리네 개와 달리 주인을 두 번 살린 점이 다르다.

⑲ 앞 책의 기사이다.

———

녹주정綠珠井은 백주白州 쌍각산雙角山 아래 있다. 교지채방사交趾採訪使 석계륜石季
倫(249~300)이 미색으로 유명한 양씨 딸을 구슬 30말에 샀다.

양씨네 오래된 우물물을 마시면 미인을 낳는다는 말이 돌자, 마을의 한 노인
이 여자의 미색은 시국에 도움이 되지 않는다며 큰 돌로 덮었다. 그 뒤 태어
난 딸들은 거의 모두 사지가 온전치 않았다(16「녹주정」).

———

좋은 물이 미색을 돕는다는 말은 그럴듯하거니와 우물 이름 녹주는 바로 미인의 이름이다. 우물을 돌로 덮었으니 물이 썩을 수밖에 없고 그 결과 불구자가 태어난 것은 당연한 일이기도 하다.

석계륜은 진晉의 부자 석숭石崇(249~300)의 자이고, 녹주는 그의 애첩이다. 그네를 달라는 손수孫秀(?~?)의 말을 물리친 탓에 일족이 목숨을 잃고, 녹주 자신도 누대에서 뛰어내려 스스로 목숨을 끊었다.

우리 안축安軸(1282~1348)은 시(「녹주綠珠」)에서 '석숭의 부귀 가난만 못해서石家豪富不如貧 / 미인을 잃고 말았구나畢竟難全一美人'라며 안타까워하였다(『近齋集』 제2권 補遺 「시」).

2) 죽음과 우물

① 『수신기』 기사이다.

———

위魏 관로管輅(209~256)의 아버지가 이조利漕현령으로 있을 때, 곽은郭恩 형제 셋이 모두 앉은뱅이가 되었다. 관로의 말이다.

"점괘에 가족 무덤이 나오고 가운데 숙모 귀신이 있습니다. 옛적에 쌀 서너 되를 탐낸 사람이 그네를 우물로 밀어 넣었고, 살려달라고 울부짖자 큰 돌을 던져서 머리가 깨져죽었습니다. 그 원한이 하늘에 호소한 탓입니다."(권3 「管輅巫郭恩」)

———

숙모를 죽인 장본인은 후한 말의 곽은이며 관로는 노숙魯肅・하후연夏侯淵・조상曹爽의 죽음과 허도許都 의 큰 불을 예언하는 능력을 드러내어 조조曹操가 태 사太師로 불렀으나 듣지 않았다.

사람을 우물에 던지는 관행은 그 역사가 오래되었 다. 신석기시대 산서성 원곡고성垣曲古城 동관東關유적 우물에서 사람의 유골(위)과 쇠뼈(아래)가 나온 것이 좋 은 보기이다.

우물은 깊이 15미터에 너른 쪽의 지름은 2.5미터이

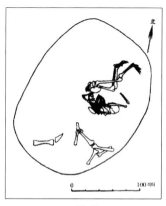

그림 48

며, 뼈는 11미터 깊이에서 나왔다. 보고서에 '비정상적으로 죽은, 지위가 낮은 사람'이라고 한 것을 보면 죽임을 당한 것이 분명하다(「山西垣曲古城東關的東周水井」).

그림 48은 발굴 당시의 주검 그림이다.

또 동북 요양시遼陽市 삼도호三道壕의 서한시대(전 200~25) 제4주거지 제3호 옹기우물에서도 남녀의 뼈가 선보였다(「遼陽三道壕西漢村落遺址」).

보고서에 '우물 입 아래 1미터쯤 되는 곳에서 겹쳐진 남녀의 뼈가 나왔다. 남자 위의 여자는 손가락뼈에 구리반지 두 개를 끼고 있었다. 죽은 까닭은 모르며 마을이 버려지고 우물이 반쯤 메워졌을 때 넣었을 것이다. 둘은 서한西漢 말기의 사람으로 보인다'고 적혔다(1957 ; 125).

사진 109는 우물 안의 남녀 유골이다.

이곳에서 구리 살촉銅鏃·비녀銅·허리띠 고리帶金勾·거울조각鏡片·그릇조각銅器片을 비롯하여 여러 가지 철제품이 나왔다.

사진 109

② 『세설신어』 기사이다.

———

진晉(265~316)의 어떤 이가 숭고산崇高山 북쪽 큰 동굴에 떨어졌다가 열흘쯤 헤맨 끝에 한 초가를 찾았다. 그 안에서 바둑 두던 이가 건넨 물 한 잔을 마시자 힘이 솟았다. 그들의 권유를 물리치고 집으로 가겠다고 하였더니 일러주었다.

"서쪽의 교룡蛟龍이 사는 하늘 우물에 몸을 던지면 반드시 길을 찾을 터이니 배가 고프면 그 안의 것을 자시오."

그는 마침내 반 년 뒤 촉蜀땅으로 나와 낙하洛下(낙양)로 돌아갔다.

이를 들은 장화張華(232~330)의 말이다.

"두 노인은 선관仙官의 장부丈夫이고 물은 신선의 물이며, 먹은 것은 용혈龍穴의 석수石髓입니다. 당신도 신선이 될 것입니다."(권1 「嵩山叟」)

———

같은 내용을 실은 『태평광기』에는 '바둑'이 '장기'로 바뀌었다(권13 「원무기」).

하남성 등봉현登封縣에 있는 숭고산(1,440미터)은 고대부터 받들어 온 오악五岳의 하나로 중악中岳이라 불린다. 하夏의 시조 우禹가 홍수를 다스리려고 헌원산軒轅山에서 곰으로 나타나 물길을 닦자, 아내(도산塗山씨의 딸)가 부끄럽다며 숭고산으로 달아나 돌이 되었고, 이것이 깨져서 아들 계啓가 태어났다고 한다.

바둑을 즐긴 이는 신선이며, 하늘 우물로 뛰어든 것은 재생을 나타낸다.

3) 군자와 우물

① 『낙양가람기洛陽伽藍記』 기사이다.

────────

하남성 낙양洛陽시 경락사景樂寺는 태부太傅 청하淸河 문헌왕文獻王 역懌(487~520)이 세웠다. 그는 효문제孝文帝(471~464)의 아들이자 선무제宣武帝의 동생이다. (…) 의정리義井里 북문 밖, 잘 자란 뽕나무 서너 그루 아래에 단우물甘井이 있다. 그 곁에 나그네를 위해 돌확과 쇠 두레박을 마련해둔 덕분에 쉬어가는 사람이 많다

(권1 성내 「경락사」).

────────

'쇠 두레박'은 깨지지 않도록 모서리 따위에 쇠테를 두른 두레박일 터이다. 물이 있어도 두레박이 없으면 목을 축이기 어려운 점에서, 두 가지를 마련해 둔 이의 마음 씀씀이는 여간한 것이 아니다.

박학다식한 지식인이자 부드럽고 따듯한 성품을 지닌 효문제의 다섯째 아들 역은 경락사 외에도 여러 곳에 절을 지은 독실한 불교 신자였다.

② 『세설신어』 기사이다.

────────

육기陸機(261~303)는 조왕趙王 사마윤司馬倫에게 대연戴淵(269~322)을 천거하며 이렇게 덧붙였다.

"지조를 닦은 처사處士 대연은 품행이 맑은 우물처럼 깨끗하며, 가난에도 마음이 흔들리지 않고 (…) 세속에도 얽매이지 않았습니다."(「自新」 제15)

대연은 본디 협객으로 떠돌며 장강長江과 회수淮水를 오가는 상인들의 재물을 빼앗은 패거리의 우두머리였다. 자신이 탄 배를 털려고 언덕에 앉아 졸개들에게 이리저리 하라 이르는 모습을 본 육기가 '그처럼 뛰어난 재능을 지닌 사람이 어째서 도둑질을 하는가?' 소리쳤더니 칼을 버리고 무릎을 꿇었다. 육기의 천거 덕분에 행서장군征西將軍이 되었지만, 왕돈王敦(266~324)의 반역에 맞섰다가 목숨을 잃었다.

『양주화방록揚州畵舫錄』에 '충성스럽고 진실하여 마음을 쏟아 왕을 도왔다'는 대목이 있지만(「城北錄」), 도량이 좁고 견식이 짧아서 큰일을 못하였다는 평도 들었다.

앞의 기사는 훨씬 뒤의 일이다.

③ 『수신기』 기사이다.

(산동성) 태산泰山 동쪽의 풍천灃泉은 우물 정井자처럼 생겼다其形如井. 삿된 생각을 버리고 무릎을 꿇으면 마실 만큼 솟아오르지만, 그렇지 못하면 그친다. 이는 신명이 사람의 마음을 읽는 까닭이다(권5 「泰山灃泉」).

'우물 정자'는 긴 네모꼴이라는 뜻인가?

『태평광기』에도 같은 기사가 있다(7 「풍천」).

④ 『포박자抱朴子』 기사이다.

북위北魏(386~534) 방표房豹의 낙릉군樂陵郡(산동성 혜민현惠民縣) 수령시절, 좋은 샘이 없고 그나마 모두 바닷가에 있어 짠 맛이 돌았다. 이에 샘 하나를 파게 하였더니 마침내 단물이 솟았다. 그러나 그가 떠난 뒤 다시 짜졌다.

훌륭한 인물은 자연의 본성도 바꾼다는 뜻이다.

우리 정약용丁若鏞도 '깨끗한 관리를 귀히 여기는 것은 그가 머무는 곳의 산림과 천석泉石이 모두 맑은 빛을 내기 때문이라'고 하였다(『목민심서』 律己 제2조 「淸心」).

서하西河 · 박릉博陵 · 낙릉樂陵 태수太守를 지내면서 치적을 쌓은 방표는 북제北齊가 망하자 고향으로 돌아갔다(『北齊書』 권46 循吏列傳 「방표」).

4) 인연과 우물

① 『세설신어』 기사이다.

―――――

젊은 왕여남王汝南(?~?)은 부친에게 조른 끝에 학보郝普의 딸을 아내로 맞았다. 아리따운 자태에 현숙한 품위를 지닌 그네는 왕동해王東海를 낳아 일족 가운데 어머니의 모범이 되었다. 그네의 됨됨이를 어떻게 알았느냐는 물음에 대한 대답이다.

"일찍이 우물에서 물긷는 것을 보았는데, 행동거지가 법도에 맞고 함부로 두리번거리지도 않았습니다."

―――――

우물가의 아낙들이 흔히 이런저런 잡담을 늘어놓고 깔깔거렸으므로 성품을 알 수 있었던 것이다. 명대에도 양가의 여자들은 우물에 물 뜨러 갈 때만 문밖으로 나왔고 우리도 마찬가지였다. 내외를 엄하게 지키는 집에서는 아예 우물에 가는 것조차 지극히 꺼렸다.

② 진陳 음갱陰鏗(511~563)의 시(「착익가捉溺歌」)이다.

―――――

華陰山頭百丈井	화음산 꼭대기 백 길의 우물
下有流水徹骨冷	그 아래 찬물 뼈에 사무치네
可憐女子能照影	아리따운 아가씨 다가서자
不見其餘斜嶺頭	목만 비스듬히 비치누나

『시가詩歌』

―――――

차고 달콤한 물보다 미인의 목, 그나마 비스듬히 보이는 안타까움에 사로잡힌 음갱의 심정을 알만하다. 두보杜甫(712~770)도 '이후의 아름다운 구절李侯有佳句 / 더러 음갱을 닮았다往往似陰鏗'는 찬탄을 남겼다(『杜少陵詩集』권1). 이후는 이백李白(701~762)을 가리키는 말로 '후'는 우리네 현감 벼슬이다.

우리 정약용丁若鏞(1762~1836)도 '시 재주 모자라는 부끄러움詩才愧蕪拙 / 하음 따를 도리 없네無計答何陰'라고 읊조렸다(『다산시문집』 제7권 시 「天眞消搖集」). 하음은 양梁의 하손何遜(?~518?)과 음갱을 가리킨다.

사진 110은 안휘성 어떤 산간마을 한데 우물에 비친 네 사람의 얼굴이다.

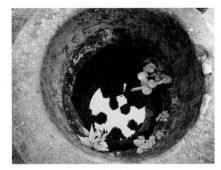

사진 110

5) 눈물과 샘

유월석劉越石(270~318)의 시(「부풍가扶風歌」)이다(부분).

———

顧瞻望宮闕	고개 돌려 먼 낙양궁 바라보고
俯仰御飛軒	하늘 날듯이 수레 몰았네
據鞍長歎息	말안장에 기대 탄식하니
淚下如流泉	눈물이 샘처럼 쏟아지누나
朝發廣莫門	아침에 광막문 떠나
暮宿丹水山	저녁에 단수산에 묵노라

『문선文選』 5

———

부풍가는 한漢 이후 악곡樂曲에 맞추어 읊조린 시의 유형이다. 어릴 적부터 시를 좋아한 유월석(본명 유곤劉琨)은 성품이 드넓었으며 노자 및·장자 사상에 깊이 빠졌다. 흉노를 막으려고 병주幷州(산서성·하북성·내몽골자치주 일부)에서 오래 지내다가 306년, 그곳 자사刺史에 올랐다.

6) 귀중품과 우물

① 『문선』의 기사이다.

오吳나라 장사연張士然의 글(「위 오령사순구 위제손치 수총인표爲吳令謝詢求爲諸孫置守冢人表」)이다.

───────

오의 무열武列황제(손견孫堅 156~192)는 왕실이 어지러워 신하가 날뛰자 의병을 일
으켜 동탁董卓(?~192)을 무찌르고, 진관甄官의 우물에서 신령한 옥새를 건졌습니
다. 그 위엄에 여러 간신배가 놀라고, 명성은 한漢왕조에 드러났습니다(6).

───────

옥새는 나라가 위태로울 때 감추었을 것이다. 여럿의 손을 거쳐 후한 헌제獻帝(190~
219)의 몫이 되었으나, 위魏에 망할 때 '한이 대위에게 준다'고 새겨서 넘겼다.

진관정은 하남성 낙양시 동남쪽에 있다.

② 『습유기』 기사이다.

───────

후한 안제安帝(107~124) 때, 왕길王吉의 후손 왕부王溥는 가세가 기울자 낙양 저자
에서 글씨 써주는 품을 팔았다. 잘 생기고 재주도 있어 남자들이 의관을 건네고
여자들은 금옥金玉을 준 덕분에 얼마 지나지 않아 넉넉해졌다. 이에 앞서 우물을
파다가 나온 무쇠도장에 '품팔이로 부자가 되어 창고에 돈이 가득하고 일토삼전
의 군문 주부가 된다傭力得富 錢至億庚 一土三田 軍門主簿'고 새겨져 있었다.

뒤에 그가 많은 돈을 바치고 중루中壘 교위校尉가 된 것에 대해 전田 셋과 토土를
합치면 '누壘'가 되고, 또 교위가 북군北軍의 누문壘門을 맡았으므로 군문주부라
일렀다고 한다(권6 「후한」).

───────

전한의 정치가 왕길은 진秦 무장 왕리王離의 맏아들 왕원王元의 자손이자, 낭야瑯邪
왕씨의 시조이다. 누구인가 가문의 위세를 드높이려고 꾸며낸 듯하다.

우리 최치원崔致遠(857~?)도 『계원필경집桂苑筆耕集』에 '지난 날 삼가 은자恩慈께서
지으신 법운사法雲寺 천왕원天王院의 비기碑記를 빌려 읽는 은혜를 입었습니다. 채호綵
毫를 펼치자마자 속안俗眼이 번쩍 뜨였습니다. 오직 철인鐵印의 용류傭流가 부끄러웠

음에도 홀연히 은구銀鉤의 묘한 필적筆迹을 보았습니다. 이미 나라의 보배가 되었으니 어찌 집에만 보관하겠습니까?'라고 적었다(제18권 「謝借示法雲寺天王記狀」).

'철인鐵印의 용류傭流'는 앞의 고사에서 왔다.

③ 『유양잡조酉陽雜俎』 기사이다.

제齊 건원建元(479~482) 초, 연릉延陵(강소성 단양현 남쪽) 계자묘季子廟에 오래된 용정涌井이 있었다. 우물 북쪽에서 갑자기 금석金石 소리가 들려서 60센티미터쯤 팠더니 용천湧泉이 드러났다. 함께 나온 목간木簡(길이 30센티미터, 너비 3센티미터)에 '여산廬山(강서성 구강시九江市)의 도사 장릉張陵(85?~157?)이 재배再拜 하였다'는 글이 희미하게 떠올랐다. 단단한 나무는 흰색이고, 글씨는 황색이었다(권10 「物異」).

장도릉張道陵이라고도 불리는 그는 신자에게 쌀 닷 되를 거둔 오두미도五斗米道의 창시자이다. 측근들이 교주의 신비감을 높이려고 지어냈거나, 목간을 미리 묻었을 것이다.

용정과 용천의 물줄기는 하나였을 터이다.

④ 앞 책의 기사이다.

오산烏山(강소성 율수현栗水縣) 아래에는 내川가 없다. 위魏나라 말(3세기 중반), 어떤 이가 우물을 파다가 다섯 발 깊이에서 말굽만한 거북이 담긴 돌상자石函를 얻었으며, 옆에 다섯 무더기의 재가 쌓여 있었다. 다시 서 발 팠더니 너럭바위가 나오고 아래에서 물이 큰 소리를 내며 흘렀다. 구멍 하나를 더 뚫자 물이 북으로 살처럼 빨리 쏟아졌다. 이때 물을 타고 내려오던 배가 돌 위로 올라왔고 안에서 '오吳 적오赤烏 2년(239) 8월 10일 무창武昌왕자 의義의 배'라고 쓴 널쪽이 나왔다(권14 「諸臯記」 上).

우물에서 거북 상자가 나온 것은 그럴 듯하나 '재 다섯 무더기'는 무엇을 가리키는지 모르겠다. 내용이 복잡해서 졸가리를 잡기 어려울뿐더러, 우물 안의 물을 타고 내

려오던 배가 돌 위로 올라왔다고 덧칠한 것도 의심스럽다.

무창은 호북성 무한시武漢市의 한 구역이며, 적오는 삼국시대 오나라 손권孫權의 연호이다.

7) 의로움과 우물

『세설신어』 기사이다.

———

위魏의 하규下邽(섬서성 위남시渭南市)현령 화흠華歆(157~231)이 나라가 어지러워져 동료들과 숨으러 가는 중에 무관武關(섬서성 상락시商洛市 단봉丹鳳) 부근의 어떤 이가 따라 나섰다. 일행이 반대하였으나 '아무리 어려워도 의義는 지켜야 한다. (⋯) 그를 따돌리면 의를 버리는 것'이라며 듣지 않았다.

얼마 뒤 이 남자가 우물에 빠졌을 때 모두 내버려두었지만 그는 '함께 가기로 하고 다시 버리는 것은 의가 아니라'며 되돌아가서 구해주고 헤어졌다(「德行」 제1).

———

상대가 우물에 빠진 것은 전이 없는 탓이지만, 혼자 변을 당한 것은 주위의 따가운 시선을 견디기 어려웠던 것도 한 원인이다.

화흠은 후한 말, 효렴孝廉으로 뽑혀 낭중郎中에 올랐다가 병으로 물러났다. 앞에서처럼 의를 지킨 것은 장하지만, 세상에서 관녕管寧(158~241) 및 병원邴原(158~208)과 함께 용에 견주면서도 그를 용의 머리로 여긴 것은 의문이다. 공부하던 중에 지나가는 고관대작의 수레를 보고 책을 덮자, 옆의 관녕이 세상의 부귀영화에 홀렸다며 헤어졌고, 이에서 '관녕이 자리를 따로 하였다管寧割席'는 고사가 나왔기 때문이다.

관녕은 어지러운 후한 말, 요동遼東으로 가서 30여 년 지냈으며 그 동안 평상에 꿇어앉아 글을 읽은 탓에 무릎이 닿은 데가 뚫어졌다고 한다. 병원은 절조 높은 선비였다.

8) 우물 치레

『태평광기』에 '후위後魏(386~634)의 왕족들은 갖은 사치를 하였다. 부자 고양왕高陽王(?~528)과 우열을 다툰 하간왕河間王 원침元琛은 우물 난간을 옥으로 짜고 두레박을 황금으로 만들었으며 줄도 오색 실로 꼬았다'는 기사가 있다(10 「원침」).

원침은 뛰어난 미색의 기녀 삼백 명을 거느리는 한편, 은 구유와 금 재갈을 가졌으며(『洛陽伽藍記』「法雲寺」), 황제의 궁궐에 맞먹는 집을 지닌 고양왕은 종 6천 명과 기녀 5백 명을 부리는 외에, 한 끼에 수만 전을 썼다고 한다(『洛陽伽藍記』「高陽王寺」).

9) 기타

① 진晉 좌태충左太冲(250~305)의 시(「초은시招隱詩」)에 '동산 오두막에經始東山廬 / 과실 떨어져 덤불 이루고菓下自成榛 / 집 앞 차가운 우물에前有寒泉井 / 잠시 마음 맑아지네聊可瑩心神'라는 구절이 있다(『文選』 권4).

사부詞賦에 능한 그의 대표작으로 「제도부齊都賦」 및 「삼도부三都賦」를 꼽는다.

② 『세설신어』 기사이다.

─────

동진東晉 때 부공部公을 지낸 환현桓玄(369~404)·형주자사荊州刺史 은중감殷仲堪(?~399)·화가 고개지顧愷之(344~406) 셋이 위험한 상황을 나타내는 연구聯句짓기를 벌였다.

환현이 '창끝으로 쌀 씻기, 칼끝으로 불 때기'라고 하자, 은중감은 '백 살 노인 마른 나뭇가지 기어오르기'라고 이었다. 어떤 이가 끼어들어 '우물 위 도르래에 갓난아기 눕히기井上轆轤臥小兒'라 읊조렸고, 고개지는 '장님이 한밤중, 눈먼 말에 올라 깊은 연못으로 가기'라고 맺었다. 이는 애꾸 은중감을 빗댄 것이었다.

─────

넷 가운데 '도르래 위의 갓난아기'는 옮긴이가 물레를 도르래로 잘못 안 데서 왔다. 도르래에는 갓난아기를 뉘일 수 없다. 셋 가운데 누가 이겼는지 밝히지 않았지만 제

삼자의 말이 가장 그럴 듯하다.

그것은 어떻든 이 뒤부터 '맹인할마盲人瞎馬'는 대단히 위험한 행동을 가리키는 말이 되었다.

③ 『세설신어』 기사이다.

진사왕陳思王 조식曹植(192~232)과 유람 떠난 위魏 문제文帝(220~226)는 싸우던 두 바리의 소 가운데 하나가 우물에 빠진 것을 보았다. 그는 상대에게 '우牛'나 '투鬪'자를 넣지 말고 말이 백 걸음 내딛는 동안, 40자의 시를 지으라는 명을 내렸다. 실패하면 목을 벤다는 조건을 달았음에도 다 지었다(「容止」).

앞에서 든 대로 사람이 자주 빠졌으니 집짐승은 말할 것도 없다. (☞ 사진 20)

위의 초대 황제 조조曹操(155~220)는 맏이 조비曹丕보다 셋째 조식曹植을 더 아꼈다. 이를 마음에 두었던 맏이는 문제文帝가 된 뒤, 동생 주위의 신하들을 죽이고 동생마저 없애려들었다. 그는 '아버지가 네 재주를 칭찬하였으니 일곱 발자국 걷는 동안 시를 지으라'는 명을 내렸고, 이때 유명한 「칠보시七步詩」가 나왔다. 앞 기사도 동생에 대한 시새움을 보이는 대목이다.

④ 『오잡조』에 '수隋(581~618)의 권무權武(?~?)가 우물에 빠졌다가 뛰어 나왔다'는 기사가 있다(권5 人部 1 「敏捷」).

감숙성 동남부 천수天水 출신의 장사인 그는 우물에 빠지고도 몸이 물에 닿기 전에 되나왔다고도 한다. 굳이 사실여부를 가릴 필요는 없을 터이다. 양제煬帝(605~616) 때 대장군을 거쳐 우무위대장군右武衛大將軍으로 활약한 권무權武와 같은 사람인지는 알 수 없다.

4. 당대唐代(618~907)

1) 신령스러운 우물

① 『유양잡조』 기사이다.

> ───────
>
> 앞서 집현전 서원集賢殿書院의 장희복張希復이 들려준 말이다.
>
> 이규상공李揆相公(711~784)이 재상에 오르기 한 달 전의 어느 날 저녁, 침대만한 두꺼비가 침소에 나타났다가 곧 자취를 감추었다.
>
> 또 처음, 신주新州(광동성 신흥현新興縣) 자사刺史적에는 명을 받기에 앞서 갑자기 우물물이 한 척 넘게 불어났다(4권 「吉兆」).
>
> ───────

수명이 30~40년에 이르는 두꺼비는 달에서만 살며, 월식 때 달을 삼켜버린다고 하여 얻기 어려운 귀물의 대명사로 삼는다. 서왕모西王母가 남편 후예后羿에게 준 선약仙藥을 훔쳐서 달로 달아난 항아姮娥를 신들이 두꺼비로 만들었다고도 한다. 따라서 침대 크기의 두꺼비가 나타나고 우물이 넘친 것은 이만저만한 길조가 아니다. 부엌竈이 두꺼비의 상징인 것도 알아둘 일이다.

속종肅宗(757~762)은 이규의 인물과 문장이 가장 뛰어나다고 칭찬하였다.

② 앞 책의 기사이다.

> ───────
>
> 독고숙아獨孤叔牙의 부하가 물 길을 때, 두레박이 무거워서 움직이지 않았다. 여럿이 힘을 모아 끌어올리자 왕골모자席帽를 쓴 사람이 나왔다. 그는 난간에 손을 올려놓고 큰 소리로 웃다가 우물에 빠졌다. 물긷던 사람이 모자를 마당의 나무에 걸었더니 비가 내릴 때마다 누런 버섯이 피었다(권15 「諸皐記」 下).
>
> ───────

사람이 우물에서 나온 것은 이승과 다른 세계임을 알려주며, 웃다가 빠진 것은 제 세상으로 돌아갔다는 말이다. 왕골모자에서 비 내릴 때마다 버섯이 핀 것은 신선이 되었다는 뜻인가?

앞 책에 '흉노 출신 독고씨는 북위 효문제(471~499)가 낙양으로 옮아갈 때 따라와서 하남河南사람이 되었다'고 적혔다. 한편, 숙아(?~전 62)는 노魯나라 15대 군주 환공桓公의 셋째 아들로, 권력자 숙손씨叔孫氏의 시조이며 희숙僖叔이라고도 한다.

③ 『유양잡조』 기사이다.

　　———

　　제비가 여우·흰 오소리·쥐 따위를 보면 털이 빠지고, 어떤 것은 물 밑으로 숨는 다. 제비가 집으로 들어오지 않는 것은 우물이 마른 탓이다. 이때 오동잎으로 엮은 남녀 한 쌍의 인형을 넣으면 반드시 둥지를 튼다(권16 「廣動植之一」).

　　———

　　마른 우물은 흉조인지라 제비가 깃들지 않은 것이다. 우물 곁 오동나무에 남녀 한 쌍의 인형을 곁들였으므로 음양이 합쳐져서 물이 다시 고인다는 말이다. 『태평광기』 에서는 제비를 호연胡鷰이라 하였다(19 「호연」).

서울시 강남구 봉은사奉恩寺 부근의 호연에 대한 이덕무李德懋(1741~1793)의 설명이다.

　　———

　　북쪽 언덕은 모래와 찰흙이 섞여서 구멍 나기가 쉬운 까닭에 벌집처럼 촘촘히 뚫렸다. 배가 지나가면 수천 마리의 제비들이 모두 나와서 날아간다. 죽지는 그리 검지 않으며 턱밑은 담황색이다. 이들을 흔히 명막明漠이라 부르며, 뱃사람들은 귀연鬼燕이라고도 한다(『靑莊館全書』 아정유고 제3권 「峽舟記」).

　　———

　　『지봉유설』에도 '제비에는 자줏빛 가슴에 몸이 작고 가벼운 월연越燕과, 가슴에 검은 점이 박히고 울음이 큰 호연의 두 종류가 있다. 시인들이 말하는 자연紫燕이나 해연海燕은 대체로 월연'이라는 기사가 보인다(권20 鳥 「禽蟲部」).

④ 『유양잡조』 기사이다.

　　———

　　초주楚州(강서성 회음현) 경계의 작은 산 어떤 집에 우물이 없었다. 승 지일智一(?~?)이 바위를 서 발 깊이로 뚫어 샘을 찾다가 옥(길이 36센티미터에 너비 12센티미터) 한 개를 얻었다. 석류꽃처럼 붉고 면마다 자색 거북 여섯 마리를 새겼으며, 가운데에 물을 담을 수 있었다. 그가 우연히 한쪽을 두드리고 살폈더니 피가 흐르다가 보름 쯤 뒤 겨우 멎었다(권10 「物異」).

───────

바위에서 거북을 새긴 옥이 나오고 물도 담았다니 신비한 샘을 찾은 셈이다. 옥에서 흐른 피는 숨었다가 발각된 아쉬움의 징표인가?

⑤ **앞 책의 기사이다.**

───────

우향虞鄕(산서성 우향현)의 산관山觀인 조용한 이곳에 척양滌陽의 도사가 머물렀다. 태화太和 때(827~835) 어느 날 저녁, 혼자 단에 오르자 마당의 우물에서 갑자기 이상한 빛이 솟더니 토끼를 닮은 물체가 나왔다가 들어갔다. 저녁마다 나타났으나 사람들에게는 알리지 않았다. 그 뒤 우물 청소 중에 아주 작고 광채 나는 금토끼가 나오자, 곧 두건頭巾 상자에 넣었다가 어사 이융李戎(?~?)에게 주었다. 이융이 봉선奉先(섬서성 위남시渭南市) 현령에서 흔주忻州(산서성 북중부)자사가 되자 금토끼가 갑자기 사라지더니, 자신도 한 달 뒤 죽고 말았다(권10 「物異」).

───────

우물에서 나온 귀물이 없어진 것은 흉조임에 틀림없다. 도사가 이를 이용해서 상대를 내친 것인가?

『태평광기』에도 같은 기사가 있다(16 「우향도사」).

⑥ **『유양잡조』 기사이다.**

───────

석양현石陽縣(강서성 길수현吉水縣 동북쪽)의 우물물은 반이 푸르고 반은 누르며 누른 것은 잿물에 가깝다. 이것으로 죽을 끓이면 금색金色으로 바뀌고 짙은 향기가 난다(10권 「物異」).

───────

⑦ **앞 책에도** '화양현華陽縣 뇌평산雷平山의 전공천田公泉 물을 마시면 장膓의 삼충三虫

이 없어지고, 옷을 빨면 잿물보다 때가 잘 빠진다'는 기사가 보인다(권10 「物異」).

삼충은 기생충의 하나이다. 후한의 왕충王充(27~97)은 『논형論衡』에 '사람 몸에 있는 삼충이 내장을 먹는다'고 적었다(「商蟲」). 한편, 후한 말의 명의名醫 화타華陀(145~208)는 이것을 없애는 처방을 알았다고 한다.

⑧ 『오잡조』 기사이다.

―――――

천하의 샘 가운데 한 국자도 마르지 않고 또 넘치지 않는 것이 있다. 마르지 않는 것은 그렇지만 넘치지 않는 까닭은 무엇인가?

내가 장산蔣山(남경시 조양문 밖)에 있을 때 일인천一人泉을 보았다. 겨우 한 사발만큼 솟지만 마시고 나면 다시 괴었다. 복건福建 설봉산雪峰山(복주시 민후현閩侯縣 서쪽)의 응조천應潮泉에서도 겨우 한 사발이 나온다. 동산東山의 성천聖泉은 지름 30센티미터로 주위가 소나무 뿌리로 둘려 있으며, 천 년 동안 하루처럼 같은 양이 솟는다. 그러나 이들은 샘 길泉脈이 땅 속에 있기 때문에 보이지 않는다.

고산鼓山(복주시 민후현 동쪽) 봉미정鳳尾亭 샘은 처음에 바위 사이로 흐르다가 뒤에 신안갈神晏喝이 되었으며, 산 뒤에서 돌 한 개로 이루어진 못으로 흘러내린다. 사방 2미터가 못 되지만 종일 그치지 않고 넘치지도 않아서 보는 사람마다 이상처 여긴다(권3 地部 「泉」).

―――――

언제나 일정한 양의 물이 솟는 점이야 말로 샘의 속성이므로 이상할 것이 없다. '신안갈'은 무슨 뜻인지 모른다.

⑨ 『태평광기』 기사이다.

―――――

영왕寧王(679~742)의 스승 원가조袁嘉祚가 의정義井에서 말에게 물을 먹일 때, 우물을 등지고 앉아 손을 씻던 사람이 일부러 말에게 물을 뿌려 놀라게 하였다. 원가조의 욕을 들은 상대는 '열멸국蠛蠛國 사신으로 가는 당신이 거기서 죽을 줄 모르시는군요.' 소리쳤다.

이튿날 두 재상이 원가조를 열멸국 사절로 뽑았다. 그가 의정으로 갔더니 어제

만난 사람이 '가지 마시오. 그들의 목이 이미 창끝에 달렸으니 어찌 화를 면하겠
소?' 일렀다.

그 말대로 재상들은 주살되었다. 지금까지 교류가 없었던 열멸국은 대진국大秦國
서쪽 수천 리 밖에 있다(4 「원가조」).

―――

원가조의 생사는 간 곳 없고, 그를 사신으로 뽑은 재상이 죽은 까닭이 무엇인지
알 수 없다. 우물 이름도 내용과 걸맞지 않는다. 두 재상의 죽음을 예언한 사람은
우물의 정령인가?

⑩ 앞 책의 기사이다.

―――

제음군濟陰郡(산동성 도현陶縣)에서 동북 6리 떨어진 용흥사龍興寺 터에 우물이 있었
다. 너무 깊은데다가 비린내가 심하고 물에 핏빛이 돌아 마시지 못하였다. 태환
太和 때(827~836), 소문을 들은 정환고鄭還古와 허건종許建宗이 찾아 갔다. 허건종이
주사朱砂를 담은 사발·종이·붓 따위를 우물에 넣었다.

그날 이경二更에 비바람이 치더니 번개 사이로 한 장사가 우물에 새끼줄 넣는 것
이 보였다. 이어 세 줄기의 번개가 흘러나온 뒤 사람도 사라졌다. 이튿날 아침
허건종이 우물을 덮고 사흘 뒤 맛을 보았더니 달았다. 맛은 지금도 마찬가지이
다. 그는 도술을 가르쳐 달라는 정환고의 부탁을 물리치고 태산泰山으로 들어갔
다(4 「葉法善」).

―――

비린내와 핏빛은 절 이름에 나타난 대로 우물에 깃든 용 때문이다. 허건종의 주사
덕분에 장사가 새끼줄로 잡아 올려 내친 결과, 본디 맛이 살아났다는 뜻일 터이다.
주사는 짙은 붉은빛 광택이 나는 광물질로 염료染料나 약재로 쓴다. 단사丹砂라고도
하는 이것을 먹으면 장생불사를 누린다는 말이 있다.

⑪ 『태평광기』 기사이다.

―――

태자복太子僕 왕표王儦는 장안을 회복한 숙종肅宗(757~762)에게 밀려났다가 다른

사람의 고발로 어사대御史臺에 갇혔다.

한 해 전 9월 그가 애첩과 대청에 앉았을 때, 물동이만한 크기의 유성이 우물로 떨어지더니 오랫동안 반짝였다. 두려운 나머지 감옥에서 나오자마자 집을 파주播州로 옮겼지만 봉주鳳州(섬서성 보계시寶雞市 봉현鳳縣)에서 등창이 터져 죽었다(권6 「왕표」).

———

평소 왕표가 사람의 일생은 정해진 운명에 따라 결정된다고 하더니, 말대로 된 셈이다. 큰 유성이 우물에 떨어진 것은 흉조이다.

⑫ 앞 책의 기사이다.

사진 111

———

정원貞元 14년(798) 3월, 수주壽州(안휘성 육안시六安市 수현壽縣)의 수군隨軍 왕적王迪의 집 우물물이 끓어오르더니 열흘 뒤 바닥이 마르고 이어 어린아이 소리가 들렸다. 그해 4월, 두 형제의 눈이 멀고 하나는 죽었다. 이는 집안이 망할 징조였다(16 「왕적」).

———

우물물이 끓어 오른 것으로도 모자라 말라버린 것은 흉조임에 틀림없다. 눈이 먼 것은 우물 입을 눈眼에 견주는 풍습과 연관이 있다.

우물의 정령이 어린 아이를 통해 재앙을 미리 알린 것인가?

사진 111은 산동성 내무시萊蕪市 교외에 있는 한 농촌마을의 마른우물이고, 사진 112는 그 바닥이다. 이처럼 말라붙은 것을 장님우물盲井이라 부른다.

⑬ 『태평광기』 기사이다.

사진 112

———

영정永貞 2년(806), 무지개가 윤주潤州(강소성 진강시鎭江市) 대장大將 장자량張子良 집 부엌의 물두멍으로 들어가 물을 마신 다음, 우물로 옮겨가서 더 마셨다.

그 달 9일, 반란군 절도사 이기李錡(741~807)를 사로잡은 그는 곧 방진方鎭에 올랐다(6 「장자량」).

───────

무지개가 물두멍의 물로도 모자라 우물물까지 마신 것은 더 바라기 어려운 길조이다. 방진은 절도사와 같은 직책이다.

⑭ **앞 책의 기사이다.**

───────

호부상서戶部尚書 위허심韋虛心(?~?)의 아들 셋이 모두 어려서 죽었다. 그 때마다 귀신처럼 생긴 얼굴 하나가 침상 밑에서 손을 내밀며 눈을 부릅뜬 채 입을 벌리고 있었다. 또 아들이 달아나면 솔개가 되어 날개로 덮어 가려서 우물에 빠뜨렸다. 사람들이 곧 건져 올렸지만 이미 바보가 되어 말을 못하다가 마침내 죽었다. 셋이 모두 이렇게 죽었건만 귀신의 정체는 밝히지 못하였다(15 「위허심」).

───────

중종中宗(707~710) 때 사람 위허심은 효렴孝廉에 뽑혔으며 인품이 청렴 강직하였고 시어사侍御史를 지냈다. 이렇듯 뛰어난 품성을 지닌 그가 까닭 모르는 재앙을 만난 것은 참으로 딱한 일이다.

⑮ **『태평광기』 기사이다.**

───────

하남성 활현滑縣에 있는 활대성滑臺城 북쪽의 팔각정八角井을 뚫어서 황하를 막던 가탐賈耽(730~805)이 자리를 잠깐 비우며 부하에게 현장을 잘 지키라고 일렀다. 한 노인이 우물 판 사람을 찾기에 삼공님이라고 대답하자 '솜씨는 좋지만 동서남북에서 너무 가깝다'며 뒤에 가탐에게 이렇게 덧붙였다.

"나는 이 우물에 사는 대부大夫라오."(16 「가탐」)

───────

우물에 용이 아닌 대부가 깃드는 일은 흔치 않다. 유학자들이 바꾸었을 터이다. '동서남북에서 너무 가깝다'는 말은 정확한 여덟모가 아니라는 뜻이다. 지리학에 밝은

가탐은 상서좌복야尚書左僕射를 거쳐 지정
사知政事에 올랐다.

사진 113은 절강성은 강산시江山市의 팔
각정으로 지름이 3.15미터에 이른다.

사진 113(ⓒ 百度)

⑯ **앞 책의 기사이다.**

———

대력大曆 때(766~779), 전서篆書에 능한
교귀년喬龜年이 글씨를 팔아 어머니를 받들었다. 어느 날 우물에서 나온 신인神人
이 '네 가난은 운명이므로 어머니를 위한 물건을 하늘에 빌지 말라'고 꾸짖었다.
그가 '나이 드셨으니 어머니를 더 잘 모시겠다'고 하자 '네 효성을 하늘도 알고
있다. 이 우물에서 백만 냥을 얻으리라' 덧붙였다.

그 돈으로 어머니 장례를 치르고 다시 가난에 빠진 그가 우물 앞에서 '하늘이
효자라고 돈을 주시더니 지금은 효자가 아니란 말인가?' 한탄하자 신인이 다시
꾸짖었다.

"하늘이 어머니를 위해 돈을 내렸거늘, 지금은 너 자신을 위해 비느냐? 그렇다면
옛 효성도 결국 너를 위한 것이더냐? 스스로 살 길을 찾지 못하면 겨울에 굶어죽
으리라."

과연 그는 가난에 지쳐 죽었다(13 「교귀년」).

———

자기 자신을 위해서 복을 빌면 오히려 재앙이 내린다는 교훈이다.

⑰ **『태평광기』 기사이다.**

———

정원貞元 때(785~805), 우경리虞卿里의 열 살짜리 계집애가 기르던 물고기가 우
물로 뛰어들자 따라 들어갔다. 안에서 그네를 받은 한 노인이 백여 걸음 떨
어진 곳의 큰 집으로 데려가 정성껏 돌본 다음, 집으로 돌아가라며 금전 두
닢을 주었다. 집에 온 뒤 눈을 감고 주먹을 쥔 채 대야를 가져오라고 소리쳤
다. 금전을 한 대야에 한 개씩 던진 뒤에야 눈을 뜨고 줌도 폈다. 그네는 얼

마 뒤 도관道觀으로 떠났다.

일 년쯤 뒤 그곳 원문院門 앞에서 땀을 식히던 나그네가 졸고 있을 때, 금갑金甲 차림에 붉은 창을 든 자들이 나와서 외쳤다.

"선계仙界의 관리가 여기 계시거늘, 네가 어찌 그분의 비위를 거스르느냐?"(3 「우경여자」)

———

우물이 도사가 되는 지름길로 등장한 것은 그럴듯하다.

되지 못한 문지기들이 주인의 위세를 등에 업고 우쭐대는 것은 이제나 그제나 마찬가지이다.

⑱ 허혼許渾(791~854?)의 시(「천축사의 갈홍 우물天竺寺葛洪井」)이다(부분).

———

羽客鍊丹井	날개 단 신선이 우물에서 달였거늘
井留人已無	거기 머물던 이 보이지 않네
舊泉靑石下	옛 샘은 푸른 바위 이레에
餘甓碧山隅	남은 벽돌은 푸른 산모퉁이에 남았네
雲郞鏡開匣	구름 속 낭군거울 상자 열고
月寒水在壺	찬 달 물 항아리에 잠겼구나

『회록당시화懷麓堂詩話』

———

단은 불로장생을 누린다는 도교의 신약神藥이다. 갈홍은 『포박자』에 '불로장생을 누리려면 금단金丹을 먹는 것이 가장 중요하다'고 적었다(「금단편」). 그러나 왕유王維는 '사람들 부질없이 도교의 신선술 생각하지만徒思赤筆書 / 어찌 무병장수의 단사정 있으랴詎有丹砂井'고 읊조렸다(「林園卽事寄舍弟紞」).

허혼은 율시律詩에 뛰어난 당唐 말기의 명사이다.

⑲ 『유양잡조』 기사이다.

경공사景公寺 앞에 오래된 팔각정八角井이 있다. 당 원화元和(806~820) 초, 사람들이 물긷는 것을 본 한 공주가 하녀에게 은그릇銀稜椀을 주며 떠오라고 일렀더니 우물에 빠뜨리고 말았다. 한 달도 더 지나 그것이 위하渭河에서 나왔다(권15 「諸皐記」下).

___

우물물이 강으로 흘러간다는 말인 듯하다.

조경공사趙景公寺라고도 불린 경공사는 당대에 장안 상낙방常樂坊에 있었다. 위하는 감숙성에서 솟아 섬서성을 거쳐 황하로 흘러든다.

사진 114는 정자이고 사진 115는 그 안의 우물이다.

⑳ 『태평광기』 기사이다.

___

한 호인胡人의 말이다.

"정관貞觀(627~649) 초, 대식국大食國이 당唐과 수교할 때 바친 구슬水珠을 못 잊은 우리 임금이 되찾아오면 재상을 삼겠다고 하였습니다. 그 뒤 70~80년 만에 제 손에 넣었습니다.

옛적에 행군하다가 이것을 땅에 묻으면 바로 샘이 솟아 수천 명이 마셨으나, 당에 바친 뒤로 군사들이 늘 목마름에 시달렸습니다."

시험했더니 과연 그대로였다. 그가 구슬을 가지고 어디로 갔는지 모른다(17 「수주」).

___

갈홍葛洪은 『포박자』에 '옥산玉山 바위에서 흐르는 용액은 천년 뒤 수정처럼 굳어지지만, 약초를 섞으면 다시 액체가 되고 마시면 불로장생을 누린다'고 적었다. 이것이 바로 옥액玉液으로, 뒤에 술이나 음료의 대명사가 되었다.

우리 『유씨삼대록』에도 '신첩이 일찍이 빚은 술을 마시면 원기를 북돋울 뿐 아니라, 맛이 산뜻하고 시원하여 세상 술 맛이 아닌 듯하옵니다. 그 맑음이 옥액玉液같고 사람의 수명을 늘이는 까닭에 옥액연수주玉液連壽酒라 하옵니다'는 대목이 있다.

액체를 상징하는 옥에 물水이 붙었으니 틀림없는 샘이다.

사막의 나라 대식국에서 생명과도 같은 수주를 빼앗긴 것은 이만저만한 불행이 아니다. 당이 끼친 피해가 컸다는 뜻일 터이다.

당에서는 압바스Abbasids 왕조王朝(750~1258) 때의 사라센을 대식국이라 불렀다.

㉑ 이기李頎(690?~751)의 시(「노도사 방에 적음題盧道士房」)이다(부분).

―――――

秋砧響落木	가을 다듬이질 소리 가랑잎에 울리니
共坐茅君家	그대 집에 함께 앉아 억새 다듬네
惟見兩童子	오직 보이느니 두 동자
林前汲井華	숲 앞에서 정화수 긷네
空壇靜白日	빈 단에 햇빛 고요하고
神鼎飛丹砂	신정의 단사 나는구나

『정언묘선』

―――――

정화는 정화수의 준 말이다. 새벽에 길어 마시면 불로장수를 누린다고 한다. 신정은 단사를 빚는 신령스러운 솥이라는 말이다.

2) 삶과 우물

① 『태평광기』 기사이다.

―――――

정원貞元 9년(793), 낙양 강유방康裕坊에 살던 전 박주亳州(안휘성 서북부) 자사 노원盧瑗의 부친 노정盧正이 죽은 이틀 뒤, 대낮에 푸른 새가 날아와 우물로 들어갔다. 사람들이 마른 우물 안에 있던 한 말 크기의 새 알 두 개를 꺼냈더니 그 안에서 서너 말의 피가 흘렀다.

이튿날 아침 집 한 귀퉁이에서 두건 쓴 처녀가 슬피 울며 '내가 낳아 우물에

둔 자식을 누가 죽였느냐?' 부르짖다가, 노정의 주검을 끌어와 죽탕을 만들고 사라졌다. 놀란 식구들이 알을 들에 버린 다음, 술사 상도무桑道茂에게 묻자 사죄의 푸닥거리를 베풀라고 일렀다. 그 뒤 다른 징험은 없었다(15 「노원」).

———

새가 우물에 알을 낳은 것은 이곳이 생명의 뿌리(자궁)임을 나타낸다. 복술사 상도무는 사람의 평생이 사주팔자에 매였다는 이른바 산명술算命術을 퍼뜨렸다. 노원이 그를 찾은 까닭이다.

② **원결**元結(723~772)**의 시**(「귤우물橘井」)**이다**(부분).

———

靈橘無根井有泉	영험한 귤나무 뿌리 없지만 우물에서 샘솟고
世間如夢又千年	세간은 꿈속 같아 다시 천 년 흘렀네
風冷露壇人悄悄	바람 싸늘한 제단 사람들 근심에 잠기고
地閒荒徑草綿綿	한가한 터 황량한 길 풀만 우거졌구나
如何攝得蘇君跡	어떻게 해야 소선공 자취 따라
白日霓旌擁上天	대낮 무지개 깃발 타고 하늘에 오를까

『당시별재집』 4

———

귤우물은 '소탐정蘇耽井'이라는 별명대로, 진晉 소탐蘇耽(?~?)의 집에 있다. 그는 갈홍葛洪(284~364)의 『신선전』에 소선공蘇仙公으로 등장한다. 간추린 내용이다.

어린 적부터 효성이 지극했던 그는 어느 날 산에 올라가 신선이 되었다. 서너 해 뒤 그의 집으로 날아들던 학 수십 마리가 소년으로 변하더니 하직인사를 하였다. 어머니가 '너 없이 내가 어찌 살겠느냐?' 묻자, '마당의 우물과 처마 끝의 귤나무가 대신 봉양합니다. 이듬해 돌림병이 돌면 우물물 한 되에 귤나무 잎을 넣어 달여 마시면 병이 낫습니다.' 하였다. 이어 궤짝 하나를 건네며 필요한 것이 있으면 두드리되, 열어보지 말라는 당부를 남겼다. 이듬해 역병에 걸린 사람을 어머니가 우물물과 귤잎으로 고쳐주었다.

이 뒤부터 귤우물이 의사나 좋은 약을 가리키게 되었다.

두보杜甫의 시(「형주로 가다入荊州」)에도 '소선공 옛집 귤정 있으니橘井舊地宅 / 신선의 산으로 배 저어가네仙山引舟航'라는 구절이 있다.

③ 『태평광기』 기사이다.

─────

영태永泰 때(765~766), 자계慈溪(절강성 동북부) 현령 주송周頌이 갑자기 죽었다. 염라
대왕에게 가던 중에 만난 길주吉州(강서성 길안시吉安市) 자사 양승梁乘이 대왕에게
간청한 덕분에 풀려났다. 그를 끌고 오던 관리는 '나를 왜 이렇게 괴롭히느냐?
5천관을 내라'고 윽박질렀다.
그의 약속을 들은 사자가 한 돌샘石井에서 꾸물거리기에 길을 재촉했더니 '이 우
물로 들어가면 바로 살터인데 어디로 간다느냐?' 소리쳤다. 마침내 상대가 우물
로 밀어 넣는 순간 되살아났다(16 「주송」).

─────

돈은 저승에서도 힘을 쓴다. 흔히 우물을 저승에 견주지만, 이 글에서는 저승에서
이승으로 돌아오는 통로가 되었다.

④ 왕유王維(699?~759)의 시(「금설천金屑泉」)이다.

日飮金屑泉	날마다 금천샘물 마시면
少當千餘歲	젊음 분명 천년가고
翠鳳翔文螭	취봉 수레 타고 문리 용 몰고 날아올라
羽節朝玉帝	깃털 부절 휘날리며 옥황상제 뵈리라

『왕유 시전집』

─────

약재로 쓰는 금가루인 금설을 마시면 무병장수한다는 뜻이다. 취봉은 봉황 모양
의 비취빛 깃털로 꾸민 천자의 수레이며, 여기서는 신선의 수레를 가리킨다. 문리
는 고대의 전설에서 신선의 수레를 끈다는 여러 가지 무늬를 지닌 아름다운 용螭龍
이다.

3) 죽음과 우물

① 『태평광기』 기사이다.

────────

측천무후則天武后 재초載初(689~690) 때, 좌사낭중左司郞中을 지낸 교지지喬知之(?~697)에게 뛰어난 미색과 자질을 지닌 여종 요랑窈娘이 있었다. 그는 종을 끔찍이 아낀 나머지 몸을 섞지 않았다. 소문을 들은 무연사武延嗣(680?~701)가 한 번 보여 달라고 조르더니 끝내 돌려보내지 않았다. 교지지가 몰래 보낸 시를 읽은 그네는 치마끈에 시를 묶은 채 우물로 뛰어들었다(11 「무연사」).

────────

『전등삼종』에는 요랑의 어린 적 이름이 벽옥碧玉이고, 무연사가 아니라 무승사武承嗣이며, 그가 교지지를 모함하여 죽음에 몰아넣었다고 적혔다.

종의 신분으로 주인의 사랑을 잊지 못해 목숨을 던진 것은 지극히 갸륵하지만, 주인이 그네를 가까이 하지 않은 것도 기억할 만하다.

② 앞 책의 기사이다.

────────

노주군교潞州軍校 곽의郭誼(?~844)가 한단군邯鄲郡(하북성 한단시) 목사牧使로 있을 때이다. 죽은 형을 (…) 선친 무덤에 합장하다가 다른 혈穴을 건드려서 장지를 바꾸려 하였으나 상관 유종간劉從諫(803~843)이 들어주지 않았다.

한 달 뒤 곽의는 뒷간에 빠져 죽을 뻔 했고, 친척과 하인 20여 명은 목숨을 잃었다. (…) 뒤에 유진劉稹의 반란 때 괴수로 나섰던 곽의는 머리가 잘리고 식구들은 모두 우물에 몸을 던졌다(16 「곽의」).

────────

남의 무덤을 건드렸다면 당연히 터를 바꾸어야 함에도 유종간이 듣지 않은 것은 의문이거니와, 이 때문에 곽의가 죽을 고비를 맞고 애매한 하인들이 목숨을 잃은 것은 안타까운 일이다.

곽의는 무종武宗 회창會昌 때(841~846), 유종관의 아들 유진을 도와 반란을 일으켰다가 상황이 불리해지자 유진의 머리를 베어 왔지만 결국 죽음을 맞았다.

우리 『인조실록』에 무종武宗이 그를 죽인 것에 대해 '사마광司馬光(1019~1086)이 간사한 자를 상준 것은 의義가 아니고, 항복한 자를 죽인 것은 신信이 아니라고 한 것은 옳은 말'이라고 적혔다(2년[1624] 4월 16일).

③ 『태평광기』 기사이다.

———

영휘永徽 때(650~656), 장작張鷟(658~730)이 마구간을 지으려고 땅을 파자 '우물을 파면 사람이 빠져 죽는다'고 적힌 음양서陰陽書가 나왔다.

과연 하인 영진永進이 우물을 치다가 무너진 흙에 깔려 죽었다. 이어 높이 네다섯 발의 뽕나무가 시들면서, 장작의 조부마저 숨을 거두었다. 음양사가 '교목喬木이 먼저 말라 죽었으므로 나머지 자식들도 고아가 되리라'더니 빈말이 아니었다(6 「장작」).

———

마구간 터에서 우물 관련 음양서가 나온 것은 이치에 닿지 않으며 우물을 치던 이가 죽고 나무가 시들고, 주인공의 조부가 사망한 것도 음양서 내용과 동떨어진다. 그의 자식들이 고아가 된 것도 터무니없기는 마찬가지이다.

『신당서』에 '장작이 진사進士에 뽑히자, 고공원외랑考功員外郎 건미도騫味道(?~689)가 문장이 청동전靑銅錢 같다고 칭찬한 뒤로 청전학사靑錢學士라 불렸다'는 기사가 보인다(권161 「장작열전」). 재능이 뛰어난 급제자를 청전이라 부르는 것은 이에서 왔다.

④ 두보杜甫의 시(「음중팔선가飮中八仙歌」)에 '술 취한 지장의 말 탄 모습 배 탄 듯知章騎馬似乘船 / 눈 앞 캄캄해져 우물에 빠져 잠자네眼花落井水底眠'라는 구절이 있다. 지장은 풍류객으로 이름 높았던 시인 하지장賀知章(659~744)이다. 송의 정극鄭克(?~?)도 『절옥귀감折獄龜鑑』에 밤중에 풀숲을 헤치고 달아나던 도둑이 마른 우물에 빠졌다고 적었다. 이밖에 여러 서책에도 같은 내용이 보인다.

⑤ 우리 『지봉유설』 기사이다.

———

'눈의 꽃이 우물에 떨어지고 물속에서 잠든다'는 말은, 진晉의 왕상王祥(184~268)

이 술에 취해 견여肩輿에 기댄 채 머리를 들지 못하자, 그의 아버지가 '아들의 눈이 흐려져 우물 바닥만 보고 있으니, 몸이 물속에 있어도 술이 깨지 않으리라' 고 조롱한 데서 왔다.

두보는 이를 인용한 듯하다(권11 「文章部」 4).

———

왕상이 한겨울에 물고기를 먹고 싶다는 의붓어미의 말을 듣고 강으로 가서 옷을 벗고 얼음 위에 누워 녹인 다음, 고기를 잡으려 하자 잉어 두 마리가 뛰어 나왔다는 24효孝의 한 사람인지는 알 수 없다.

⑥ 『태평광기』 기사이다.

———

정원貞元 때(785~805), 최위崔煒(?~?)가 밤중에 자신을 죽이려는 노인을 피해 달아 나다가 길을 잃고 마른 우물에 빠졌다. 이튿날에야 그 곳이 깊이 백 길이나 되는 동굴임을 알았다(2 「최위」).

———

주인공이 깊이 백 길의 동굴에 빠지고도 살았다 니 기적이 따로 없다.

사진 116은 산동성 장구시 가욕향家峪鄕의 한데 우물이다. 이곳의 주민임에도 이만큼 떨어져서 허 리를 조금 구부리고 들여다보는 것을 보면 사람이 얼마나 자주 빠지는지 짐작되고도 남는다. 우물 입은 71×71센티미터이다.

사진 116

⑦ 앞 책의 기사이다

———

천보天寶 때(742~756), 진중궁陳仲弓(?~?)이 낙양 청화리清化里에 머물렀다. 이웃의 우물 입이 워낙 커서 사람이 자주 빠졌으며, 늘 이곳을 떠나지 않던 한 여자도 빠진 뒤 하룻밤이 지나서야 건졌다. 우물에서 한 미인이 웃는 것을 본 그는 겁이 나 곧 떠났다. 큰 가뭄에도 넉넉하던 물이 갑자가 마르더니 어느 날 새벽, 그

여자가 찾아와 말하였다.

"우물에서 사람이 죽은 것은 우물의 독룡毒龍 다섯 가운데 한 마리 탓입니다. 어제 밤 자시子時에 태일천신太一天神의 부름을 받아 떠났으니, 곧 우물을 치면 탈이 없습니다. 앞으로 당신을 돕겠습니다."

우물에서 나온 낡은 구리거울은 여자의 화신이었다. 그네는 다시 나타나 절을 올리며 말하였다.

"진흙 밑의 저까지 건져주셨습니다. 저는 본디 사광師曠(춘추시대 진나라 악사)이 구운 거울 12개 가운데 일곱 번째입니다. 정관貞觀 때(627~649)에 허경종許敬宗의 하녀 난초蘭草가 빠뜨렸으나 워낙 깊은데다가 독룡 탓에 찾으러 들어간 사람마다 죽어서 그대로 있었습니다. (…) 내일 아침 다른 집으로 떠나십시오."

이튿날 집주릅이 찾아와 같은 말을 하였고 일꾼들도 기다리고 있었다. 입덕방立德坊으로 옮긴 (…) 사흘 뒤, 살던 집이 갑자기 무너졌다. 그 뒤 그는 높은 벼슬에 올라 크게 성공하였다(10 「진중궁」).

———

여자가 왜 늘 우물가에 있다가 빠졌는지, 갑자기 마른 우물이 '이웃 우물'인지, 이사한 집의 우물인지 분명치 않다. 독룡 한 마리가 어째서 말썽을 일으켰는지, 태일천신이 그 때문에 불러올렸는지, 용 탓에 거울 찾으러 들어간 사람마다 죽었는지, 나머지 독룡 넷은 어떻게 되었는지, 허경종의 하녀가 거울을 우물에 빠뜨린 까닭이 무엇인지 궁금증만 늘어난다.

여자가 거울이 자신의 화신이라고 한 것은 여성의 전유물인 점과 연관이 깊다. 태일은 하나 뿐인 가장 높은 존재라는 뜻이다.

『장자』에 '전국시대 제자백가諸子百家 가운데 도가에서 받들었다' 적혔고(「천하편」), 『여씨춘추呂氏春秋』에서는 '도 자체는 형체나 이름이 없지만 억지로 붙이자면 태일太一이며, 음양과 만물 따위로 이루어진 우주도 이에서 나왔다'고 하였다(「大樂篇」).

우물과 동굴은 수직과 수평의 차이가 있을 뿐, 같은 것이라는 말인가?

⑧ 『태평광기』 기사이다.

———

정관貞觀 때(627~649), 이의염李義琰(?~688)이 화주현위華州縣尉로 있었다. 한 사람이 갑자기 없어져서 궁금히 여기던 중, 밤에 나타난 이가 '아무개가 저를 때려죽여 우물에 던졌습니다. 빨리 잡지 않으면 달아납니다' 일러주었다. 이로써 우물에서 주검을 거두고 범인을 잡았다(6 「이의염」).

―――――

사람을 죽여 우물에 던지면 쉬이 드러나지 않는 까닭에 귀신이 알린 것이다.

우리 『해동역사海東繹史』에 고구려에 사신으로 간 이의염이 탑榻에 걸터앉은 채 상대하는 왕에게 절을 올리지 않고 '천자天子의 사신인 나는 작은 나라 임금과 같음에도 어째서 예우가 이 같으냐?'고 따진 바람에 왕이 말을 잃었다는 기사가 있다(37권 交聘志 5 「上國使」 1).

⑨ 앞 책의 기사이다.

―――――

좌복야左僕射 위안석韋安石(651~714)의 딸이 이훈李訓(?~835)과 혼인한 뒤, 남편의 첩 둘을 다른 이에게 주었다. 그 뒤 그네가 병에 걸리자, 첩의 원한 탓으로 여긴 남편이 둘을 잡아들여 고문 끝에 거짓 자백을 받고 우물에 던졌다. 그 뒤 사흘 만에 아내도 숨을 거두었다(6 「이훈의 첩」).

―――――

억울하게 죽은 첩들의 원한이 그네에게 미친 것이지만, 두 사람에게 죄를 덮어씌워 죽인 이훈이 벌을 받아야 마땅함에도 아내가 죽은 것은 정도가 아니다. 부부는 일심동체라는 뜻인가?

이훈은 태화太和 8년(834), 한림대강학사翰林侍講學士가 되어 문종文宗에게 『주역』을 가르치는 등 명망이 높았음에도, 뒤에 금오장군金吾將軍 한약韓約들과 짜고 좌금오장원左金吾仗院에 감로甘露가 내렸다는 소문을 퍼뜨리며 권력을 잡으려다 목숨을 잃었다. 이는 모두 자신이 저지른 죄 탓이다.

⑩ 『절옥귀감折獄龜鑑』 기사이다.

―――――

두참竇參(733~792)이 경조부京兆府 봉선현奉先縣 위관尉官으로 있던 때, 궁궐 북군北軍의 조분曹芬 형제가 술에 취해 누이동생을 겁탈하였다. 이들을 말리고 딸을 구하려던 아비는 분통이 터져 우물에 몸을 던졌다. 두참이 둘의 목을 베라고 하자 주위에서 아비 상례 뒤로 미루기를 바랐지만, '아비가 자식 때문에 죽었음에도, 처형을 미루면 죄를 묻지 않는 것과 같다'며 몽둥이로 때려죽였다(「議罪」).

―――――

그가 법을 엄정하게 집행한 것은 옳지만, 중서시랑 동평장사中書侍郎同平章事를 지내면서 재물 탐욕을 부린 끝에 집에 비단匹帛을 가득 쌓아두었다는 비난을 받았다.

우리 『인조실록』에도 '영의정 박승종朴承宗(1562~1623)이 차지한 많은 재화는 모두 백성의 기름을 짠 것으로, 두참의 비단은 아무 것도 아니라'는 기사가 있다(2년[1624] 7월 9일).

⑪ 앞 책의 기사이다.

―――――

승상 장고경張杲卿(692~756)의 윤주潤州(강소성 진강시鎭江市) 지주知州 시절, 한 아낙이 갑자기 죽은 남편의 한을 풀어달라고 하였다. 집을 나가고 여러 날이 지나도록 돌아오지 않아 애타게 기다리던 중, 채마 밭 우물에 주검이 있다는 말을 듣고 찾았다는 것이다.

아전에게 주검이 그네의 남편인지 살피라고 이르자, 우물이 너무 깊어 알 수 없다며 들어내기를 청하였다. 다른 사람이 누구인지 모르는 주검을 여자가 남편이라고 한 것을 수상히 여기고 족친 끝에 죄를 밝혀냈다(「察姦」).

―――――

독을 먹이거나 목을 눌러 죽인 뒤에 우물에 던졌을 터이다.

『몽계필담夢溪筆談』에도 같은 기사가 있다.

⑫ 『태평광기』 기사이다.

―――――

서주舒州(안휘성 잠산현潛山縣) 자사 이종李宗이 개원사開元寺를 다시 지을 때, 장인들이 우물을 치자 그 안에서 '저의 노자路資를 뺏은 중들이 나를 던졌습니다. 부디 이공에게 알려 주십시오' 하는 소리가 들렸다.

이튿날 그가 유골을 꺼내 장례를 잘 치렀더니, 귀신이 다른 귀신을 통해 말하였다.

"이공 덕분에 구주사령九州社令이 저를 땅지기地神로 삼으셔서 제사를 받아먹게 되었습니다."(13 「郭厚」)

———

개원사는 개원開元 26년(738), 현종玄宗이 전국 여러 주요 도시에 세운 국가가 운영하는 절國營寺이다.

중들이 푼돈에 눈이 어두워 우물에 던졌다니 그제나 이제나 망할 세상이다. 구주사령은 전국九州 토지신社의 우두머리令일 터이다.

⑬ 정전鄭畋(825~883)의 시(「마외파馬嵬坡」)이다.

———

玄宗回馬楊妃死	현종 말 돌렸지만 양귀비 이미 죽고
雲雨難忘日月新	사랑 떠났지만 세월은 새롭구나
終是聖明天子事	슬기로운 천자의 처사였나니
景陽宮井又何人	경양궁 우물로 들어간 이 또 누구인가?

『당시 300수』

———

마지막 구절에서 남조 진陳 후주後主(582~589)의 고사를 든 것은, 현종이 양귀비를 죽였기에 망정이지 그대로 있었다면 진처럼 나라가 망했을 것이라는 뜻이다.

마외파는 양귀비가 목을 맨 곳으로 섬서성 흥평현興平縣 서쪽에 있다. 천보天寶 15년(756) 6월, 현종이 사천泗川으로 달아나는 중에, 근위병들이 그네를 죽여야 한다고 들고 일어난 탓에 한 불사佛舍에서 스스로 목숨을 끊었다. 이를 마외지변馬嵬之變이라 한다.

강소성 남경시南京市 현무호玄武湖 서남쪽 계명사鷄鳴寺에 있는 경양궁 우물은 연지정臙脂井으로도 불린다. 우물의 붉은 난간이 연지로 물들 듯한 까닭이다. 후주는 수군隋軍이 성 안으로 들어오자 비빈妃嬪들과 우물에 숨었다가 잡혔다.

작가는 당唐의 재상이자 시인이다.

사진 117이 그 우물이다.

사진 117(ⓒ 百度)

4) 자연과 샘

① 고적高適(707~765)의 시(「'환산음'을 제목 삼아 심사산인을 보내며賦得還山吟 送沈四山人」)이다(부분).

―――――

人生老大須恣意	살면서 나이 들면 제 뜻대로 살아야 하나니
看君解作一生事	그대는 잘 아네 남은 생애 어찌 보낼지
山間偃仰無不至	산간에선 모든 일 이치에 닿고
石泉淙淙若風雨	졸졸 흐르는 샘물도 비바람 같으리
白雲勸盡杯中物	흰 구름 그대에게 술 권하니
明月何處相隨眠	밝은 달 어디서 그대와 함께 잠들까

『당시별재집』 2

―――――

② 마대馬戴(?~?)의 시(「취미사에 머물며宿翠微寺」)이다(부분).

―――――

處處松陰滿	곳곳에 소나무 그늘 가득한데
樵開一徑通	나무꾼 길 한 줄 뚫었구나
鳥歸雲壑靜	새 돌아가 구름 낀 골짜기 고요한데
僧語石樓空	중의 말소리 석루에 비어 있네
積翠含微月	푸른 산은 작은 달 머금고
遙泉韻細風	먼 데 샘물 산들바람에 운 맞추네

『정언묘선』

―――――

산들바람에 잔물결 이는 샘물이 눈에 선하다.

③ 왕유王維의 시(「상락군으로 부임하는 이태수에게送李太守赴上洛」)이다(부분).

―――――

| 商山包楚鄧 | 거대한 상산은 초등땅 품을 듯 |
| 翠積靄沈沈 | 수만 겹 청산靑山 한껏 울창한데 |

驛路飛泉灑	솟구치는 샘물 역로에 물보라 날리고
關門落照深	오랜 관문에 석양빛도 유심幽深하구나
若見西山桑	만약 서산의 상기를 본다면
應知黃綺心	분명 알리라 상산사호의 마을을

『왕유 시전집』

———

상락은 당대唐代의 군 이름으로, 지금의 하남성 등현 지역이다. 춘추시대 초나라 땅이었던 까닭에 이렇게 부른다. 역로는 옛적, 역참驛站의 수레나 역마가 다니던 큰 길로 곳곳에 역참을 두었다.

산서상은 향기, 곧 청명하고 상쾌한 자연을 가리킨다. 황기는 하황공夏黃公(?~?)과 기리계綺里季(?~?)이며, 황기는 동원공東園公 녹리甪里선생과 함께 상산사호商山四皓로 불린다.

④ **가도**賈島(779~843)**의 시(**「촌가 정자에 머물며宿村家亭子」)**이다.**

———

牀頭沈是溪中石	침상 머리 베개는 개울의 돌이고
井低泉通竹下池	우물 밑 샘은 대숲 아래 못과 통하네
宿客未眠過夜半	나그네 잠 못 이뤄 온밤 지새며
獨聞山雨到來時	홀로 산에 내리는 빗소리 듣노라

『정언묘선』

———

'정저천井低泉'은 우물바닥에서 솟는 물을 가리킨다.

⑤ **심전기**沈佺期(656~713)**의 시(**「초봄 태평공주 남장에 거동하다에 삼가 화답하여 응제함奉和春初幸太平公主南莊應製」)**이다(부분).**

———

主家山第早春歸	산에 있는 공주 별장 이른 봄 찾았더니
御輦春遊繞翠微	봄놀이 어연행렬 푸른 산굽이 돌아가네
買地鋪金曾作垺	왕제처럼 땅 사 동전 깔아 담 두르고

尋河取石舊支機　　장건처럼 주운 돌 직녀 베틀 받침이라

雲間樹色泉花滿　　구름 사이 나무는 천 가지 꽃으로 가득하고

竹裏泉聲百道飛　　대숲의 냇물 소리 백 갈래로 날아가네

『당시별재집』 4

709년 2월 중종中宗(684~709)이 무측천武測天(690~705) 사이에서 태어난 태평공주 남장에 거둥한 모습이다.

사치를 지나치게 즐긴 서진西晉(265~316)의 왕제王濟(?~?)는 낙양의 비싼 땅을 사들여 마장馬場으로 삼고, 엮은 동전을 땅에 깔고 담을 쌓아서 사람들은 금구金溝라 불렀다.

서한의 장건張騫(전?~전 114)이 황하의 근원을 찾으러 뗏목을 타고 은하수까지 다녀왔다는 전설이 있다. 『태평어람』에 황하에서 주운 돌을 동방삭에게 보였더니 '천상에 사는 직녀의 베틀 받침支機이 어째서 여기 있는가?' 물었다는 기사가 있다(권51).

⑥ **왕유**王維**의 시**(「천자께서 구성궁을 빌려주심에 응교함敕借岐王九成宮避暑應敎」)**이다**(부분).

帝子遠辭丹鳳闕　　제왕의 아들 멀리 단봉문 나서니

天書遙借翠微宮　　천자께서 조서 내려 취미궁 내주셨네

隔窓雲霧生衣上　　창 열면 운무 옷 자락으로 피어오르고

卷幔山泉入鏡中　　휘장 젖히면 샘물 거울 속으로 흘러드누나

林下水聲喧語笑　　숲 아래 물소리 사람이 웃고 떠드는 듯

巖間水色隱房櫳　　바위 사이의 물빛 방과 창에 깃드네

『왕유 시전집』

단봉궐은 일반적으로 왕궁을, 천서는 천자가 내린 조서를 가리킨다.

⑦ **송지문**宋之問(656~712)**의 시**(「숭산 석종에서 시연하며 응제함嵩山石淙侍宴應製」)**이다**(부분).

離宮秘苑勝瀛州　　이궁과 비원 영주보다 뛰어나고

別有仙人洞壑遊　　그 위에 신선 사니 계곡 그윽하여라

巖邊樹色含風冷	바위 옆 나무 바람 깃들어 시원하고
石上泉聲帶雨秋	돌 위의 샘물소리 비 내리는 가을인 듯
鳥向歌筵來度曲	가무 펼치는 자리에 새들 날아와 노래하고
雲依帳殿結爲樓	장막 옆 구름은 누각을 짓네

『당시별재집』 4

———

무측천武測天이 705년에 군신들과 숭산 석종에 행차한 모습을 그렸다. 영주는 신선이 산다는 섬이다.

⑧ **방간**方干(809~888)**의 시**(「양주에서 잠시 머물며 학씨 임정에서 지냄旅次洋州自 寓居郝氏林亭」)**이다**(부분).

———

擧目從然非我有	눈을 들어 둘러보아도 낯설지만
思量似在故山時	생각은 고향 산수 속에 있는 듯
鶴盤遠勢投孤嶼	멀리서 돌아온 학 외딴 섬에 내려앉고
蟬曳殘聲過別枝	매미는 쉰 목소리 끌며 다른 가지로 나네
凉月照窓欹枕卷	창문에 비치는 서늘한 달빛 베개에 기대 쉬고
澄泉繞石泛觴遲	비워 희도는 맑은 샘물에 띄운 순잔 느리구나

『당시별재집』 5

———

서늘한 달빛이 베개에 머무는 가운데 맑은 샘물에 띄운 술잔을 지켜보는 마음은 바로 선심禪心 그 자체이다.

⑨ **진자앙**陳子昂**의 시**(「감우시感遇詩」)**이다**(부분).

———

竭來豪遊子	아, 호유 떠나는 젊은이여
勢利禍之門	권세와 이익은 재앙의 문이라네
衆趨明近避	뭇 사람이 가는 곳은 피해야 하며
時棄道有存	시대가 외면한 곳에 오히려 도가 있다네
雲泉已矣實	구름과 샘이 없다면 새와 물고기도 없나니

網羅與誰論	그물을 던져도 아무 소용이 없다네

───────

새는 구름 속에, 물고기는 샘이 흐르는 골짜기에 숨는다는 뜻이다.

5) 거문고와 샘

① 두보杜甫의 시(「정남을 그리며憶鄭南」)이다(부분).

───────

鄭南伏毒寺	정남 땅 복독사
瀟灑到江心	맑고 깨끗한 강 가운데 있네
石影銜朱閣	바위 그림자 누각을 덮고
泉聲帶玉琴	샘물은 거문고 소리 내며 흐르네
萬里滄浪外	드넓은 푸른 물결을 향해
龍蛇只自深	용이 이제라도 뛰어드는 듯 하구나

『두보 시 300수』

───────

정남은 섬서성 정현鄭縣으로 남쪽의 복독사 일대는 경승지로 널리 알려졌다. 절 주위 강가로 뻗은 산봉우리가 용이 뛰어드는 듯하다는 뜻에서 '독룡을 굴복시킨 절'이라고 불렀다.

② 이백李白의 시(「깊은 골짜기의 샘물幽澗泉」)이다(부분).

───────

拂彼白石	저 흰 바위의 먼지 털고
彈吾素琴	내 거문고 뜯으니
幽澗秋兮流泉深	깊은 골짜기 샘물도 흐느끼는 듯
善手明徽高張淸	빠른 손놀림에 경쾌한 가락 팽팽한 줄에서 맑은 소리 울리네
幽澗泉	깊은 골짜기의 샘물소리

鳴深林　　　　　　　깊은 숲에 퍼지누나

───────

6) 슬픔과 샘

① 왕유王維의 시(「유림군의 노래楡林郡歌」)이다.

───────

山頭松柏林　　　　산마루에 소나무 잣나무 무성하고
山下泉聲傷客心　　산 아래 흐느끼는 샘물소리에 나그네 슬프네
千里萬里春草色　　천지의 봄 풀색 아련하고
黃河東流流不息　　동으로 흐르는 황하 쉬지 않나니
黃龍塞上遊俠兒　　황룡성 수루 위의 협객들
愁逢漢使不相識　　조정 사신 못 알아볼까 시름하노라

───────

유협아는 천하를 돌며 정의를 펴는 협객을, 한사는 시인 자신을 가리킨다.

그는 다른 시(「저사마를 눈물로 추모하며哭褚司馬」)에서도 '온 산천의 가을 나무 괴로움에 떨고山川秋樹苦 / 창문 너머로 밤 샘물소리 슬피 흐느낀다窗戶夜泉哀'고 읊조렸다.

② 두보杜甫의 시(「북쪽으로 가다北征」)이다(부분).

───────

經年至茅屋　　　　해지나 오두막에 돌아오니
妻子衣百結　　　　처자의 옷 모두 누더기
慟哭松聲廻　　　　만나 통곡하니 솔바람도 슬퍼지고
悲泉共幽咽　　　　슬픔에 샘물소리도 함께 흐느끼누나
平生所矯兒　　　　언제나 귀여워했던 아이는
顏色白勝雪　　　　얼굴빛이 흰 눈보다 더 창백하네

지나친 가난 탓에 샘물도 운다고 한 것이다.

③ 송지문宋之問의 시(「송지망과 헤어진 뒤 홀로 남전산장에 머물며別之望後 獨宿藍田山莊」)이다(부분).

自歎兄弟少	형제 적음 스스로 탄식하고
尙嗟離別多	언제나 이별 아쉬워하네
爾尋北京路	너는 북쪽 태원太原 가는 길 찾고
臥牛南山阿	나는 종남산 기슭에 누웠구나
泉晚更幽咽	샘물은 저녁이라 더욱 목 메이지만
雲秋常嵯峨	구름은 가을이라 아직도 높다랗네

『당시별재집』 1

고요한 저녁이라 샘물소리가 크게 들리는 것은 당연하지만, 형제와 떨어져 지내는 외로움 탓이 더 많다.

④ 전기錢起(710~782)의 시(「동구관에 머물며宿洞口館」)이다.

野竹通溪冷	들의 대숲에 개울 냉기 이르고
秋泉入戶鳴	가을 샘물소리 문틈으로 들어오네
亂來人不到	어지러운 소리 속에 사람 오지 않고
寒草上階生	찬 풀은 섬돌에서 돋아나누나

『정언묘선』

'샘물소리가 문틈으로 들어온다'니 참으로 명구이다.

⑤ 이백李白의 시(「그리움長想思」)이다(부분).

長想思 在長安	그리운 이여 나는 장안에 있소
絡緯秋啼金井欄	우물 난간에서 가을 베짱이 웁니다
微霜悽悽簟色寒	서리 내리더니 대자리 차고
孤燈不明思欲絶	어두운 등불 그리움에 끊어질 듯
卷帷望月空長歎	휘장 걷고 달 보며 부질없는 탄식
美人如花隔雲端	그리는 이 구름 끝에 꽃처럼 있구료

『당시별재집』 2

금정난은 황금으로 꾸민 우물 난간이다.

⑥ **고황**顧況(?~?)**의 시**(「**원사곡**遠思曲」)**이다**(제3수).

新繫靑絲百尺繩	푸른 실로 꼰 백 척 끈 새로 달았으니
心在君家轆轤上	마음은 그대 집 물레우물 굴대에 있네
我心皎潔君不知	깨끗한 내 마음 그대 몰라주어
轆轤一轉一惆悵	굴대 돌 때마다 가슴 찢어지노라

『당시별재집』 2

'푸른 실로 꼰 백 척의 끈'은 '내 마음 몰라주는 그대'와 대비되는 구절로, 겉으로는 그럴 듯하나 속은 영 딴판이라는 뜻이다. 오죽하면 굴대가 돌아갈 때마다 슬프겠는 가? 차라리 잊으려고 해도 제 자리에서 돌기만 하는 굴대 신세라는 자탄도 비친다.

한편, 인터넷 구글에는 송 소식蘇軾의 시(「轆轤歌」)라며, 앞의 3수 외에 4수와 5수를 소개하였고, 중국 인터넷 사이트인 백도일하百度一下에서는 『동파전집東坡全集』에 실 렸다고 하였으니 아무리 생각해도 모를 일이다.

7) 남녀유별과 우물

① 사진 118은 **산동성 서하시**栖霞市 **성북 고진도촌**城北古鎭都村**의 모씨**牟氏**장원**莊園 안채

로, 1723년에 시작된 공사가 1936년에야 끝났다고 한다. 건축 면적이 2만여 평방미터나 되는 대저택으로 중국 북부지역에서 가장 큰 규모를 자랑한다.

집이 너른 만큼 집안 곳곳에 물레우물을 비롯한 여러 형태의 우물이 있지만, 이른바 내외內外 관습을 지키려고 사진 119와 사

사진 118(ⓒ 百度)

진 120의 시설을 우리네 행랑채에 해당하는 건물에 따로 마련하였다. 곧, 담 밖의 하인이나 물장수가 사진 119에 물을 부으면, 담 안쪽의 여자가 사진 120의 구멍으로 흘러내리는 물을 받는 구조이다. 이로써 담 안팎의 남녀는 상대가 누구인지 알 수 없다. 이것을 실제로 얼마나 이용하였는지 모르지만, 남녀유별의 덕목을 잘 지키는 뜻을 남에게 보이려고 마련하였을 가능성이 높다.

사진 119

② 산동성 제령도濟寧道 곡부曲阜의 공자고택孔子古宅에 도 같은 것이 있어 흥미롭다. 사진 121의 바깥채 대문 왼쪽의 구멍(사진 122)에 물을 부으면 안에서 받는다(사진 123). 앞의 것과 달리 물이 양쪽으로 흘러내린다.

사진 122에 대한 안내판에 '물을 흘려보내는 돌石流'이라고 한 다음 '안대문 서쪽채 담에 뚫어놓은 물구멍水漕으로, 물장수挑水夫·挑水工가 물을 부르면 담 안쪽으로 흘러들어가서 물두멍으로 떨어진다'고 적었다.

또 다른 문헌에 '남자 잡역부는 안채內宅에 일체 들어가지 못하며, 어기면 곤장을

사진 120

사진 121(ⓒ 百度)

사진 122(ⓒ 百度)

사진 123(ⓒ 百度)

맞아 죽는다. (…) 이것이 공맹孔孟의 도덕 문화이며 (…) 석류 시설도 그 중의 하나'라는 대목도 보인다.

우리도 잘 알려진 대로 『예기』에 적힌 '남녀칠세부동석男女七歲不同席'을 철저하게 지켰다. 남성 거주공간인 사랑채와 여성 거주공간인 안채를 따로 세우고, 이들 사이에 담을 치고 문을 따로 낸 것이 좋은 보기이다. 또 '내정돌입內庭突入'이라고 하여, 외간남자가 허락 없이 안마당에 들어가면 몽둥이찜질을 하였고, 목숨을 잃어도 법의 보호를 못 받았다.

사진 124는 1929년의 공자孔子의 집 우물이다. 주위에 두른 화려한 돌난간 안에 '공자고택우물孔子故宅井'이라고 새긴 비가 보인다.

③ 『아세아대관』 기사이다.

사진 124

우물은 공자의 5대 선조를 받드는 숭성사崇聖祠와 공자의 의관衣冠을 간직하였다는 시례당詩禮堂 사이에 있다. 명 연주부州府의 지부知府 용욱龍旭(?~?)이 돌난간을 둘러서 보호하였다. 이곳에 거둥한 건륭제康熙帝(1735~1796)가 물맛을 보고 감탄한 나머지 다음의 「고정찬故井讚」을 남겼다.

나물 먹고 물마시며 팔을 베어도 즐겁도다. 흘러넘치는 맑은 물 두레박으로 떠서 한 모금 마셨네. 마음에 떠오르는 성인이라는 그 분은 진실로 내 스승님이로세疏

食飲水 曲肱樂之 旣淸且潔 汲繩到玆 我取一酌 以飲以思 嗚呼宣聖 實我之師. (1939 ; 69호)

───────

1~2구는 『논어주소論語注疏』의 '스승께서 나물밥 먹고 물마시고 팔베개를 베어도 즐거움이 또한 그 가운데 있다고 하셨다'는 대목에서 왔다. 선성은 공자를 높이 부르는 말이다.

천하의 황제가 물맛을 보고 위대한 스승을 기린 것을 보면 그는 참으로 슬기로운 사람이다. 앞글에서 든 건륭제는 강희제康熙帝(1736~1795)의 잘못이다. 그는 건륭 13년(1748), 공자에게 제사를 올린 뒤 「고정찬」을 지었다. 사진 124가 그 비이다. 우물은 깊이 3터쯤이며 서쪽에 정자가 있다.

8) 우물 치레

① 『태평광기』 기사이다.

───────

문종文宗(827~840) 때 사치를 즐긴 재상 왕애王涯(764~835)는 정원의 우물 귀틀을 금과 옥으로 꾸미고 자물쇠를 채웠으며, 천하의 보석과 진주를 우물에 넣고 물을 길어 먹었다(10 「왕애」).

───────

그러나 그는 죽은 뒤 다시 목이 베이는 형벌戮屍刑을 받았고 가족들도 목숨을 잃었다. 우물에 자물쇠를 채운 것은 안에 넣은 보석과 진주 때문이지만, 불로장생을 누리려는 욕심도 있었을 터이다. 보석과 진주에서 우러나오는 물을 마신 덕분에 그의 뼈와 살이 황금색으로 바뀐 것인가?

② 『유양잡조』 기사이다.

―――――

영녕방永寧坊에 있는 재상 왕애의 집에 세 가지 기이한 일이 벌어졌다. 쌀장수 소윤蘇潤은 본디 그 집 부엌데기였다. 내가 형주荊州(호북성 남부)에서 만나 '재앙의 징조가 있었느냐?' 물었더니 이렇게 대답하였다.

"집 남쪽 우물에서 밤마다 물이 끓어 넘치는 소리가 났습니다. 낮에 살펴보면 구리 세수 대야와 은銀 인두가 나왔고, 물은 썩어 마시지 못하였습니다."(「속집」 권3)

―――――

앞글의 '정원 우물'이 '집 남쪽'으로 바뀌었지만 같은 우물일 터이다. 왕애가 죽은 뒤 '보석과 진주'가 '구리 대야'와 '은 인두'로 바꾸었다는 말인가?

그러나 왕애는 딸의 사치는 막았다.

친정에 온 딸이 70만 전짜리 비녀 타령을 하자 '내 한 달 봉급이니 아깝지 않으나 반드시 화를 입을 것'이라며 들어주지 않았다. 뒤에 풍구馮球의 아내가 산 것을 알고 '낭관郎官이 70만 전이나 하는 물건을 샀으니 오래 못 갈 것'이라더니, 과연 스승 가속賈餗의 집 노복에게 독살 당했다(『古今事文類聚』 별집 권 18 「戒奢侈」).

사진 125

사진 125는 산동성 제남시 부용가芙蓉街의 어떤 집 우물로, 나무 덮개에 자물쇠를 채워 놓았다. 우물물을 재물로 여기는 민속에서 온 것인가?

③ 이상은李商隱(812~858)의 시(「무제無題」)이다(부분).

―――――

颯颯東風細雨來	쇄쇄 부는 봄바람 따라 가랑비 내리고
芙蓉塘外有輕雷	연잎에 덮인 연못 너머 가벼운 천둥치네
金蟾囓鏁燒香入	금 두꺼비 쇠사슬 물어도 향은 방에 스미고
玉虎牽絲汲井迴	옥 범으로 줄 당겨 우물물 긷네
春心莫共花爭發	춘심이여 꽃처럼 피어나지 말라

一村相思一村灰　　한 치의 그리움이 한 치의 재가 되리니

『당시 300수』

———

옥호는 우물에 달아놓은 범처럼 꾸민 도르래이다. 금 두꺼비가 단단한 쇠사슬을 물고 있어도 향기가 방으로 스며들고, 우물이 깊어도 도르래에 줄을 매어 길어 올린다는 뜻이다.

9) 은거와 샘

① **왕유王維의 시**(「제주에서 가장 어지신 네 분을 읊으며濟上四賢詠」)**이다**(부분).

———

鄭公老泉石　　　정공은 한가로이 샘물과 바위 사이에서 늙고
霍子安丘樊　　　곽공은 편안히 산림의 정취에 젖는데
賣藥不二價　　　약초 팔 때는 아예 에누리 않고
著書盈萬言　　　입논立論의 저술은 만자를 넘었다네
息陰無惡木　　　절대 굽은 나무 그늘에서 쉬지 않고
飮水畢淸源　　　반드시 맑디맑은 샘물만 마시네

『왕유 시전집』

———

산언덕과 동산을 나타내는 구번은 은거지를 가리킨다.

② **'약초 운운'에 대한 『후한서』 기사이다.**

———

후한의 한강韓康(?~?)은 삼십여 년간, 명산의 약초를 캐어서 장안에 내다 팔았지만 절대로 값을 깎아주지 않았다. 어느 날 한 여자가 '당신이 한백휴(한강의 자)입니까? 어째서 조금도 에누리가 없소?' 대들었다. 그는 '내 본디, 이름을 숨기려 하였거늘 이제 아낙네들까지 알고 있으니 무슨 약을 더 팔 것이랴?' 한탄하며 패릉覇陵의 산중으로 들어가 숨었다(「한강전」).

두 사람이 뜻 높은 선비임을 알리는 고사이다. '굽은 나무'는 『관자管子』의 '무릇 선비는 강직한 마음을 지닌 까닭에 굽은 나무 그늘에서 쉬지 않는다'는 기사(주)에서, '맑디맑은 샘물'은 초나라 시교尸佼가 쓴 『시자尸子』의 공자 관련 기사에서 왔다(「권하」).

③ 앞 사람의 시(「산으로 돌아가는 친구를 보내는 노래送友人歸山歌」)이다(부분).

群龍兮滿朝	조정에 어진 신하 그득한데
君何爲兮空谷	그대 어찌하여 빈 골짜기로 가나
文寡和兮思深	그대 글에 화답하는 이 적지만 생각 깊고
道難知兮行獨	심성 고매하여 남들이 모르는 길 홀로 가네
咽石上兮流泉	바위 위로 흐르는 샘물 좋아하고
與松間兮草屋	송림 사이 초당을 찬미하느니

『당시별재집』 2

④ 한유韓愈(768~824)의 시(「하양막부로 가는 석 처사에게送石處士赴河陽幕」)이다(부분)

長把種樹書	오랜 동안 농잠서 들고 있어
人云避世士	세상 떠난 선비라 일렀지
忽騎將軍馬	갑자기 장군 말 타면서
自號報恩子	스스로 '보은 하는 사람'이라 일컫네
風雲入壯懷	바람과 구름 씩씩한 가슴에 들어가고
泉石咽幽耳	바위 샘물소리 귀에서 멀어지리라
去去事急方	어서 가게나 사태 급박하니
酒行可以起	술 마시면 떠날 수 있으리

『당시별재집』 1

낙양에서 십여 년 숨어 지내다가 810년 6월, 하남절도사 오중윤吳重胤의 막료로 뽑혀 가는 처사 석홍石洪에 대한 송별시이다. 그는 811년에 집현전 교리가 되었으나 마흔 둘이던 이듬해 병으로 죽었다.

10) 무상과 샘

① 사공서司空曙(740~790?)의 시(「폐허의 보경사를 지나며經廢寶慶寺」)이다(부분).

───────

黃葉前朝寺	누런 잎 옛 나라 절에 있지만
無僧寒殿開	중은 없고 찬 전각만 열렸구나
古井碑橫草	옛 우물가의 비석 풀밭에 누웠고
陰廊畵雜苔	어두운 곁채의 벽화 이끼에 어지럽네
禪宮亦鎖歇	선궁 또한 잠긴 채 헐렸으니
塵世轉堪哀	이 세상일 더욱 슬프구나

『정어묘서』

───────

헐려 없어진 절, 옛 우물가 풀밭에 누운 비석을 보고 세월의 무상을 노래하였다. 비는 우물의 내력을 새긴 정명井銘이다. (☞ 922~925 · 929~931)

② 유우석劉禹錫(772~842)의 시(「형주 가는 길 회고荊州道懷古」)이다(부분).

───────

南國山川舊帝畿	남국의 산천은 옛 제왕의 도읍지
宋臺梁館尙依稀	유송의 누대 아래 양나라 궁관 아직 남았네
風吹落葉塡宮井	가랑잎 바람에 날려 궁궐 우물에 쌓이고
火入荒陵化寶衣	능묘에 들불 붙어 진귀한 옷 타버렸네
徒使詞臣奧開府	부질없이 대시인 유신으로 하여금
咸陽終日苦思歸	함양에서 종일 고향 생각나게 했네

『당시별재집』 4

───────

송대양관은 남조시대(420~589)의 궁궐과 누대를, 황릉은 양 원제元帝(552~554)의 능을 가리킨다. 유개부는 양나라 시인으로 554년, 서위西魏에 사신으로 갔다가 나라가 망하자 그대로 주저앉았고, 그곳(북조)에서 옛 나라를 그리는 작품을 많이 남겼다.

③ 이함용李咸用(?~?)의 시(「초경산인에 붙임寄楚瓊山人」)이다(부분).

遙知無事日	무사한 날 아득히 아니
靜對五峰秋	오봉의 가을 조용히 대했네
鳥隔寒煙語	새들은 찬 안개 너머에서 지저귀고
泉和夕照流	샘물은 석양과 함께 흐르네
幾句出人意	몇 구절이나 사람의 뜻 넘어섰나
風高白雪浮	바람 높은데 흰 구름 떠 있구나

『정언묘선』

시인은 당 예종睿宗(710~712) 때의 인물이다. '샘물이 석양과 함께 흐른다'는 구절은 참으로 뛰어난 표현이다.

11) 귀중품과 우물

① 『태평광기』 기사이다.

당의 상국相國 가탐賈耽(730~805)이 부하에게 마른 우물에 들어가 도술에 관한 문서를 가져오라 일렀다. 10여 명이 책을 다 베꼈을 때, 도사가 나타나더니 '감히 누가 책을 훔쳐보느냐?' 소리쳤다. 가탐이 사죄하자 제자리에 두라고 일렀다 (2 「가탐」).

가탐은 늘 외국 사신이나 여행자를 찾아가 그들이 갔던 곳의 지리·토지·도로 상황 따위를 꼼꼼히 물었다. 그가 남긴 150만분의 1쯤 되는 「해내화이도海內華夷圖」와

40권의 『고금 군국도현 사이술古今郡國道縣四夷述』은 30여 년 동안 이렇게 모은 자료 덕분이다.

② 그는 도사이기도 하였다. 『유양잡조』 기사이다.

———

가탐이 활주滑州(하남성 활현滑縣)에 있을 때, 가뭄으로 흉년이 들자 장수 둘에게 삼군三軍과 백성을 구하라며 '내일 붉은 비단옷 입은 기마병 둘이 저자를 지나 성문으로 나갈 때, 뒤따라가서 사라진 곳을 알아두라'고 일렀다. 검은 옷차림의 두 사람은 식량을 걸머지고 뒤를 밟았다.

과연 성 밖 2백여 리에 있는 큰 무덤 안으로 들어가는 것을 보고 돌 여러 개를 쌓아놓고 돌아왔다. 가탐은 가래와 삽을 갖춘 힘센 장졸 수백 명을 보내 옛적에 쌓아둔 쌀 수십만 석을 날라 왔다. 그러나 사람들은 끝내 까닭을 알지 못하였다 (권14 「낙고기」 상).

———

큰 무덤을 곳간 삼아 곡식을 남몰래 간무리하였다는 뜻인가?

③ 『태평광기』 기사이다.

———

대중大中 때(847~860), 장무실張茂實이 낙양에서 부린 왕형王夐은 5년 동안의 품삯을 받은 뒤, 자신은 본디 부자였으나 액땜을 위해 품을 팔았다며 유람을 떠나자고 부추겼다. 얼마 뒤 왕형은 기린을, 장무실은 범을 타고 선계仙界로 가서 극진한 대접을 받았다.

울고 있던 식구들은 자신이 죽은 지 한 이레가 지났다고 하였다.

왕형은 상대에게 받은 금 백 일鎰을 가지고 집에 돌아와 우물에 감추었다가 여럿에게 나누어준 다음, 관직을 버리고 산으로 들어갔다(권3 「기린객」).

———

왕형은 신선의 세계에서 큰 죄를 저지른 듯하다. 한 일은 20~24냥이다. 금을 우물에 감추었다니 여간 웅숭깊은 사람이 아니다.

12) 우물가의 나무

① 왕창령王昌齡(698~765?)의 시(「장신궁의 가을노래長信秋詞」)이다(부분).

金井梧桐秋葉黃	금정 가 오동잎 누렇게 물들고
珠簾不卷夜來霜	발 걷지 않은 간밤에 서리 내렸네
熏籠玉枕無顔色	화장 않은 채 향 사르고 누워
臥聽南宮淸漏長	남궁의 물시계 소리 밤새 듣노라

『당시전집』

한 성제成帝(전 32~전 7)의 사랑을 조비연趙飛燕에게 빼앗긴 반첩여班婕妤가 밤새 물시계 소리에 잠을 못 이루며 애를 태운다는 노래이다.

금정은 화려하게 꾸민 우물이고, 남궁은 당대 예부禮部의 다른 이름이다.

② 두보杜甫(712~770)의 시(「막부에서 숙직하며宿府」)에 '가을 막부의 우물가 오동에 찬 기운 돌고淸秋幕府井梧寒 / 나 홀로 강성에 자려니 촛불도 가물거리누나獨宿江城蠟炬殘'라는 구절이 보인다(『당시 300수』).

너른 오동잎이 우물에 그늘을 드리우기 때문인가?

③ 백거이白居易(772~846)의 시(「초가을 밤에 홀로 지냄早秋獨夜」)에 '우물가 오동잎 흔들려 서늘하더니井梧涼葉動 / 이웃집 다듬이에서 가을 소리 이누나隣杵秋聲發'라는 구절이 있다. 겨울옷을 짓는다는 뜻이다.

④ 이상은李商隱의 시(「복숭아를 조롱함嘲桃」)이다.

無賴天桃面	사랑스럽고 고운 복사꽃
平明露井東	새벽녘의 우물 동쪽
春風爲開了	봄바람에 활짝 핀 꽃
却凝笑春風	거꾸로 봄바람 비웃누나

―――――

'노정도'는 덮개 없는 우물가에 핀 복숭아꽃을 가리키고, '거꾸로 봄바람…'은 입은
은혜를 모르고 날 뛴다는 뜻이다.

⑤ **왕창령**王昌齡의 시(「봄 궁전의 한春宮怨」)이다.

―――――

昨夜風開露井桃	간밤 봄바람에 우물가 복사꽃 피고
未央殿前月輪高	미앙궁 앞 둥근달 높이 떴네
平陽歌舞新承寵	평양공주 집에서 새 은총 입어
簾外春寒賜錦袍	봄추위에 비단두루마기 내리셨구나

『당시 300수』

―――――

'월륜'은 둥근 달을 수레바퀴에 견준 말이다. 우물의 복숭아나무는 잡귀를 쫓는 구
실도 한다.

⑥ **유종원**柳宗元의 시(「강화장로에게贈江華長老」)이다(부분).

―――――

一飯不願餘	밥 한 그릇 외 바라지 않고
跏坐便終日	한 번 가부좌 저녁에야 끝나네
風窗疏竹響	바람 부는 창가의 성긴 댓잎소리
露井寒松適	찬 이슬 솔잎에서 우물로 떨어지네
偶他卽安居	우연히 온 곳에서 안거 즐기니
滿庭芳草積	뜰 가득 향기로운 풀 쌓였구나

『당시별재집』 5

―――――

⑦ **노조린**盧照隣(637?~689?)의 시(「산장의 휴가山莊休沐」)이다(부분).

―――――

蘭署承閒日	난서에서 한가한 틈타
蓬扉押遁棲	사립문 걸고 고요 즐기네
龍柯疏玉井	용뇌향 가지 우물가에 성글고
鳳葉下金堤	오동잎 둑으로 떨어지누나
川光搖水箭	내의 빛 물시계 화살에서 흔들리고
山氣上雲梯	산 기운 높은 사다리로 오르는구나

『정언묘선』

———

용가는 용뇌향수의 가지이다. 남방에서 나는 향목의 하나로 수액을 굳힌 것이 용뇌향이다. 난서는 관각館閣 곧, 홍문관弘文館과 예문관藝文館을 가리킨다.

⑧ **최호**崔顥(704?~754)**의 시**(「규인을 대신하여 경박한 소년에게代閨人答輕薄少年」)**이다**(부분).

———

妾家近隔鳳凰池	봉황 못 근처 우리 집
粉壁紗窓楊柳樹	고운 벽 비단 창에 버드나무 드리웠지
本期漢代金吾壻	본디 한나라 금오서와 약혼했다가
誤嫁長安遊俠兒	불운하여 장안 난봉꾼의 아내 되었네
花間陌上春將晩	꽃핀 거리의 봄 다 가건만
走馬鬪鷄猶未返	말 달리고 닭싸움 즐기느라 안 돌아오네
桃李花開覆井欄	복숭아, 자두꽃 우물난간 덮었건만
朱樓落日捲簾看	발 걷은 붉은 누각에서 지는 해 바라보네

———

우리 성현成俔(1439~1504)도 경박한 남자에게 시집왔다가 소박맞은 여인이 상대에게 하소연 하는 같은 이름의 시를 남겼다(『風雅錄』 제2권 「樂府雜體」).

⑨ **두목**杜牧**의 시**(「도화부인 사당에 적음題桃花夫人廟」)**이다.**

———

| 細腰宮裏夭桃花 | 세요궁 우물 옆 복숭아꽃 |
| 脈脈無言度幾春 | 말없이 사무친 눈으로 여러 해 보냈지 |

| 至竟息亡緣底事 | 마침내 식나라 망한 까닭 무엇인가 |
| 可憐金谷墮樓人 | 가련하네 금곡원 누각에서 떨어진 녹주어 |

『당시별재집』 5

세요궁은 허리가 가는 미인을 모아둔 궁궐이라는 뜻이다. 초楚의 영왕靈王(전 540~전 529)이 이러한 여자를 좋아하자 허리를 줄이려다 굶어죽은 사람이 많았다고 한다. 식국은 춘추시대에 있던 나라이고, 금곡원은 낙양洛陽 북쪽 20리 밖에 있던 유명한 부자 석숭石崇(249~300)의 별장이며 녹주는 그의 첩이다.

⑩ 위응물韋應物(737~804)의 시(「그리운 사람有所思」)이다(부분).

借問堤上柳	언덕 위 버들에게 묻나니
靑靑爲誰春	새파란 봄빛 누구를 위함인가?
空遊昨日地	어제 놀던 곳에서 하릴없이 불러도
不見昨日人	어제 그 사람 보이지 않네
繚繞萬家井	마을 우물마다 버들 늘어지고
往來車馬塵	오가는 수레들로 먼지만 이누나

『당시별재집』 1

당대에는 버들을 이별의 정표로 삼았다.

⑪ 왕유王維의 시(「재주 이사군을 송별하며送梓州李使君」)이다(부분).

萬壑樹參天	수많은 산골짝마다 우거진 나무들 하늘 찌르고
千山響杜鵑	천만 겹 산줄기에 두견새 우는 소리 울려 퍼지는데
山中一雨夜	이따금 산중에 밤새 줄기찬 비 내려
樹梢百重泉	나뭇가지 끝마다 수백의 샘물줄기 겹쳐 흐르리라
漢女輸橦布	서한수 유역 여인들 동포 짜 조세 바치고
巴人訟芋田	파촉 땅 사람들 토란 밭 일로 서로 다투네

———

한녀는 지금의 사천성 가릉강嘉陵江 유역인 옛 서한수西漢水 유역의 여인을 가리킨다.

13) 샘과 불교

① 한산자寒山子(?~?)의 시(「한산시寒山詩」)이다(부분).

———

獨坐無人知	홀로 앉으니 아는 이 없고
孤月照寒泉	외로운 달 찬 샘에 비치네
泉中且無月	달은 본디 샘이 아니라
月自在靑天	스스로 저 하늘에 있었다네
吟此一曲歌	노래 한 곡 불러보지만
歌終不是禪	결국 참선은 아니로세

『한산시』

샘에 달 비치듯 노래에 선이 깃들었다는 뜻이다.

② 이가우李嘉祐(?~?)의 시(「전기의 '가을밤 영대사에서 묵으며'를 받고贈錢起秋夜宿靈臺寺見寄」)이다(부분).

———

石林精舍武溪東	무계 동쪽의 석림정사
夜扣禪扉謁遠公	혜원 같은 고승 뵈러 밤의 절문 두드리네
月在上方諸品靜	상방에 달뜨자 만물 고요하고
心持半偈萬緣空	마음으로 반게 읊으니 온갖 인연 사라지네
蒼苔古道行應遍	푸른 이끼 낀 옛 길 두루 다니고
落木寒泉聽不窮	가랑잎 덮인 찬 샘물소리 늘 들으리

『당시별재집』 4

———

반게는 전세에 설산에서 수행 중에 나찰에게 얻었다는 설산게雪山偈의 후반부인 생멸멸기生滅滅己 · 적멸위락寂滅爲樂을 가리킨다.

③ **진자앙**陳子昻(661~701)**의 시**(「휘 상인의 '가을밤 산장에서 주다'에 답함酬暉上人秋夜山亭有贈」)**이다**(부분).

———

皎皎白林秋	밝은 달빛 비치는 흰 숲의 가을
微微翠山亭	비취빛 은은한 산 고요하구나
禪居感時變	선방에서 계절의 변화 느끼고
獨坐開軒屛	창문 열고 홀로 앉았네
風泉夜聲雜	바람소리 샘물소리 밤의 고요 깨니
月露宵光冷	달과 이슬 어둠속에 더욱 차갑구나

『당시별재집』 1

———

휘상인은 재주梓州 사홍현射洪縣 독좌산불사獨坐山佛寺의 중 원휘圓暉(?~?)이며, 상인은 상덕지인上德之人의 준 말로 승려에 대한 존칭이다.

④ **두보**杜甫**의 시**(「태평사의 샘太平寺泉眼」)**이다**(부분).

———

山頭到山下	산 위에서 아래까지
鑿井不盡土	우물 파자마자 샘 솟아
取共十方僧	사방의 승려에게 드리니
香美勝牛乳	향과 맛 우유보다 낫네

『두보 위관시기시 역해』

———

절집에서 샘 위에 세운 건물을 불유각佛乳閣이라 부르는 것도 이에서 왔다.

태평사는 사천성 성도시成都市 남쪽에 있으며 '안천'은 샘구멍을 가리킨다. '부진토'는 땅을 깊이 파지 않아도 물이 나온다는 뜻이다.

14) 마음과 우물

① 『포박자抱朴子』기사이다.

───────

이백李白의 우성虞城(하남성 우성현) 현령시절, 관사의 옛 우물이 맑았지만 맛이 썼다. 수레에서 내려 맛을 본 그는 빙그레 웃으며 '쓰고도 맑은 나를 닮았구나' 중얼거렸다. 그러나 그 뒤 그대로 두었음에도 단 샘으로 바뀌었다.

───────

사람의 심성이 자연을 닮는다는 말 그대로이다.

② 맹교孟郊(751~814)의 시(「열녀의 노래烈女操」)이다.

───────

梧桐相待老	오동은 암수 같이 늙고
鴛鴦會雙死	원앙은 암수 함께 죽듯이
貞婦貴狥夫	정부도 지아비 따라 죽으니
捨生亦如此	목숨 버리기 이들과 같습니다
波瀾誓不起	맹세코 물결 일지 않으리니
妾心古井水	제 마음 오래된 우물인 까닭입니다

『당시 300수』

───────

남편에 대한 사랑과 정조貞操를 다짐하는 노래이다. 1~2구에서는 오동나무와 원앙을 자신에 견주고, 3~4구에서는 죽어 남편을 따르는 열녀의 본분을 드러내며, 5~6구에서 고요한 우물물과 같이 자신의 마음은 평생 바뀌지 않으리라 다짐한다.

오동梧桐나무의 '오梧'는 숫나무, '동桐'은 암나무를 가리킨다는 말이 있다.

조는 거문고의 곡조이다.

③ 두보杜甫의 시(「가인佳人」)이다(부분).

───────

合昏尚知時	합혼 꽃 오히려 때 알고

鴛鴦不獨宿	원앙은 홀로 잠들지 않네
但見新人笑	새 사람 웃는 얼굴 보일 뿐
那聞舊人哭	전 사람 우는 소리 들리지 않네
在山泉水清	산속의 샘물 맑지만
出山泉水濁	흘러간 샘물은 흐리다네

『두보 시 300수』

───────

합혼은 아침에 피었다가 저녁에 지는 꽃이다. '때를 안다'는 합환하는 때를 안다는
뜻이다. 자신을 산 속의 샘에, 남편을 흐린 샘에 견주었다.

구조오仇兆鰲(1638~1627)는 '맑은 것은 정절을 지키는 것이고, 흐린 것은 그것을 바꾸
는 것此謂守貞淸而改節濁也'이라 하였다.

15) 슬픔과 샘

① 왕유王維의 시(「심거사 산거에 들러 곡하며過沈居士山居哭之」)이다(부분).

───────

獨自成千古	그대 홀로 천년 되었지만
依然舊四隣	주위에 여전히 이웃들 있네
閑瞻喧鳥雀	한가한 처마에서 새들 지저귀고
古楊滿埃塵	옛 걸상에 먼지만 가득
野花愁對客	들꽃 시름 찬 얼굴로 나그네 대하고
泉水咽迎人	샘물은 흐느끼며 사람 맞는구나

『왕유 시전집』

───────

② 이백李白의 시(「가을 파릉산에 올라 동정호를 봄秋登巴陵 望洞庭」)이다(부분).

───────

清晨登巴陵	새벽 파릉에 올라

周覽無不極	주위를 끝없이 바라보노라
郢人唱白雪	양 지방 사람의 백설곡과
越女歌採蓮	월 땅 여자의 채련가 들으니
聽此更斷腸	다시 애 끊어지는 듯하여
憑岸淚如泉	언덕에 기대 샘처럼 눈물 흘리노라

『정언묘선』

———

16) 인연과 우물

① 이백李白(701~762)의 시(「장간행長干行」)이다(부분).

———

妾髮初覆額	앞머리 겨우 이마 덮을 무렵
抑花門前劇	꽃 꺾으며 문 앞에서 놀았지
郎騎竹馬來	죽마 타고 온 당신
遶床弄靑梅	우물 난간에서 매실로 장난 걸었죠
朝發廣莧門	아침에 괏막뮤 떠나
暮宿丹水山	저녁에 단수산에 묵노라

『당시전서唐詩全書』

———

죽마 타는 개구쟁이 꼬마가 같은 또래 여아에게 장난치는 모습이 눈에 선하다.

② 이하李賀(790~816)의 시(「뒤뜰의 우물파기 노래後園鑿井歌」)이다.

———

頂上轆轤床上轉	틀 위에서 돌고 도는 굴대
水聲繁弦聲淺	물소리에 두레박줄 소리 묻히누나
情若何荀奉倩	이 둘의 정 순봉천 내외 같아
城頭日長向城頭住	성 위의 태양 오래 떠있으니

一日作千年不須流下去　　　　　이 하루 천년처럼 저물지 않으리

『이하 시선집』

_____

　순봉천은 삼국시대(2세기 말~3세기 말) 사람으로 이름은 순찬荀粲이다. 병든 아내가 열이 나자 자신의 몸을 차갑게 한 다음, 껴안아 식혔다고 한다. 그네가 죽자 자신도 오래지 않아 죽었다.

　이 시의 녹로는 물레우물 양쪽에 세운 기둥을 가리킨다.

17) 번영과 우물

① 원결元結의 시(「양계의 이웃들에게與瀼溪隣里」)이다(부분).

_____

昔年苦逆亂　　　　　옛적에 역란으로 고생했을 때
擧族來南奔　　　　　온 가족 남쪽으로 떠났지
日行幾十里　　　　　날마다 몇 십 리씩 가다가
愛君此山村　　　　　그대들의 이 산촌 좋아하였네
峰谷呀回映　　　　　봉우리와 골짜기 이만큼 떨어져 마주보고
誰家無泉源　　　　　집마다 우물을 갖추었기에

『당시별재집』 1

_____

　역난은 755년에 안록산安禄山(703?~757)이 일으킨 반란을 이른다.

② 심아지沈亞之(781~832)의 시(「황성에 가득찬 봄빛春色滿皇州」)이다(부분).

_____

何處春暉好　　　　　어느 곳의 봄이 가장 좋은가
偏宜在雍州　　　　　옹주가 으뜸이로세
花明夾成道　　　　　꽃은 어도를 끼고 환히 빛나고
柳暗曲江頭　　　　　버들은 곡강가에 우거졌네

| 繡轂盈香陌 | 화려한 수레 거리에 가득차고 |
| 新泉溢御溝 | 새 샘물은 어구에 넘치누나 |

―――

옹주는 섬서성 장안, 협성도는 궁중에서 곡강으로 통하는 어도御道를 가리킨다.

18) 샘과 칼

곽진郭震(656~713)의 시(「오래된 칼古劍篇」)이다(부분).

―――

君不見	그대 보지 못 하는가
昆吾鐵冶飛炎煙	곤오의 쇠붙이 달굴 때 불꽃 날고
紅光紫氣俱赫然	붉은 빛 자주기운 모두 뚜렷이 달아오른 것
良工鍛鍊凡幾年	뛰어난 장인 여러 해 담금질해서
鑄得寶劍名龍泉	주조해 벼른 것 보검이 용천이라네
龍泉顔色如霜雪	거기서 뿜는 빛 서리와 눈 같아
良工咨嗟嘆奇絶	장인조차 기이하고 경이롭다 찬탄하였지
琉璃玉匣兎蓮花	유리 옥갑에 넣어도 연꽃 빛 뿜고
錯鏤金環映明月	황금상감 도환은 보름달처럼 빛났네

『당시별재집』 2

―――

『진서晉書』에 '서진西晉 때, 두성斗星과 우성牛星 사이로 늘 자주 빛 기운이 비치는 것을 본 뇌환雷煥(265~334)이, 상서 장화張華(232~300)에게 강서의 풍성豊城(강서성 풍성현)에서 보검의 기운이 떠오른다고 하자, 가서 살펴보라고 일렀더니, 그곳 감옥 터에서 용천과 태아太阿 두 자루를 얻었다'는 기사가 실렸다(「장화전」). 『회남자』에서도 '용천은 쓰지 않는 까닭에 날이 언제나 날카롭지만, 도끼는 매일 쓰는 탓에 빨리 무뎌진다'고 하여 신비로움을 더하였다(「至理」).

곤오는 전설의 산이다. 『산해경』에 '이 산에서 붉은 구리가 많이 난다'고 적혔으며,

이에 대해 곽박郭璞(227~324)은 '빛이 불꽃처럼 붉으며 칼을 벼리면 옥도 진흙처럼 잘린다'는 주를 달았다. 유리 옥갑은 한 고조 유방劉邦(전 247~전 195)이 흰 뱀을 자른 칼을 오래 보존하려고 오색유리로 만들었다고 한다.

용천이라는 이름은 송대『태평환우기太平寰宇記』의 '칼을 담금질 할 때 절강성 용천현의 강물을 썼더니 완성되자 하늘로 날아갔다' 기사에서 왔다.

19) 핏줄과 샘

왕유王維**의 시**(「봄의 정원에서春中田園作」)**이다**(부분).

———

屋上春鳩鳴	지붕 위 봄 비둘기 울고
村邊杏花白	마을 가 살구꽃 하얗게 피었나니
持斧伐遠揚	손도끼로 뻗쳐오른 뽕나무가지 다듬고
荷鋤覘泉脈	호미 메고 샘의 물길 살피노라
臨觴忽不御	술잔 든 채 바로 마시지 못하는 것은
惆悵遠行客	먼 길 떠난 길손 슬픔에 잠긴 탓이네

『왕유 시전집』

———

'천맥泉脈'은 몸속의 '핏줄血脈'에서 왔다.

『시경』에 '삼월에 손도끼로 뽕나무 가지를 다듬는다蠶月條桑 取彼斧斨 以伐遠揚'는 구절이 있다(「七月」).

20) 기타

① **두보**杜甫(712~770)**의 시**(「빈 주머니空囊」)**이다**(부분).

———

| 翠栢苦猶食 | 푸른 솔잎 쓰지만 먹을 만하고 |

明霞高可餐	맑은 노을 높지만 삼킬 만하네
不爨井晨凍	밥 못하는 우물 새벽부터 얼어붙고
無衣床野寒	옷 없어 침상에서 밤새 추워 떠네
囊中恐羞澀	주머니 겸연쩍어 할까 저어하여
留得一錢看	동전 한 푼 남겨서 지니게 하네

『두보 시 300수』

신선처럼 솔잎과 노을을 먹는다는 첫 구절은 끼니를 못 잇는 가난을 역설적으로 나타낸 것이다. 마지막 연은 푸른색 주머니를 차고 회계會稽 땅을 유람하는 진晉 완부 阮孚(278~326)에게 어떤 이가 '주머니에 무엇이 들었느냐?' 묻자 '주머니를 지키는 동전 한 닢이다. 그마저 없으면 주머니가 몹시 부끄러워할 것 같아 넣었다'고 대답하였다 는 고사에서 왔다.

『진서晉書』에도 '어떤 이가 그를 찾아 갔더니 입으로 불을 불며 나막신에 밀납蜜蠟 칠을 하다가 내 평생에 나막신을 몇 켤레나 더 신을지 모르겠다고 한탄 하였다'는 기사가 있다(권49 「완부전」). 이 뒤부터 '완부의 나막신'은 지독한 구두쇠의 대명사가 되 었다.

② **가도賈島**의 시(「잘나살아 벗에게 줌戲贈友人」)이다.

日日不作詩	하루도 시 짓지 않으면
心願如廢井	마음 마른 우물 같다네
筆硯爲轆轤	붓과 벼루는 도르래
吟詠作縻綆	시 읊기는 두레박줄일세
朝來重汲引	아침마다 퍼 올려도
依舊得清冷	맑고 차구나
書贈同懷人	아끼는 벗에게 보내노니
詞中多苦辛	짓느라 애먹은 줄이나 알게

『중국고대 선비들의 생활사』

시 읊는 소리를 두레박줄에, 붓과 벼루를 도르래에 견준 것은 남다른 발상이다.

③ 유종원柳宗元(773~819)의 **죽음을 슬퍼한 한유**韓愈(768~824)의 **묘지명**墓地銘이다.

———

아! 선비는 자신이 어려움을 만나야 비로소 그 지조志操가 드러난다. 컴컴한 골목
에 사는 어떤 이들은 서로 좋아하는 나머지 술과 음식을 나누고 즐겁게 웃으며
심장이라도 꺼내 줄듯 친구라 부르고, 하늘과 땅을 두고 같이 죽고 살기를 맹세
한다.
그러나 머리털만한 이익을 앞에 두면 눈을 부릅뜨고 상대를 무시하며, 우물에
빠진 상대에게 손을 내밀기는커녕 오히려 돌을 던지는 사람이 많다. (…)
한유는 유종원이 소인배들의 모함을 받아 뜻을 못 펴고 저승으로 먼저 간 것이
슬퍼 이 글을 지었다(『韓愈名篇』).

———

유종원은 805년, 순종順宗이 즉위한 뒤, 왕숙문王叔文 등과 정치개혁에 나섰다가 유
주자사柳州刺史로 쫓겨나 귀양살이를 하던 47세에 세상을 떠났다.

④ **두보**杜甫의 **시**(「종손에게 보임示從孫濟」)**이다**(부분).

———

權門多噂沓	권세 높은 집 험담 많으리니
且復尋諸孫	그만 손자들 찾아가 보려네
陶米小汲水	쌀 일 때 물 조금 길어올리게
汲多井水渾	지나치면 물 흐려진다네
刈葵莫放手	아욱 자를 때 손 조심하게
放手傷葵根	함부로 다루면 뿌리 상하느니

『두보 시 300수』

———

대나무는 종손 두제杜濟의 형제에 대한 견줌이다. 친족은 한 샘에서 솟은 물이자,
한 뿌리에서 생긴 아욱과 같아서 근본을 아끼고 북돋우며 다정하게 지내야 한다는
뜻이다.

⑤ 가도賈島의 시(「산의 도사山中道士」)이다(부분).

頭髮梳千下	머리칼 수 없이 빗었지만
休糧帶瘦容	먹지 않아 얼굴 해쓱하네
白石通宵煮	백석 밤새 굽느라
寒泉盡日舂	찬 샘물 밤새 찧네
不曾離隱處	산에서 떠난 적 없으니
那得世人逢	사람들 어찌 만나랴

『정언묘선』

———

'찬 샘 찧기'는 물방아를 가리킨다. 긴 통나무 한쪽에 공이를 박고, 다른 한끝을 구유처럼 파서 이곳에 물이 차거나 쏟아지는 데 따라 스스로 오르내리며 찧는다. 따라서 사람이 곁에 붙어 있지 않아도 저 혼자 밤새도록 방아질을 이어간다.

백석은 신선의 양식이다. 『열선전列仙傳』에 '백석생白石生은 중황장인中黃丈人의 제자로 팽조彭祖 때 이미 나이 2천여 살이었으며, 늘 백석을 구워 양식으로 삼았다'고 적혔다.

여러 방중술에 능통했던 신술仙術의 시조 팽조는 하夏(전 21세기~전 16세기?) 황제의 증손자라고 한다.

———

⑥ 이하李賀의 시(「미인 머리 빗는 노래美人梳頭歌」)이다(부분).

西施曉夢綃帳寒	차가운 비단 휘장안의 서시 새벽 꿈꾸는 모습
香鬟墮髻半沈檀	향기로운 머리단 박달 베개에 얹혔구나
轆轤咿啞轉鳴玉	물레우물 장대 구르는 옥구슬 같은 소리에
驚起芙蓉睡新足	부용꽃 자다가 놀라 깨었네
雙雙開鏡秋水光	난새 한 쌍이 여는 거울에 가을 강물 비치니
解鬟臨鏡立象床	쪽 풀고 상아 침대에 서서 거울 들여다보네

『당시별재집』 2

———

새벽 단꿈에 빠졌던 서시西施(?~?)와 같은 미인이 물레우물의 장대 구르는 소리에 잠이 깼다는 말이다. 본명이 시이광施夷光인 서시는 서한 원제元帝(전 48~전 33) 때 궁녀 왕소군王昭君, 삼국시대의 초선貂蟬, 당대의 양귀비楊貴妃와 함께 사대미인四大美人으로 꼽혔다.

연꽃의 다른 이름인 부용은 미인의 대명사로도 쓰며, '난새 한 쌍이 여는 거울'은 거울 덮개에 수놓은 봉황을 가리킨다. 타계는 후한 양기梁冀(?~159)의 아내가 머리를 한쪽으로 쏠리게 묶은 모양을 이르는 말로, 낙양의 여인들이 모두 본떴다고 한다.

⑦ 노조린盧照隣(637?~689?)의 시(「영은사靈隱寺」)이다(부분).

桂子月中落	계수나무 열매 달에 떨어지고
天香雲外飄	하늘 향기 구름 밖으로 날리네
捫蘿登塔遠	여라 덩굴 잡고 오르는 탑 멀고
刳木取泉遙	저만치 있는 샘 홈통으로 끌어오네
待入天兌山	곧 신선의 천태산 찾으리니
看我渡石橋	생사 뛰어넘는 다리 건너는 나를 보리라

『당시전서』

우리와 일본의 산간지대에서도 홈통을 이어서 물을 얻었다. 천태산(1,138미터)은 절강성 천태현에 있으며 신선이 사는 곳이라고 일러온다.

『전당시』에는 작자가 송지문宋之問으로 올랐으나, 『당시선』과 『정언묘선』에는 낙빈왕駱賓王(619?~687?)으로 적혔다.

⑧ 백거이白居易의 시(「태호에 배 띄운 일을 지어 원진에게 부침泛太湖書事寄微之」)이다(부분).

澗雪壓多松偃蹇	계곡에 눈 많이 쌓여 소나무 눕고
巖泉石久石玲瓏	바위 샘물 오래 떨어져 뚫린 돌 투명하구나
書爲故事留湖上	오늘 일들 써서 호숫가에 남기고
吟作新詩寄浙東	새로 지은 시 절동으로 부치노라

| 軍府威容從道盛 | 그대 군대 위용 대단하다지만 |
| 江山氣色定知同 | 강산의 경치는 어디나 같다네 |

『당시별재집』 5

'절동'은 절강성 동부지역이다.

⑨ **피일휴**皮日休(834?~883?)**의 시**(「서하사에서 노닐며遊棲霞寺」)**이다**(부분).

不見明居士	남조의 명승소 없어
空山旦寂廖	빈 산 적막하구나
白蓮吟次缺	읊조리는 사이 흰 연꽃 시들고
靑靄坐來銷	앉은 틈으로 푸른 구름 흩어지네
冷泉無三伏	샘물 차가워 삼복더위 사라지고
松圍有六朝	육조 때 소나무 한 아름 자랐네

『당시별재집』 2

남조 제齊의 은사隱士 명기시는 명승 소명僧紹(? 483)이 다른 이름이며 명징군明徵君이라고도 한다. 찬 샘물로 더위를 식히는 풍속은 어디나 마찬가지이다.

⑩ **맹호연**孟浩然(669~740)**의 시**(「동지 뒤 오·장선생 단계 별장에서冬至後過吳張二子檀溪別業」)**에** '맹모처럼 이웃 고르고卜隣依孟母 / 왕선처럼 우물을 함께 쓴다共井讓王宣'는 구절이 있다.
　맹모는 자식 교육을 위해 이웃을 유난히 고른 맹자 어머니이고, 왕선은 한말의 문인 왕찬王粲(177~217)이다. 그는 이웃의 범흠繁欽(?~218)과 우물을 같이 썼다. 단계는 호북성 양번시襄樊市 서남쪽으로 흐른다.

⑪ 『**태평광기**』 **기사이다.**

당의 재상 노균盧鈞은 병들자 집 뒤 산재山齋에서 홀로 지내며 심신을 닦았다. 어느 날, 병을 고친다는 왕王씨가 찾아 와서 물을 찾았으나 마침 우물이 마른 탓에

하인에게 다른 곳에서 떠오라고 일렀다. 그러나 왕씨는 손을 젓고 나서 허리띠를 풀어 우물에 넣었다가 건져서 짜낸 물에 단약丹藥 한 알을 주며 일렀다.

"닷새 만에 병이 낫고 그 뒤부터 건강이 더욱 좋아집니다. 이태 뒤 큰 액운이 닥치지만 좋은 일을 많이 하면 괜찮습니다."(3 「노균」)

———

단약은 병을 고칠 뿐 아니라 악운도 막아주는 선약仙藥이다. 허리띠를 두레박줄로 삼았다는 뜻인가?

⑫ 독고수獨孤綬(?~?)의 시(「옥을 연못에 감춤藏珠於淵」)이다(부분).

———

志道歸淳朴	최고의 도는 순박함으로 돌아가는 것
明珠被棄捐	보옥을 주웠어도 버려야 하느니
失眞來照乘	진솔함 잃으면 수레 비추는 보옥에 지나지 않지만
成性却沈泉	천성을 잃으면 오히려 샘물 속에 잠긴다네
致遠終無脛	발이 없어도 멀리가고
懷貪遂息肩	지니지 않아도 마침내 욕심 품는다네

『당시별재집』 5

———

조승은 수레 비추는 빛나는 보주實珠를 가리키며, 식견은 책임이나 노역에서 벗어난다는 뜻이다. 실제로 필요하지 않은 샘이나 우물을 쓰레기 따위로 메우는 일이 많다.

⑬ 『태평광기』에 '벼슬길에 오르지 못해 외롭게 지내던 당의 하후자夏侯孜(?~?)가 타고 가던 절름발이 나귀가 우물에 빠졌다'는 기사가 있다(11 「李敬」). (☞ 사진 20)

그는 의종懿宗(860~873) 때 초군후譙郡侯를 거쳐 검남서천 절도사劍南西川節度使에 올랐으나, 서명署名하던 당사堂史가 그의 품에 넘어져 죽는 바람에 벼슬을 날렸다(『晉書』 「陶潛傳」·『新唐書』).

⑭ 이상은李商隱(812~858)의 시(「민산岷山」)이다.

井絡天彭一掌中	민산과 천팽산 손바닥에 들었으니
漫誇天設劍爲峰	검문이 천연의 요새라 자랑 말게
陳圖東聚虁江石	동에는 기주 강돌로 쌓은 팔진도 있고
邊柝西懸雪嶺松	서에는 설산의 소나무 딱따기 소리 높도다
堪歎故君成杜宇	아쉽다 고대의 군주 망제도 두견새 되었으니
可能先主是眞龍	촉한의 유비가 어찌 중국의 천자가 될 것이랴

『당시별재집』 5

정락의 정은 쌍둥이 별자리 정수井宿를, 낙은 그 크기를 나타낸다. 고대에 별자리를 땅에 견주어 분야分野라고 일렀으며, 이는 사천성 민산이나 촉지방 전체를 가리켰다. 좌사左思(250?~305)의 『촉도부蜀道賦』에 '민산의 정기가 위로 올라가 정락이 된다'는 기사가 그것이다.

⑮ 두보杜甫의 시(「소단과 설복이 차린 술자리에서 설화의 '취가'를 듣고 간단히 적음蘇端薛復筵簡薛華醉歌」)이다(부분).

願吹野水添金杯	바람이 들의 강물 몰아내 내 술잔 채우기를
如澠之酒常快意	면수처럼 많은 술이라면 늘 즐거우련만
亦知窮愁安哉在	깊은 시름 어디 있는지 어찌 알리오
忽憶雨時秋井塌	문득 생각나나니 비올 때 가을 무덤 무너져
故人白骨生靑苔	옛 분 백골에 이끼 낄까 걱정이니
如何不飮令心哀	어찌 마시지 않고 슬픈 마음으로 지낼 것이랴

『당시별재집』 2

흔히 귀인의 무덤을 정井이라 불렀으며, 초楚나라에서는 제 나라 왕의 무덤을 정상井上이라 일렀다.

5. 송대宋代(960~1279)

1) 신령스러운 우물

① 『태평광기』 기사이다.

황매현黃梅縣(호북성 황강시黃岡市) 어떤 집의 열 살짜리 딸 장련교張連翹가 늘 하던 대로 병으로 물을 길을 때, 갑자기 우물에서 소반 크기의 연꽃이 솟아올랐다. 손으로 잡는 순간 쏙 들어갔다가 다시 나왔고, 잡으려 하면 또 내려가기를 세 번이나 거듭하자 우물로 뛰어들었다. 오랫동안 나오지 않는 것을 이상히 여긴 식구들이 들여다보았더니 한 가운데 서 있었다.

우물에서 건져 올린 뒤 그네는 실성한 듯 계속 웃었다. 귀신 들렸다고 여긴 부모가 한밤중에 외숙의 집으로 보내자 웃음을 멈추더니 뒤에 출가하여 도사가 되었다(3 「장련교」).

연꽃은 불교 뿐 아니라 도교와도 연관이 깊다. 그들이 섬기는 팔선八仙 가운데 하나인 하선고何仙姑는 씨 주머니가 달린 연꽃 줄기를 차고 있으며, 그 안의 씨앗은 많은 자손을 상징한다.

따라서 그네가 도사가 된 것은 당연하다.

② 앞 책의 기사이다.

왕방산王房山에서 공부하던 남양南陽(하남성 성할시省轄市)의 장호처張鎬妻가 산 아래 주막에서 한 여인과 술을 마셨다. 날이 저물어 떠난 그네를 잊지 못해 이튿날 새벽에 다시 갔더니 돌아와 있었다. 십여 년 같이 사는 동안 자신도 모르게 화를 자주 내자, 참다못한 상대는 잉어 기름 한 말을 구해 달라고 하였다.

그네는 기름을 우물에 붓고 자신도 뛰어든 뒤, 잉어를 타고 하늘로 날아갔다(3 「장호처」).

혼히 잉어가 용문龍門을 거슬러 오른다지만登龍門, 하늘로 날아간다는 말은 드물다. 우물에 부은 기름을 잉어로 바꾸어 타고 간 것인가? 그것은 어떻든, 선녀仙女와 인간의 인연은 길지 않게 마련이다.

③ 매요신梅堯臣(1002~1060)의 시(「신령스러운 우물에 들려서道次靈井」)이다.

井面水不動	우물물 고요함에도
傍分龍鱗激	옆으로 용 비늘처럼 번져나가고
泉氣時生漚	샘물 기운 때로 거품 빚어
上湧光的皪	위로 솟아 희끗 거리누나
旱歲惑來祠	가뭄으로 제사 지낼 때
彈絃屬靈覡	신령한 박수 거문고 타리라

『매요신 시선』

눈에 보일 듯 말듯 한 우물 속 잔물결을 용의 비늘에 견주며, 우물이 끊임없이 신령스러운 기운을 뿜어내는 사실을 드러냈다. 기우제 때 박수가 거문고를 타는 것은 지기의 응답을 재촉하는 행위이다.

④ 『태평광기』 기사이다.

사나운 성깔에 노름을 즐기는 강하江夏(호북성 무한시 무창구)의 임주부林主簿는 마을 사람들에게 닭 좋아하는 딸에게 날마다 한 마리씩 바치라고 하였다. 어느 날 잡으려던 닭이 우물 속으로 달아나자 딸도 따라 들어가 자취를 감추었다. 아비도 마찬가지였다. 조금 뒤 우물 속에서 솟는 연기를 보고 모두 두려움에 떨 때, 한 백정이 들어갔다. 큰 솥의 물이 펄펄 끓는 가운데, 어떤 이가 활활 타오르는 불길 속에서 나타나더니 '네가 알 일이 아니라'며 쫓았다.
얼마 뒤 연기가 그치면서 우물에서 닭과 부녀의 뼈가 나왔다(16 「鷄井」).

닭을 매일 바치게 한 아비의 잘못으로 딸마저 죽었다. '솥에서 펄펄 끓는 물'은 지옥 형벌이고, 백정을 쫓은 사람은 그곳 형리刑吏일 터이다.

⑤ 앞 책의 기사이다.

———

효자 양옹백陽翁伯은 부모의 주검을 높이 80리나 되는 물도 없는 무종산無終山에
묻었다. 그가 무덤 옆에 여막廬幕을 짓고 밤낮으로 통곡하자 감동한 천신天神이
옆에 샘이 솟게 하였다(「양옹백」).

———

'높이 80리'는 저자의 잘못일 터이다. 효자라는 사람이 그렇게 높은 산에 무덤을
쓴 것은 풍수지리를 따른 결과인가?

『수신기搜神記』에 '3년 동안 무종산에서 목마른 행인들에게 물을 길어준 준 덕분에,
감동한 선인仙人이 옥 씨 한 말을 주었고 이에서 많은 미옥美玉이 나와 부자가 되었다'
는 기사가 있다(권11).

목마른 사람의 목을 추겨준 공덕을 한껏 강조하려고 '씨 없는 산(무종자산)'에서 옥
이 나왔다고 한 것이다. 산이 옛 연燕 땅에 있는 까닭에 연옥燕玉이라 불렸으며 지명
도 옥전현으로 바뀌었다.

⑥ 우리 『연행기燕行記』기사는 더 구체적이다.

———

옥전玉田은 옛 무종자국無終子國이다. (…) 양옹백은 어버이를 극진히 섬겼다. 부
모 무덤이 있는 무종산의 (…) 물을 길가로 끌어댄 덕분에 행인들이 목을 축였
다. 어느 때 말에 물을 먹인 사람이 흰 돌 한 말을 주며 땅에 심으면 아름다운
구슬이 자랄 것이라더니, 과연 길이 두 자의 흰 구슬白璧 여러 쌍이 나왔다. (…)
그가 구슬 다섯 쌍을 주고 서씨徐氏 딸에게 장가든 뒤, 운룡雲龍이 내려와 둘을
태우고 하늘로 갔다.
지금의 옥전방玉田坊이 그곳으로, 후손이 밭 가운데 사연을 새긴 큰 돌 기둥을
세웠다(「연경에서 진강성까지起燕京至鎭江城」 1790년 9월 6일).

———

우리 최립崔岦(1539~1612)의 시(「눈 내리는 날 다시 동파東坡 시에 차운함微復次坡詩韻」)에도 '곡식

밭 무종의 옥으로 바뀌고穋田定化無終玉 / 휘감은 물 홀길의 소금 이루었네環水眞成忽吉鹽'라는 구절이 있다(제7권 「甲午行錄」).

『연감류함淵鑑類函』에 '홀길국忽吉國은 물에 소금 기운이 많아서 나무 위로도 돋아나온다'고 적혔다(권391 「鹽」 1).

우리 민담에도 여막살이 하는 효자를 위해 하늘이 샘을 마련해 주었다는 내용이 있다.

⑦ 『태평광기』 기사이다.

─────

서촉西蜀(934~965) 장군 왕휘王暉가 집주集州(사천성 남강현南江縣 및 통강현通江縣) 자사로 있을 때이다. 성안에 샘이 없어 백성들이 물을 성 밖에서 길어왔다. 기주岐州(섬서성 보계시寶鷄市)의 군사가 성을 둘러싸는 바람에 열흘 안짝에 열 명이 목이 타서 죽었다. 그가 한 밤에 간절한 기도를 올렸더니 꿈에 나타난 노인이 주州의 감옥 아래를 파라고 일러주었다.

그 말대로 된 덕분에 모두 살아났다. 한편, 성 안에 물이 없는 것을 알고 군사들이 죽기를 기다리던 상대편은 왕공이 물동이 수십 개를 성 위에 올려놓자 물러갔다. 그 뒤 샘도 말랐다(7 「왕휘」).

─────

사람들이 갇혀서 고통을 겪은 감옥 터에서 물이 솟은 까닭을 알 수 없지만, 적이 물러간 뒤 샘이 마른 것은 그럴듯하다.

서촉은 혼란이 끊이지 않은 오대五代(907~960)시대의 후촉後蜀이다. 왕휘는 뒤에 반란을 일으켰다가 잡혀 죽었다.

⑧ 앞 책의 기사이다.

─────

호부상서戶部尙書 위허기韋虛己(?~?)의 아들이 방에 누웠다가 처마에서 소리가 나서 쳐다보았더니 머리가 지옥의 소를 닮은 사람이 나타났다. 놀라 달아나다가 우물 속으로 들어가자 상대는 원숭이로 변하였다. 한참 뒤 가족들이 달려온 덕분에 원숭이는 사라졌지만, 그는 말을 못하다가 한 달 뒤 죽었다(18 「위허기 아들」).

─────

그가 우물로 들어간 것은 죽음을 나타낸다. 우물은 저승黃泉으로 통하는 길목인 까닭이다. 소를 닮은 사람이나 원숭이는 염라대왕의 사자일 터이다.

『광이기廣異記』에도 닮은 내용이 있다(「志怪」).

⑨ 『태평광기』 기사이다.

___

병으로 오래 고생하던 이가 섭법선葉法善(616~720)에게 비부술飛符術을 써서 붙여 달라고 하였더니 환자의 집 우물에서 남쪽으로 일곱 걸음 떨어진 곳을 다섯 척쯤 파라고 일렀다. 그곳에서 다음 글을 새긴 오래된 안석曲几이 나왔다.

歲年永悲	흐르는 세월 늘 슬퍼하다가
羽翼殆歸	날개 돋아 하늘로 날아갈듯 하였네
哀哉罹苦	슬프도다 고통스런 재앙만나
令我不得飛	나는 날아갈 수 없다네

병마가 마침내 떠났다(4 「섭법선」).

___

여러 기록에 섭법선은 기이한 도술을 베푼 술사로 등장한다. 이를테면 손님들이 술타령을 하자 사람의 목을 베고 그 안에 술이 고이게 해서 돌렸다는 『개천 전신기開天傳信記』의 기사가 좋은 보기이다.

우리 『속동문선』에도 당 현종玄宗(712~756)이 그의 도술로 월궁月宮에 올라가 무지개 치마와 새털 옷을 입고 춤추고 노래하는 항아姮娥들을 보고 와서, 그 곡조대로 예상우의곡霓裳羽衣曲과 예상우의무霓裳羽衣舞를 지었으며 양귀비楊貴妃(719~756)가 이에 맞추어 춤추었다고 적혔다(제6권).

⑩ 우리 『목은집牧隱集』 기사이다.

___

천보天寶 3년(743), 양주揚州에서 현종에게 바친, 등에 반룡蟠龍을 새긴 수심경水心鏡은 본디 경장鏡匠 여휘呂暉가 선인仙人 용호龍護의 가르침을 받아 단오날 오시午時에

양자강에서 구웠다. 오랜 가뭄이 이어지던 천보 7년, 황제가 용당龍堂에서 기도해
도 응험이 없자 섭법선과 함께 수심경의 반룡에게 빌었더니 단 비가 이레 동안
이어 내렸다(『목은시고』 제19권 「시」).

―――――

단오날 오시(정오)는 양기가 가장 높이 솟구치는 시각인 까닭에 물을 상징하는 용에
게 비를 빌었을 터이다.

2) 죽음과 우물

① 왕안석王安石(1021~1086)의 시(「살구꽃杏花」)이다(부분).

―――――

俯窺嬌饒杏	어여쁘게 활짝 핀 살구꽃 굽어보니
未覺自勝影	실물은 물에 비친 그림자만 못 하네
嬌如景陽妃	아름답기 그지없는 진의 경양비
含笑墮宮井	궁중 우물에 빠져 웃음 머금은 듯
怊悵有微波	이쉽게도 잔물결 일어
殘妝壤難整	다잡한 얼굴 흔들리누나

『송사宋詞 300수』

―――――

경양비는 진陳 후주後主(582~589)가 사랑한 장려화張麗華(555~589)이다. 그네의 미색
을 찬미하는 노래(「玉樹後庭花」)를 부르며 놀던 후주는 수隋군에게 쫓겨 경양궁景陽宮 우
물에 뛰어들었다가 사로잡혔다. 장려화는 뒤에 장사長史 고경高頴이 죽였음에도 왕안
석이 궁중 우물에 빠졌다고 한 까닭이 궁금하다.

이백李白(701~762)의 시(「金陵歌」)에도 '천자가 경양궁 우물에 빠졌으니天子龍沈景陽井 /
그 누가 옥수 후정화를 부르랴誰歌玉樹後庭花'는 구절이 있으며, 『태평광기』에도 같은
기사가 보인다(4 「惠祖」).

우리 권필權韠(1569~1612)은 이를 빗대어 '궁궐 까마귀 금반 이슬 자주 쪼고宮鳥愛啄
金盤露 / 들판의 새 옥수의 노래 잘도 읊는다野鳥能吟玉樹歌'는 구절을 남겼다(『石洲集』

② 『절옥귀감折獄龜鑑』 기사이다.

———

머슴을 매질해서 죽이고 목에 줄을 걸어 우물에 던진 한 부자가 등주鄧州(하남 및 하북성 경계지역)지사 이태李兌에게 스스로 목매 죽었다고 둘러댔다.

"우물에 몸을 던졌다면 스스로 목을 매지 못할 터이고, 그것이 사실이라면 다시 우물에 몸을 던질 수 없지 않은가? 이는 뇌물 먹은 아전이 시킨 탓이다."

이태가 관련자들을 족쳤더니 짐작대로였다. 이태는 북송 신종神宗 희녕熙寧 5년 (1072), 공부상서工部尙書로 벼슬을 마쳤다(「覈姦」).

———

③ 『태평광기』 기사이다.

———

어느 날, 내신內臣 노사언魯思鄖의 열일곱 살 먹은 딸이 기울을 들여다보았더니 머리를 풀어헤친 아낙이 비쳤다. (…) 하도 놀라 정신을 잃었다가 깬 뒤부터, 날마다 와서 괴롭히던 귀신이 그네 아비에게 일렀다.

"저는 양자현楊子縣(강소성 의징현儀徵縣 동남) 백성의 딸로 태어나 건창현建昌縣(앞과 같은 곳) 녹사錄事 아무개의 첩이 되었고, 당신의 딸은 정실입니다. 남편이 이웃 현으로 일 보러 간 사이, 그네가 저와 제 아들을 우물에 밀어 넣고 돌로 막은 뒤 우리가 달아났다고 속였습니다. 저승 관리에게 호소하는 중에 당신 딸이 죽었고 지금 딸은 그 후생이지만 반드시 목숨으로 갚아야 합니다."

노사언이 알아보았더니 녹사는 아직 살아 있었고, 우물에서 해골이 나왔다. 시집 간 딸은 마침내 죽었다(6 「노사언의 딸」).

———

남에게 해를 입히면 벌이 대를 이어 내린다는 교훈담이다.

④ 앞 책의 기사이다.

———

회남淮南(안휘성)지역을 떠돌던 노영盧嬰은 운명이 아주 기구해서 사람들이 모인 곳에 있으면 주인이 반드시 액운을 만났다. 어떤 때는 주인의 어린 아들이 우물에 빠지고, 어떤 때는 불속으로 뛰어들었다(4 「노영」).

———

노영에게 깃든 귀신 탓이라기보다 우물에 전이 없기 때문이다.

3) 우물과 마음

① 우리 정약용丁若鏞(1762~1836)이 지은 『목민심서牧民心書』의 기사이다.

———

인종仁宗(1022~1063) 때 일이다. 5만 권 이상의 책을 가진 유명 장서가藏書家 방준 方峻(?~?)이 바깥채 동북쪽에 우물을 판 다음, 공복公服차림에 향을 피우고 절을 올리며 이렇게 읊조렸다.
"벼슬하는 자손이 이 물처럼 깨끗하게 도우소서."(권1 「淸心」)

———

마음을 우물물처럼 맑게 지닐 수만 있다면야 더 바랄 것이 무엇이랴?
동북쪽이 귀문鬼門이라 하여, 불길하게 여기는 중국에서 우물을 판 까닭이 무엇인지 궁금하다.

② 왕우칭王禹偁(945~1001)의 시(「유배지의 느낌謫居感事」)이다(부분).

———

讀書方睹奧	글 읽으면 깊은 내용 알려 하고
下筆便搜奇	붓 들면 기이한 데 찾으려 들지만
耕桑都不事	밭 갈고 누에치는 일 모르고
園井未曾窺	뜰의 우물 들여다본 적 없네
必欲縑緗富	반드시 책을 넉넉히 가지고 싶었나니
寧教杼軸絁	어찌 시문에 소홀했으랴

『중국 시와 시인』

선비의 일상을 노래한 앞의 두 구절은 그렇다고 하더라도, 남은 부분은 비유가 지나치다. 오히려 밭 갈고 누에치는 농군이야말로 누구보다도 귀한 존재인 까닭이다. 또 때로 우물을 들여다보며 마음을 비우는 일은 선비가 갖추어야 할 덕목의 하나로 꼽을만하다.

4) 은거와 샘

위야魏野(960~1019)의 시(「숨어사는 유대중의 집 벽에 씀書逸人俞大中屋壁」)이다(부분).

達人輕祿位	벼슬 가벼이 여기는 슬기로운 이
居處傍林泉	거처도 숲 속 샘가에 있구나
洗硯魚吞墨	물고기는 벼루 씻은 물 삼키고
烹茶鶴避煙	학은 차 끓이는 연기 빗겨 나누나
靜想閑來者	한가히 사는 이 생각하니
還應我最偏	오히려 내가 가장 편하네

『당시선』

처사處士 위야가 정승 구준寇準에게 준 시(「국로담원國老談苑」)에 '상공相公 벼슬임에도 有官居鼎鼐 / 누대 지을 땅조차 없네無地起樓垴'라는 구절이 있었는데, 뒤에 글안契丹의 사신이 와서 '어느 분이 무지기누대無地起樓臺 상공이십니까?' 물었다는 고사가 있다.

우리 이인로李仁老(1152~1220)도 시(「두상의 옛 집을 슬퍼하며傷杜相宅」)에서 '구름 헤치고 해와 달 보렸더니自許披雲開日月 / 사람들 누대 지을 땅도 없구나時稱無地起樓臺'라고 읊조렸다(『동문선』 제13권 「칠언율시」).

5) 샘과 거울

① 소식蘇軾(1037~1101)의 시(「당 양혜지가 빚은 천주사 유마상維摩像唐楊惠之塑在天柱寺」)이다(부분).

昔者子輿病且死　　옛적 죽을병 걸린 자에게

其友子祀往問之　　친구 자사가 찾아가자

跰足鮮鑒井自嘆息　비틀비틀 우물로 가 들여다보며

造物將安以我爲　　조물주가 어찌 하려나 탄식하였네

今觀古塑維摩像　　오늘 와 옛 유마상 보았더니

病骨磊嵬如枯龜　　병치레 한 몸 마른 거북 같구나

『소식 시집』

『장자』에도 죽음을 앞둔 자여가 자신의 바싹 마른 몸을 우물에 비추며 '아, 조물주가 나를 곱사등이 늙은이로 만들었구나' 탄식하였다는 기사가 있다(「大宗師」).

같은 책에 자사가 '병을 미워하느냐?' 묻자, '아닐세. 내가 어찌 미워하겠나? 병이 점점 깊어져 왼팔이 닭으로 바뀌면 밤에 때를 알 수 있고, 오른팔이 화살로 변하면 부엉이 고기를 먹으며, 엉덩이가 수레바퀴가 되면尻輪 정신을 말로 삼아 타고 다닐 터이니, 어찌 멍에가 필요하겠나?' 일렀다는 대목이 보인다. (☞ 803)

우리 황현黃玹(1855~1910)도 시(「이경재 시유당에 부침寄題李耕齋始有堂」)에 '엉덩이 수레바퀴 밤마다 인자의 집 찾는데尻輪夜夜到仁廬 / 풍년 들어 풍속 순박하니 섬 생활 부럽네歲熟風淳羨島居'라는 구절을 남겼다(『梅泉集』 제4권 「시」).

양혜지는 당 개원開元 때(713~741)의 조각가이고, 천주사는 절강성 온주시溫州市 동남쪽에 있다. 사진 126은 그가 빚은 유마상이다.

사진 126(ⓒ 百度)

② 앞 사람의 시(「옥녀동玉女洞」)이다(부분).

洞裏吹簫子	동굴에서 퉁소 불던 이
終年守獨幽	늘 홀로 조용히 지내며
石泉爲曉鏡	바위의 샘 새벽 거울삼고
山月當簾鉤	산 위 초승달에 발 걸었네
歲晚杉風盡	해 저물자 삼나무 잎 떨어지고
人歸霧雨愁	사람 떠나니 안개비에 울적하네

『소식 시집』

―――――

'초승달에 발을 걸었다'는 구는 뛰어난 착상이다.

퉁소꾼은 진秦 목공穆公(?~전621)의 딸 농옥弄玉이다. 피리꾼 소사簫史의 아내가 된 뒤 피리를 배운 끝에 봉명곡鳳鳴曲을 지어 부르자, 아버지가 봉대鳳臺를 세워주었으며, 그곳에서 지내던 부부는 봉황새를 불러 타고 하늘에 가 신선이 되었다고 한다(『후한서』「矯愼傳」 주).

6) 샘의 양기

소식蘇軾의 시(「동짓날 홀로 길상사에 와서冬至日獨遊吉祥寺」)이다.

―――――

井底微陽回未回	우물 밑 미미한 양기 도는지
蕭蕭寒雨濕枯荄	차가운 비 내려 마른 뿌리 적시네
何人更似蘇夫子	그 누가 또 소 선생처럼
不是花是肯獨來	꽃 피지 않는데 홀로 오리오

『소식 시집』

―――――

『예기』에 '동지가 되면 샘물이 움직이기 시작한다冬至水泉動'고 적혔으며(「월령」), 『일주서逸周書』에도 '동짓달이 되면 미미한 양기가 감돈다十有一月微陽動'는 구절이 있다.

우리 고려시인들도 이에 대해 읊조렸다. (☞ 363~365)

7) 새벽과 도르래우물

① 주방언周邦彦(1057~1121)의 시(「접연화蝶戀花」)이다(부분).

———————

月皎驚烏棲不定	밝은 달빛에 놀란 까마귀 잠 못 이루고
更漏將殘 轆轤牽金井	밤 새려는데 두레박 소리 들리누나
喚起兩眸淸炯炯	부르는 소리에 일어나니 두 눈 반짝이고
淚花落枕紅綿冷	눈물 붉은 솜 베게에 흘러 차갑구나

『송사 300수』

———————

우물에 두레박을 올리거나 내리려면 도르래 구르는 소리가 나게 마련이다.

② 『전등여화剪燈餘話』의 시(「왕경노의 기구한 운명瓊奴傳」)이다(부분).

———————

媚紫濃遮刺繡窓	아리따운 자태 자수 창 가리고
嬌紅斜映鞦韆索	고운 홍색 비스듬히 그네 줄 비치네
轆轤驚夢起身來	도르래우물 두레박 소리에 꿈 깨어
梳雲未可臨妝臺	거울 악 구름같은 머리 빗을 새 없네
笑呼侍女秉明燭	웃으며 시녀 불러 등불 잡히고
先照海棠開未開	먼저 해당화 피었나 비춰보네

『전등신화』 권3

———————

8) 우물가의 나무

① 주방언周邦彦의 시(「야유궁夜遊宮」)이다.

———————

古屋寒窓底	옛 집 차가운 창밑에 돌아와

聽幾片 井桐飛墜　　우물 가 오동잎 지는 소리 듣노라

不戀單衾再三起　　얇은 이불 두 세 차례 일어나는 심 정 뉘 알리

有誰知 爲蕭娘 書一紙　모두 다 그네가 준 편지 탓이네

『송사 300수』

───────

② 오문영吳文英(1200?~1260?)의 시(「완계사浣溪沙」)에도 '물가 여뀌의 붉은 빛 봄 되어 시들고水化紅減似春休 / 우물가 오동잎 가을바람 앞서 근심하네西風井梧叶先愁'라는 구절이 보인다(『송사 300수』).

③ 원굉도袁宏道(1568~1610)의 시(「증여퇴와 포도원 들렸다가 지난 이야기 끝에 우연히 지음與贈退如過葡萄園話舊偶成」)이다(부분).

───────

古井已無完檻　　옛 우물 귀틀 무너졌지만

石榴依舊燒枝　　석류 예처럼 가지 태우네

莫道故人如夢　　옛 벗 꿈속 사람이라 이르지 말라

夢中却有長時　　꿈속에 영원히 살아 있거늘

『원중랑집袁中郞集』 제46권

───────

9) 거문고와 우물

구양영숙歐陽永叔(1007~1072)의 시(「낭산유람遊琅山」)이다(부분).

───────

南山一尺雪　　남산에 눈 쌓이더니

雪盡山蒼然　　녹아 없어지자 산 보이누나

長松得高蔭　　큰 소나무 그늘 높직하고

盤石堪醉眠　　너럭바위 취해 잠들만하네

| 至樂聽山鳥 | 산 새소리에 기쁨 넘치고 |
| 携琴瀉幽泉 | 거문고 들자 샘물소리 쏟아지네 |

『정언묘선』

———

한데 어우러진 억센 거문고소리와 힘차게 쏟아지는 샘물소리가 귓가에 맴도는 듯하다.

10) 기타

① 『성재역전誠齋易傳』 기사이다.

———

우물을 한 번 고치면 새 우물이 되고, 덕을 한 번 닦으면 옛 학문이 새롭게 빛난다. (…) 우물을 손보지 않는 것은 우물의 재앙이다.

———

우물을 치지 않고 그대로 두면 건강에도 해롭다.

② 『태평광기』 기사이다.

———

강회江淮지역에서 황새 떼가 빙빙 돌며 나는 모습을 관정이라 한다. 이때 꼭 비바람이 일고, 둥지의 새끼를 꺼내면 반경 60리에 가뭄이 든다. 이들은 떼 지어 날기를 즐기며, 엷은 하늘에 구름을 끌어 모아 비를 재촉해서 대지에 흩뿌린다(5「羽篇」).

———

빙빙 도는 황새 떼가 비구름을 모은다고 여기는 것이다. '관정'도 물이 솟아올라 빙빙 도는 샘이라는 뜻이다. 강회의 '강'은 장강長江, '회'는 회수淮水 일대로 지금의 강소성과 안휘성 일대를 가리킨다.

③ 앞 책의 기사이다.

———

호북성 송자현松滋縣 남쪽 90리에 죽천竹泉이 있다. 송 정화政和 때(1111~1117), 우물을 치던 중이 대붓竹筆을 얻었다. 뒤에 사천성으로 정배 가다가 이를 본 황정견黃庭堅(1045~1105)은 '내가 협중峽中의 하마배蝦蟆背를 지날 때 떨어뜨린 것이라' 하였다.

그 뒤 붓이 갑자기 대로 바뀌었으며, 샘이 협수峽水로 흐르는 것도 처음 알려졌다(권4 地部 2 「죽천」).

―――――

황정견은 북송의 시인이자 서예가이다. 소식蘇軾과 함께 소황蘇黃으로 불렸으며 초서草書도 잘 썼다. 하마배는 장강長江 가 선자산扇子山 아래에 있는 사람처럼 생긴 바위이다. 머리와 코, 입 끝과 턱 그리고 등 가운데 달린 사마귀가 두꺼비를 닮았다고 하여 이렇게 불린다. 물맛이 워낙 좋아서 당唐의 장우신張又新은 '육우陸羽(733~804)가 천하 제사천第四泉으로 꼽았다'고 적었다(『煎茶水記』).

④ 『태평광기』에 '두산斗山(광동성 태산시台山市 동남부)의 한 동굴은 서쪽으로 2천 리 떨어진 청성현靑城縣(사천성 관현灌縣 서남쪽) 대면산大面山에 연결되고, 엄진관嚴眞觀의 우물과도 통한다'는 기사가 있다(16 「두산관」).

조학전曹學佺(1573~1646)이 『사고전서四庫全書』에 '성도의 통선정은 엄진관에 있다成都通仙井在嚴眞觀'고 적은 것을 보면, 앞의 우물은 통선정이 분명하다. 이밖에 '면죽현綿竹縣(사천성 중북부)의 군평정君平井과 통한다'는 대목도 보인다.

⑤ 『지낭智囊』의 기사이다.

―――――

(사천성) 성도成都 지부사知府事 문언박文彦搏(1006~1097)이 겨울 날, 밤늦도록 잔치를 벌이자 밖에서 시중들던 역졸들이 우물 전을 뜯어 마당에 불을 피우며 소란을 떨었다. 그는 놀란 손님들에게 '너무 추워서 그렇지요. 전이야 다시 세우면 됩니다' 하더니 술을 권하였다.

기가 꺾인 역졸들은 숨을 죽였다. 이튿날 그는 주모자에게 매를 치고 다른 곳으로 쫓아 버렸다.

―――――

아무리 화가 나기로서니 상전집 우물 난간을 뜯어 떼다니, 여간한 잘못이 아니다. 그 정도에 그친 것은 너그러운 주인을 만났으니 망정이지 그렇지 않았다면 목이 잘렸을지도 모른다.

재상 자리를 50년이나 지킨 그는 명재상으로 이름을 날렸다. 신종神宗(1067~1085)이 80세에 이른 그에게 정사를 보라며 '섭생에 특별한 도道가 있느냐' 묻자 이렇게 대답하였다.

"매이지 않고 자유롭게 지내고, 세상일外物에 마음 쓰지 않으며, 감당할 수 없는 일은 맡지 않고, 술이 오르면 곧 그칩니다."

황제는 과연 명언이라 일렀다.

⑥ 소식蘇軾의 시(「옥녀동의 물맛이 좋아 두 병 채우고, 뒤에 다시 받을 때 심부름꾼에게 속지 않도록 대나무 쪽으로 만든 표 하나를 스님에게 주어서 오갈 때 신표로 삼기로 하며 이를 장난삼아 조수부라 부름愛玉女洞水 旣致兩瓶 恐後復取而爲使者汲 因破竹爲契 使僧藏其一 以爲往來之信 戱爲之調水符」)이다.

欺謾久成俗	오래 전부터 서로 속여 온 터라
關市有契繻	관문이나 시장에서 출입증 쓰지만
誰知南山下	그 누기 알랴 종남산 이레
取水亦置符	물긷는 데두 부시 필요한 것을
古人辨淄澠	옛 사람 치수와 승수 물맛을
皎若鶴與鳧	학과 오리처럼 분별하였지
吾今旣謝此	나는 지금 이를 따르지 않고
但視符有無	부신의 유무만 보네
常恐汲水人	언제나 겁나는 물긷는 사람
智出符之餘	그의 꾀 부신보다 앞서지
多防更無及	아무리 막아도 소용없어
其置爲長吁	부신 버려두고 긴 탄식하네

『소식 시집』

'장난 삼는다'는 토를 달기는 하였지만, 종들이 멀리 오가는 수고를 덜려고 더러

속임수도 썼을 터이다. '계수'는 드나들 때 보이는 증표이다. 치수와 승수는 산동성 임치臨淄를 지나는 강으로, 『열자』에 제나라 환공桓公의 대부 이아易牙가 두 곳의 물맛을 구별하였다는 기사가 있다(「說符」).

⑦ 매요신梅堯臣의 시(「이심언이 술을 보내줌李審言遺酒」)이다(부분).

拔毛爲筆筆如椽　　머리털 뽑아 맨 붓 서까래 같아
狂吟一掃一百篇　　미친 듯 읊조리니 단번에 백 편이로세
其間長句寄東郡　　그 중 잘 된 구절 동군에 보내니
東郡太守終始賢　　동군 태수 언제나 현명하리
切莫汲渴滑公井　　도르래우물 모두 긷지 마시고
留釀此醑時我傳　　그 물로 담근 술 더러 보내소서

『매요신』

자신이 지은 좋은 시의 보답으로 술을 보내라며, 술 담글 물이 마를 것을 석성하는 재치에 웃음이 난다.

⑧ 소식蘇軾의 시(「도성을 떠나 진주로 오는 배에서 모르는 이가 지은 여덟 수를 읽고 아쉬운 대로 화답함 出都來陣 所乘船上有題小詩八首 不知何人 有感語余心者 聊爲和之」)이다.

我詩雖爲拙　　내 시 비록 보잘 것 없지만
心平聲韻和　　마음 평온하니 가락 부드럽네
年來煩惱盡　　여러 해 번뇌 없던 터라
古井無由波　　오랜 우물처럼 고요하네

『소식 시집』

불교에서 이르는 '해탈의 경지'가 바로 이것이다.

6. 명대(1368)~20세기

1) 신령스러운 우물

① 『지전智典』의 기사이다.

> ───────
>
> 명明 초, 좌승상左丞相 호유용胡惟庸(?~1380) 생가 우물에서 갑자기 큰 죽순이 자라자 모두 좋은 징조라고 추켜세웠다. 또 그는 매일 저녁, 조상 무덤에 비치는 하늘의 붉은 빛이 멀리까지 퍼진다는 말을 듣고 더욱 우쭐하였다.
>
> 그러나 황제의 신임을 얻어 권세를 휘두르던 1380년, 이선장李善長과 더불어 반란을 일으키려다 죽었다.
>
> ───────

우물에서 자라는 죽순은 정상이 아니다. 원元 말 주원장朱元璋(1368~1398)을 붙좇은 덕분에 좌승상에 올라 황제를 등에 업고 권세를 휘둘렀다. 태조는 그의 배신에 대한 노여움으로 3만여 명을 죽였으며, 이를 호옥胡獄이라 한다.

② 『우초신지虞初新志』 기사이다.

> ───────
>
> 천계天啓 때(1621~1627), 역적 위충현魏忠賢(1568~1627)이 많은 정경대부들을 죽였음에도 (…) 소주蘇州에서는 이부吏部 주순창周順昌(1584~1626)처럼 아무도 떨쳐 일어나지 않았다. 그가 옥에서 처형되고 따르던 다섯이 저자에서 목이 잘리기 전날, 폭풍우로 광릉廣陵(강소성)의 태호太湖가 넘쳤다. 사람들의 말이다.
>
> "예문환倪文煥(?~1628)이 낮에 집에 있자니까, 갑자기 옷갓을 한 다섯 사람이 칼을 든 채 주순창을 모시고 들어오다가 사라졌다. 이어 마당에 있는 우물의 돌벽이 공중으로 솟구쳐 춤을 추듯 떠돌다가 한참 뒤떨어졌으며 그 소리는 우레 같았다."
>
> ───────

우물 벽의 돌들이 공중에서 춤을 춘 것은 하늘의 노여움을 나타낸 것이다.
내시 위충현이 황제를 허수아비로 만들고 공포정치를 편 탓에 명의 멸망을 가져왔다. 그가 주순창을 잡아 가두자 소주시민이 들고 일어났음에도 목숨을 앗았다. 예문환은 위충현에게 빌붙은 패거리 가운데 하나이다.

③ 『중국산동민속지中國山東民俗誌』 기사이다.

　

산동성 창읍현昌邑縣에서 '우물 들여다보기看井'로 눈병을 고친다. 환자는 매일 아침 우물에 걸터앉아 머리를 우물에 박고 물을 지긋이 내려다본다. 한 이레 계속하면 어지간한 눈병은 모두 낫는다(金丸良子 1991 ; 192).

　

앞에서 든 대로 우물 입을 눈眼에 견주는 데서 왔다.

④ 『비급 천금요방備急千金要方』 기사이다.

　

정월에 도소주屠蘇酒를 담글 때, 일곱 가지 약재를 자루에 넣어 섣달 그믐날 햇볕에 말렸다가 우물에 넣는다. 정월 초하루 새벽에 꺼내 술에 담가 잠시 끓인 뒤 동쪽으로 서서 마신다. (…) 사흘 날 찌꺼기를 모아 다시 우물에 넣는다. (…) 집 안팎에 우물이 있는 집에서는 모두 약을 담가서 병귀를 쫓는다.

　

우물에 약재를 넣어 그 정기를 빨아들이게 해서 술을 빚는다는 뜻이다. 우리에게도 닮은 민속이 있다. (☞ 338~339)

『형초세시기荊楚歲時記』에 '정월 초하룻날 한 집의 어른아이가 모두 설빔차림으로 차례로 절을 한 다음, 초백주椒柏酒를 마시고 도탕桃湯을 먹으며 나이 적은 사람부터 도소주도 마신다. 이는 젊은 사람을 축하하는 뜻이다. 그러나 늙은이는 나이를 하나씩 잃어가므로 축하보다 설움이 온다고 하여 나중에 마신다'는 기사가 있다.

⑤ 『아세아대관亞細亞大觀』 기사이다.

　

장가구 청진사 경내의 우물을 교도들은 신수神水라고 부른다. 중국은 어디서나 우물을 신성하게 여기면서도 시설에 대한 관심은 적어서 깨끗지 않은 곳이 많다.

그러나 이곳만은 아주 중하게 생각
한 나머지 지붕을 올렸다. 또 물도
아끼려고 봉통 때는 열쇠를 채운다
(1937~1938 ; 제14집 20의 10).

아닌 게 아니라 북경 등지의 궁궐을
제외한 곳에서, 지붕을 갖춘 우물을 만
나기는 쉽지 않다. 삿갓지붕도 그렇거니
와 기와에 골을 잡은 모습이 눈을 끈다.
사진 127은 호북성 북부 장가구張家口
의 청진사淸眞寺 우물이다.

사진 127

⑥『지나민속지』기사이다.

———

운남성 검천현劍川縣 석보산石寶山 영천靈泉에 박은 돌로 깎은 병에서 물이 나온
다. 가뭄이나 한 겨울에도 변함없이 솟아 신의 조화로 여긴다. 절의 화상和尙은
칠배객이 오기 히루 건인 7월 31일, 병에 수바씨·동전 한 닢·솔방울 따위를 넣
는다.
아들을 바라는 이는 불전에 향을 사른 뒤, 가장 먼저 샘에 와서 안의 것을 손가
락으로 꺼내되 수박씨이면 남아, 동전이나 솔방울이면 여아를 낳는다고 여긴다.
또 집에 선물로 가져가거나, 사당에 바치거나, 주머니에 넣어 신방新房에 걸어두
면 반드시 영험이 나타난다(永尾龍造 1942 ; 88).

———

수박씨와 남아, 동전 및 솔방울과 여아 사이에 어떤 연관이 있는지 궁금하다. 솔방
울은 그 안에 솔 씨가 든 까닭이다.
우리 정약용丁若鏞(1762~1836)도 강원도 양양군 서면 오색리의 오색약수를 영천이라
불렀으며(『다산시문집』제7권「和杜詩十二首」), 서울시 서대문구의 영천동이라는 이름은 옛
'서대문 형무소' 뒤에 있던 영천에서 왔다. 이밖에 조선시대 선비들이 읊은 영천 관련
시는 3백여 수가 넘는다.

⑦ 앞 책의 기사이다.

광동성 (혜주시惠州市) 나부산羅浮山의 음양곡陰陽谷 가운데, 양곡에 있는 자지꼴 바위
에서 샘이 솟으며, 보지꼴 음곡 바위 주변에는 풀이 무성하다. 정월 초하루, 절에 온
사람이 양곡 바위에서 받은 물을 음곡 바위에 부으면 아들이 태어난다고 한다. 천
리 밖에서도 사람들이 몰려들어 음양 두 골짜기를 메운다(永尾龍造 1942 ; 89).

이와 달리 아이를 낳지 못하는 사람은 정월 초하루에 음곡에 와서 절을 올린 뒤,
양곡의 성수聖水를 떠다가 자신의 보지에 부으면 효과가 있다고도 한다.

양곡 바위의 물(정액)을 음곡 바위에 부으면 애가 서게 마련이고, 이렇게 애를 가졌
으니 신령이 귀한 아들을 주는 것이다.

우리나라에도 음양수 나는 곳이 더러 있다. (☞ 447~450)

⑧ 『지나민속지』 기사이다.

길림성의 노름꾼들은 설에 노천신老千神에게 행운을 빈다. 이어 노천패老千牌(서양
트럼프) 넉 장을 정월에 먹는 만두餃子 익히는 솥에 넣은 뒤 불붙인 향 세 개를
왼손에, 앞의 패들을 건져서 오른손에 들고 우물로 가서 주위를 네 번 돌고 돌아온
다. 이 모습을 다른 사람이 보거나 상대와 말을 나누면 효과가 없다.

신을 모시는 의식을 마치고 다시 우물곁으로 가 무릎 꿇고 절을 올리면 하늘에
닿을만한 큰 키에 붉은 옷차림을 한 사나이가 나타난다. 하늘에서 내려온 이 신
에게 절을 올리면 그 해 반드시 큰돈을 모은다(永尾龍造 1940 ; 127).

노름꾼이 우물 주위를 돌며 행운을 비는 것은 우물의 신통력을 얻으려는 것이지만,
우물의 정령 대신 하늘 신이 나타나는 것은 뜻밖이다.

2) 죽음과 우물

① 덕종德宗(1875~1908)황제가 사랑한 진비珍妃는 25세 때 고궁故宮(紫禁城)의 진비정珍妃

井에서 목숨을 잃었다. 두 사람을 시새워한 서태후西太后(1835~1908)가 1900년, 연합군이 침입하자 북경을 떠나며 '양인洋人들의 욕을 보느니 차라리 빠져 죽으라'고 한 탓이다. 그네가 듣지 않자 내시들이 손발까지 잘라 우물에 던졌다. 그네의 주검은 뒤에 일본 군인들이 꺼내 묻었다.

지금도 성안에 있는 이 우물에 사람들이 언제나 몰려든다(사진 128). 사진 129처럼 입이 워낙 좁아서 사람이 빠지기는 어렵다. 앞에서 든 대로 토막을 내어 넣었을 것이다. 입 지름은 31센티미터이며, 전의 너비 13.5센티미터에 높이 47센티미터이다.

사진 128

우리 김윤식金允植(1835~1922)이 광서제光緖帝(덕종)를 한漢 혜제惠帝(전 194~전 188)에 견준 시(「북경에서 벌어진 일을 탄식하며歎北京時事作五首」)에 '한의 혜제 어질기만 하여 자리 잃고漢惠徒仁傷帝業 / 조윤 어리식어 오뎡캐 민지 불꼇네趙倫庸鄙啓胡塵'라는 구절이 있다(『雲養集』 제5권).

사진 129

두 사람은 모두 모후의 섭정에 시달리다 제업을 잃었다. 혜제는 아우들이 여태후呂太后(?~전 180)에게 목숨을 잃어 술을 퍼마시다가 일찍 죽고, 광서제는 시태후가 진비를 우물에 던지고 유폐시킨 탓에 37세에 눈을 감았다.

② 『우초신지』 기사이다.

천주부泉州府(복건성) 동안同安의 하문廈門은 명대의 좌소左所(군사 주둔지)이다. 해적 정금鄭錦이 순치順治(1644~1661) 초에 차지했으나 1652년에 쫓아내고 많은 남녀를 끌어왔다. 여자를 말에 태운 기마병이 동쪽 관문을 지날 때, 상대가 오줌 눈다며 우물로 뛰어들자 살 석 대를 쏘아 죽였다. 열흘 뒤 한 설薛씨가 성으로 가는 중에 안개 속에서 나타난 여자가 '저는 하문에서 난리를 만난 왕玉입니다. 몸을 지키려고 우물로 뛰어들었습니다. 살을 뽑아 우물곁에 묻어주시면 은혜를 갚겠습니다'며 울먹였다.

그네의 말대로 노름판에서 큰돈을 딴 뒤, 관에 담아 묻어주었다. 한 달쯤 뒤 꿈에 나타난 여자가 '어르신 도움으로 제사를 받아먹으라는 저승의 허락을 받았습니다. 저를 위한 작은 사당을 지어주시면 은공을 백배로 갚겠습니다' 하였다. 그와 그의 자손은 부귀를 누렸고, 소문이 퍼져서 사당 참배객이 날로 불어났다.

───────

정금은 청淸에 맞서 싸우다 대만臺灣으로 건너가 저항한 인물이다.

그는 우리와도 연관이 있다. 숙종 때의 검계 살주계사건劍契殺主契事件이 그것이다. 1683년 12월, 정금이 조선으로 쳐들어온다는 대마도주對馬島主의 헛된 국서가 퍼지면서 많은 사람들이 서울을 빠져나가는 혼란이 일어난 것이다. 이때 검계를 모은 깡패들이 밤에 남산에서 나발을 불고 군사훈련을 벌이면서 온갖 만행을 저질렀다. 포도대장 신여철申汝哲(1634~1701)은 7개월 만에 이들의 목표가 양반을 죽이고, 부녀자를 겁탈하며, 재화를 빼앗는 데 있음을 밝혔다.

③ 소설 『홍루몽紅樓夢』에 등장하는 왕부인의 시녀 금천金釧도 우물에 몸을 던졌다. 가보옥과 농담을 주고받는 것을 본 왕부인이 그네가 상대를 유혹하는 것으로 잘못 알고 쫓아내자 목숨을 끊은 것이다(제30~32회).

3) 인연과 우물

『전등삼종剪燈三種』 기사이다.

───────

(복건성) 팔민八閩사람 소유蕭裕가 부자인 것을 안 역졸驛卒 황흥黃興이 일부러 호미랑胡眉娘을 우물에 자주 보내 그의 마음을 사려고 들었다. 소유는 마침내 다른 사람보다 열 배의 예물을 주고 첩으로 삼았다. (…) 그러나 그네는 여우의 화신化身이었다. 이름도 여우狐가 변한 아름다운 아가씨媚娘라는 뜻이다(하 「여우가 변한 호미랑전」).

이는 '호胡'와 '호弧'의 소리 값이 같은 데서 왔다. 우리네처럼 남의 남자가 양가의 처녀를 볼 기회는 우물밖에 없었다.

4) 저승과 우물

『전등삼종』의 간추린 기사이다.

산동山東의 원자실元自實이 삼신산三神山 아래 팔각정八角井에 몸을 던지자 물길이 갈라지며 양쪽에 돌 벽이 나타났다. 이곳을 간신이 빠져 나갔더니 천지가 밝아지며 해와 달이 비치는 전혀 다른 세상이 펼쳐졌다. 금으로 삼산복지三山福地라고 쓴 현판이 달린 궁전에 이르자, 사람은 그림자도 없고 오직 은은한 종과 경쇠 소리만 들렸다.

그의 꿈에 타나난 도사는 (…) 생전의 죄로 고통당하는 이들의 모습을 보이며, 삼년 안에 큰 재앙이 닥칠 터이니 복령福寧(복건성 복령부福寧府)으로 가라고 일러주었다. (…) 그곳에서 쟁기질 할 때 쨍그랑 소리가 나서 파자, 은전 덩이錠 네 개가 나와서 부자가 되었다(「三山福地志」).

그의 꿈에 나타난 도사는 저승사자일 터이다.

주인공이 우물에 몸을 던진 것은 지정至正(1341~1367) 말, 산동의 난리를 피해 처자를 이끌고 평소 크게 도와준 목군繆君을 찾아갔음에도 만나주지 않은 탓이다. 그가 죽지 않고 되살아나 부자가 된 것은 은혜를 베풀면 하늘이 반드시 갚아준다는 뜻이다. 목군이 3년 뒤 죽은 것도 인과응보의 철칙을 알리는 대목이다.

삼신산은 신선이 산다는 봉래蓬萊·방장方丈·영주瀛洲이다. 도사가 산동에서 멀리 떨어진 복건성 복령으로 보낸 것을 보면, 이 무렵 나라가 몹시 어지러웠던 모양이다.

원자실이 쟁기질 중에 은을 얻은 것은 부지런한 농사꾼이 되었다는 뜻인가?

5) 기타

① 『중국풍속기행』 기사이다.

───────

복건성 혜안현惠安縣 어촌에서 시집온 신부가 사흘째 되는 날 아침, 작은 시누이를
따라 우물에 가서 처음으로 물을 긷는다. 이를 탐수정探水井이라 한다(구환흥 2002
; 427).

───────

평생 물을 길어야 할 아낙과 우물과의 상견례인 셈이다. 시누이가 우물로 데려 가는
까닭도 이것이다. 혼인식을 마친 색시가 시집으로 들어가기에 앞서 부뚜막과 돼지우리
에 절을 올리는 산동성의 풍습을 닮았다(김광언 2015 ; 132).

② 앞 책의 기사이다.

───────

감숙성 민근현民勤縣 일대에서 혼인식 날, 신부가 우물에서 물을 길어 오면 어릿
광대 둘이 대문 뒤에 숨었다가 물통에 돌을 던져서 신부의 옷을 물투성이로 만
든다. 이는 '돌을 빠뜨린다沈石'는 말의 소리 값(천스)이 '성실誠實(청스)'과 닮은 데
서 왔다(구환흥 2002 ; 77).

───────

③ 『조선왕조실록』 기사이다.

───────

서장관 홍언모洪彦謨(?~?)가 아뢰었다.
"산해관山海關 이남 수천 리에 퍼진 돌림병으로 죽은 백성이 이루 헤아릴 수 없습
니다. 남만南蠻에서 백련교白蓮敎를 익힌 자들이 천하를 돌며 우물에 독약을 넣고,
오이 밭에 독약을 뿌린 탓이라고도 합니다. (…) 이달 초순 난주부에서 두어 사
람을 잡아 샘물을 조사한 끝에 남은 자들을 잡아들이고 있습니다."(「순조실록」 21년
[1821] 8월 17일)

───────

이는 홍언모가 청나라에 서장관으로 갔다가 돌아오면서 본 일이다.

한데우물에 독을 풀다니 저승에 가서도 그 죄를 다 갚지 못할 것이다.

백련교는 송·원·명대에 퍼진 미륵불을 신봉하는 종파이다. 고통 받는 민중들에게 혁명사상을 불어넣은 까닭에 중국에서 여러 차례 큰 탄압을 받았다. 돌림병은 1817년 인도 캘커타에서 시작되어 1823년까지 아시아 전역과 아프리카로 퍼져 나갔으며, 우리도 순조 22년(1822) 4월까지 많은 사람이 죽었다.

5장

민속
---

1. 우물파기

물은 생명을 부지하는 가장 중요한 요소의 하나인 만큼, 고대부터 우물 파기를 생존의 바탕으로 삼았다. 동한의 황보밀皇甫謐(214~282)이 엮은 『제왕세기帝王世紀』의 노래이다.

日出而作	해 뜨면 들에 나가 일하고
日入而息	해 지면 들어와 쉬네
鑿井而飮	샘 파서 물마시고
耕田而息	밭 갈아 먹고 사니
帝力於我何有哉	임금이 나와 무슨 상관인가

「격양가擊壤歌」

옛적 요堯 임금이 백성들이 자신을 어떻게 생각하는지 살피려고 허름한 옷차림으로 나섰더니, 음식을 입에 문 한 노인이 배를 두드리고 괭이로 흙덩이를 치며 이렇게 읊조렸다는 것이다. '밭 갈기'보다 '샘 파기'가 먼저인 것에 눈을 둘 필요가 있다. 이러한 생각은 당대에도 이어 내렸다.

① **심전기**沈佺期(656~714?)**의 시**(「소밀계에 들어가며入少密溪」)**이다**(부분).

遊魚瞥瞥雙釣童　　물고기 노니는 물에 아이 둘 낚시하고
伐木丁丁一樵叟　　늙은 나무꾼의 나무 베는 소리 쩌렁쩌렁
自信避喧非避秦　　난리 때문이 아니라 조용한 데 찾아 왔다며
葊衣耕鑿帝堯人　　풀 옷에 밭 갈고 우물 파니 요 임금 적 사람일세
相留且待雞黍熟　　손님 붙들고 닭과 기장 익기 기다리니
夕臥深山蘿月春　　저녁에 누우면 깊은 산의 달 여라에 걸리네

『당시별재집』 2

우물파기를 올바른 사리 판단에 견준다.

② 『**여씨춘추**』 **기사이다.**

송宋의 정丁씨 네는 우물이 없어 남의 물을 길어 쓴 까닭에 언제나 종 하나가
밖에서 살았다. 뒤에 우물을 판 그가 '사람 하나가 생겼다'고 하자, 이를 들은
이가 우물을 파다가 사람을 얻었다고 퍼뜨렸다. 임금이 사람을 놓아 알아보았더니
하인 한 사람을 두었을 뿐, 우물 안에서 나온 것이 아니라 하였다.
능력 있는 현자賢者를 찾았을 때의 상황이 이렇다면, 차라리 남의 말을 듣지 않는
것이 낫다(「愼行論 察傳」).

송은 주周나라(전 1046~전 256) 제후국이다.

경상북도 경주시 강동면 양동리 손씨 집에서도 옛적에 물긷는 일을 맡은 물담사리
둘을 따로 두었다. 군자는 거친 땅에서 태어난다는 풍수의 말에 따라 집을 산비탈에
지은 탓이다.

③ 『**설원**』**의 기사이다.**

노魯나라 대부 계환자季桓子(?~전 492)의 하인들이 우물을 파는 중에 진흙 속에서 양이 담긴 항아리가 나왔다. 공자에게 '우물을 파다가 개 한 마리가 나왔습니다. 이것이 무슨 괴물입니까?' 묻자 이렇게 대답하였다.

"개가 아니라 양인 듯하오. 돌의 정령은 기망량夔魍魎, 물은 용망상龍魍象, 흙은 분양羵羊이라 하므로 양이 분명합니다."

이를 전해들은 계환자가 중얼거렸다.

"정말 훌륭해, 족집게로구먼."(「辨物」)

―――――

소를 닮고 푸른 몸에 뿔이 없는 기는 한 발로 걸으며, 산도깨비인 망량은 사람 소리를 내고, 망상은 푸른 얼굴에 턱이 붉으며, 암수가 한 몸인 분양은 흙속에 사는 괴상한 동물이다. 이들은 모두 신화나 전설에 등장한다.

④ 이에 대한 **유종원**柳宗元(773~819)의 평이다.

―――――

군자는 자신이 모르는 일에 대해서 의심을 품은 채 말하지 않는 법이다. 공자라고 어떻게 사물의 괴이한 형상을 다 아는가? 이는 틀림없이 성인에 대한 중상中傷이다. 이와 달리 땅이 갈라져 개가 나왔다는 기록도 있다. 근년에 경조京兆의 두제杜濟(720~777)가 우물을 파다가 얻은 질 장군土缶에 개가 있어서 황하에 던졌더니 용으로 변하였다고도 한다(『柳宗元集』 제44권 「羵羊」).

―――――

경조는 중국 섬서성 장안 일대를 관할하던 행정구역이다.

⑤ 앞 기사에 대한 우리 **최술**崔述(1740~1816)의 말이다.

―――――

그것이 사실이라면 공자는 잘 모른다고 했을 것임에도 (…) 나무·돌·물속의 괴물까지 들추며 자세히 일러주었다. 이는 귀신을 비롯한 괴이한 일은 말하지 않는다는 『논어』의 기사와 어긋난다.

노의 상경上卿인 계환자가 양을 캤으면서 개라는 거짓말로 성인을 시험한 것은 어린아이의 장난과 무엇이 다른가? 이 또한 그가 했음직한 일도 아니다(『洙泗考信

錄』 제1권 「自齊反魯」).

───────

이러한 일이 실제로 일어났다고 보기 어렵지만, 우물에서 나왔다는 개나 양을 재앙
이나 상서로움의 상징으로 여긴 것만은 분명하다.

『한시외전韓詩外傳』에도 노魯 애공哀公(?~전 467)의 명을 받은 간제방間諸方이 석 달
동안 우물을 팠지만 물은 나오지 않고 옥—玉과 양羊이 나와서 공자에게 묻자 '물의
정精은 옥이고, 흙의 정은 양이므로 양의 간이 흙일 것'이라 하여 간을 꺼냈더니 과연
흙이었다는 기사가 있다.

1) 자리 찾기

① 『오잡조』 기사이다.

───────

군대가 샘이 없는 산 속에 머물 때, 땅을 한두 발 파도 물이 나오지 않으면 섶나
무에 불을 붙여 연기만 나게 한 다음, 새지 않도록 위를 잘 덮는다. 물길泉脈의
틈을 타고 숨어들어간 연기는 멀리 떨어진 다른 산의 샘까지 흘러들어가므로 연
기가 통하는 곳에 샘이 흐르게 마련이다(권3 地部 1 「泉」).

───────

과연 어느 정도의 효과가 있을까?

② 『후견문록後見聞錄』에 낙양洛陽의 범梵씨가 여기저기 우물을 팠지만 실패하자, 한
방술자方術子가 '밤에 물 담은 그릇을 여러 곳에 놓되, 별 그림자가 가장 뚜렷하게 비
치는 자리를 파면 물이 나온다'고 일러주었다는 기사가 있다.

우리 『산림경제』에도 닮은 내용이 보인다. (☞ 304)

③ 『농정전서農政全書』 기사이다.
이 책에서 든 네 가지 방법이다.

───────

① 기시氣試

밤에 물 기운水氣이 올라오다가 새벽녘에 멈춘다. 물길을 찾으려면 먼저 구덩이를 파고 아침 해가 떠서 빛이 바뀔 때, 사람이 들어가서 땅에서 물 기운이 연기처럼 솟는지 살핀다. 기운이 나면 아래에 물길이 있다.

① 반시盤試

황야에서 찾는 법이다. 구덩이를 세 척쯤 파되 크기는 아무래도 좋다. 구리와 주석을 섞어서 구운 그릇을 기름으로 깨끗이 닦은 뒤, 높이 3~5센티미터쯤의 나무그릇에 올려놓고 마른 풀로 덮고 흙을 얹는다. 하루가 지나 접시에 물방울이 맺히면 물길이 있다.

① 부시缶試

앞과 같은 방법으로 구리 접시 대신 병이나 질그릇을 놓으며, 물기가 고인 곳에 물길이 있다.

② 화시火試

①과 같은 크기의 구덩이에 불을 붙인다. 연기가 구불구불 올라가면 물길이 있지만 똑바로 올라가면 없는 증거이다(권 20 「水利」).

---

④ 앞 책에는 정성공鄭成功(1624~1662)의 군대가 복건성福建省에서 우물자리를 찾은 기사가 보인다.

어떤 나무 아래의 개미집에 개미가 들끓는 것을 본 정성공은 허리띠를 풀어 개미집을 둘러싸고 우물을 파기로 하였다. 사람들은 바다에서 두 발 떨어진 곳에서 먹는 물이 나오리라고 기대하지 않았지만, 마침내 시원하고 달콤한 물이 솟았다. 그는 개미가 집을 담수淡水 근처에 짓는다는 사실을 알고 있었던 것이다 (권20 「수리」).

이 기사가 사실인지 비운의 주인공을 기리려고 꾸몄는지는 알 수 없다. 그는 청淸
초, 복건성 해안과 자유중국(대만) 일대를 근거지로 삼아 당왕唐王(602~1646)을 받들어
명나라를 다시 일으키려고 애쓰다가 병으로 죽었다.

⑤ 우물을 팔 때 나오는 흙으로 물의 성질을 가늠한다.

『중국의 우물문화中國的井文化』 기사이다.

강과 내의 하류에 위치한 평지에서는 어떤 곡식이든지 잘 자라며 땅을 8미터쯤
파면 물이 솟는다. 물이 푸른색이면 사람의 건강에 좋고, 붉은색이나 갈색이면
맛이 달고 건강에 이로우며 곡식에도 도움이 된다.

이러한 물은 수맥이 6미터 아래에 있다. 누른색은 맛이 쓰고 짠 맛이 돌며, 좁쌀
과 수수만 잘 자라고 물은 5미터 아래에 있다. 검은 물은 쌀과 밀에 좋지만 건강
에는 나쁘다(吳裕成 2002 ; 2~40).

---

2) 파는 방법

우물 파기는 예사로운 일이 아니므로 흔히 날을 따로 잡는다.

① 『태평광기』 기사이다.

수주壽州(안휘성 육안시六安市 수현壽縣)의 자사 장자평張子平(76~139) 부부가 중년에
눈이 멀어, 여러 방술가의 말을 들었지만 허사였다. 어느 날 찾아온 서생이 우
물을 파고 그 물로 눈을 씻으면 낫는다며 방위와 날月日을 일러주었다.

    子·午년의　5월과 11월은 戌酉 및 卯辰

    丑·未년의　6월과 12월은 戌亥 및 辰巳

    寅·申년의　7월과 1월은 亥子 및 巳午

卯・酉년의　8월과 2월은 子丑 및 午未

辰・戌년의　9월과 3월은 申未 및 寅丑

巳・亥년의　10월과 4월은 申酉 및 寅卯

우물 파는 해가 쥐子 또는 말午해이면 5월과 11월이 좋고, 방위는 개戌나 닭酉 또는 토끼卯나 잔나비申쪽이 유리하니 일시도 그 방향에 따르라는 뜻이다. 부부가 절을 올리자 서생은 갑자기 하늘로 사라졌으며, 그가 태백성관太白星官이 라고 한다. 이로써 두 사람은 눈을 떴다(권19 「感遇傳」).

———

우물의 신령스러움을 알리는 보기이다. 태백성군은 도교의 샛별金星을 관장하는 신 으로 장경성군長庚星君이라고도 부른다. 『사기』에 '태백에 있으면서 해의 운행을 지켜 본다'고 적혔다(「天官書」).

② 1986년에 상영된 오천명吳天明 감독의 영화 「노정老井」에 황토고원에 위치한 산서성 좌권현左權縣 노정촌老井村에서 우물을 파는 과정이 들어 있다. 1985년에 나온 정의鄭 義의 소설(「노정」)이 원작으로, 실제로 우물을 새로 판 것은 아니지만 옛 방법을 따랐 다. 흥미롭게도 지금은 세계적 명감독으로 이름난 장이모우張藝謨(1951~)가 주연 및 촬영 감독을 맡았다. 영화의 몇 장면을 소개한다.

사진 130, 옛 노정老井 주위에 쇠기둥 셋을 세모꼴로 세우고 준비를 한다.

사진 131, 우물 입 위에 세운 물레우물 틀을 두 사람이 돌려서 줄을 내리거나 올리 며 흙 통을 끌어 올리거나 필요한 기구를 내린다.

사진 132, 구멍으로 일꾼이 내려가고, 사진 133은 그가 줄을 타고 내려오는 모습이 다.

사진 134, 바닥에 장치한 폭약이 터져서 연기가 피어나온다.

사진 135, 바닥에서 흙을 파서 담은 통을 물레를 돌려서 끌어올리고, 사진 136에서 통을 밖으로 들어낸다.

사진 137, 바닥에서 퍼올린 흙이다.

사진 138, 주연 배우가 우물의 물을 퍼서 맛을 본다.

사진 130

사진 131

사진 132

사진 133

사진 314

사진 135

사진 136

사진 137

사진 138

사진 139는 우물 벽에 새긴 정명井銘이다(「老井村打井史碑記」). (☞ 922~925)

③『중국 수공업지中國手工業誌』 기사이다.

사진 139

___

땅에 구멍을 파고 벽에 대울을 둘러서 벽이 무너지지 않도록 한다. 기구로는 자루 짧은 괭이를 쓴다. 작업이 진행되면 파낸 흙을 들어내기 위해 간단한 물레틀을 설치한다. 가위다리꼴로 세운 기둥에 둥근 장대를 가로 걸고 양쪽에 손잡이를 붙박는다. 이것은 나무의 굽은 가지를 잘라 붙인 까닭에 손으로 잡고 돌리기 쉽다.

장대에 세모꼴로 엮은 대나무 세 개를 일정한 간격으로 붙박아서 두 부분으로 나눈다. 사진에는 보이지 않지만 실제로 줄 하나는 장대 한쪽에 감아두고, 다른 한 줄은 장대 다른 쪽에 단단히 잡아맨 다음 바닥으로 내린다. 이 두 줄에 통을 매달아서 한쪽 줄을 감아올리면 다른 쪽은 아래로 내려간다. 이로써 바닥의 흙을 퍼 담은 통이 올라오면 밖으로 쏟아 붓는다 (…)

흙 담는 통에는 가는 대오리를 바퀴처럼 위아래로 엮으며, 이를 바닥 구멍과 손잡이 구멍 사이에 꿰어서 다루기 쉽다. 틀 아래의 널 위로 보이는 중국의 큰 메 한쪽은 무쇠인 탓에 매우 무겁다. (…)

땅을 바라는 깊이까지 파면 미리 마련한 돌로 벽을 쌓은 뒤, 공사가 진행됨에 따라 대울을 들어낸다. 마지막으로 위를 좁게 마감하고 전을 놀려 놓는다(R.P. 홈멜 1992 ; 179~182).

___

사진 140

사진 140은 1920년대에 강서성江西省 장수시樟樹市 장수공관樟樹公館 구

내에서 우물을 파려고 설치하였다는 앞 책의 것이다. 우물은 흔히 평지에 파는 까닭에 입 주위에 흙을 쌓아서 지면보다 한 자쯤 높인다. 이로써 빗물이나 바람에 날린 흙먼지가 흘러들지 않으며 사람이 밤에 우물에 떨어지는 것도 막는다. 입이 아주 좁은 까닭도 마찬가지이다.

벽이 무너지지 않도록 대울을 치는 것은 고대부터 이어온 방법이다.

④ 『영조법식營造法式』 기사이다.

―――――

큰 돌(사방 75센티미터에 두께 30센티미터) 가운데에 구멍(지름 30센티미터)을 뚫는다. 형태는 평평한 네모素平面꼴, 엎어 놓은 그릇素覆盆꼴, 연꽃잎蓮花瓣꼴 따위가 있다. 지름 36센티미터의 입은 덮개 아래쪽에 붙여 깎은 같은 크기의 돌기凸로 막는다. 그리고 구멍(지름 1.5센티미터) 두 개를 뚫고 쇠 손잡이를 꿴다(『井戶の考古學』에서 재인용).

―――――

덮개를 얹은 우물은 여러 곳에 있다.

3) 정명井銘

우물을 파고 나면 흔히 과정을 알리는 글(정명)을 마련한다.

① 『유종원집』 기사이다.

―――――

처음에는 우물이 없어 주州민들이 목 좁은 항아리로 장강長江 물을 져 날랐다. 강 언덕이 높고 험한데다가 가뭄이 들면 물줄기도 멀어져서 오르내리기 몹시 어려웠다. 그 위에 비가 많이 오면 땅이 미끄러워 자주 넘어지면서도 헛소문에 속아 끝내 우물을 파지 않았다.

원화元和 11년(816) 3월 1일, 성 북쪽 해자垓字 옆에 우물을 파기 시작해서 달이 차기 전에 끝냈다. 물은 차고 맑으며 양도 넉넉해서 누구나 물을 길었다. 땅이

단단하므로 오래 갈 것이다. 터를 고르고 설계한 이는 승려 담강談康과 제군사諸
軍事의 부장副將 미경米景이고, 판 사람은 장안蔣晏이다. 비용은 벌금으로 거둔
6,300포布로 대신하고, 인부 36명을 들여 큰 벽돌 1,700개로 벽을 쌓았다. 깊이
는 두 길丈 두 척尺이다. 명문은 다음과 같다.

盈以其神	가득찬 물 신기하게도
其來不窮	끊임없이 솟아
惠我後之人	후손에게 은혜 베푸네
噫! 疇肯似于政	아! 정치도 이렇게 하면
其來日新	미래는 날로 새로워지리라

『유종원집』 제20권 銘雜題 「정명」

유종원柳宗元(773-819)이 유주柳州(광서성 유쮸시) 자사 시절, 우물을 판 과정과 희망을 담아
지은 글이다.

포布는 고대 화폐의 하나이며, 제군사는 자사刺史이고, 한 길은 1.8미터쯤이다.

② 『허황옥 루트 - 인도에서 가야까지 - 』의 기사이다.

사천성 안악현安岳縣 서운향瑞雲鄉 보주普州의 동쪽 종지鐘地마을에 신령스러운 기
운이 솟더니 큰 인물이 태어나 이름을 떨쳤다. 이곳에 일찍 자리 잡은 허씨許氏네
에 관한 아름다운 이야기가 전한다. 집 뒤 바위 아래 우물물은 차고 맑으며 가뭄
에도 마르지 않는다.

동한東漢 초, 허황옥許黃玉(?~188)은 뛰어난 용모에 슬기 또한 넘쳐서 어린 적부
터 칭찬을 들었다. 노인들 말에 따르면 정묘년丁卯年의 가뭄으로 많은 사람들이
떠났음에도 그네 어머니는 산기産氣 탓으로 남아서 남편의 구걸로 목숨을 이어
갔다. 허황옥이 태어난 뒤, 젖이 모자라자 아버지가 하늘에 빌었더니 우물에서
물고기가 뛰어 올랐다. 이 뒤부터 나무 가지로 엮은 낚시로 하루 두 마리씩 낚
았다. 물고기를 쪄서 죽을 끓이고 유즙을 짜서 여러 해를 넘겼다. 그네는 이렇

게 살아났다. 이 우물의 신령스러움에 감복한 후손들이 '신정神井'이라는 이름을
붙였다.

이로써 허씨네는 위대한 씨족이 되었다.

을유乙酉 춘3월 상완上浣 의단毅旦 세움(김병모 2008 ; 244~256).

———

허황옥은 금관가야 시조 수로왕首露王(?~199)의 아내이자 김해김씨金海金氏와 김해허
씨金海許氏의 시조모이다. 『삼국유사』에 인도 아유타국阿踰陀國 공주가 많은 무리를
이끌고 김해 남쪽 해안에 이르자 수로왕이 유천간留天干 등을 보내 맞아들여 왕후로
삼았다고 적혔다(권2 기이 제2 「駕洛國記」).
한편, 김병모는 그네가 아유타국에서
바로 온 것이 아니라, 사천성 안악현
서운향으로 갔다가 뒤에 김해로 왔다
고 하였다.

사진 141은 우물 위 바위를 평면으
로 다듬어 새긴 정명이고, 사진 142는
일부만 남은 내용이다. 입구를 제외한
세 면에 돌난간을 둘렀다(사진 143).

사진 141(ⓒ 김병모)

사진 142(ⓒ 김병모)

사진 143(ⓒ 김병모)

③ 사진 144는 섬서성 서안시西安市 장안구長安區에 있는 관중민속예술박물원關中民俗藝術
博物院에 복원한 용천정龍泉井의 정명이다. 이글은 청대의 서월노인鋤月老人이 지었다고
한다.

우물의 전은 위의 한 변 길이 60센티미터에 아래 73센티미터인 사다리 꼴이며, 너비 10센티미터에 높이 39센티미터이다. 아래 오른쪽에 '용천신龍泉神'이라는 글자와 왼쪽에 용머리를 돌을새김으로 베풀었다. 우물은 깊이 1미터이며, 전에서 수면까지는 29센티미터이다.

사진 144

④ 사진 145는 운남성 곤명시昆明市에 있는 오정吳井이고, 사진 146이 정명이다.

간추린 내용이다.

사진 145(ⓒ 정연학)

———

다관茶館을 열 때 우물을 파고 이름을 오정이라고 붙였다(깊이 3.7미터). 물맛이 좋고 또 맑은 덕분에 곤명에서 첫 손에 꼽힌다. 가난한 사람들은 이 물을 길어 팔아서 생계를 잇기도 한다. 1999년, 곤명시 반용구盤龍區 인민정부에서 문물보호단위로 지정하였음에도 새로 오정로吳井路가 뚫린 탓에 25미터 떨어진 곳으로 옮겼다. 이때 돌로 깎은 네모 난간을 두르고 우물과 난간 사이에 물을 채웠다.(…)

———

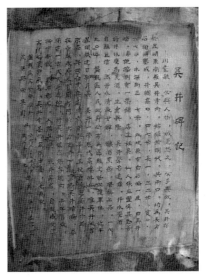
사진 146(ⓒ 정연학)

4) 고기록

(1) 메운 우물을 다시 파면 해롭다.

『태평광기』 기사이다.

―――――

오대五代 무자년戊子年(928)에 큰 가뭄이 들자, 호주濠州(안휘성 풍양현鳳陽縣 동북쪽)의
한 술집에서 오래 전에 메운 우물을 다시 팠다. 한 사람이 내려갔다가 삽鍤에 눌
려죽고, 그 아비에게도 같은 일이 벌어졌다. 밧줄로 주검을 끌어올린 주인은 다
시 파지 않았다(16 「濠州井」).

―――――

오래된 우물에 차 있던 가스 탓일 터이다. 오늘날에도 정화조 따위에 차 있던
가스 때문에 목숨을 잃는 일이 잦다.

(2) 우물 파기를 뜻 있는 일에 견준다.

『맹자孟子』에 '뜻을 세운 사람이 아홉 길이나 파도 물이 나오지 않는다고 그치면
아예 파려고 들지 않느니만 못하다掘井九軔 以不及泉猶爲棄井也'는 기사가 있다(盡心章句
13 「掘井」).

이에 대해 『집주』는 '땅을 파다가 그만 두는 것은 우물파기를 스스로 접은 것과
같다'고 새겼으며, 이율곡李栗谷(1536~1584)은 '아홉 길이나 파도 물이 나오지 않는다고
그치면 우물파기를 그만둔 것과 같다'고 일렀다. 무슨 일이든 중간에 그만 두지 말라
는 뜻이다.

이황李滉(1501~1570)도 '공이 샘에 미치기까지 멈추지 않으니功到急泉無棄井 / 다른 산
의 돌로 옥 깎는 것과 같네事同功玉籍他山'라는 구절을 남겼다(「진사 한윤명에게 드림贈韓上舍
士炯」). 이는 『시경』의 '저 산의 돌로 이 산의 돌을 다듬는다它山之石 可以功玉'는 구절에
서 왔다(小雅 「鶴鳴」).

중화민국에서는 우물을 파기 시작할 때 부모친상을 당한 사람이 옆에 있으면 물이
안 나온다고 한다(『云林縣志考』).

(3) 우물을 새로 파서 예우를 알린다.

『관자管子』의 기사이다.

제齊의 군주 환공桓公(전 685~전 643)이 관중管仲(?~전 645)에게 '중보仲父를 모시고 잔치를 베풀겠습니다' 하였다. 이어 우물을 새로 파고 섶으로 덮은 다음掘新井而柴焉, 열흘 동안 몸과 마음을 깨끗이 한 뒤 상대를 모셨다. 그가 오자 환공은 물론, 부인도 술잔을 들고 마셨다(제19편 「中匡」).

환공이 우물을 새로 파고 열흘이나 재계하였다니 관중을 얼마나 높이 보았는지 잘 알 수 있다. 중보는 환공이 관중을 높여 부른 이름이다.

'관포지교管鮑之交'라는 말은 가난한 소년시절부터 평생 동안 그가 포숙아鮑叔牙와 깊은 우정을 나눈 것을 가리키는 말이다. 그의 도움으로 나라가 튼튼해진 덕분에 환공은 춘추시대(전 770~전 403)의 다섯 패자春秋五覇의 하나로 꼽혔다.

이들 가운데 환공·진문공晉文公·초장왕楚莊王을 뺀 나머지에 오왕吳王 합려闔閭·월왕越王 구천勾踐·진목공秦穆公·송양공宋襄公을 넣기도 한다.

(4) 새로 파는 우물을 깨끗한 마음에 견준다.

운남성 경홍현景洪縣의 다이족傣族은 우물을 팔 때 주민들이 바친 작은 거울 여러 개를 덮개 주위에 박는다. 물이 거울처럼 깨끗하고 자신들의 마음도 그처럼 순결하다는 뜻이다.

이밖에 해마다 우물을 처음 판 날이 돌아오면 청소하고 제사 지낸다.

(5) 우물 팔 때는 인심을 쓴다.

『지낭智囊』의 기사이다.

송宋의 종세형種世衡(985~1045)이 관주關州에 성을 쌓을 때 물이 없었다. 6미터쯤

파내려가도 물은커녕 두터운 돌 층이 나왔다. 일꾼들이 머리를 흔들자 '돌을 들어내고도 물이 나오지 않으면 흙 한 길에 금 한 덩이錠씩 주마'고 부추겼다. 욕심이 생긴 일꾼들이 돌 층을 뚫고 들어갔더니 물이 솟았다.

———

종세형은 이름난 군사 전략가이자 서화가書畵家이다. 북방을 침입하는 서하西夏를 막기 위해 먼저 원호元昊의 부하 야리강영野利剛榮과 야리우걸野利遇乞을 없애려고 승려 왕숭王嵩을 사신으로 보내며 거북 그림과 대추 단추 하나를 주었다. 이것이 '빨리 돌아오라'는 뜻임을 알아챈 야리가 간첩이라며 사신을 원호에게 보냈다. 그러나 죽는 순간 '야리의 은혜에 감사한다'는 종세형의 편지를 원호에게 보이는 바람에 야리가 배신했다고 여겨 죽이고 말았다.

우리 김윤식金允植(1835~1922)의 시(「차운하여 이회관 응익에게 답함次韻酬李晦觀應翼」)에 '갈대 물고 나는 기러기 쳐다보고仰視銜蘆鴈 / 고개 숙여 대추 그리는 거북 생각하니俯懷畫棗龜'라는 구절이 있다.

'대추 그리는 거북'의 '대추棗'는 소리 값이 '조早'와 같고, '거북龜'은 '귀歸'와 같다.

5) 청소

(1) 우물을 치면 큰 재물을 얻는다.

① 『수신기』 기사이다.

———

진晉의 점쟁이 순우지淳于智가 가난에 시달리는 상당군上黨郡(산서성 장치시長治市)의 포원鮑瑗에게 일렀다.

"집터가 불길합니다. 저자의 시구문屍口門 가까운 곳에서 파는 채찍을 사서 귀문鬼門인 동쪽 뽕나무에 걸어두면 삼 년 안에 큰 부자가 되리다."

3년 뒤 그는 우물 청소를 하다가 수십만 전의 구리와 쇠로 만든 기물 2만여 점을 건졌다(권3 「淳于智卜宅居」).

———

주검을 내가는 문 가까이에서 파는 채찍에 특별한 영험이 있다는 뜻인지, 우물을 치면 복 받는다는 말인지 궁금하다. 그러나 먼저 살던 사람이 감춘 돈과 기물을 얻었으니 집터가 나쁘다는 말도 아귀가 맞지 않는다.

② 우리 윤선도尹善道(1587~1671)도 귀양 간 함경북도 삼수三水의 혹독한 환경을 귀문에 견주는 시(「우연히 읊다(偶吟」)를 남겼다(부분).

鬼門關外小河湄	귀문관 밖 작은 시냇물 가
窄窄重圍二丈籬	좁디좁게 겹으로 둘러친 두 길 가시 울
八十囚荒曾未聽	팔십 늙은이 변방 유배는 듣지 못한 일
三千歸路杳無期	까마득한 고향 길 돌아갈 기약 없네
幸賴聖恩延縷命	성은 덕분에 실낱 목숨 잇는지라
長吟華祝亡朝飢	아침 시장기 잊고 화축 길게 읊노라

『고산유고孤山遺稿』 제1권 「시」

뽕나무는 신령스러운 나무로 받들며, 음양오행설에서 동북쪽으로 귀신이 드나든다고 하여 거실·주인의 방·부엌·대문·현관 따위를 두지 않는다. 일본도 마찬가지이다. (☞ 1414~1415)

③ 이에 대한 『논형』의 기사이다.

창해滄海의 도삭산度朔山 위, 큰 복숭아나무 (…) 가지 사이의 동북쪽에 귀문이 있다. 이곳을 지키는 신도神荼·울루鬱壘 두 신인神人은 악귀를 잡으면 갈대 끈으로 묶어 범의 먹이로 던진다. 황제가 악귀 쫓는 의식을 올릴 때, 큰 복숭아 인형을 세우고, 문에 신인 둘에 범과 갈대 끈 따위를 매달아두는 까닭이 이것이다(22).

④ 『관자管子』에 '동지에서 46일째 되는 날(…), 부뚜막을 덧바르고 우물 청소를 해서 백성의 건강을 돕는다以冬日至始 數四十六日 (…) 墐竈㵸井 所以壽民也'는 기사가 있다

(제85편 「輕重己」).

적어도 한 해 한 번은 우물을 쳐서 건강을 지키라는 뜻이다.

⑤ 절강성 온주시溫州市 숭인진崇仁鎭에서는 한 해 걸이로 마을우물 청소를 한다. 50여 년 전 아이가 빠져 죽자 우물을 쳐서 벽을 다시 쌓은 뒤, 볶은 참깨 주머니를 넣고 맷돌 짝으로 덮었다. 팔괘八卦의 상징인 맷돌 짝에 잡귀를 쫓는 힘이 깃든 까닭이다.

참깨에서 꽃이 피면 사람이 죽는다는 말이 있기는 하나, 볶은 참깨에서 꽃이 필 까닭이 없지 않은가?

2. 우물지기

1) 이름

『백택도白澤圖』에서 수정水精을 망상罔象이라고 한 뒤 '어린이처럼 작고 눈은 붉으며 검은 피부에 큰 귀와 긴 손톱을 지녔다'고 덧붙였다. 또 '망'은 망량罔兩·魍魎이라 불리는 수신水神으로 목석木石처럼 괴상하며 세 살 먹은 어린이를 닮았고, 적갈색 몸에 귀가 크고 사람 목소리를 내어서 혼동시킨다는 말도 있다. 남성인지 여성인지 알 수 없지만, 『광박물지廣博物志』는 '정신井神은 통소 부는 여자'라고 못 박았다. '사람 목소리를 낸다'는 대목은 이를 가리키는 듯하다.

① 『중국민간속신中國民間俗信』 기사이다.

───────

민간에서 지기를 사람으로 꾸며서 귀여운 동자상으로 나타낸다.
남송南宋 허비許棐(?~1249)의 『책정문責井文』에 '우물신동神童의 모습은 매우 귀엽다. 가물어도 물을 지키고 억울해도 참아가며 구실을 다 했음에도 주인이 물이 말랐다고 욕을 퍼붓자, 그의 꿈에 나타나 (…) 하늘에 올라가 천제에게 비를 빌겠다더니 과연 그대로 되었다. 얼굴에 영기靈氣가 줄고 표정이 착하게 바뀐 것은 이처럼 책임을 다한 결과'라는 내용이 보인다.

명明대에 나온 『발중련鉢中蓮』 가운데 정천동자井川童子를 연기하는 유단由旦이 스스로 소경 정천동자小經井川童子라 하였듯이, 명대 이름은 정천동자였다. 청淸 원매袁枚(1716~1797)의 『자불어子不語』에는 물의 양과 질을 지키는 책임자로 등장한다.

민간에 용을 탄 정천동자 모습도 퍼졌다. 강소성 소주蘇州에서 받드는 정천선동井川仙童은 우물의 용을 타고 하늘로 오르는 모습이다.

지기를 정대부井大夫라고도 한다. 당唐대에 나온 『옥천자玉泉子』에 '활대성活臺城 북쪽에서 여덟모 우물을 판 가탐賈耽(730~805)이 황하를 막는 것을 본 어떤 이가 바로 정대부를 닮았다고 하였다'는 기사가 있다. 청대 하북河北 일대에서도 도포 차림에 관을 쓴 선비로 등장하였다.

원대의 『집류편緝柳編』에는 피리 부는 여인으로 바뀌었다. 이는 소호少昊의 어머니 황아皇娥가 사는 선궁璇宮 옆 영정靈井에서 벌인 백제白帝 아들을 위한 잔치 자리에서 강비江妃가 반령지신盤靈之神이 피리를 분다는 내용의 노래를 부른 데서 왔다(殷偉 외 2003 ; 120~124).

청대의 『청가록淸嘉錄』에 '백택도고白澤圖考에서 정천동자는 우물의 정精을 나타낸 것이라 하였다. 미인이며 퉁소를 잘 불고, 버들을 모아 엮어서 취소여자吹簫女子라는 별명을 지녔으나, 내 고향에서는 정천동자라고 일컫는다'는 기사가 있다.

그림 49에는 정천동자로 적혔지만 나이 지긋한 남자이다. 좌우에 보좌관 넷이 둘러섰으며 아래의 여섯모 그릇 양쪽에서 물이 솟는다.

그림 49(ⓒ 푸르녀)

이밖에 『수신기搜神記』에도 백수소녀白水少女가 홀아비 지기에게 은공을 갚는다는 대목이 보인다(「백수소녀」).

② 당 황보씨皇甫氏의 『원화기原化記』 기사도 마찬가지이다.

───────

개울가에 사는 호담昊澹이 우물에 대나무 바자울을 두르고 지켰더니, 그 보답을 위해 지기가 흰 소라로 변하여 찾아갔다. 그 뒤부터 일터에서 돌아올 때마다 밥상이 차려져 있었다. 어느 날 일찍 돌아온 그가 밥 짓는 흰 소라를 보고 놀라자 우물을 지키는 당신에게 보답하러 왔다더니 곧 사라졌다.

───────

바다에 사는 소라가 우물지기를 위해 찾아와 시중을 들었다니 앞뒤가 어긋나고, 우물에 울을 두르고 지켰다는 내용도 마찬가지이다.

2) 신상

그림 50은 아주 드문 여성井神으로 용을 타고 앉았다.

그림 51의 정천선동도 나이가 지긋하다. 우물에서 솟아오른 용에게 합장하고 비를 비는 듯하다.

그림 52의 정천신井川神은 굵은 수염을 늘어뜨린 채 눈을 부릅떴다.

사진 147의 목각상은 운남성 건수현建水縣의 지기이다. 그의 차림과 부릅뜬 눈, 옆

그림 50(ⓒ 殷偉)

그림 51(ⓒ 殷偉)

그림 52(ⓒ 殷偉)

사진 147

사진 148

으로 뻗친 짙은 수염을 비롯하여 두 손을 모아 홀을 쥔 모습은 고위 관리를 연상시킨다. 왼쪽의 삼지창을 든 사람은 호위 군인이고 반대쪽의 인물은 보좌관일 터이다.

앞에서 든 대로 옛 기록에 보이는 지기가 여자인지 남자인지 알 수 없지만, 여성 신상이 드문 점에서 본디 남성이었던 것으로 짐작되며, 도인道人이 대부분인 것도 반증의 하나이다.

이는 여자와 우물이 합치면 음기가 강해서 이롭지 않다는 음양오행 영향 탓인 듯하다. 예부터 우물 파는 자리에 여자가 가면 물이 나오지 않는다는 말이 돌았고, 아기 갓 낳은 여자가 물을 길으면 우물에 붉은 벌레가 뀐다고 여겼다.

그러나 본디 여성이었으나 남자가 여자보다 뛰어나다男尊女卑는 유교의 관념에 따라 바뀌었을 가능성도 없지 않다. '동자'가 '도인'으로 바뀐 것도 의문이다.

한편, 광서성 융수融水현 먀오苗족 자치현에서는 치우蚩尤를 지기로 받든다(사진 148).

염제炎帝 자손인 그의 형제 81명이 모두 구리 머리와 쇠 이마에 긴 뿔이 달렸고 성품마저 사나웠음에도 지기가 된 것은, 황제黃帝와 싸울 때 과부족인夸父族人과 이매망량 외에 풍백우사風伯雨師들이 도운 덕분이다. 이로써 치우를 통해 샘이나 우물을 관장하는 풍우백사의 호의를 얻으려 한 것이다.

황제와 치우와의 전투는 곧 한족과 소수민족과의 마찰을 상징하는 것으로, 동이東夷가 선조로 받드는 까닭이 이것이다. 군신軍神 치우가 전쟁마다 이겨서 백성들의 마음을 사고, 그 결과 천하를 호령한 것도 마찬가지이다. 유방劉邦(전 247~195)이 전투에 앞서 패정沛庭에서 치우와 황제에게 제사를 지낸 것도 한쪽뿐 아니라 소수민족의 도움을 얻으려는 방책이었다.

우리 최립崔岦(1539~1612)의 시(「운을 빌려 폭풍을 만나次韻遇大風」)에 '치우와 싸운 곳에 요기 남아蚩尤戰處有餘氛 / 승부 낼 듯 폭풍 모질게 부네風力如將勝負分'라는 구절이 보인다(『簡易集』 제6권 「辛巳行錄」).

『제경경물략』 기사이다.

─────

가뭄이 들면 집집마다 문에 용왕신마龍王神馬 그림을 붙이고 병에 버들가지를 꽂아 옆에 걸어둔다. 어린이들은 진흙으로 빚은 용에 종이 깃발을 꽂고 북과 쇠를 치며 용왕묘에서 향을 사르고 이렇게 노래한다.

"청룡의 머리여, 백호의 꼬리여, 어린이 비 내리기 바라니 하늘이 기뻐하누나. 누렇게 타는 보리여, 보리여, 일어나라, 일어나라. 용왕이시여, 적거나 많거나 비를 초하루부터 열여드레까지 내리소서. 마하살摩言可薩." (「12월」)

─────

용왕신마는 '용의 말'이 아니라 '신이 타는 신령스러운 수레'라는 뜻이다. 버들가지 꽂은 병은 비를 부르는 유감주술이다. 우리는 물 담은 병에 버들가지를 꽂아서 처마 끝에 매달고 물방울 떨어지듯 비가 내리기를 바랐다. 중국에서도 '물 담은 병'을 걸었을 터이다.

강소성 소주시 일대에서 초하루부터 열이틀까지 매일 아침 우물물을 병에 담아 무게를 달 때, 초하루는 정월, 초이틀은 이월, 초사흘은 삼월로 여기고 열두 달 가운데 가장 가벼운 달에 가뭄이 든다고 하는 풍습도 닮았다.

그림 53은 운남성 일대의 가정에서 받드는 용신상이다.

그림 53

3. 제사

1) 옛 기록

『예기』에 '천자는 네 바다·큰 내·이름난 발원지·깊은 못·너른 못·우물과 샘井泉에 백성의 행복을 비는 고사를 지내게 한다'는 기사가 있다(월령 「12월」). 이처럼 고대부터 제사를 받든 것은 두말할 것 없이 이들이 인간의 생존에 큰 영향을 끼치기 때문이다.

① 『회남자淮南子』 내용이다.

오늘날 우물·부엌·대문·방문·키·빗자루·절구와 공이 따위에 제사 지내는 것은 그들이 제물을 받는다고 여겨서가 아니라, 우리가 그들의 덕을 입고 살며 끊임없이 수고를 끼치기 때문이다. 그러므로 때때로 그들의 덕을 드러내어 공을 잊지 않아야 한다(「氾論」).

참으로 옳은 말이다.

『형초세시기』에도 '정월 양날未日 밤, 갈대 횃불로 우물과 뒷간을 환히 밝히면 모든 귀신들이 달아난다'고 적혔다(「정월」). 우물과 뒷간을 동아리로 묶은 것이 눈을 끈다. 양날은 날짜를 천간 지지天干地支에 맞춘 것 가운데 지지地支가 '미未'자로 된 날이다. 이를테면 을미일乙未日·기미일己未日·계미일癸未日 따위이다.

앞에서 든대로 우물을 판 뒤에도 제사를 올리고 정명을 마련한다.

우물의 물이 말라도 제사는 거르지 않는다.

② 명 낭영郞瑛(1487~1566)의 제정문祭井文이다.

아버지가 이 우물을 판 뒤 140년이 되었고, 신께서 지켜주신 덕분에 맑은 물이 끊이지 않았습니다. 이에 우리 뿐 아니라 이웃 사람들도 은혜를 입었습니다. 그럼에도 오늘 물이 말라 버렸습니다. 간단한 제물을 바치고 비오니 다시 솟게 도우소서.

신께서 백성들을 굽어 살피셔서 맑은 물이 나오게 하여 당신의 신통력을 보이소서. 이로써 우물의 명예가 살아나고 저의 정성 또한 드러날 것입니다. 신의 은혜가 영원히 이어지기를 바라며, 이를 글로 남겨서 후세에 전하겠습니다.

———

2) 제물

① 『지나민속지支那民俗誌』 기사이다.

———

강소성에서 지기를 인쇄한 종이를 정천동자井川童子의 말馬로 삼아, 대나무에 붙이거나 꽂아서 우물 지붕 도리에 가로 걸어둔다. 이를 '우물 덮기封井'라 하여 떡·과일·술·차 따위를 우물 위에 차린다. 그리고 정월 초사흗날 불에 태워서 지기를 떠나보내는 의식으로 삼는다. 이날 처음 뜬 물로 눈을 씻으면 한 해 동안 눈병에 걸리지 않는다.

또 절강성 해녕海寧 지방에서는 정천동자를 초하루 아침에 하늘에서 돌아오는 조왕과 함께 맞아 우물 주위에 제물을 차리고 받든다.

하남성 급현汲縣에서는 섣달그믐날 덮개로 덮으며 정월에는 아예 물을 긷지 않는다. 그러나 다른 곳에서는 우물이 주민 모두의 것이라는 생각에 집마다 같은 날 덮으며, 이로써 현縣의 재물이 밖으로 나가지 않는다고 믿는다. 어기면 욕을 퍼붓거나 뭇매를 친다.

남부지방에서는 덮개 대신 키로 덮는다. 키의 불 사이로 지기가 자유롭게 드나들고, 이를 눈으로 여긴 잡귀가 놀라 달아나며, 불의 수를 헤아리다가 날이 밝아 그대로 떠난다는 것이다. 정월 초이튿날 향을 사르고 폭죽을 터뜨리며 개정식開井式을 치르는 곳도 있다(永尾龍造 1940 ; 627~630).

———

지기가 말을 타고 하늘로 오가고, 조왕이 돌아오는 날 제사 지내는 것은 그와의 연관이 깊은 것을 알려준다. 사흘 동안 덮고 물을 긷지 않는 것은 물을 재보로 여기는 데서 왔다. 남부지방의 키 관련 풍속은 섣달그믐날 체를 걸어서 야광귀夜光鬼를 쫓는 우리네 민속을 연상시킨다.

한편, 청의 장상하張祥河(1785~1862)는 '문신·정천동자·마조馬祖 따위를 섣달그믐 날 과일과 떡으로 받든다'고 적었다(『歲除三祀詩和錢心壺院長』).

호남 및 강서성 경계에서는 정월 초하루에 횃불을 밝혀들고 우물에 가서 물을 뜬 다음, 향 세 개를 사르고 종이돈을 태워서 물값을 치르는 징표로 삼는다. 이를 '경수 절敬水節 쇤다'고 이른다.

낭영郞瑛의 『칠수유고七修類稿』에도 '1560년, 강소성 항주에 큰 가뭄이 들어 가족이 수리 밖으로 물을 길러 가게 되자, 우물에 제사를 지냈더니 감동한 지기가 비를 내려 주었다'는 기사가 있다. 그는 제문을 지어 후세에 남겼다.

② **앞 책의 기사이다.**

귀주성 적수현赤水縣에서 섣달그믐날 밤, 길은 물에 청차清茶를 넣고 끓인 청수淸 水를 천신天神에게 바친다. 천향天香을 사르며 무릎을 세 번 꿇고 머리를 아홉 번 조아린 다음, 봉한 되·말·칼·자 따위를 탁자에 올려놓는다. (…) 또 천향으로 조상과 수신에게 제사를 지내고 초하루와 초이틀에 쓸 물을 마련하며, 이를 '부 자 되는 물存財水'이라 부른다.

정초에 우물을 덮는 것도 물을 재보財寶로 여기는 데서 왔다. '설에 땅을 쓸거나 물을 긷거나 불을 빌리지 않는다'는 속담도 있다. 한데우물에서 물을 뜨면 매를 맞는다. 또 꿈에 물을 보면 부자가 된다고 한다(永尾龍造 1940 ; 624~626).

차를 바치고 신하가 임금에게 하듯 절을 올리는 것은 평소의 생활 그대로이다. 정 초의 물을 재보로 여기는 것은 우리와 같다.

③ 『**지나민속지**』 기사이다.

절강성 항주시杭州市에서 설날 아침 일찍 가족끼리 새해 인사를 나눈 다음, '개 문開門'이라 하여 그믐날 닫았던 문을 열고 덮었던 우물 덮개도 거둔다. 이어 대문 안에 차린 제상에 두 대의 붉은 촛불과 석 대의 향불을 밝히고 절을 올

리며, 문 닫을 때 붙인 붉은 종이를 태운다.

북경시에서는 섣달그믐날 오후에, 초닷새까지 쓸 물을 길어서 여러 그릇과 물두 멍 따위에 붓고 우물에 덮개를 덮는다. 이때 우물 앞에 향을 사르고 지기에게 절을 올리며 폭죽도 터뜨린다. 붉은 종이에 '아무 해·아무 달·아무 일에 봉한다' 고 적어서 덮개에 붙인다.

절강성 무석無錫지방에서는 이른 아침 개문開門의식을 치른 뒤, 아낙네들이 다투 어 개울이나 우물로 가서 물을 길어 밥을 짓고 조왕과 사당에도 올린다. 주발 다섯 개에 담은 밥·향·촛불·종이돈·차·술·폭죽과 제물 세 가지를 곁들이며, 조상의 신위에 놓는 것은 상반上飯, 조왕에 바치는 것은 사조謝竈라 부른다(永尾龍 造 1940 ; 589~591).

———

사진 149는 산동성 제남시 부용가芙蓉街 의 관제묘關帝廟 우물이다. 위아래 두 곳에 쇠테를 두르고 오른쪽에 얇은 철판으로 만 든 덮개를 걸었다. 그리고 위의 테 오른쪽 에 구멍을 낸 고리를 붙여서 덮개를 덮은 다음 열쇠를 채운다.

같은 곳의 어떤 상점에서 문 안의 우물에 같은 장치를 해 놓은 것을 보았다. 마침 문 이 잠겨 있어서 까닭을 묻지 못한 것이 아 쉽다.

④ 『벼·새·태양의 길稲と鳥と太陽の道』 기 사이다.

사진 149

———

광서성 쫭족자치구 융수融水 먀오족은 해마다 정월 초하룻날 새벽, '오·뉴한'이라 하여 주로 처녀들이 '새해의 물'을 긷는다. '오'는 물, '뉴'는 해年, '한'은 새롭다는 뜻이다.

우물에 종이돈을 바치고 절을 올린 다음, 물통에 흰 돌雪母 서너 개를 넣으며 '오늘

새 물 길어갑니다'고 읊조린다. 집에 돌아와 돌을 꺼내고 물두멍에 물을 쏟을 때
장남이 '호이, 호이' 하고 소 모는 소리를 낸다. 이로써 재산과 풍년을 상징하는 소
가 건강해진다고 여긴다. 처녀는 새해 축하금을 받으며, 제일 먼저 뜨는 집에 풍년
이 든다고도 한다(秋原秀三郎 1996 ; 180~182).

———

정초 용날 벌이는 우리네 용알 뜨기와 일본의 '약수 뜨기'를 닮았다. 우물에 돈을
바치는 것은 한족 풍속에서 왔을 터이다. '흰 돌
서너 개'는 무슨 뜻인가?

사진 150은 운남성 대리바이족大理白族 자치
주의 한 아낙이 설날 아침 일찍 우물에 물을 뜨
러 가서 향과 종이돈을 태우는 모습이다.

운남성의 장족은 새해 첫날 첫닭이 홰를 치면
아낙네가 우물로 가서 주위에 오곡을 뿌리고 첫
물을 길어온다. 이를 농사의 풍년을 바라는 뜻
에서 하곡夏曲이라 부른다.

사진 150(ⓒ 大林太良)

⑤ 『야요이문화 원류고弥生文化の源流考』 기사이다.

———

운남성의 와족佤族은 새해 2월, 촌장이 샘에서 물이 잘 나오기를 바라는 제사를
올린 뒤, 물을 수 킬로미터 떨어진 마을로 끌어오는 홈통(한 개 길이 3~4미터) 잇기
를 시작한다. 첫날은 집집에서 나온 남자들이 샘을 치며, 촌장은 그 옆의 땅을
조금 파고 구운 쥐머리·다리와 꼬리·생쌀·술 따위를 지기泉神에게 바친다. 쥐
가 인류를 구원하였다는 신화에 따른 것이다. 이 뒤 촌장의 집으로 돌아와 마을
에서 마련한 음식(돼지·닭·쌀)을 나누어 먹는다.

다음 날 일이 끝나면 점쟁이를 불러 홈통마다 주문을 읊조리고 물을 흘려보낸
다음, 맨 끝에서 물이 그치지 않기를 바라는 기도를 올리고 닭점을 친다. 물은
반드시 촌장이 먼저 마시며, 공장에서 쓰는 영원한 '마을 불'도 일군다. 이어 제여
곰 가져온 한 움큼씩의 쌀과 샘에 바쳤던 쥐를 끓여서 함께 먹는다. 사진 151은
홈통에서 물이 떨어지는 모습니다.

사진 151(ⓒ 鳥越憲三郎)

또 각 집에서 '마을 불'에서 당겨온 새 불과 홈통에서 받은 새물을 마련하면 주술사가 닭점을 친다. 식구들은 닭고기를 끓이고 축하의 술을 마시며 밤새 노래 부른다.

이 행사는 해마다 되풀이 한다. 청소일은 토끼날이 가장 좋다. 영리한 토끼가 언제나 물을 끌어온다고 여기는 까닭이다. 이어 노인들은 수탁 두 마리(흰 닭과 검은 닭)를 들고 '토지신이여, 물의 신이여 한 해가 지나 새해가 밝았습니다. 저희는 수신水神을 맞으러 왔습니다. 올해도 좋은 물을 주서서 병에 걸리지 않도록 도우소서' 읊조린다. 흰 닭은 부부인 천신과 지신에게, 검은 닭은 수신에게 바친다(鳥越憲三郎 외, 1998 ; 56~59).

─────

쥐를 인류의 구원자로 여기는 것은 왕성한 번식력에서 왔다. 중국 남부·동남아시아 대륙·인도네시아 등지에서는 닭이 신의 뜻을 알린다고 믿는다. 우리네 제주도와 같다.

⑥ 호남·호북·사천성의 투자족土家族은 아기가 태어나 한 달 되는 날, 우물에서 출월정제出月祭井를 올린다. 부뚜막과 화덕火塘에 절을 세 번 시킨 뒤, 부뚜막 그을음으로 이마에 십자를 그어서 부뚜막과 화덕지기가 지켜주는 뜻으로 삼는다. 이어 아기를 안은 채 우물지기에게 좁쌀을 붓고 향을 사르며 돈을 태운다. 우물물로 아기의 손을 씻기면 병에 걸리지 않는다고 한다. 돈을 태우는 것은 지기에게 바친다는 뜻이다.

티베트에서도 정월 초하룻날 새벽, 주부들이 앞 다투어 샘물을 뜨며, 처음 뜨는 '사자獅子의 젖'은 부귀를 나타낸다. 샘물을 젖에 견주는 것은 불교에서 왔다. 이에 따라 샘 이름을 유천乳泉이라 부르기도 한다.

사진 152는 광서성 계평시桂平市 성서城西의 유천 옆에 세운 비로, 왼쪽 위에 '건륭乾隆 무인戊寅(1758) 유월六月'이라고 새겼다. 사진 153은 안휘성 부원현遠縣에 있는 백유천白乳泉이다. 이밖에 샘에 곡식과 기름을 뿌리고 제사도 지낸다. 운남 및 사천성

사진 152(ⓒ 百度)

사진 153(ⓒ 百度)

소수민족들도 마찬가지이다.

사천 및 섬서성에서는 정월 초하룻날 새벽에 은수빼앗기搶銀水라 하여, 우물물을 길어서 차를 끓여 사당에 바친다. 이때 물이 빨리 끓을수록 부자가 된다고 믿는다. 섬서성에서는 길어 온 물을 물두멍에 부으면 재산이 불고, 천을 염색하면 빛이 나며, 쌀을 씻으면 밥맛이 좋고, 술을 빚으면 시지 않는다고 한다.

⑦『중국의 우물문화中國的井文化』 기사이다.

산동성 유성聊城에서 설에 지기에게 제사를 올린다. 황표지黃表紙(제사 지낼 때 쓰는 누런 종이)로 접은 신위神位에 '공봉용왕신위供奉龍王神位'라고 적어서 네모난 돌에 붙인다. 제물은 대추·만두(한 개)·삶은 고기 두 조각·생선 튀김·구운 통닭(서너 마리)이다. 이 위에 데친 시금치를 얹고 옆에 촛불을 밝히며 향로에 향 세 개를 꽂은 뒤, 신위를 태우고 절을 올린다. 『고금도서집성古今圖書集成』에 '용왕묘는 수장현 서남쪽에 있다'고 적혔다(吳裕成 2002 ; 256~257).

---

4. 우물과 용

1) 용신상

그림 54는 수부용왕水府龍王 상이다. 머리에 뿔
이 돋은 그는 비늘갑옷을 입었으며 옆의 동자 둘
은 '비를 내리는 용신行雨龍神'과 '구름이 모이면 비
내린다雲行雨近'고 적은 깃발을 들었다.

운남성 초웅시楚雄市 이족마을 우물 뒷벽에도 조
각한 용의 머리를 붙박고(사진 154), 위에 '이 샘의
뿌리인 용왕 신위本吉泉源龍王之神位'라고 새겼다(사
진 155).

그림 54(ⓒ 푸르녀)

사진 154

사진 155

농촌에서는 해가 바뀔 때마다 붉은 종이에 '봉공 정신신위奉公井神神位'라고 쓴 종이
를 우물 옆에 새로 붙여서 물이 넉넉하게 솟기를 바란다.

민간에서 새 우물을 파고 처음 물을 길을 때 용왕에게 종이돈을 태우고 감사를 드
린다. 또 옛적 북경 일대에서는 물장수水夫들이 2월 초하루, 우물 옆에 마련한 두어
자 높이의 작은 벽돌사당에 촛대와 향로를 마련하고 절을 올리며 용왕제를 지냈다.

국토 사방의 바다를 지키는 용왕은 사해용왕四海龍王이다. 동해용왕은 청룡靑龍인

창령덕왕滄寧德王 오광敖光, 남해용왕은 적룡赤龍인 적안홍성제왕赤安洪聖濟王 오윤敖潤, 서해용왕은 백룡白龍인 소청윤왕素淸潤王 오흠敖欽, 북해용왕은 흑룡黑龍인 완순택왕浣旬澤王 오순敖順이다.

이에 대한 옛 기록이다.

① 『태평광기』 기사이다.

___

주周대에 동해 가에 살던 용사 치구흔缶丘訢이 신천神泉을 지날 때, 말에게 물을 먹이라고 일렀다. 하인이 해롭다고 말렸음에도 듣지 않은 탓에 말이 죽고 말았다. 옷을 벗은 그가 칼을 빼들고 우물로 들어가더니, 사흘 뒤 교룡蛟龍 둘과 용한 마리를 잡아가지고 나왔다(8 「치구흔」).

___

교룡은 더러 해를 끼치지만 용이 합세하는 일은 흔치 않다.

다른 고장에도 신천이라는 이름의 샘이 있다. 『열선전列仙傳』의 '옛적의 신선 녹피옹鹿皮翁이 잠산岑山 꼭대기에 살 때, 지초芝草를 먹고 신천의 물을 마셨다'는 기사가 그것이다. 산이 워낙 험해서 자신만 잔도棧道를 걸고 올라갔다고 한다. '녹피옹'은 사슴가죽 옷 입은 늙은이라는 뜻이다.

우리 안평대군安平大君(1418~1453)의 『연도기행燕途紀行』에도 '요좌遼左(요녕성)는 본디 고(구)려 땅이다. 냉정冷井은 겨울에 따뜻하고 여름에 시원하며 향기로운데다가 달고 또 맑다. 우리네 행차가 올 때는 늘 가득 차다가도 떠나면 마른다고 하여 신천神泉이라 부른다더니, 과연 헛말이 아니라'는 대목이 보인다(中 효종 7년[1656] 8월 29일).

② 『수신기』 기사이다.

___

한漢 혜제惠帝 2년(195) 계유일癸酉日에 용 두 마리가 (산동성) 난릉현蘭陵縣(창산현蒼山縣) 정동리廷東里 온릉정溫陵井에 나타났다가 을해일乙亥日 밤 사라졌다.

경방京放이 지은 『역전易典』에 '덕 있는 사람이 박해를 당하면 우물에 용이 나타나는 변고가 일어난다. 또 형벌이 무겁고 사나우면 검은 용이 우물에서 나온다'고 적혔다(권6 「兩龍現井中」).

우물과 용은 한 몸과 마찬가지임에도 용이 나타난 것을 변고의 징조로 다룬 것은 이해하기 어렵지만, 검은 용의 출현은 그럴듯하다.

음양참위설陰陽讖緯說에 밝았던 경방은 원제元帝(48~33) 때, 『춘추』의 재난 사례를 들어 정치를 바로잡으려다가 모함을 받아 목숨을 잃었다.

③ 『태평광기』 기사이다.

> 동진東晉의 왕돈王敦(266~324)이 곽박郭璞(227~324)을 죽일 때 오맹吳猛과 허진군許眞君도 그 자리에서 술을 마셨다. 허진군이 술잔을 위로 던지자 들보 사이로 빙빙 돌면서 날아다녔다. 왕돈과 오맹이 쳐다보는 사이 곽박은 앉은 채 숨을 거두었다. (…) 하늘로 올라가 신선이 된 그는 예장豫章에서 만난 젊은이가 강서에 홍수를 일으켜서 큰 피해를 입힌 교룡임을 알고 죽이려 들었다. 이를 눈치 챈 교룡의 정령精靈이 황소로 변하자 그가 검정소가 되어 칼로 상대의 넓적다리를 찔렀더니 성 서쪽의 우물 속으로 달아났다. 우물을 드나들며 싸운 둘은 담주潭州로 가서 다시 사람이 되었다(1「허진군」).

소가 된 교룡이 우물로 달아난 것은 자신의 처소인 까닭이다.

왕돈이 여자에 얼이 빠진 탓에 몸이 쇠약해져서 주위에서 말리자, 아주 쉽다며 뒤의 합문閤門을 활짝 열어젖히고 비첩婢妾 수십 명을 모두 몰아냈다고 한다. 이처럼 통 큰 사람이 곽박을 죽인 까닭이 무엇인지 궁금하다.

④ 『수신기』 기사이다.

> 진晉 태강太康 5년(284) 정월, 용 두 마리가 무기고武器庫 옆 우물에 나타났다. (…) 이처럼 궁중의 깊은 곳은 용이 나올 데가 아니다. 7년 뒤 번왕藩王들이 서로 다투고 죽이더니, 28년이 지나 다시 오랑캐 둘이 제위를 빼앗으려고 싸웠다. 그들의 자字에 모두 용자가 들어 있었다(권7「太康二龍」).

궁중의 용이 오랑캐의 상징으로 등장한 것은 뜻밖이다.

사진 156은 운남성 홍하현紅河縣 건수고성建水古城 동남쪽에 있는 첨수정甛水井

이다. 명明 홍무洪武연간(1368~
1398), 절강성에서 온 주민들이
판 것으로 맛이 항주시杭州市
용정사龍井寺 것과 같다고 하
여 용정수龍井水라고도 부른
다. 기둥 여섯 개를 둘러 세우
고 사이사이에 돌 전을 끼웠
다. 두 남자가 플라스틱 두레
박으로 물을 긷는다.

사진 156

2) 용신 신위

사진 157은 우물지기의
신위를 모신 수정궁水晶宫
이다. 닫집 안에 세운 검은
돌에 '대판정용왕묘정용왕
신위大板井龍王廟井龍王神位'
라고 새겼다. 이어 왼쪽에
'용천에서 물이 솟아 만민
이 떠간다龍泉湧注萬民采',
오른쪽에 '진군이 보호하
니 모든 집이 아름답다辰君

사진 157

사진 158

護佑千家美'는 글이 보인다.
본디 앞쪽 아래에 '용신'이라고 새긴 돌 향합香盒이 있었으나, 2012년에는 사라졌다(사
진 158). 진군의 '진辰'은 해·달·별 모두를 가리킨다. 흔히 용신을 모신 곳을 수정궁이
라 부른다.

사진 159는 우물 옆에 세운 돌에 '우물지기를 받드
는 신위供奉井泉神位'라고 적은 붉은 종이를 붙였다.

사진 160은 바위에 새긴 용왕 신위이다. 가운데에
수정천 용왕신위水井泉龍王神位, 왼쪽에 '물은 깊지 않
아도 용이 깃들어야 신령스럽고水不在深有龍卽靈' 오른
쪽에 '산은 높지 않아도 신선이 있어야 명산이라山不
在高有仙卽名'고 새겼다.

사진 161은 절강성 항주시 교외 한 농촌 우물의 용
신신위이다. 오른쪽에 '아껴서 깨끗한 것愛護淸潔'을
왼쪽에 '모두 지키자人人有責'고 적었다.

사진 159(ⓒ 정연학)

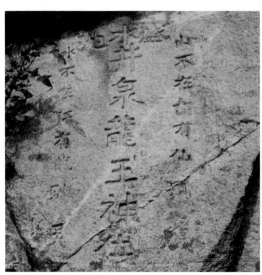

사진 160(ⓒ 정연학)

사진 161

3) 용과 물

① 『태평광기』 기사이다.

진晉 영가永嘉 4년(310), 서역 불도징佛圖澄(232~348)의 낙양걸음 때이다. 석륵石勒

(274~333)이 양국襄國(호북성 형태시邢台市)의 성참城塹으로 흘러드는 물이 끊긴 까닭을 물었더니 '용에게 물 가져오라는 명을 내리시오' 하였다. 상대가 믿기지 않는 눈치를 보이자 '샘의 원천에는 반드시 신룡神龍이 있습니다. 지금 그곳에 가서 칙명을 내리면 물이 반드시 나옵니다' 덧붙였다.

그가 들마루繩床에 앉아 안식향安息香을 사르며 주문을 읊조린 사흘 뒤, 물이 솟으면서 작은 용이 따라 나왔다. 기이하게 여긴 사람들이 가까이 가려하자 용에게 독이 있다며 탄식하였다.

"이틀 뒤 한 소인이 성 아래에서 소란을 피울 것이다."

과연 선비족 단말파段末波(?~325)가 난을 일으켰다(4 「불도징」).

———

앞에서처럼 용이 오랑캐의 대명사로 쓰였다.

서역 구자국龜玆國의 불도징은 4세기에 와서 불경을 한문으로 옮기는 외에, 여러 가지 주문呪文으로 예언과 기적을 베풀었다. 사람들은 117세에 죽은 그를 대화상大和尙이라 일컬었다.

석륵은 오호십육국五胡十六國의 하나인 후조後趙의 첫 황제(319~333)이다. 학교를 세우고 학자를 높이며 관리를 잘 뽑아 쓴 훌륭한 통치자로 알려졌다.

② 앞 책의 기사이다.

———

진晉 위군魏郡(하북성 한단시邯鄲市 남쪽과 하남성 북부 안양시安陽市)에 큰 가뭄이 들어 농민들이 동굴 앞에서 기우제를 올렸더니 비가 내렸다. 다시 감사제를 지내려 할 때, 손등孫登(220~280)이 '이 비는 병든 용이 내린 것이라 농작물에 해가 됩니다. 냄새를 맡아보십시오' 하고 말렸다.

과연 비린내와 악취가 났다. 등창으로 고생하던 용은 이를 듣고 노인으로 바뀌어 손등에게 와서 살려달라며 나으면 반드시 은혜를 갚겠다고 하였다. 며칠 뒤 비가 내렸을 뿐 아니라, 바위틈에서 샘도 찾았다. 용이 샘을 뚫어 보답한 것이다(20 「孫登治病龍」).

———

사람이 용의 병을 고친다니 놀라운 일이다.

손등은 소문산蘇門山에 숨어 지내며 『주역』
을 열심히 읽고, 완적阮籍 및 혜강嵆康과 사귀
었다(『晉書』 권 94 「신선전」 권6). 죽림칠현竹林七賢
의 한 사람인 진의 완적이 소문산에서 은자
손등을 만나 선술仙術을 물었으나 대답 않고
휘파람만 길게 불며 가버렸고, 그 소리는 마
치 암곡巖谷에 메아리치는 난봉鸞鳳 소리 같았
다고 한다(『晉書』 권49 「阮籍列傳」).

사진 162(ⓒ 百度)

사진 162는 용신의 석상이다. 머리에 뿔이
돋았으며 입에 여의주를 물었다. 허리 양쪽으
로 입을 벌린 용머리가 보인다.

우리 기대승奇大升(1527~1572)도 시(「소문산의 긴 휘파람蘇門長嘯」)에 '소문산 봉우리에 메아
리 남아林巒餘振響 / 헛되이 난봉이 내리는 것 알겠네虛覺下鸞皇'라는 구절을 남겼다(『
高峯集』 제1권 「시」).

한편, 장유張維(1587~1638)가 손등이 위魏나라 사람이라고 한 것은 잘못이다(『谿谷集』
제6권 서 「北窓古玉兩先生詩集序」).

하남성 휘현輝縣 서북쪽에 위치한 소문산은 본디 백문산柏門山 또는 백문산百門山으
로 불렸으며, 꼭대기에 백문천百門泉이 있다.

③ 『태평광기』 기사이다.

―――――

수隋(581~618)나라 때, 경양涇陽(섬서성 중부)에 살던 유빙劉憑이 귀신에 홀려서 고
생하는 아낙을 위해 칙령勅令을 내렸다. 그 뒤 옆집 우물이 저절로 마르더니 그
안의 교룡蛟龍 한 마리도 죽었다(1 「유빙」).

―――――

『회남자淮南子』에 '교룡은 비늘이 덮이고 눈썹이 달렸으며 발은 넷이고 목둘레에
흰색 무늬가 있으며 개린介鱗에서 태어났다'고 적혔다. 이 글에 나타난 대로 교룡은
때로 사람에게 해를 끼친다.

유빙은 경론經論의 대천유순大千由旬 따위에 숫자가 달리 적힌 것을 알고 『내외방통

비교수법[內外傍通比校數法]을 써서 바로잡는 외에 중국 고유의 계수법[計數法]에도 견주어 역경[譯經]에 참고가 되도록 하였다.

사진 163은 산동성 제남시 부용가[芙蓉街] 골목의 샘이다. 좁은 골목 안쪽이라 어떤 집 담에 붙여서 마련한 긴 네모꼴 우물에서 한 아낙이 플라스틱 두레박으로 물을 긷는다. 작은 샘이지만 '교룡이 승천하는 샘[登蛟泉]'이라는 돌 판을 붙인 것이 돋보인다(사진 164). 긴 네모 입은 96×46센티미터이며, 전은 너비 33센티미터에 높이 18센티미터이다.

사진 163

위에 '바다를 다스리고 호수를 잠재운다[海領池順]'는 글을 새기고 아래에 길이로 '천답대[泉(?)答對]'라고 적었다. 왼쪽의 '이한의 나이 두 살[李僩時年二歲]'이라는 글은 어린 아기의 장래를 위해서 부모가 좋은 일 삼아 마련한 것을 알려준다. '정묘년 단오에 세웠다[丁卯端陽日立]'는 글도 덧붙였다.

사진 164

④ 『유양잡조』 기사이다.

———

윤가현[允街縣]의 샘물은 똬리 튼 용처럼 얽혀 소용돌이친다. 어떤 이가 시험 삼아 물을 손으로 휘저었더니 용의 형상이 나타났다. 이 물을 마신 나귀나 말들은 모두 놀라 달아났다(권10 「物異」).

———

윤가현은 한대[漢代]의 현 이름으로, 영하현[寧夏縣] 경계인 감숙성 양주[凉州] 금성현[金城縣]에 있다. 『태평광기』에는 원가현[元街縣]으로 올랐으며 물을 손으로 휘저었더니 용이 나타났다고 적혔다(16 「원가천」).

샘의 소용돌이를 보고 용을 떠올린 것이다. 짐승들이 놀랄 만큼 형세가 거셌을 터이다.

⑤ 앞 책의 기사이다.

———

신강현新康縣(신강성新疆省)에서 서쪽으로 백리 떨어진 장포章浦의 샘에 흰 용이 숨
어 살았다. 가뭄이 들 때, 돼지와 양의 똥을 던지면 곧 큰 비가 내렸다. 지금도
마찬가지이다(16 「淸潭」).

———

용이 비를 부르는 것은 냄새나고 더러운 것을 씻어내기 위해서이다. 우리가 기우제
때, 개의 머리를 못에 던지고 피를 뿌리는 이치와 같다. 깨끗함을 드러내려고 '흰 용'
이라 하였을 터이다.

⑥ 『제경경물략帝京景物略』 기사이다.

———

2월 2일은 용대두龍擡頭 날이다. 정월 초하루에 제사 지내고 남은 떡을 기름에
튀기고, 평상과 구들에 연기 쐬는 일을 훈충아薰蟲兒라 한다. 이는 용을 끌어 오
면 벌레들이 나오지 못한다는 뜻이다.
북경에서는 바깥대문에서부터 부엌 물두멍까지 재를 뿌려서 벌레나 뱀이 나오는
것을 막는다(「2월」).

———

용이 활동을 시작하는 날이라는 용대두를 계칩啓蟄이라고도 한다. 청대『제경세시
기승帝京歲時紀勝』에도 '2월 2일 (…) 시골에서 재를 문밖에서부터 부엌까지 구불구불
뿌리며 와서 물두멍 주위를 한 바퀴 돌리는 일을 용 돌리기引龍廻라 부른다'는 기사가
있다(「薰蟲」).
하북성 영평현永平縣에서는 문에서 우물까지는 재, 우물에서 물두멍까지는 겨를 뿌린
다. 또 같은 성 정정부正定府에서는 우물에서 부뚜막을 거쳐 침실까지 뿌린다. 이와
달리 산서성 삭평부朔平府 일대에서는 성읍이나 마을 토지묘에서 용신제龍神祭를 지낸다.
산동성 임구현臨朐縣에서는 사람은 말할 것도 없고 집짐승들도 용을 만나면 해롭다
며 이날 논밭에 내보내지 않는다. '나귀나 말은 먹기만 하고 하루를 보낸다'는 속담은
이에서 왔다. 머슴들도 과요절過要節이라 하여 술 마시고 노래 부르며 즐긴다(金丸良子
1991 ; 108~109).

⑦『**북경풍속대전**北京風俗大全』 기사이다.

음력 2월 2일을 용대두라 부른다. 이날 먹는 국수는 용의 코 밑 수염이고, 넙데데한 떡은 용의 비늘이라 한다(羅信耀 1998 ; 258).

원대(1206~1368)에 시작된 이 풍속은 명대에 퍼졌다가, 청대에 명절節日로 자리 잡았다. 우수雨水·경칩惊蛰·춘분春分 따위의 절기가 이어지는 2월초에 풍년을 불러오는 비가 넉넉히 내리기 바라는 농민들의 소망이 담긴 민속이다.

농사를 시작하는 북쪽의 농민들은 춘경절春耕節, 남쪽에서는 답청절踏靑節이라 부른다. 이날 어린이의 머리를 깎으면 출세한다고도 여긴다.

⑧『**중국산동민속지**中國山東民俗誌』 기사이다.

산간지대 주민들은 정초, 우물의 용신龍神에게 국수와 죽 따위를 차려놓고 '물이 잘 나게 도우소서' 축원한다. 그러나 아기 낳고 한 달 안짝의 아낙네가 가까이 가면 물이 마른다며 꺼린다(金丸良子 1991 ; 110).

아기 낳을 때 피를 흘리므로 부정하다는 뜻인가? 우물에서 칼을 갈면 용신이 자기를 죽이려는 줄 알고 해를 끼친다는 고장도 있다. 주위에 잡귀를 쫓는 복숭아나무를 심지 않는 것도 마찬가지이다.

⑨『**연경세시기**燕京歲時記』 기사이다.

(북경의) 담자사潭柘寺는 '절이 먼저이고 불전佛殿은 뒤'라는 말이 나돌 만큼 오래되었다. (…) 옛적에 샘이 솟았으며 불전은 바로 연못자리였다. 당唐(618~907)의 화엄대사華嚴大師가 산에서 설법할 때, 신령스러운 용이 못을 시주한 덕분에 절을 지을 무렵, 큰 바람이 불어 평지가 되었다. (…) 용은 떠나고 새끼만 이따금 나타난다. 푸른색에 길이 1.5미터쯤이고 머리는 주발만하다(「담자사」).

절은 용이 제 보금자리를 위해 마련한 것으로 보아야 한다.

북경시에서 가장 오래된 담자사는 서진西晉 영가永嘉 원년(307)에 세웠으며 '성城보다 절이 먼저'라는 말도 이에서 나왔다. 첫 이름 가복사嘉福寺를 청의 강희제康熙帝(1662~1722)가 수운사岫云寺로 고쳤지만 절 뒤에 용담龍潭과 꼭대기에 자수柘樹가 있어 처음대로 불린다. 북경 '팔찰삼산八刹三山' 가운데 계대사戒台寺 및 운거사云居寺와 함께 삼산의 하나로 꼽힌다.

사진 165는 북경시 대자사大慈寺 서북쪽의 용천암龍泉庵이다. 1645년에 세운 뒤 1672년에 중수하였다. 첨수천甛水泉의 물은 용의 입을 통해서 못으로 흘러내린다. 사진 166은 용신을 모신 용왕당龍王堂이다.

사진 165(ⓒ 田和子)   사진 166(ⓒ 田和子)

⑩ 절집을 용궁에 견준 왕유王維의 시(「감화사에서 놀며遊感化寺」)이다(부분).

翡翠香煙合	비취색 향기 안개와 합치고
琉璃寶地平	유리가 평평하게 깔린 신성한 땅
龍宮連棟宇	절의 전각 늘어서고
虎穴傍瞻楹	방 옆에 범 굴 늘어서 있네
谷靜唯松響	고요한 계곡에 솔 소리 뿐
山深無鳥聲	산 깊어 새 소리도 없구나

『당시별재집』 7

⑪ 『오잡조』 기사이다.

사나운 동물끼리는 자웅雌雄을 가리기 어렵다. 이를테면 용이 물속에 숨었을 때, 범의 머리를 넣으면 놀라서 반드시 화를 내지만 꺼내면 조용하다. 한 서역사람이 바친 사자를 우물가 나무에 묶어두었더니 안절부절 못하며 빙빙 돌았다. 조금 뒤 풍우가 일어나 주위가 어두워지면서 용이 우물에서 날아올랐다. 이는 서로 겁먹은 탓이다(권9 物部 1 「龍虎」).

사진 167(ⓒ 田和子)　　　사진 168(ⓒ 田和子)

서로 겨룬다는 용호상박龍虎相搏이라는 말이 나온 까닭이다. 서역이라 범 대신 사자가 등장하였다.

사진 167은 광동성 혜주시惠州市 혜동현惠東縣 평해진平海鎭의 우물이다. 뒷벽을 파고 용왕신을 모셨다(사진 168). 가운데에 '용이 오는 길정의 신위來龍吉井神位', 왼쪽에 '귀한 물 쉬지 않고 흐르고琼漿水滚流○', 오른쪽에 '옥같은 물 세차게 솟는다玉液源源○'는 글귀를 새겼다.

타고 남은 향이 가득 꽂힌 것을 보면 오늘날에도 열심히 섬기는 것이 분명하다.

⑫ 『습유기拾遺記』 기사이다.

남심국南潯國(절강성 호주시湖州市?) 동굴 안에 샘이 있고 그 아래로 물길이 통한다. 샘에 모룡毛龍과 모어毛魚가 살며 (…) 남심국에서 모룡 암수 한 쌍을 바쳤다. (…) 하夏나라 때까지 용을 길렀으며 이로써 부족의 이름을 삼았다(권1 「虞舜」).

용을 부족의 이름으로 삼은 것은 용이 지닌 신성神性을 닮기 위해서이다. 모룡과 모어의 '모'는 비늘을 가리키는 듯 하나 썩 어울리는 이름은 아니다.

⑬ **중경시**重京市 酉陽小壩鄉 龍池村에 신기한 우물이 있다. 벽을 돌로 두드리거나 사람이 소리치면 대답이라도 하듯, 물이 파르르 떨며 2미터쯤 솟았다가 10여 분 뒤 다시 갈 아 앉는다.

사람들은 뒷산의 오래된 절에서 고승이 늘 향을 사르고 불경을 읊조리자, 감동한 용이 찾아와 우물을 바쳤다고 한다.

산위 절의 도승이 부처의 힘을 빌려서 샘을 마련하였다는 유래담 그대로이다.

⑭ **절강성 온주시**溫州市에 산 위의 용 우 물에 제사를 올리며, 이곳의 개구리·물 고기·뱀 따위를 나무통에 담아와 사당 에 놓았다가 비가 내리면 다시 가져가서 풀어주는 풍속이 있다.

사진 169

이는 용을 협박하려고 동물들을 사당 으로 옮긴 것이다. 같은 곳에 있는 육경 암毓慶庵 우물지붕의 여의주를 다투는 용 둘 가운데 왼쪽은 수컷, 오른쪽은 암컷 으로 이로써 물이 끊이지 않는다고 한다.(사진 169) 이곳에서는 용신과 터지기를 함께 받든다.

전라남도 장흥군 유치면 봉덕리 가지산 보림사寶林寺 우물지붕에도 같은 형상이 있 다. (☞ 482~483)

⑮ 『**양주화방록**揚州畵舫錄』 기사이다.

청룡천靑龍泉은 본디 청령사靑寧寺 안에 있었다. 서역 중 불타발타라佛馱跋陀羅(359 ~429)가 『화엄경』을 중국말로 옮길 때, 우물에서 나온 푸른 뱀 두 마리가 푸른 옷차림의 동자로 바뀌어 도왔다고 하여 이렇게 불렸다. 성을 새로 쌓으면서 우물 이 청령문 안으로 들어갔다.

옹정雍正 때(1723~1735), 중 이종理宗이 돈을 모아 주위의 땅을 사서 비를 세웠으 며, 가뭄이 들면 기우제를 지낸다. 건륭乾隆 무자년(1768) 이후, 물이 말라서 더 이상 손대지 않았다. 비는 벽 사이에 박혀 있다(권4 「新城北麓」).

우물에서 나온 푸른 뱀 두 마리는 용이면서 지기인 청룡동자인 셈이다. 불타발타라는 각현覺賢이라는 뜻이다. 선종禪宗을 퍼뜨리면서 연관된 『달마다라선경達磨多羅禪經』과 『대반니원경大般泥洹經』 따위를 번역하였다.

⑯ 『몽계필담夢溪筆談』 기사이다.

월주越州(절강성 소흥시蘇興市) 응천사應天寺 너럭바위에 만정鰻井이 있다. 돌 두께는 서너 발이 넘지만 입은 서너 마디에 지나지 않으며 깊이는 모른다. 당唐의 서호徐浩(703~782)가 '깊은 우물에 만정이 열렸다'고 읊조린 그대로이다.

오래 전부터 우물 위로 떠오른 뱀장어를 잡아 소매 속에 넣어도 이상한 느낌이 들지 않는 따위의 신기한 일이 벌어졌다. 또 보통 것과 같지만 비늘이 달리고 귀가 크며 꼬리에 황소黃巢(835~884)의 칼을 맞은 자국이 보인다는 말도 있다. 월주에서는 이 장어가 물 위로 떠오르면 가뭄이 들고 돌림병이 퍼진다고 믿는다(제20권 「神奇」).

뱀장어는 수신의 총수總帥인 용의 다른 이름일 터이다. 가뭄이나 돌림병에 연관된 것도 증거의 하나이다. 만정은 강소성을 비롯한 여러 곳에 있으며 운만정雲鰻井이라고도 한다.

우리 한치윤韓致奫(1765~1814)의 시(「신라 엄상인의 '추일견기' 시에 운을 빌려 화답함次韻和嚴上人秋日見寄」)에 '귀대에 해 지자 노을 빛나고龜臺落日明霞綺 / 만정에 조수 차 돌 이끼 끼네鰻井寒潮長石衣'라는 구절이 있다(『海東繹史』 제50권 「藝文志」 9).

⑰ 『북경풍속대전』 기사이다.

북경시 건설이 시작될 무렵, 거리 북동쪽에서 용 한 마리가 나타났다. 스스로 갖춘 위대한 신통력 덕분에 인간으로 변하였음에도 건설 사업에 참가한 중들에게 들켜 잡히고 말았다. 용왕 대리자인 그는 용왕의 명만 받으면 홍수를 일으키는 권한을 가지고 있었지만 중들이 이상한 방법을 써서 우물 속에 가두었다. 그때 근처에 다리가 섰다. 용이 '나를 언제 풀어줄 것이냐?' 묻자 중들은 '다리가 헐어서 못 쓰게 될 때'라고 하더니, 무거운 돌 덮개를 얹고 그 위에 절을 지었다. 그들은 약속을 어기지 않으면서도 용을 그대로 둘 목적으로 다리 이름도 신북교新北橋라 붙였다.

사진 170

이 용이 동성東城에 갇히던 무렵, 또 한 마리의 용이 서성西城에서 잡혔다. 중들은 앞의 용과 같은 방법으로 우물에 가둔 뒤, 엄청나게 무거운 덮개를 얹고 큰 탑을 세웠다. 백탑사白塔寺(사진 170)의 이 거대한 탑(병을 닮았다고 하여 북경에 사는 외국인들은 병탑甁塔이라 불렀다) 덕분에, 용이 밖으로 나와 북경을 호수로 바꿀지도 모른다는 근심이 없어졌다(羅信耀 1988 ; 240).

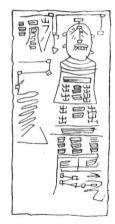

그림 55(ⓒ 吳裕城)

———

절과 탑의 신령스러움을 더하려고 꾸몄을 터이지만 줄거리도 오락가락이어서 현실감이 떨어진다.

민간에서는 오래 전부터 용신을 섬기는 외에 부적을 쓰기도 하였다.

그림 55는 호남성 형양시衡陽市 오대五代(907~960) 우물유적에서 나온 벽돌에 보이는 부적이다符籙刻紋塼. 팔八자 눈썹을 지닌 신상神像은 몸 가운데에 일日, 좌우 양쪽에 출出자를 길이로 새겼다.

사진 171의 섬서성 서안시西安市 장안구長安區에 있는 관중민속예술박물원의 용천정龍泉井은 용을 우물지기로 받드는 좋은 보기이다. 유

사진 171

리 덮개 모서리마다 용을 그려놓았다.

사진 172·173은 운남성 홍하紅河 일대에 거주하는 하니족哈尼族 어떤 마을의 한데 우물이다. 이처럼 용신이 아닌 산신을 지기로 받드는 우물이나 샘은 아주 드물다.

사진 172(ⓒ 정연학)　　　　　　　　　　사진 173(ⓒ 정연학)

현판 내용이다.

운남성 홍하 주변의 높은 산 다락논에서 벼농사를 짓는 하니족은 만물에 영혼이 깃들었다고 생각한다. 물을 신령이 준 생명의 피로, 숲과 높은 산은 물의 집이라 여긴다. 물은 이들을 보호하는 자연의 단 샘물이다. 높은 산 깊은 곳의 원시산림에서 흐르는 깨끗한 물이어서 마시면 건강과 장수를 누린다.

사진 174는 제남시 포돌천跑突泉의 용의 입이다.

사진 175는 북경시 자금성 우물지붕 용마루에 얹은 용이다. 마주보고 입을 크게 벌린 모습이 싸우는 듯하지만, 우물의 물이 그치지 않기를 바라는 뜻이 담겼다(사진 176).

사진 174

사진 175   사진 176

사진 177은 산동성 제남시 오룡천五龍泉에서 페트병에 물을 받는 사람들이고, 사진 178은 물이 나오는 용의 입이다.

중국뿐 아니라 우리나 일본에서도 흔히 눈에 띤다.

사진 177   사진 178

⑱ 『당육전唐六典』 기사이다.

현종玄宗(712~756)이 황제가 되기 전, 장안長安 융경방隆慶坊 저택 동쪽에 오래된 우물이 있었다. 안에서 갑자기 물이 솟아 넘치는 바람에 연못이 되더니 이따금 황룡이 나타났다. 즉위한 현종은 이를 용지龍池라 불렀다(권7).

못의 황룡 덕분에 황제가 되자, 이름을 용지로 지어 보답하였다는 뜻이다.

5. 물장수

그림 56은 송대 장택단張擇端의 「청명상하도淸明上河圖」의 부분이다. 북송 도성인 변량汴梁(개봉開封)의 풍광을 그린 것으로 화폭의 거의 끝부분에 한데우물이 있다.

전田자 꼴 입 넷에서 네 사람이 긷는 아주 큰 우물이다. 주변에 벽돌을 물매지게 깔아서 정결한 느낌을 준다. 둘러선 세 사람의 엄장이나 차림은 하릴없는 물장수이다.

① 같은 시기(1147년)에 나온 『동경몽화록東京夢華錄』 기사이다.

그림 56

———
사람들에게 물을 길어주는 물장수들은 자신의 구역이 따로 있다. 여름에는 양탄자를 빨고 우물 청소도 하였으며, 부르기만 하면 언제든지 눈앞에 있던 것처럼 제빨리 나타났다(권3 「諸色雜賣」).

———

남송의 맹원로孟元老(?~?)는 이 책에 수도 동경東京(지금의 하남성 개봉開封)의 이모저모를 눈에 보이는 듯이 펼쳐놓았다. 물장수가 일찍부터 등장한 것과 제 구역이 따로 있었고 우물청소도 맡았다는 기사가 눈길을 끈다.

② 『지나민속지』 기사이다.

———

우물이 없어 물을 사 먹거나 물담사리를 부리는 북경시의 가정에서는 섣달그믐날 오후, 미리 정월 초이틀이나 사흘까지 쓸 물을 독이나 물두멍 따위에 가득 채운다. 이때 주인이 상대의 물통에 엽전 서너 닢을 넣어서 감사의 마음을 보이며, 이를 압통전押桶錢이라 한다. 통을 비우고 정월을 맞으면 이롭지 않다는 뜻과, 세배 돈으로 주는 압세전壓歲錢의 의미가 들어 있다.

물장수들은 겨울에 내나 강의 얼음을 깨고 물을 뜨며, 정월 초하루 새벽, 한 해 동안 벌이가 잘되기 바라는 뜻에서 수신水神에게 폭죽을 터뜨리고 제사를 올린다 (永尾龍造 1940 ; 629).

———

압세전은 압년전壓年錢 또는 압요전壓腰錢으로도 불리며, 홍콩이나 중화민국 등지에 사는 객가客家들은 알년전軋年錢이라 한다. 이 가운데 압요전은 어린이 허리에 거는 데서, 압세전은 '세歲'의 소리 값이 '나쁜 병'이라는 뜻의 '수'와 같은 데서 왔으며(사진 179·180), 우리나 일본의 세배 돈과 같다.

사진 179(ⓒ 百度)

『연경세시기』에 '색실로 꼰 끈에 돈을 용꼴로 꿰어 상다리에 놓는 것을 압세전이라 한다. 어른들이 어린이들에게 주는 것도 마찬가지'라는 기사가 있다(「압세전」).

한편, 북경시와 천진시 일대에서는 재신財神에게 제사를 올리는 정월 초이튿날 새벽, 물장수들이 물 한 통과 땔감蘆葦莖 한 묶음을 가지고 집집을 찾아다닌다. 그가 '재물과 물을 받으시오進財進水' 축원하면, 주인은 '재수財水를 받습니다' 응답한다.

사진 180(ⓒ 百度)

이 진재수進財水 풍속은 시柴와 재財의 소리 값이 같아서 재화財貨가 물처럼 흘러든다는 뜻이다. 주인은 초닷새 이후부터 이들에게 넉넉한 재수전財水錢과 술값酒錢을 건넨다(『中國民族民俗文物辭典』). 오늘날에도 세배 돈을 넣은 봉투를 압세포壓歲包라 한다(사진 181).

사진 181(ⓒ 百度)

사진 182는 북경시내 물장수가 한데우물에서 길은 물을 외바퀴수레에 실어 나르는 모습이다. 수레에 얹은 나무틀에 물통 네 개를 실었다.

그림 57의 위 가운데는 물통을 실은 외바퀴수레이고, 오른쪽은 물통과 어깨 멜대이다. 수레가 들어가기 어려운 곳에서는 이것으로 나른다. 왼쪽에 도르래우물이, 아래에 물 뜨는 그릇과 물두멍이 있다.

<table>
<tr><td>사진 182(ⓒ 內田道夫)</td><td>그림 57</td></tr>
</table>

북경에 물장수가 많이 등장한 것은 원元대(1206~1368)부터이다. 도성에서 우물 근처에 '시수당施水堂'을 세우고 말과 사람에게 물을 댄 것이다. 실제로 북경의 '후통胡同'은 우물을 가리키는 몽골말에서 왔다.

　그들의 대부분은 산동성 출신으로 대를 이어가며 맡았다. 일제강점기의 함경북도 북청사람들도 이들을 닮았다. (☞ 495~504)

③ 우리 홍대용洪大容(1731~1783)의 『담헌서湛軒書』에 북경의 물장수가 등장한 까닭이 적혀있다.

―――――

궁성으로부터 거리에 이르기까지 모두 하수도를 묻어서
비가 퍼붓다가도 날이 개이기만 하면 신이 빠질 정도의
진탕은 없다. 크고 작은 길 양쪽의 하수도 덕분에 거마車馬
의 왕래도 순조롭다. 이른 봄이면 더러 하수도 청소부가
나타나지만 깊이가 두어 길이나 되는 안쪽에서 풍기는
악취 때문에 숨을 못 쉴 지경이다. 우물과 샘물이 많아도
물맛은 모두 나쁘다. 이 때문에 옥하玉河 근방의 사람들은
모두 강물을 마신다. 온 성안의 하수도가 흘러든 탓에
더럽고 흐려서 가까이 가지 못하지만 사람들은 그래도
우물물보다 낫다고 한다(外集 권8 「燕記」).

―――――

그림 58은 '사천민속풍정화四川民俗風情畵'의 한 장면으로,

그림 58

물을 길어온 물장수를 한 노파가 문간에서 맞이한다. 그림에 '옛 성도成都의 강이나 우물물은 아주 맑고 깨끗해서 모든 집千家萬戶의 일상 생활용수를 물장수들이 길어 날랐으며 그들은 이로써 생계를 이어나갔다'고 적혔다.

멜대와 물통은 근래까지 각지에서 쓴 것과 같다.

사진 183은 산동성 제남시濟南市의 거리에서 1920년대의 물장수들이 물을 긷는 모습이다. 갈비뼈가 앙상하게 드러난 중늙은이가 물지게를 들고 선 채, 웃통을 벗은 젊은이가 물통에 고리 걸어주기를 기다린다.

보고자가 '먼지와 이상한 냄새가 열기에 휩싸인 중국 거리의 대낮, 그 먼지 속에서 아무렇지도 않게 물을 각 집으로 나르는 것이 음료수'라고 하였지만(『亞東印畵輯』 213-2), 제남시는 물맛 좋기로 으뜸가는 곳인 만큼 마셔도 문제가 없었을 터이다.

사진 183

6. 샘(우물)과 불교

불교와 연관된 샘이나 우물이 적지 않은 것은 포교 목적으로 서민들의 물 부족을 해결해준 것과도 연관이 깊다.

(1) 중이 샘이나 우물을 마련해준다.

① 『법원주림法苑珠林』 기사이다.

동진東晋(317~418) 때, 여산廬山(강서성 구강시九江市 남쪽)에서 제자들과 절터를 찾던 혜원법사慧遠法師(332~414)가 목이 말라 신불神佛에게 '이곳이 절터라면 좋은 물을 주소서' 읊조리고 지팡이로 땅을 팠더니, 곧 솟아올라 절을 짓고 용천정사湧泉精舍라 불렀다(『왕유 시전집』에서 재인용).

———

양梁(502~557)의 경태선사景太禪師도 나부羅浮(광동성 광주시廣州市) 송적사宋積寺에 있을 때, 신도들이 물이 없어 걱정하자 지팡이로 땅을 두드리고 나서 다시 세웠더니 물이 솟았다고 한다. 도사가 지팡이로 샘이나 우물을 뚫은 일은 우리나 일본에도 많다.

『연사고현전蓮社高賢傳』에 도연명陶淵明(365~427)이 술을 내겠다는 여산 동림사東林寺의 혜원법사를 찾아갔다는 기사가 보이며(「혜원법사」), 그가 술에 취해 누웠던 바위에 파인 자취가 남았다는 '연명취석淵明醉石'도 이 산에 있다고 한다(『朱子語類』 권138).

② **양 무제武帝(502~549)** 때 부모를 여의고 눈까지 먼 절집의 어린 물담사리가 물을 먼 데서 길어왔다. 앞이 안 보이는 탓에 반 이상 흘리는 그를 사람들은 바보憨憨라 불렀다. 어느 날 물 뜨러 가다가 졸고 있을 때, 꿈에 나타난 부처가 그 자리를 파면 물이 나온다고 일러주었다.

맨 손으로 파는 중에 주지가 오더니 '물이 나오면 내가 두꺼비가 되어 너를 지켜주마' 비웃었다. 그러나 실제로 물이 솟았고 그 물로 씻은 덕분에 눈도 떴다. 제 말대로 두꺼비가 된 주지는 밤새 울며 샘을 지켰다. 뒤에 감감존자憨憨尊者가 된 동자를 기리는 뜻에서 감감천憨憨泉이라 불렀다. 사진 184가 그 우물이다.

그가 팠다는 우물이 장수성 소주시蘇州市 호구虎丘 운암사雲岩寺 옹취산장擁翠山莊에 있다. 산장은 청 덕종(1875~1908) 때 소설 『얼해화孽海花』의 실제 주인공 홍균洪鈞이 널리 알리려고 세웠다고 한다.

사진 184(ⓒ 百度)

③ 『태평광기』 기사이다.

———

당 현종玄宗 때 섭법선葉法善(616~720)이 도술로 용을 괴롭히는 요망한 중을 쫓아 주었더니 진기한 보물을 수레에 가득 싣고 찾아 왔다. 그는 산속의 신선들은 보물이 필요치 않다며 샘을 파달라고 청하였다. 그 날 저녁 비바람 소리가 들리면서 이튿날 산기슭 사방에 도랑이 생겨서 샘물이 흐르기 시작하였고, 겨울에도 마르지 않았다. 이것이 오늘날의 천사거天師渠이다(2 「섭법선」).

———

용이 곧 물이므로 이보다 더 쉬운 일을 없을 터이다.

④ **앞 책의 기사이다.**

———

당 신룡神龍 원년(705), 방주房州(호북성 방현房縣)의 음은객陰隱客이 두 해 동안 땅을 천여 척이나 팠지만 물이 나오지 않더니, 한 달이 더 지나 닭과 개 소리가 들렸다. 이번에는 옆으로 파자 또 다른 세상으로 통하는 길이 열렸다. 일꾼들이 더듬어 들어가는 중에 바위는 온통 푸른 유리 빛이고, 골짜기마다 금은으로 지은 궁궐이 있었다. 문에 천계산궁天桂山宮이라고 쓴 현판이 보이고, 바위마다 우윳빛 물이 솟는 백천白乳泉이 흘렀다.

돌아온 일꾼들이 그의 집을 찾았을 때, 사람들은 그가 죽고 서너 세대가 지났다고 하였다(권20 「음은객」).

———

'우물 아래의 다른 세상'은 바로 저승이다.

불교에서는 샘물을 젖에 견준다. (☞ 940) 백천이라는 샘과 백천사白泉寺(사진 185)라는 절 이름도 이에서 왔다.

사진 185(ⓒ 百度)

⑤ **『회남자』 기사이다.**

———

백천은 9백년 만에 백여白鸒를 낳고, 백여는 9백년 만에 백홍白澒을 낳는다. 그는 9백년 만에 백금白金을, 백금은 천년 만에 백룡白龍을 낳으며 백룡은 땅 속으로 들어가 백천白泉을 이룬다. 백천의 먼지가 위로 올라가 백운白雲이 되면, 음양이 서로 다투어 우레가 되고 거세게 부딪쳐 번개로 바뀐다. 이로써 위에 있던 백천 기운이 아래로 내려와 물이 되어 흐르면서 백해白海로 모여든다(제4편 「墬形」).

———

오석五石의 하나인 백여는 비금속 원소元素이다. 고대에 불로장생을 누린다는 단丹을 빚는 데 썼으며 백홍은 수은을 가리킨다. 백여·백홍·백금 따위의 광물이 백룡을 낳는다는 대목을 지금 사람은 믿기 어렵다.

⑥ 앞 책의 기사이다.

―――――

당 경룡景龍 때(707~709)에, 불심 깊은 만회萬廻가 숨을 거두기 전에 고향의 강물을 떠오라고 일렀다. 제자와 승려들이 물을 못 찾자 '바로 당堂 앞에 있지 않으냐?' 소리쳤다. 계단 밑을 팠더니 과연 물이 솟았다. 그가 마시고 숨을 거둔 그 물은 지금도 맛이 달다(4 「만회」).

―――――

진리를 먼 곳에서 찾지 말라는 뜻인가? 우물이 생명이 태어난 자리라는 말인가? 그는 부모가 감숙성 주천시酒泉市 안서현安西縣에 있는 형을 걱정하자, 아침에 떠나 저녁에 편지를 가져왔다고 한다. 만회라는 이름도 만리萬里 길을 해동갑하였다는 뜻이다.

이처럼 주문을 외워서 평지에서 솟은 우물을 투정投井 또는 발정拔井이라 한다.

⑦ 『회남자』 기사이다

―――――

지智 스님이 초주楚州(강소성 회안시淮安市 초주구)의 산간 사람들을 위해 우물을 파는 중에 세 발 깊이에서 돌이 나오고, 다시 같은 깊이에서 석류꽃처럼 붉은 옥이 선보였다. 길이 36센티미터에 너비 12센티미터이며 각 면에 여섯 마리의 거북을 새긴 것으로, 가운데가 물이 담길 만큼 움푹 파였다. 스님이 잘못 건드려 모서리가 떨어지자 핏방울이 보름 동안이나 흘러내렸다(15 「초주 중」).

―――――

우물이 완성되었기에 거북을 새긴 옥이 나왔을 터이다. 이들은 우물지기이다.

⑧ 『전등삼종剪燈三種』 기사이다.

―――――

오대五代 후당後唐(923~936)의 수선사修禪師가 험한 절벽의 암자에서 도를 닦았다. (…) 그가 잠들어 코를 골면 토끼가 발을 감싸고, 사슴은 침상에 둘러서며, 새들은 음식을 날랐다.

이를 본 사람들이 절을 짓자 설법으로 시주에 보답하는 중에 꽃비가 내렸다. 잠시 후 선당禪堂 아래에 우물 다섯이 생기고 쌀·무명·소금·채소 따위가 가득차 있었다. 그가 이것으로 밥 지어 공양하자 모자라지도 남지도 않았다. (…) 우물 네 개는 메워졌지만 하나는 남아 있다(下「聽經猿記」).

―――

선당 아래의 우물을 알가정閼伽井이라 한다. (☞ 1266~1268)

오안정五眼井에서 나온 여러 가지 음식은 우물이 생명의 원천임을 알려준다. 우리네 전라북도 완주군 화암사花巖寺에도 우화루雨花樓가 있다.

⑨『지나민속지』 기사이다(?).

―――

제전화상濟顚和尙이 강소성 항주시杭州市시에 마련한 오산제일천吳山第一泉은 물이 마르지 않도록 자라 한 마리를 넣은 덕분에 그친 적이 없다. '언제 풀려나느냐?'는 자라 물음에, 선사는 정월 초하루 오경五更(새벽 3~5시)이라 일러주었다. 이 뒤부터 자라가 떠나면 홍수가 난다며 야경꾼은 초하룻날 일경一更(오후 7~9시)에서 사경四更(새벽 1~3시)까지만 징을 친다. 지키는 사람들도 오경에는 등불로 바닥 살피기를 삼가서, 불을 본 자라가 때가 된 줄 알고 나오지 않도록 조심한다.

―――

'자라가 떠나면 홍수가 나는 것'이 아니라 우물이 마른다고 해야 그럴듯할 터이다. 자라는 용의 다름 이름이다.

오산제일천은 항주시 상역구上城區 대정항大井巷에 있는 전당제일정錢塘第一井의 옛 이름으로, 깊이 4미터쯤의 오안정五眼井이다(사진 186). 전에서 물까지의 거리는 1.8미터이고 여섯모 전의 높이

사진 186

는 32센티미터, 입 지름은 34센티미터이다.

이와 달리 우물을 오대五代 오월吳越시대 (908~978)의 오월국사吳越國師 덕소화상德韶和尙이 팠다고도 한다. 둘레 네 발의 큰 우물임에도 덮개가 없어 빠져 죽는 사람이 늘어나자 남송 소흥紹興 때(1131~1162), 큰 돌을 덮고 여섯 개의 입을 뚫었으며 명 홍치弘治 때 (1488~1505) 하나를 줄였다는 말도 있다. 남송 순우淳祐 7년(1247), 항주 일대에 든 큰 가뭄에도 이들은 마르지 않았다.

사진 187

사진 187은 북경시 자금성의 한 우물이다. 둥글게 다듬은 전 위에 여덟모 돌을 얹고 한가운데에 둥근 돌을 덮었다. 사진 188의 한가운데를 손에 잡기 쉽도록 오목하게 판 것을 보면 우물을 복원할 때 마련한 것이 아니라, 본디부터 있던 덮개로 생각된다.

덮개 옆에 불로장생을 나타내는 절곡무늬를, 몸에 상서로움의 상징인 거북을 새겼다.

사진 188

(2) 샘은 부처를 상징한다.

『태평광기』 기사이다.

———

투주渝州(중경시重京市) 서쪽 상사사相思寺 부근에 부처 발자국 12개가 찍힌 돌산이 있다. 발자국은 길이 1미터에 너비 33센티미터이고 깊이 10센티미터쯤이며 가운데 물고기 무늬가 있다.

당 정관貞觀 20년(646) 10월, 절 옆 샘에서 갑자기 너비 1미터의 붉은 연꽃이 피더니 한 달이 지나도록 그대로 있었다(4「渝州蓮花」).

———

우리가 아는 대로 연꽃과 부처는 한 짝이다.

(3) 우물은 많은 공덕을 지녔다.

『오잡조』 기사이다.

금릉金陵(남경) 종산鍾山에 팔공덕수八功德水가 있다. 양梁 천감天監 때(502~519), 서역 중 담은曇隱이 우물곁에 축대를 쌓았다. 이 샘은 첫째 맑고, 둘째 차며, 셋째 향기롭고, 넷째 부드러우며, 다섯째 달고, 여섯째 깨끗하며, 일곱째 엽饁하지 않고, 여덟째 오래된 병을 고친다. 우물 이름은 이에서 왔다(권4 地部 「팔공덕수」).

여덟 가지 공덕功德을 지녔다는 팔공덕수는 극락정토極樂淨土의 물이다. 달고甘·차고冷·부드럽고軟·가볍고輕·깨끗하고淸淨·냄새가 없으며不臭·목이 상하지 않고飮時不損喉, 뒤탈이 없는飮已不傷腸 장점을 지녔다.

사진 189가 청해성 서래사西來寺의 비이다.

'엽'은 들에서 일하는 이들에게 보내는 음식이나(『시경』「有饁其饁」), 들일 하는 사람에게 내가는 밥을 이르는 말이지만(『시경』「饁彼南畝」), 앞글에서 무슨 뜻으로 썼는지 알 수 없다.

우리 가사(「금강산 유산록金剛山遊山錄」)에도 '정신이 상쾌하다 극락세계 팔공덕수 / 팔덕이 구족具足하여 그 맛이 좋거니와'라는 구절이 있다.

사진 189(ⓒ 百度)

팔공덕은 인仁·의義·예禮·지智·신信·충忠·효孝·제悌의 여덟 가지 덕목이다.

(4) 샘물로 병을 고친다.

① 『양주화방록揚州畵舫錄』 기사이다.

———

강소성 회안시淮安市 우태현盱眙縣 고상향古桑鄕에 있는 소구산掃坵山의 본디 이름
은 소구산騷狗山이다. (…) 산 어귀를 나서면 바로 서문西門 도천묘都天廟에 이르
며, 그 안에서 밤마다 불경 읽는 소리가 끊이지 않는다. (…) 갑인년에 갑자기
샘이 솟더니 병을 고치는 효험이 높아서 날마다 백여 명이 넘게 찾아왔다. 그러
나 한 달 남짓 지나 말라버렸다(권8 「城西錄」).

———

불경을 읊조린 덕분에 우물이 성수로 바뀌었다는 뜻이다. '병 고치는 샘'은 우리와
일본에도 흔하다.
도천묘는 도교에서 상서로움을 상징하는 도천신을 모신 사당이다.

② 『돈황의 전설』 기사이다.

———

(감숙성) 돈황敦煌 막고굴 삼위산三危山 중턱에 있는 관음정觀音井과 작은 사당 관
음묘觀音廟의 내력담이다.
어느 날 남해 관음보살이 요지瑤池의 서왕모西王母 잔치에 다녀오는 길에 천불동
千佛洞 위에서 땅을 내려다보았더니 부처의 세계가 장엄하게 펼쳐져 있었다. 보
살이 보는 사이, 손에 든 정병이 한쪽으로 기울어져서 감로수甘露水가 천불동 맞
은편의 삼위산으로 떨어진 탓에 바위가 패이면서 마르지 않는 샘이 되었다.
때마침 중병에 걸린 중이 샘물을 마시자 씻은 듯 나았다. 신심이 두터워진 그는
관음보살의 영험을 알리는 한편, 절집을 짓는다며 돈을 모으기 시작하였다. 그러
나 욕심이 커진 탓에 한 잔에 동전 한 닢이던 물 값을 은전 한 냥으로 올리자
효험이 사라졌다(정병윤 2006 ; 40-42).

———

목적이 아무리 훌륭해도 욕심이 지나치면 안 된다는 뜻이다.
사진 190은 관음정 곁 정자에 걸린 안내판이고, 사진 191은 우물 안 모습이다.

사진 190(ⓒ 정병윤)　　　　　　　　사진 191(ⓒ 정병윤)

(5) 우물은 강과 통한다

절강성 항주시 일대의 운목고정運木古井 전설이다.

정자사淨慈寺가 불에 타자 감사監寺는 술 취한 제전화상濟顚和尙이 촛불을 넘어뜨린 탓이라며 사흘 안에 다시 지으라는 명을 내렸다. 그는 마실 것만 넉넉하면 목재를 구한다더니 크게 취하여 사흘 동안 잠만 잤다. 나흘째 중들이 깨우자 '나무가 왔다. 나무가 왔다' 소리쳤다. '어디 있느냐?'는 물음에 '나무가 크고 길이 멀어 바다로 온다'는 대답이었다.

장로長老가 사람들을 전당강錢唐江으로 보내려 하자 '절의 성심정醒心井이 강에 통하므로 샘 위에 탑을 세우고 사다리를 걸면 뿌리가 위로 떠오른다'고 하였다. 과연 한 뿌리씩 70개나 올라왔다. 그러나 한 중이 너무 많다고 소리치는 바람에 그쳤으며, 마지막 하나는 우물에 남았다. 우물 이름이 운목고정運木古井으로 바뀐 까닭이 이것이다. 나무를 신이 날랐다고 하여 신운정神運井이라고도 부른다.

사진 192가 운목고정이다.

정자사는 오대五代 954년, 월왕越王이 영명대사永明大師(904~975)를 위해

사진 192(ⓒ 百度)

지었다고 한다. 제전화상은 '오이를 심으면 오이를, 콩을 심으면 콩을 얻는다'는 인과 응보를 강조하는 경세시警世詩를 남겼다(『원본 명심보감』 권하).

전당강은 저장성 북부를 거쳐 항주만杭州灣으로 흐른다.

(6) 우물에 사람을 바친다

『돈황의 전설』 기사이다.

———

당 정관貞觀 때(627~649), 돈황 명사산鳴砂山 절벽에 석굴을 뚫는 사람들이 들끓어서 하루에만 소금 한 섬 두 말이 들었다. 뛰어난 솜씨를 지닌 장씨 화공과 딸 오색五色은 사주군沙州郡 조대인曹大人의 시주로 이태 만에 끝냈지만, 석벽에 그림을 그리던 중에 물감이 떨어졌다. 오색이 꿈에 삼위산으로 가서 땅에 흩어진 물감을 집으려할 때마다 땅속으로 사라졌다. 애가 타 울음을 터뜨린 그네에게 나타난 관음보살이 '아무리 써도 마르지 않는 물감이 절벽 아래 우물에 있다'고 일러주었다

이튿날 찾은 우물에 딱총나무로 엮은 줄을 타고 내려갔다가 줄이 모자라 대롱대롱 매달렸다. 인부들이 줄을 이으려고 당기는 순간 그네는 바닥으로 떨어져 죽었다. 눈물을 흘리며 돌아서는 아비 뒤로 물감이 펑펑 솟구쳐 올랐다. 사람들은 이를 오색정五色井이라 불러서 그네를 기렸다(정병윤 2006 ; 24-32).

———

부처가 처녀를 제물로 삼았다는 뜻인가? 사람을 제물로 바쳤다는 이야기는 우리와 일본에도 적지 않게 떠돈다.

6장

여러 곳의 우물

1. 절강성

벼농사가 시작된 신석기시대의 장강 하류에서 처음 선보였으며, 앞에서 든 하모도河姆渡유적이 대표적이다.

그림 59는 지름 5센티미터의 기둥 28개를 세우고 지붕을 얹은 모습이다. 우물은 지름 6미터로 못이나 웅덩이에 가깝다. 흙이 흘러내리지 않도록 바닥에 사방 2미터의 귀틀을 박았다.

그림 59

그림 60

『중국고대 과기사도설中國古代科技史圖說』 기사이다.

———

200여 개의 말뚝과 긴 통나무 울을 치고 지붕을 얹었으며 깊이는 1.35미터이다. (…) 사람이 판 것으로, 우기에 물이 차면 물을 뜨고, 가물어서 물이 줄면 돌을 던져서 수면을 높였다. (…) 또 물이 바싹 마르면 바닥 가운데를 파내려 갔다. (…) 물이 넘치거나 짐승이 들어가는 것을 막으려고 바닥에 귀틀을 박았다(邵九華 1989 ; 93).

———

그림 60에 보이는 대로 물이 어느 정도 차면 사람이 바가지 따위의 그릇을 가지고

들어가서 퍼 담았다. 사진 193은 발굴 장면
이다.

사진 194는 절강성 항주시杭州市 교외 농
촌의 바가지우물 옆모습이다. 계단 10여 개
를 놓았으며, 물이 줄면 바닥 오른쪽에 붙인
발판에서 뜬다. 왼쪽 한 가운데에 쌓은 턱에
물통이나 두레박 따위를 올려놓는다.

사진 195는 길가에서 본 모습이다. 보통
우물처럼 벽을 잔돌로 쌓았다.

사진 196은 앞과 같은 곳의 것이다. 세
곳에 박은 파이프를 통해 모터로 물을 올리
는 개량형이다.

사진 193(ⓒ 周新華)

사진 194

사진 195

사진 196

사진 197은 1994년 무렵의 한 농촌
마을 우물이다. 긴 장대 끝에 직각으
로 구부린 갈고리를 달고 두레박 손잡
이에 걸어서 올리거나 내린다(사진 198).
손잡이 가운데를 위로 구부려서 갈고
리에서 벗어나지 않는다. 장대와 두레
박은 공용이다.

통나무를 파서 만든 두레박에 악귀

사진 197

를 쫓는 붉은 칠을 하고, 바닥에 쇠테를 둘렀으며 어깨에도 철사를 감았다. 손잡이 기둥을 따로 박고 한쪽에 '一九八一年', 다른 쪽에 '謝時德誌'라고 적었다(사진 199·200). 사시덕이라는 사람이 우물을 팠거나 두레박을 마련하였다는 뜻일 터이다. 1981년에 만든 두레박이 15년쯤 지나고도 이처럼 멀쩡한 것은 놀라운 일이다.

사진 198

사진 199

사진 200

사진 201은 금화시金華市 교외 농가의 한 아낙이 양철통으로 물을 긷는 모습이다. 위에 여섯모로 다듬은 돌전을 올려놓았나. 왼쪽에 낮은 돌을 박아서 두레박이나 물통을 올려놓기 십상이다.

2. 산동성

1) 장구시章丘市

가장 오랜 북신北辛문화(전 6000~전 5000)

사진 201

말기의 맨우물土井이 제령시濟寧市 장산張山에서 나왔다. 가로 1.14, 세로 1.34미터의 타원형으로 깊이 2.7미터쯤이다. 이밖에 하남성 탕음현湯陰縣 백영白營유적과 앙소仰韶문화기(전 5000~전 4000)의 유적에서도 관련 유물이 출토되어 이 시기에 우물을 널리 퍼진 것을 알려준다.

　사진 202는 장구시 가욕향家峪鄕의 큰길가 담 사이에 있는 우물이다. 입 주위에 돌을 둘러놓았을 뿐, 전은 보이지 않는다(사진 203). 우물 위 벽에 '우물이 깊어 위험하니井深危險 주의해서 안전을 지킵시다注意安全'라고 적은 팻말을 붙인 까닭을 알만하다. 네모 입은 62×55센티미터이며 깊이는 5미터가 넘는다.

　사진 204에서 한 남자가 양철통 손잡이에 줄을 잡아매고 물을 긷는다. 오른쪽 앞의 둥근 함석 통이 두레박이다. 물통(사진 205)에 손잡이의 멜대 고리를 꿰고(사진 206), 어깨로 메어 나른다(사진 207).

사진 202

사진 204

사진 206

사진 203

사진 205

사진 207

사진 208은 앞마을의 아낙이 반으로 자른 통대나무 멜대를 어깨에 멘 모습이다. 턱을 붙여 깎은 한 끝에 엇걸어서 줄은 벗어나지 않는다. 가벼운 데다가 탄력이 생겨서 걸음을 맞추면 나르기 편하다(사진 209).

사진 208   사진 209

사진 210은 같은 마을 어떤 집 부엌 앞의 돌로 깎은 물두멍으로 안지름 76센티미터, 바깥지름 87센티미터에 높이 60센티미터이다. 위에도 반달꼴 돌 덮개를 덮어서 바가지나 몸통 따위를 놓고 쓰기 편하다. 장만하는 데 돈이 들기는 하지만 대물림할 수 있다.

사진 211은 같은 곳의 오지 물두멍으로, 지름 70센티미터에 높이 52센티미터이며 전 두께 7센티미터이다. 주위에 두툼한 입술을 붙였다.

사진 210   사진 211

사진 212는 앞 마을의 쌍둥이 한데우물이다. 돌벽과 천장을 무지개꼴로 쌓고 주위도 성벽처럼 꾸미느라 공력을 이만저만 들인 것이 아니다. 사진 213은 안 모습이다. 입은 1.5×1.46미터에, 깊이 2.1미터이며 발 디딤돌 크기는 62센티미터×1.37미터이다. 우물 벽도 같은 크기의 돌로 네모반듯하게 쌓았다(사진 214).

사진 212

사진 215는 앞마을 길가의 작은 한데우물이다. 위아래와 양쪽에 돌벽을 쌓고 '제비꼬리 샘燕尾泉'이라

사진 213

사진 215

사진 214

사진 216

고 새긴 이맛돌을 얹었다(사진 216). 샘보다 이름이 더 그럴듯하다.

깊이 20센티미터에 너비 70×70센티미터이다.

2) 제남시濟南市

황하 하류에 위치한 성도省都 제남시는 물의 고장泉城이라 불릴 만큼 유명한 우물이 많다. 이를테면 시에서 지정한 명천名泉이 72개소에 이르며, 이들을 포돌천군跑突泉群·오룡담천군五龍潭泉群·진주천군珍珠泉群·흑호천군黑虎泉群으로 묶어서 관리한다. (☞ 1061~1063)

다른 곳과 달리 물을 끓이지 않고 바로 마실 수 있는 점도 자랑거리의 하나이다. 이밖에 맵시를 뽐내는 황하黃河·소청하小淸河·도해하徒駭河 따위의 3대 하천과 대명호大明湖·백운호白云湖·아장호芽庄湖 따위의 아름다운 호수들도 있다.

사진 217은 부용가芙蓉街의 흥륭천興隆泉에서 플라스틱 두레박으로 물을 뜨는 모습이다. 전에서 물까지 1.4미터에 지나지 않아 줄이 짧다. 어자석魚子石으로 깎은 여섯모 전은 지름 52센티미터에 높이 25센티미터이고, 우물 깊이는 2.23미터이다 (사진 218). 오른쪽 아래에 두 마리의 용이 머리를 마주 댄 모습을, 다른 쪽에는 구름무늬를 새겼다.

사진 217

사진 218

한쪽 벽에 붙인 돌 판에 '제남시에서 2011년 8월에 조사하고 2012년 10월에 시의 명천名泉으로 지정하였으며, 시와 구歷下區의 임원국林園局에서 공동으로 고쳤다'는 내용을 새겨 붙였다. 글씨에 황색 칠을 덧씌워서 돋보인다(사진 219). 이 우물이 2012년

사진 219

9월에 나온 「제남시 유람도」의 72명천에 들어있지 않은 것을 보면, 사정에 따라 더러 바꾸는 듯하다.

사진 220도 어떤 집 현관 앞 우물이다. 전의 긴 지름 49센티미터에 짧은 지름 38센티미터이고, 깊이는 2.56미터이다. 아래 양쪽에 잡귀를 쫓는 신령스러운 동물의 머리와 범의 등을 딛고 올라서서 날개를 편 학을 돋을새김으로 베풀었다(사진 221). 왼쪽 땅에 박은 고리에 두레박에 연결된 철사를 감은 것이 보인다.

사진 220

사진 221

사진 222는 부용천芙蓉泉이라는 이름의 우물이다. 지름 35센티미터에 전 높이 51센티미터이고, 전에서 물까지는 1.1미터, 물 깊이는 1.25미터이다.

눈에 띠는 특징은 쇠 덮개를 붙인 점이다. 위아래에 두른 쇠테도 이를 위한 것이

다. 이로써 먼지나 빗물 따위가 들어가지 않으므로 한결 깨끗하다.

사진 223은 안쪽 모습이다. 앞에서 든 72명천에 들어 있으나 같은 이름의 다른 우물일지도 모른다. 우물 덮개에 자물쇠를 채우기도 한다. (☞ 사진 125)

사진 222

사진 223

사진 224는 성부전가省府前街의 옥환천玉環泉으로 옥반지라는 이름에 썩 어울린다. 전 높이 29센티미터에 바깥지름 1.74미터이며, 깊이 1.6미터이다. 긴 네모꼴의 돌 난간도 볼거리이다. 이제는 쓰지 않는 우물을 남겨서 보호하는 정성을 우리도 본받을 일이다(사진 225).

사진 224

사진 225

사진 226은 이 고장 출신 진경秦瓊(?~638?) 사당의 우물이다. 여섯모로 다듬은 전 네

곳에 악귀를 쫓는 동물 머리를 돋을새김으로 베풀고, 면마다 길吉・상祥・여如・의意 넉 자를 새겼다. 전의 바깥지름 54센티미터에 안지름 38센티미터이며, 깊이 2.1미터 이다. 안에 사람이 빠지지 않도록 쇠살 서너 개를 건너질렀다(사진 227).

사진 226

사진 227

당 태종 이세민李世民(599~649)을 도운 공로로 좌무위 대장군左武衛大將軍을 지낸 진 경이 위지경덕尉遲敬德(585~685)과 더불어 문지기門神가 된 과정도 흥미롭다. 태종이 위 징魏徵(580~643)에게 죽이라고 한 용의 귀신이 밤마다 꿈에 나타나 괴롭히자 두 사람을 문지기로 삼았고, 이로써 평안을 되찾은 황제는 공을 기리는 뜻에서 궁궐 문에 둘의 모습을 그리게 하였으며 백성들도 이를 따랐다고 한다.
사진 228은 천진시 번화가 어떤 상점의 그림이다.

사진 228

3) 내무시萊蕪市

사진 229

사진 229는 석축을 높이 쌓은 산동성 내무시 화합진和合鎭의 한데우물이다. 왼쪽 아래에도 마른 우물이 있다. 사진 230는 시멘트로 마감한 네모 우물 위에 놓은 플라스틱 두레박과 두레박줄이다. 사진 231은 일매지게 다듬은 판석으로 반듯하게 쌓은 벽이다. 물을 뜰 때는 귀퉁이 양쪽을 발로 딛고 줄을 내린다(사진 232). 물의 무게가 만만치 않아서 들어 올릴 때 허리를 깊이 구부려야 하므로(사진 233), 여간한 조심이 아니면 우물

사진 230

사진 231

사진 232

사진 233

바닥으로 처박히기 십상이다. 입은 75×75센티미터이고 깊이는 7~8미터이다.

사진 234는 앞과 같은 진의 장가대촌張家台村 설가정薛家井이다. 인구 1,702명에 경지면적 1431.5무畝인 이곳은 예부터 물이 아주 귀해서 가뭄이 들면 산 넘어 10리 밖의 양가천楊家泉 구향수만口向水灣에서 길어 왔다. 견디다 못한 촌민들이 청 문종文宗 (1851~1861) 때, 세 마을과 힘을 모아 500미터 떨어진 곳에 깊이 40미터의 우물을 파고, 1859년에 '영수불후永垂不朽'라고 새긴 비를 세웠다(사진 235).

사진 236은 우물 주위에 박은 돌이 두레박줄에 파인 자국이다. 현지에서는 두레박이 무거워서 줄을 돌에 대고 끌어올린 탓이라고 한다. 여러 사람이 두레박을 끌어올릴 때 줄이 움직여서 서로 부딪치지 않는 것은 좋지만, 벽에 닿게 마련이므로 쉽게 망가졌을 터이다.

사진 234

사진 236

사진 235

물을 뜨는 사람이 많아서 돌石 전에 두레박 줄 자국이 촘촘하게 파였고, 이 때문에 전을 세 번이나 바꾸었다는 기록도 보인다. 현재 남은 55개 자국 가운데 깊이가 3.3센티미터 이르는 것도 있다. 1950년대에 정부가 우물 10여 개를 파고 모터로 끌어올리는 덕분에 물긷는 어려움이 없어졌다.

두레박줄을 전에 대고 두레박을 끌어 올리는 방법은 역사가 아주 오래다. 매승枚乘(?~전 140)이 오왕吳王에게 보낸 편지 가운데 '태산의 낙수는 바위를 뚫고泰山之霤穿石 / 두레박줄은 난간의 나무를 끊는다單極之綆斷幹'는 대목이 그것이다. 진晉의 진작晉灼은 이에 대해 '단斷'은 '다하다'의 뜻으로, 네모 나무난간이 늘 두레박줄에 닿아서 끊어진 것을 가리킨다는 주석을 달았다.

뛰어난 미문가美文家이기도 한 매승은 한 경제景帝(전 156~전 141) 시절, 오왕 유비劉濞(전 215~전 154)의 반란을 막으려다 실패하여 양효왕梁孝王 무武에게 갔음에도 오초칠국吳楚七國난 때, 다시 유비에게 병사를 거두라는 충고의 편지를 보낸 일로 명성을 날렸다.

소식蘇軾(1037~1101)의 시(「만산萬山」)에도 '그 아래 있는 왕찬의 우물 난간下有仲宣欄 / 두레박줄에 파인 곳 손가락 들어가네綆刻深容指'라는 구절이 있다. 따라서 오래 전부터 매우 너른 지역에서 이 방식으로 물을 뜬 것을 알 수 있다.

우리 이황李滉(1501~1570)도 「가을 회포秋懷」라는 시에 '마음에 침 놓으려 하나 한 치 쇠 없고針心無寸鐵 / 끊긴 우물난간에 두레박줄 끝자락 걸렸네斷幹有極綆'라는 구절을 남겼다(『퇴계시 풀이』). 그러나 실제로 우리가 따랐는지는 의문이다. 시인 묵객들 중에 사실 여부를 가리지 않고 중국 고사를 끌어댄 보기는 수를 헤아리기 어려울 정도로 많기 때문이다.

4) 태산泰山

오악五岳 가운데 으뜸으로 꼽히는 태산(1,532미터) 여러 곳에 샘이 있다.

사진 237은 기름하게 판 바위에 비 따위가 들이치지 않도록 눈썹지붕을 붙이고 '성수지聖水池'라고 새겼다.

사진 238은 같은 곳의 청천淸泉이다. 용이 물고 있는 여의주如意珠를 통해 물

사진 237

이 흘러나온다(사진 239). 4월 말임에도 눈이 녹지 않는다.

태산은 전 219년, 진秦의 시황제始皇帝가 황제가 된 것을 하늘에 알리는 봉선封禪의 식을 치른 곳으로, 한 무제武帝를 비롯한 많은 황제들도 본받았다. 산 중턱의 오송정五松亭은 진시황이 비를 그은

사진 238

사진 239

소나무에 오대부五大夫 벼슬을 내린 자리이며, 지금은 청의 옹정제雍正帝(1678~1735) 때 심은 소나무 세 그루가 있다. 한번 오를 때마다 10년씩 젊어진다고 하여 지금도 찾는 사람이 끊이지 않는다. 꼭대기까지 돌계단 7,412개를 놓은 까닭을 알만하다(사진 240). 사진 241은 정상의 도교사원이다.

사진 240

사진 241

이 산에서의 봉선의식과 여러 곳의 샘물을 예찬한 조식曹植(192~232)의 시(「수레를 몰아驅車篇」)이다(부분).

驅車揮駑馬	둔 한 말 몰며 수레 달려
東到奉高城	동쪽 봉고성에 이르렀네
神哉彼泰山	신령스러운 저 태산이어
五嶽專其名	오악 중에 으뜸이로세

上下涌醴泉　　　　이곳저곳에서 달콤한 샘물 솟고
玉石揚華英　　　　옥석은 빛을 내뿜누나

『조자건집曹子建集』 권5 「악부樂府」

———

봉고는 산동성 태안泰安 동북쪽의 옛 지명이다. 봉선의식을 치른 한무제漢武帝(전 156~전 87)가 이곳에 이르러 앞으로 태산을 받들라는 뜻으로 붙였다고 한다.

태산에 있는 사진 242의 이름이 성수정聖水井인 것은 오랜 동안 태산을 성산聖山으로 받들어온 데서 왔다. 복원할 때 연꽃봉우리를 올려놓은 화려한 난간을 두른 것도 마찬가지이다(사진 243). 입 지름 58센티미터에 깊이 3.4미터이며, 전은 너비 7센티미터에 높이 52센티미터이다. 우물 바닥의 용신에게 행운 빌며 바친 종이돈 서너 장이 떠있다(사진 244).

사진 242

사진 243

사진 244

사진 245의 만복천萬福泉은 빗물 따위가 흘러들지 않도록 단壇을 쌓고 전을 붙였다. 깊이 25센티미터에 지름 112센티미터이며, 네모 전은 28×29센티미터이다.

사진 245

3. 안휘성

지금의 황산시黃山市인 옛 휘주부徽州府에는 안휘성 남부에서 강서성 서북부 산간지대에 걸치는 흡현歙縣, 휴령현休寧縣, 무원현婺源縣, 기문현祁門縣, 이현黟縣, 적계현績溪縣 따위가 딸려 있었다. 본디 지명은 신안新安으로, 명대에는 이곳의 신안상인新安商人이 산서상인山西商人과 함께 전국의 상권을 쥐고 흔들었으며, 명대 후기부터 청 가경嘉慶 때(1796~1820)는 휘주에서 소금생산이 늘어난 덕분에 우뚝 올라섰다. 우리가 '개성開城' 하면 '개성상인開城商人'을 떠올리듯이, 중국에서 '휘주상인'은 휘주의 대명사이기도 하였다.

땅이 좁고 거칠어 농사로는 살 길이 없었던 이들은 일찍부터 신안강新安江과 항주杭州 일대의 물길을 이용, 대竹·기와·칠 따위의 건축자재와 벼루·먹·붓·종이 따위의 문방사우文房四友, 그리고 차茶 따위를 널리 풀어먹여서 큰 재산을 모았다. 또 금융업에도 손을 뻗쳐서 전국에 전당포를 열었으며, 금리를 낮춘 덕분에 '어려운 사람의 편'이라는 평판도 들었다.

한편, 주희朱熹(1130~1200)의 조상이 태어난 고장답게 유학에 관심을 쏟아서 너도나도 자손의 교육에 힘쓴 결과, 휘상徽商을 유상儒商이라고 따로 불렀다. 이에 따라 많은 인재들이 나와서 크게 활약한 것은 당연한 일이다. 청 건륭乾隆(1736~1795)에서 가경嘉慶(1796~1820) 사이에 과거 급제자 265명이 나온 것이 좋은 보기이다. 그들을 기리는 패방牌坊을 큰길가는 말할 것도 없고 골목에도 세웠으며, 형편이 모자라는 집에서는 문 위에 꾸몄다. (☞ 1007)

사진 246이 흡현歙縣 성내의 허국許國(1527~1596) 패방이다. 예부상서禮部尙書를 거쳐 태자태보太子太保와 무영전 대학사武英殿大學士 등을 거친 그는 우리나라에 사신으로도 왔다. 신종神宗(1573~1619)의 허락을 얻어 전국에서 가장 크게 지었으며, 다리가 여덟이라 하여 팔각패방八角牌坊이라고도 부른다.

사진 246

명대에는 족보를 꾸미고 사당 세우는 일을 경쟁적으로 벌인 덕분에 전국적인 인간관계가 이루어져서 상업 활동에도 큰 도움을 받았다. 오늘날까지 남은 사당의 규모는 우리가 상장하기 어려울 정도이다.

휘주 주거문화의 가장 큰 특징은 폐쇄적인 건축양식이다. 돈 있는 곳에 도둑이 들 끓게 마련이라, 대책의 하나로 평면을 ㅁ자로 잡고 그 대신 2~3층으로 올려서 부족한 공간을 보충한 것이다. 건물 크기에 견주어 창이 아주 작고 그나마 수가 적은 것도 외부의 침입을 막기 위한 방편이다. 이에 따라 마당 꼭대기에 생긴 긴 네모꼴 천

장(이를 천정天井이라 한다)을 통해 햇볕을 끌어들이므로 집은 언제나 어둡다. 따라서 겨울의 추위를 견디기에 도움이 되지만, 여름의 무더위는 참기 어렵다. 어느 집에서나 약속을 한 듯이 바깥벽에 흰 칠을 하는 까닭을 알 수 있다. 사진 247은 정감촌의 어느 집 3층집 마당에서 올려다 본 천정이다. '하늘이 돈짝만하다'는 말 그대로이다.

사진 247

뿐만 아니라 지붕 위에도 말머리처럼 생긴 마두벽馬頭壁을 높이 쌓는다. 번지는 불을 막기 위해 태수가 1503년에 법으로 정하면서 건축양식으로 자리 잡은 시설이다. 이닌 게 아니라 집들이 워낙 다닥다닥 붙어있어서 한 번 불이 붙으면 잡기 어려울 것이다. 사진 248은 휘주구徽州區 정감진呈坎鎭 영산촌靈山村의 마두벽이고, 사진 249는 절강성 한 농가의 것이다.

사진 248

사진 249

사진 250

사진 251

문도 석고문石庫門이라는 이름 그대로 벽돌 크기로 자른 단단한 대청석大靑石을 세워서 채우고 그 위에 석회를 말라 마감하며(사진 250), 그것으로도 모자라서 안쪽에 철판을 댄 다음, 너비 10여 센티미터의 두터운 쇠를 서너 줄 박고 빗장 또한 쇠뭉치로 건너지른다(사진 251). 눈에 잘 띄지 않는 곳에 반드시 마련하는 쪽문도 옛적에 하인이 드나들었다고 하나, 그보다 위험이 닥쳤을 때 빠져나가는 비상구로 보인다.

이러한 폐쇄적 구조는 장사 길에 나서서 오랜 동안 돌아오자 못하는 지아비들의 아낙을 보호하는 구실도 하였을 터이다. 정절을 지킨 여인을 기리는 패방이 여기저기서 있는 까닭을 알만하다.

황산시 잠구진潛口鎭 탕모촌唐模村과 정감진呈坎鎭 정감촌呈坎村 등은 중구역사문화명촌中國歷史文化名村으로 지정되었다.

1) 이현 벽양진碧陽鎭 남병촌南屛村

사진 252

남병촌은 북쪽의 산이 병풍처럼 둘러선 병산촌屛山村 남쪽에 있다. 옛적에 이현의 구도九都에 딸렸던 까닭에 구서촌九舒村으로도 불리며 1,100여 년 전 서舒씨네가 이룩하였다. 그는 전설의 인물인 복희伏羲의 9대 손孫인 숙자叔子의 후손이며, 마을에서는 당 희종僖宗 때인 883년, 황소黃巢(?~884)를 피해 들어온 덕여

德興를 시조로 섬긴다.

현재(2005년) 360여 가구에 인구는 1,120여 명이다. 한창 때는 400여 채의 집과 20개의 큰 거리, 60갈래의 골목, 24개의 우물이 있었으나, 지금은 사당 일곱 채와 명·청대의 집 200여 채 그리고 일곱 채의 고적만 남았다.

사진 252는 석씨사당昔氏支祠으로, 마을 규모에 견주면 상상하기 어려울 만큼 크다.

(1) 삼원정三元井

가장 특색 있는 우물은 오吳씨네 삼원정이다. 앞에서 든 대로 우물 입을 눈眼에 견주어서 하나짜리는 일안정一眼井, 셋짜리는 삼안정三眼井이라고 함에도 이곳에서는 삼원정三元井이라고 부른다. 삼원은 과거시험 때 전국에서 한 명을 뽑는 장원壯元과 성省에서 한 명을 가리는 해원解元, 그리고 부府에서 한 명을 추리는 회원會元을 가리키는 '삼원급제三元及第'에서 왔다.

오씨네 조상이 우물을 팔 때, 후손의 출세를 위해 입 셋을 뚫고 물을 뜰 때마다 '삼원급제'를 읊조렸다고 한다. 우물 벽은 네모로 쌓았지만 둥글게 다듬은 푸른 대리석 위에 세 개의 입을 뚫은 전을 앉혔다. 그리고 안쪽 벽에 '오가고정吳家古井'이라는 글과 '임신년 공친 중수工申午公泉重修'라고 새겼다. '공천'은 하데우물이라는 말이다.

또 다른 유래담이다.

─────

본디 일안정이었으나 세월이 지남에 따라 전이 부서지자 우물 옆 계선당繼善堂집 여자어린이가 빠지는 사고가 일어났다. 오씨네는 재발 방지를 위해 우물 입을 작게 고칠 생각이었으나 주민이 늘어나고 화재 때 방화수로 쓰기 위해서도 그렇게 하기 어려웠다. 의론 끝에 여러 사람이 동시에 물을 길으면서도 어린아이가 빠지지 않게 하려고 전을 높이는 외에 입을 셋으로 늘렸다. 이때 화강석 전도 지금의 현무암으로 바꾸었다.

─────

또 마을에서 쌍벽을 이룬 오씨네와 정程씨네가 늘 다투다가 정씨네 집에 있던 삼원문三元門의 '원'을 우물 이름에 넣기로 하면서, 사이가 좋아졌다는 말도 있다. 이는 19세기 말의 일이다.

사진 253의 뒷벽에 '삼원정'이라고 적은 안내판을 걸었다.

사진 254는 입 셋을 지닌 현무암전이다(지름 60센티미터). 앞쪽 입 아래쪽에 새긴 글씨가 보인다. 왼쪽 위아래의 길이로 새겨진 홈은 두레박줄 자취이다. 한 노인은 두레박줄을 종려棕櫚나무 껍질로 꼰 까닭에 매우 질겨서 오래 가면 홈이 파인다고 하였다. 오른쪽 입에 홈이 없는 것은 옆집 벽이 가까운 그쪽에서 물을 긷지 않은 까닭인가? 입 지름은 24.5센티미터이고, 위의 것은 21센티미터이다. 가뭄이 들어 물이 모자랄 때, 뒤웅박처럼 생긴 좁고 작은 두레박으로 물을 조금씩 고루 뜨게 하려고 좁게 팠다고 한다.

사진 253

사진 255의 전(높이 40센티미터) 가운데에 쇠테를 두르고 나사로 조여서 보강하였다. 우물 깊이는 9.5미터이다.

사진 256의 앞쪽 구멍에서 채소를 씻거나 빨래도 한다. 물이 차면 우물 벽에서 빠져나온 물이 흘러내리는 덕분이다. 주위에 도톰한 돌을 놓고 홈을 새긴 까닭이 이것이다.

사진 257은 고치기 전인 2008년의 모습이다. 돌도 세월의 힘을 견디지 못하고 부서졌다. 사진 258은 한 입에서 내려다본 세 사람의 얼굴이다.

이것은 본삼원정本三元井이고, 다른 쪽에 상삼원정上三元井이 또 있었다.

사진 254

사진 255

사진 256

사진 257(ⓒ 윤영기)

사진 258

(2) 사謝씨네 팔각정八角井

사진 259 · 260은 삼원정 건너편에 있는 사씨(82세)네 안뜰의 팔각정이다. '앞의 우물을 두고 왜 팠느냐?'고 물었더니 '열네 집에서 쓰는 탓에 넉넉지 않고 가뭄에 마르기도 하지만, 무엇보다 집에 있으면 그 만큼 편리한 까닭'이라고 하였다.

사진 259

우물은 입 지름 38센티미터에 전 높이 30센티미터이며, 팔각 위쪽의 한 변(바깥쪽)은 21센티미터이고 아래쪽은 30센티미터이다. 깊이는 9미터에 이른다.

1996년, 우물을 팔 때 두 달 생활비(1,000元)가 들었다. 기술자 한 사람이 보조원 넷을 거느리고 일주일 걸려서 마쳤다. 따로 청소를 하지 않으며, 2010년에 수도가 가설되어 자주 쓰지 않는다.

사진 260

사진 261은 왼손에 두레박줄을 사려감고 우물곁에 서 있는 나씨 부인이다. 줄이 워낙 긴 탓에(9.4미터) 1미터마다 매듭을 지어서 미끄러지지 않게 하였다. 플라스틱 두레박은 안지름 12.5센티미터에 높이 25.5센티미터이다. 물을 뜨지 않을 때는 우물을 널 덮개로 덮는다(사진 262).

우물에 따로 치성을 드리거나 하지 않지만, 반드시 해를 등지고 물을 뜬다고 한다. 해를 마주 보는 방향에 서면 눈이 부셔서 잘못될 수도 있을 터이다.

사진 263은 현무암을 덮은 일안정이다. 두레박줄에 파인 자리가 면도칼로 도려낸 것처럼 또렷하다.

사진 264는 전을 세운 일

사진 261

사진 262

안정이다. 바닥에 돌을 일매지게 깔고, 물매까지 잡아서 물이 잘 흘러내리는 덕분에 언제나 깨끗하다.

사진 265는 우물 주변 모습이다. 삼면에 도랑을 파고 넓적한 돌들을 앞에서처럼 깔았다. 우물 좌우 양쪽에 놓인 기름한 돌은 빨래용이다.

우물 뒤 건물의 한데뒷간을 알리는 '위생 측소衛生厠所'라고 적은 판을 걸었다. 이용료는 1원(우리 돈 180원쯤)이다.

사진 263

사진 264

사진 265

사진 266은 토관土管으로 전을 대신한 근대시 우물이다. 아래쪽에 '모두 깨끗하게 쓰자清潔人人有責 一九七六年 八月'고 적었다.

사진 267의 전(지름 77센티미터에 높이 46센티미터)은 보기 드문 여덟모이다. 물을 아끼려고 입을 지름 30센티미터로 작게 뚫었다.

사진 268은 물통을 나르는 대나무 멜대이다. 오른쪽은 매끄러운 겉이고, 왼쪽은 매듭을 남겨서 다듬은 안쪽이다. 사람이나 물건에 따라 고리를 알맞은 거리에 걸고 나른다. 길이 1.39미터에, 가운데 너비 7센티미터이다.

사진 266

물통뿐 아니라 물건도 메어 나른다(사진 269). 한 끝에 물건을 잔뜩 담은 광주리를 걸어 어깨에 멘 여인이 다른 끝을 두 손으로 잡아 누르면서 걸어가고 있다. 괭이 따위의 농기구도 이렇게 옮긴다.

사진 267

사진 270은 물이 마을 이곳저곳으로 휘돌아 흐르는 도랑이다. 물의 고장이라 불러도 좋을 만큼 골목마다 있어서 어디서나 쓰기 편하다.

사진 268

사진 269

사진 270

2) 휘주구 정감진呈坎鎭 영산촌靈山村

이 마을은 남당南唐(923~936) 때인 930년 무렵, 오계지란五季之亂을 피해 들어온 방方씨네가 이룩하였다. 지금도 주민 900여 명 가운데 방씨는 90퍼센트가 넘는다.

사진 271은 마을 안쪽에서 본 입구의 영양교靈陽橋와 그 위의 보살전菩薩殿이다. 가장 먼저 눈에 띠는 것이 다리의 물이 흘러나가는 무지개꼴 구멍이 매운 좁은 점이다. 그 뿐 아니라 좌우양쪽에 계단을 놓고 그것으로도 모자라서 사이에 턱까지 붙였다.

이것은 물 흐름을 줄이기 위한 시설들이다. 덕분에 오리들이 태평한 모습으로 모래 턱에서 쉬고 있다.

풍수에서는 물구멍水口에서 물이 빠져나가지 않아야 명당明堂이 된다면서, 그것이 어려우면 천천히 흐르게 만들라고 가르친다. 서울을 보기로 들면, 동에서 서로 흐르는 한강은, 북에서 남으로 흐르는 청계천의 흐름을 줄이는 역수逆水 구실을 한다.

사진 271

이 마을에서 여름철 장마나 폭우 때의 위험을 무릅쓰고 물의 흐름을 막으려 한 것은 물이 곧 재물이라는 생각 때문이다. 크지 않은 마을에 다리가 무려 36개에 이르는 것이니, 신안강新安江의 지류이기도한 내를 풍낙하豊樂河라 부르는 것도 마찬가지이다.

심지어 송대의 소순蘇洵(1006~1066)은 아내 무덤 자리도 풍수의 수구론에 따라 정하였다. (☞ 713)

사진 272

사진 272는 보살전에서 본 마을 어귀이며, 길 가운데의 한원패방翰苑牌坊은 명明 정덕正德(1506~1521) 6년(1511), 무종武宗 주후조朱厚照(1491~1521)가 함안공函安公, 함중공函中公, 함공공函工公 세 사람에게 베푼 은사를 기리기 위해 세운 것이다.

58세에 고향으로 돌아온 허국이 제자들을 가르치는 가운데, 19명이 한꺼번에 진사에 합격하자 강남일대에 '영산의 영기 덕분'이라는 말이 돌았다. 뒷산은 산 주위에서 영지靈芝가 자라고, 산꼭대기에 영단靈壇이 있어 영양산靈陽山이라 불리기도 한다.

사진 274

사진 275

사진 273

사진 273은 마을의 샘이다. 샘은 이름 그대로 물이 땅에서 솟아올라야 함에도 산 오른쪽에서 흘러내린다. 일매지게 다듬은 두툼한 장대석을 ㄴ자 꼴로 놓아서 막고 오른쪽에 돌층계를 붙였다. 물은 맑고 깨끗하며 깊이는 50센티미터쯤이다.

마을 아낙이 층계 끝에서 허리를 구부린 채 양철통에 물을 채운 뒤(사진 274), 오른손에 들고 돌아간다(사진 275).

사진 276은 내 건너에서 본 샘이다. 세모꼴 축대를 쌓아서 무너지시 않도록 하였다. 위에 '마을에서 마시는 물이니 깨끗이 씁시다村民飮用水 淸勿汚染. 감사합니다謝謝.' 라고 적은 팻말을 박았다(사진 277).

장대석의 크기는 200×70센티미터, 높이 51센티미터이다.

사진 276

사진 277

사진 278은 한데우물이다. 입 지름 1미터에 너비 15센티미터이고, 높이는 38센티미터이다. 전에서 물까지의 깊이 1.1미터인 얕은 우물이다. 전과 벽 사이에서 피어난 꽃잎이 나그네를 반기는 듯하다.

사진 279에서 한 아낙이 플라스틱 두레박 손잡이를 잡고 허리를 굽혀서 물을 길은

뒤, 빨랫감을 넣고 흔들었다가 건져서 물을 짠다(사진 280). 뒷벽에도 빨래가 걸린 것을 보면 허드레 우물임이 분명하다.

| 사진 278 | 사진 279 | 사진 280 |

사진 281은 마을 서북쪽의 천기단정天基壇井이다. 여섯모로 깎은 전(화강암)을 붙이는 외에 벽돌로 벽을 쌓고 우물 이름을 적은 안내판까지 세운 어엿한 우물이다. '물은 맑고 깨끗하며 2013년에 고쳤다'고 적혔다.

우물 주위에 너른 돌을 깔고 평평하게 다진 다음, 왼쪽에 층계를 붙이고 말굽꼴 돌을 얹어서 앉아 쉬기도 한다(사진 282). 전은 안쪽의 길이 68센티미터에 바깥 길이 93센티미터이며 높이는 24센티미터이다. 전에서 바닥까지는 1.7미터이다.

| 사진 281 | 사진 282 |

사진 283은 안내판 설명이다.

―――――

이 우물은 영산촌 서북쪽 천기단에 있다. 산에서 솟는 샘 위에 판 덕분에 물이 맑고 차다. 전은 마름모꼴 화강암이며 벽은 벽돌 轉로 쌓았고, 바닥 주위(10평방미터)에 돌을 깔았다. 2013년에 중수重修하였다.

———

특별한 내용은 아니지만, 방문객에게 우물을 알리려는 행정 당국의 마음 씀씀이가 놀랍다. 우리는 말할 것도 없고 다른 나라에도 없는 일이다. 더구나 앞의 글을 영어로도 적은 것이 돋보인다.

사진 284는 버려진지 오래 되어서 서너 쪽으로 깨진 전을 이어 붙였다.

바깥지름 1.26미터에 안지름 97센티미터이고, 전 높이는 20센티미터이다. 깊이 2.35미터이다.

사진 285처럼 부엌이 좁으면 흔히 물두멍을 문밖에 두고 쓴다. 1980년에 10원이었다. 지름 61센티미터에 높이 72센티미터이다.

황산시 일대는 한 해 강수량이 1,200~1,700 밀리미터에 이르러서 빗물이 고이지 않고 빨리 흘러 나가도록 담벽 한쪽이나 양쪽에 작은 도랑을 만들어 붙인다(사진 286). 또 골목이 워낙 좁은 탓에 수레라도 지나가면 듬성듬성 깔아놓은 긴 돌(사진 287)에 발을 딛고 몸을 피한다(사진 288).

뿐만 아니라 냇가 한쪽에도 층계를 붙여서 채소를 씻으며 더러 빨래도 한다(사진 289). 마을에서 찾은 샘과 우물이 네 개에 지나지 않는

사진 283

사진 284

사진 285

| 사진 286 | 사진 287 | 사진 288 | 사진 289 |

까닭도 이러한 환경과 연관이 깊다. 지금은 수도 시설이 있어서 우물 의존도가 훨씬 낮아졌다.

3) 휘주구 정감진 정감촌呈坎村

이 마을 700호에서 2,700 명이 살며, 나羅씨가 75퍼센트를 차지한다. 한대漢代 말 (2세기) 중원 북쪽에서 난리를 피해 들어온 사람들에 이어, 송대에 나천질羅天軼과 나천칭羅天秤 형제가 예장豫章에서 들어와 자리잡았다. 옛적 이름은 용계龍溪이다.

사진 290은 첨천교灸川橋

사진 290

에서 본 마을 모습이다.

'정감'은 『역경易經』에서 온 말이다. 곧, '음陰'을 나타내는 '감'과 '양陽'을 이르는 '정'을 붙인 말로 이기통일二氣統一과 천인합일天人合一을 가리킨다. 이름 그대로 마을 길과 건물은 모두 팔괘로 이루어졌다.

마을에 명대의 건축물이 들어차 있으며 휘파건축徽派建築이라고 따로 불릴 만큼 독자적인 특색을 지녔다. 정亭·대台·루樓·각閣·교橋·정井·사祠·사社·살림집民居 따위가 그것들이다. 이밖에 송대나 원대의 유적도 적지 않다. 이들 가운데 나동서羅東舒사당은 1996년에, 송대의 장춘사長春社와 원대의 나회태羅會泰 집은 전국중요문화재이다. 주희朱熹는 일찍이 '정감쌍현리呈坎雙賢里 강남제일촌江南第一村'이라고 불렀으며 지금은 중국역사문화명촌中國歷史文化名村으로 지정되었다.

교육과 학술로 전국에 이름을 날린 마을이라 인재 또한 많이 나왔다. 남송대의 나여집羅汝輯, 명대 말기의 나빙羅聘들이 대표적이다.

2005년에 나온 『휘주문화고촌徽州文化古村-정감呈坎-』에 21개 우물의 사진과 위치, 그리고 짤막한 설명이 있다.

———

(1) 김가정金家井 (2) 정항정井巷井 (3) 계동거리溪東街 가정街井

(4) 왕규수댁汪閏秀宅 계화정桂花井 (5) 수선유종首善儒宗 관저官邸 화원정花園井

(6) 나장명羅長銘 옛집故居 천정정天井井 (7) 나형포羅馨圃 옛집 화원정

(8) 주인 모르는 집 우물 (9) 호가정胡家井 (10) 나회탄羅會坦 옛집 우물故居井

(11) 나자후羅子厚 옛집 우물 (12) 나택지羅澤之 옛집 화원정 (13) 신옥하정新屋下井

(14) 삼십육三十六 천정정天井井 (15) 효산사정曉山寺井 (16) 나시규羅時圭 노옥정老屋井

(17) 후강정后崗井 (18) 영흥 감천정永興甘泉井 (19) 계동거리 나운병羅運炳 노옥정

(20) 주촌 대사정朱村大社井 (21) 주촌고정朱村古井

———

다음은 2016년 4월에 돌아본 것으로, 궁서 글씨는 앞 책의 내용이다.

(1) 김가정金家井

천여 년이 된 작은 우물로, 입 지름 40센티미터이다.

길 옆 두 집 사이의 담 모퉁이에 있다(사진 291).

여덟모 전의 바깥지름 72센티미터에 입 지름 43센티미터이며, 높이 36센티미터이다. 전에서 수면까지는 3.3미터이다(사진 292).

이 우물은 두레박줄을 쓰지 않고 긴 대나무 장대(3.2미터)로 대신한다. 끝에 남긴 짧은 가지(길이 13센티미터)에 두레박 고리를 걸어서 내리거나 올리는 것이다. 두레박을 우물에 넣은 뒤 장대로 누르면 바로 옆으로 누어서 물을 담기 쉽다고 한다(사진 293).

사진 291　　　　　　　사진 292　　　　　　　사진 293

사진 294

(2) 정항정井巷井

뒷골목 이름이 정항井巷이라 이렇게 부른다. 전 한쪽이 깨졌지만 지금도 쓴다. 물이 맑으며 마을에서 천년고정千年古井이라 부른다.

'정항정'은 마을우물, 곧 한데우물이라는 뜻이다(사진 294). 앞의 우물처럼 장대로 물을 긷는다. 둥근 전 한쪽이 떨어져나간 까닭에 물 길을 때, 그 사이로 발을 들어놓으면 힘이 덜 든다.

사진 295에서 삼杉나무 장대 끝에 붙박은 쇠갈고

사진 295

사진 296

사진 297

리에 두레박 고리를 걸어서 내리고, 사진 296에서
는 갈고리를 이용해서 두레박을 옆으로 눕힌다. 사
진 297은 장대 끝에 붙박은 갈고리이다.

전의 바깥지름 67센티미터에 안지름 49센티미터
이며, 전 높이 48센티미터에, 우물 깊이 4.28미터
이다.

(3) 계동거리溪東街 가정街井

둥근 전을 지닌 천 년 먹은 우물千年古井이다.
앞의 우물처럼 장대로 물을 긷는다. 전의 3분의
1쯤 되는 왼쪽 위를 조금 높인 까닭이 무엇인지
궁금하다(사진 298). 긷는 사람이 물에 젖는 것을
막으려 한 것인가?

전 주위 바닥에 두른 돌을 보면 여간한 공을
들인 것이 아니다. 왼쪽과 오른쪽 위에 일정한 간
격으로 홈을 파놓은 돌을 깔아서 빨래를 비벼 빨
게 한 것도 돋보인다. 사진 299는 안 모습이다.
오래 쓰지 않은 터라 벽에 풀이 돋아났다.

사진 298

사진 299

(4) 왕규수댁汪閨秀宅 계화정桂花井

우물 주위의 옛 계화나무는 없어졌지만 우물은 본디 모습을 잘 지니고 있다. 근래 주위의 흙을 걷어내고 전을 바꾸었다.

전은 오늘 흔히 눈에 띄는 시멘트 관管이다(사진 300).
전 바깥지름 88센티미터에 안지름 68센티미터이며, 높이는 53센티미터이다. 우물 깊이는 4.28미터이다.
사진 301은 안의 모습이다.
한해 내내 꽃이 핀다는 계화桂花는 과거급제의 상징이기도 하여, 자손의 부귀영화를 바라는 뜻으로 심는다.

사진 300   사진 301

(5) 수선유종首善儒宗 관저官邸 화원정花園井

우물은 장방형으로 길이 2.3미터에 너비 1.6미터이다. 면적은 3.7평방미터이고 깊이는 4미터이다. 한쪽에 대숲을 가꾸었다. 이 집은 명대의 어사御使 나응학羅應鶴의 관저였으므로, 역사는 수백 년이 된다.

사진 302는 2008년의 사진이며, 그 뒤 집을 사들인 새 주인이 통행의 편의를 위해 둥근 돌이 놓인 자리부터 오른쪽에 돌을 덮어서 줄인 것이 사진 303이다. 따라서 길이가 50센티미터쯤 짧아졌다. 이러한 변화는 내외 관광객이 늘어남에 따라 외부

사진 302(ⓒ 윤영기)

사진 303

사람이 옛 집을 사서 숙박시설로 바꾸는 과정에서 일어났다. 다른 집들도 마찬가지이다.

물은 본디 오른쪽 귀퉁이에 놓은 둥근 돌에서 길었다. 이를 위해 사진 304에 나타난 대로 귀퉁이에 받침돌을 걸고 그 위에 입 구실을 하는 둥근 돌을 올려놓았다. 사진 302에 가로 놓인 장대는 이것으로 물 길은 것을 알려준다. 그리

사진 304(ⓒ 윤영기)

고 사진 305에 보이는 우물 끝에 가로 놓은 돌 셋도 그 위에 올라서서 물을 긷는 받침대 구실을 하였을 것이다.

사진 305의 오른쪽 전 너비는 42센티미터이고 앞쪽의 것은 23.5센티미터이며, 높이는 53센티미터이다.

바닥에서 노니는 물고기 서너 마리가 보인다(사진 306).

사진 305

사진 306

'수선유종首善儒宗'은 명나라 삼대三朝에 걸친 원로이자 흡현 출신이기도 한 허국許國(1527~1596)이, 도찰원 우첨도어사都察院右僉都御使를 지낸 나응학羅應鶴(1540~1630)을 기려서 준 글이다. 이를 서법의 대가 동기창董其昌(1555~1636)이 썼으며, 벼슬에서 물러난 나응학이 집 지을 때, 화강암에 새겨서 문루에 패방牌坊 삼아 붙였다(사진 307). 사진 308은 동기창의 글씨이다.

사진 307

패방은 효자·효부·열녀·충신들의 덕행을 널리 알리려고 내용을 적은 현판이나 글자를 걸어두는 기념비적 건축물이다. 시대가 흐르면서 여러 가문들이 수와 크기에 경쟁을 벌인 것은 두말 할 것이 없으며, 한 거리에 십여 개를 줄줄이 세우기도 하였다. 이를 따로 세우기 어려우면 앞 사람처럼 문루門樓로 대신하였다. 휘주 어디서나 패방과 문루가 눈에 띄는 까닭은 알만하다.

사진 308

(6) 나장명羅長銘 옛집故居 천정정天井井

일반 주택의 천정은 겨우 건물 면적의 20~50퍼센트이지만, 전가하가前街下街에 있는 나장명 고택의 천정정은 깊이 3미터에 길이 2.5미터이다. 너비는 1.7미터, 면적은 4.2 평방미터이다. 10여 년 전에는 평균 깊이 1미터였으나 근년에 20~30센티미터로 낮아졌다. 우물은 백여 년 전에 팠다.

사진 309는 2.67×3.32미터에 전 높이 52센티미터, 너비 33.5센티미터에 이르는 긴 네모 우물이다. 전에서 수면까지는 4.83미터이다.

안쪽 귀퉁이 위아래와 좌우 양쪽에 좁은 턱을 붙여서 위에서 내려다보면 배船를

사진 309

사진 310

닭은 여덟모꼴이다(사진 310).

물을 뜰 때는 사진 311처럼 뒤쪽에서 3분의 1쯤 되는 곳에 가로 지른 돌에 오른발을, 귀에 붙인 턱에 왼발을 딛고 서서 두레박을 다룬다. 따라서 물이 많이 필요할 때 동시에 두 사람이 길을 수 있지만 남은 부위는 실제로 쓸모가 전혀 없다. 또 두레박질이 몹시 불편할뿐더러 자칫하면 아래로 곤두박질치기 십상인 점도 문제이다.

사진 311

나장명(1904~1971)은 공시사工詩詞이자 정문사精文史를 지냈으며,『안휘성 통지관通志館』따위의 편찬을 도왔다.

(7) 나형포羅馨圃 옛집 화원정花園井

장방형으로 길이 2미터에 너비 1.7미터, 깊이 4미터이다. 면적 3.4평방미터로, 부엌 가까이 있어 물을 뜨기 편하다. 백여 년이 넘었다.

사진 312

사진 313

네모 우물의 한쪽 벽을 옆집 담에 붙여 쌓았다(사진 312). 전은 너비 25센티미터에 높이 44센티미터이다. 사진 313은 안 모습이다.

(8) 주인 모르는 집 우물

사진 314는 너비 2.43미터에 길이 4.23미터이며 전 높이 97센티미터이다. 본디 깊이는 2.53미터였지만 벽돌 벽 위로 난간을 덧쌓아서 3.43미터가 되었다(사진 315). 방화수로도 쓸 수 있을 듯해서 우물 벽을 더 올렸다지만 과연 얼마나 도움이 될지 의문이니.

앞에서 든 대로 공간과 많은 비용을 써가면서 이렇게 큰 우물을 마련한 까닭이 무엇인가?

첫째, 천정정天井이라는 남부

사진 314

사진 315

지역 특유의 공간개념을 들 수 있다. 부자들은 터를 좁게 잡는 대신, 집을 2층이나 3층으로 올리므로 자연히 집 안쪽은 매우 어둡다. 따라서 지붕 가운데를 긴 네모꼴로 비워서 햇볕을 끌어들여야 한다. 이 경우, 천정이 너르면 너를수록 좋지만 평면구조상 안마당보다 넓을 수는 없다. '천정'이 곧 '안마당'을 가리키는 것은 이에서 왔다. 그리고 폐쇄적 구조는 도둑을 막는 데에도 도움이 되는 것이 사실이다. 이와 대조적으로 북경의 사합원四合院에도 원자院子라는 천정이 있으나, 정방형에 가깝고 더 너른데다가 건물이 단층이어서 훨씬 밝다.

둘째, 하늘에서 내리는 비 곧, 물은 생명의 원천이자 재산의 바탕이라는 관념이다. 이에 따라 우물을 필요 이상으로 크게 파며, 불가능한 때는 빗물이 내리자마자 흘러나가지 않도록 '마당'을 낮추거나, 주위에 홈을 파서 한동안 머물게 한다.

사진 316은 앞에서 든 남병촌 섭葉씨네 사당 안마당으로, 태평지太平池라고 하여 통로를 제외한 나머지 부위를 파고 물이 고이게 하였다. 사진을 찍을 때 기다리고나 있었던 듯이 비가 내렸다. 사진 316과 사진 317의 천장은 마당 넓이와 크기가 같으며, 뒤의 것은 문간 주위에 작은 도랑을 파서 물이 돌아서 나가게 하였다.

사진 316

사진 317

집에 따라 도랑 곳곳에 구멍을 내고 덮개로 덮었다가 여름철에 열어놓으면 시원한 바람이 솟아올라서 더위를 식혀주며 필요한 때는 물을 떠서 마당에 뿌리거나 손을 씻기도 하므로 여간 유용한 것이 아니다(사진 318). 이와 달

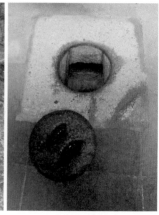

사진 318(ⓒ 윤영기)   사진 319

리 물이 흐르지 않는 집에서는 바람이 주는 혜택만 누린다(사진 319).

남병촌 정程씨 사당에서는 사진 320처럼 땅을 파고 그 위에 돌을 깔아 덮었으며, 어떤 집에서는 난간을 두르고 '해마다 부자가 되고 年年餘裕', '날마다 평안하다日日平安'고 직은 대평항人平缸이라는 물두멍은 놓았다(사진 321). 사진 322에는 선녀가 봉황을 희롱하는 모습을 베풀어서 신령스러움을 더하였다.

사진 320

사진 321

사진 322

안휘성의 천정정·북경의 사합원·복건성의 토루土樓는 중국 삼대 건축양식으로 꼽는다.

(9) 호가정胡家井

옛 이름은 여가정呂家井이다. 천여 년이 된 작은 우물이다.

'옛 이름이 여가정'이라고 한 것은 우물 이름을 집주인 성에 따라 부른 것을 알려준다.

(10) 나회탄羅會坦 옛집 우물

흔히 정상정井上井이라 부르며, 이는 옛적에 이 일대를 정상井上이라 부른 데서 왔다. 천여 년이 된 네모꼴 우물로 깊이 1미터이다. 물이 넉넉하며 수질도 좋다.

(11) 나자후羅子厚 옛집 우물

집이 무너져서 새로 짓는 바람에 우물도 없어졌다.

(12) 나택지羅澤之 옛집 화원정花園井

정방형正方形으로 길이 2.6미터에 너비 2미터, 깊이 4미터이다. 지금도 물을 마실 수 있으며 물고기도 기른다.
명대에는 3층집으로 지었으나 지금은 2층만 남았다. 따라서 우물은 백여 년이 된다.

(13) 신옥하정新屋下井

뒷골목 아래에 있으며 물맛이 좋다. 우물결에 물확水槽이 그대로 남았다. 백여 년 전부터 썼다.

(14) 삼십육 천정정三十六天井井

종이가鍾二街 중간에 위치한 삼십육천정 고택에 있다. 본디 네모(2.2×2.2미터)였으나, 1978년에 큰 가뭄이 들어 더 깊이 파는 바람에 둥근꼴로 바뀌었다.

'삼십육'은 '넉넉함'을 나타낸다. 삼십육 무선三十六武仙, 삼십육 유선三十六儒仙, 삼십육계三十六計 따위가 그것이다. 도가에서는 삼십육동천三十六洞天이라고 하여, 천지간에 삼십육천三十六天이 있다고 가르친다. 삼십육종풍三十六種風이나 서역 삼십육국西域三十六國도 마찬가지이다.

(15) 효산사정曉山祠井

형태는 그대로 남았지만 지금은 쓰지 않는다.

(16) 나시규羅時圭 노옥정老屋井

흔히 빅고징石鼓井이라 이른다. 뒷골목 아래 노옥원老屋院에 있으며 누옥을 상옥上屋 뜨는 석고청石鼓廳이라 불렀다. 새 집을 지으면서 우물도 자취를 감추었다.

(17) 후강정後崗井

후강 토지묘土地廟 부근의 천년 전 우물로 물이 넉넉하고 맛도 좋다.

(18) 영흥永興 감천정甘泉井

영흥사永興社 옛터 나무 아래에 있는 1500여 년 전 우물이다. 물이 넉넉할 뿐 아니라 달아서 휘주의 사대四大 명천名泉의 하나로 꼽힌다. 나머지 셋은 능촌凌村 자양천紫陽泉, 흡성歙城 왕공천汪公泉, 황산黃山 주사천朱砂泉 따위이다. 이 우물은 옛적에 정감팔경坎八景의 하나로도 불렸다.

물이 워낙 넉넉해서 서쪽의 논에 대기도 하였다.

(19) 계동거리溪東街 나운병羅運炳 노옥정老屋井

계동거리 동쪽, 나운병 집에 있다. 보존이 잘 되었지만 지금은 쓰지 않는다.

(20) 주촌 대사정朱村大社井

주촌 대사 앞 길가에 있었으나 도로를 넓힌 탓에 땅에 묻혀 버리고 말았다.

(21) 주촌고정朱村古井

주촌 서쪽 논둑 옆에 있으며 보존이 완벽해서 지금도 쓴다.

앞에서 든 대로 휘주 일대는 비가 많이 내리는데다가, 정감촌 가운데로 강僉川河이 흘러서 골목마다 물이 끊이지 않는 덕분에 사진 323처럼 무엇이든 닦거나 씻기 십상이다. 뿐만 아니라 여기 저기 돌을 걸쳐놓아서 빨래도 할 수 있다(사진 324).

사진 323   사진 324

사진 325는 같은 마을 후촌後村의 네모 우물로, 감천甘泉이라고 새긴 비까지 세웠다. 매우 보기 드문 우물이다.

4) 흡현歙縣

휘주徽州 고성古城은 진대晉代(265~316)의 역사서에 등장할 만큼 오래 전부터 알려졌다. 두말할 것도 없이 휘상徽商이라고 불린 상인들 덕분이다. 이들은 '휘상이 없으면 하루도 견디기 어렵다'는 말이 나올 정도로 눈부신 활약을 펼쳤다.

성 안 두산가斗山街에는 그들이 살던 호화주택들이 실핏줄처럼 얽힌 골목마다 들어차서 은성殷盛하던 시절의 면모를 남김없이 뽐낸다.

사진 326은 수리 중인 휘주부성徽州府城 문이고, 사진 327은 골목에 세운 '두산가'

사진 326

라고 세긴 돌을 걸어놓은 패방이다. 그리고 앞에서 든 대학사大學士 허국許國의 학문과 덕행을 기리는 패방은 휘주의 상징이기도 하다.

사진 327

1937년에 나온 『흡현지歙縣志』에 우물 이름 28개가 실렸다(권2 營建地 「水利」).

① 타고정打箍井	② 방정方井	③ 삼안정三眼井
④ 철모정鐵帽井	⑤ 백석정白石井	⑥ 소보정少保井
⑦ 사고정斯古井	⑧ 효의정孝義井	⑨ 창부정昌富井
⑩ 서가정徐加井	⑪ 봉지정鳳池井	⑫ 원앙정鴛鴦井
⑬ 부원정富源井	⑭ 평지정平地井	⑮ 고대정古大井
⑯ 동평정東平井	⑰ 뢰공정賴公井	⑱ 복천정福泉井
⑲ 회천정會川井	⑳ 나공정羅公井	㉑ 응공정應公井
㉒ 선고정先姑井	㉓ 하마정蝦蟆井	㉔ 절렬정節烈井
㉕ 용천정涌泉井	㉖ 사계선정沙溪仙井	㉗ 열정裂井
㉘ 어천정御泉井		

그러나 2016년 4월, 현지답사 결과 이름과 함께 실물이 남은 것은 삼안정三眼井, 타고정打箍井, 응공정應公井, 하마정蝦蟆井, 방정方井 다섯뿐이고 나머지는 이름을 모른다. 따라서 1937년 당시, 앞의 우물이 모두 있었던 것이 아니라 앞서 현지縣志 내용을 그대로 옮긴 것이 아닌가 생각된다. 문공정文公井과 자양紫陽서원의 우물이 빠진 것도 마찬가지이다. 더구나 1995년판에는 타고정·삼안정·하마정·대방정 넷만 실었다. 이 또한 부실하다는 평가를 받기 알맞다. ⑩의 서가정徐加井은 서가정徐家井의 잘못일 터이다.

현지는 명대에 두 번(만력萬歷[1573~1620], 천계天啓[1621~1627]), 청대에 네 번(순치順治 [1644~1661], 강희康熙[1662~1722], 건륭乾隆[1736~1795], 도광道光[1821~1850]), 민국民國대에 한 번 (1937년), 1959년에 유인본油印本, 1995년에 마지막 판이 나왔다. 28개 가운데 유래 따위를 붙인 것이 아홉 개이고 나머지는 위치만 적혔다. 이들을 유형별로 나누어 살펴본다.

(1) 사람 이름에서 온 것

㉑ 응공정應公井

『흡현지』 기사이다.

━━━

마을에서는 팔안정八眼井이라 부른다. 청소를 할 수 없지만 언제나 물이 맑고 차다. 응공應公이 옛적에 팠다고 한다. 은공殷公이 이를 우물 안에 글자를 고쳐서 새겼다.

━━━

'은공殷公'은 '응공應公'의 잘못일 터이다. 그는 누구인지 모른다.

「여유박람旅遊博覽」 기사이다(2015년 8월 15일자).

━━━

송대 이전에 팠다. (…)『신안지新案志』에 '우물 바닥의 구멍 둘 가운데 하나는 동정담銅井潭으로, 다른 하나는 부저담釜底潭으로 통한다. 무슨 물건이든 우물에 넣으면 모두 두 못에서 나온다'고 적었다.

전은 네 개의 돌麻石墩로 짰으며 입을 둘씩 뚫었다. 이는 구관九官의 방위를 나타낸 것인 듯하다. 형태는 정방형이며 변마다 입 셋이 있고 아래에 돌을 괴어서 움직이지 않게 하였다.

우물은 지름 3미터쯤에 깊이 7미터쯤이며 치지 않아도 물은 언제나 맑고 깨끗하다. (…)

━━━

'우물 바닥의 구멍 둘'은 물이 바닥에서 솟지 않고 좌우양쪽에서 흘러드는 것을 알려준다. 성 안 두어 곳에 같은 형식의 우물이 있다(☞ 사진 342). 또 '구관의 방위'라는 말은 가운데 빈 곳을 입으로 셈한 결과이다. '구관'은 '구九'를 길수로 여기는 나머지 정부조직도 아홉 부서로 짠 데서 왔다. (☞ 777~778)

「여유박람」에서 '전국을 통틀어도 매우 드문 이 우물을 돌보지 않은 탓에 여기저기 무너지고 그 위에 잡초가 우거졌다'고 한탄하였지만(사진 328), 지금은 말끔히 손을 보았다(사진 329). 사진 330은

사진 328

사진 329

사진 330

사진 331

사진 331의 오른쪽 끝의 전이며, 예대로 안쪽 벽에 가는 홈을 새겼다.

전은 77×79센티미터에 높이 50센티미터이며, 입 지름은 33.5센티미터이다. 전 아래(사진 331)와 우물 뒷벽에 타나 남은 향과 종이돈을 태운 자취는 오늘날에도 조상을 위해 청명일(4월 5일)에 우물지기에게 비는 풍속이 남았음을 알려준다.

사진 332는 현縣인민정부에서 2006년 6월, 문물보호단위로 지정하였다는 안내문이다. 우리는 말할 것도 없고 일본에도 없는 부러운 일이다. 옛 문물에 지극한 관심을 지닌 행정당국에 박수를 보낸다. 이 현에는 문화재로 지정한 또 하나의 우물이 있다(☞ 사진 340·352).

사진 332

② **문공천**文公泉

「여유박람」 기사이다.

명 정통正統 때(1436~1449) 판 것으로, 휘주고성徽州高城 삼대 명천名泉의 하나로 꼽힌다. 자양서원紫陽書院 아래에 있으며,

사진 333

손을 본 덕분에 깨끗하다. 전은 둥글지만 벽은 네모꼴인 독특한 형태를 지녔다.

―――――

사진 333의 뒷벽에 우물 이름이 보인다.

전은 바깥지름 1.03미터, 안지름 80센티미터에 높이 50센티미터이고 깊이는 3.5미터이다. 앞글에서 '네모꼴 벽'이라 하였지만 실제로는 여섯모이다(사진 334). 앞에 담을 둘렀으며 가운데를 터서 사람이 드나든다(사진 335). 담 건너편에 단을 쌓고 빨래돌을 두었다. 왼쪽 담 벽에 시끄러우니 방망이질을 하지 말라는 '주의사항'을 적은 것을 보면 앞 집 주인이 꽤 까다로운 인물인 듯하다.

사진 334

사진 335

문공은 송대의 성리학자 주희朱熹(1130~1200)를 가리키며, 우물도 그가 이 고장에 10여 년 머물며 제자를 가르친 공을 기리기 위한 것이다.

③ 자양서원 고정古井

「여유박람」 기사이다.

―――――

명 정통 때, 자양서원 동쪽 대숲에 마련한 우물로 물은 여전히 맑고 차다. 지금은 돌보는 이가 없으나 명대 초기 모습을 그대로 지녔다. (…) 전국에 널리 알려졌던 서원이 파괴되는 비극을 만났으니, 하물며 우물이야 더 말할 것이 무엇이랴?

―――――

이것을 '능촌凌村 자양천紫陽泉'이라고도 한다.

보통 우물과 달리 긴 네모꼴로, 물이 있는 자리까지 층계를 놓았지만 지금은 잡초가 무성하다(사진 336).

자양은 앞에서 든 주희의 호이다. 같은 이름의 서원은 소주蘇州·항주杭州·장주漳州·한구漢口 등 네 곳에 있었다. 우리도 전라남도 함평군 해보면 상곡리에 주희와 송시열宋時烈(1607~1689)을 기리는 자양서원을 세웠다.

사진 336

④ 선고정先姑井

선고는 송대 정선고鄭先姑의 이름이다.

⑤ 사계선정沙溪仙井

『흡현지』에 '당 광계光啓(885~888) 원년, 능영록凌榮祿이 이곳에서 신선을 만나 불로장생의 단사丹沙를 받았다'는 기사가 있다.

⑥ 어천정御泉井

『흡현지』에 '명 태조 주원장朱元璋(1328~1398)이 군사를 주둔시키면서 팠다'고 적혔다. 아닌 게 아니라 그는 휘주 출신이다.

⑦ 소보정少保井

『흡현지』에 '당의 화가이자 서예가인 설직薛稷(649~713)이 팠다'는 내용이 보인다. 소보는 일품직 관명이다.

⑧ 나공정羅公井

나공은 우물을 마련한 나자羅鎡(?~?)이며, 동재東齋의 교유教諭를 지냈다(『흡현지』).

⑨ 뇌공정賴公井

뇌공은 누구인지 모른다.

(2) 충렬忠烈을 나타낸 것

① 절렬정節烈井

『흡현지』 기사이다.

1860년, 군성郡城이 함락되자 태수 유조황劉兆璜의 아내 여씨呂氏가 어린 아들을 안고 뛰어들어 목숨을 끊었다.

1860년은 청이 열강의 연합군에게 패하여 '북경조약'을 맺는 한편, 러시아에 우수리강 동부지역을 넘겨주는 치욕을 받은 해이다. '군성 함락'의 '군성'은 북경을 가리키는 듯하다. 연합군이 이곳까지 들어오지 않았기 때문이다. 그러함에도 여자가 아이까지 안고 목숨을 버렸다니 안타까운 일이다.

② 열정裂井

『흡현지』 기사이다.

강희康熙 때(1662~1722), 마을 왕겸길汪謙吉의 아내 오吳씨가 우물에 몸을 던져 숨을 거두자, 남편도 뒤따랐지만 물이 넘치는 바람에 죽지 못하였다. 열정이라는 이름은 이에서 왔다.

그네가 죽은 까닭은 알 수 없으나, 남편이 뒤따른 것을 보면 '정조'와는 연관이 없을 터이다. 더구나 물이 넘쳐서 남편이 목숨을 건졌다는 대목은 우습기 짝이 없다. 여자는 마땅히 죽어야 하고 남자는 그렇지 않다는 유교의 '남존여비男尊女卑' 관념의 민낯이 그대로 드러난 까닭이다.

이 일대의 유명 가문들은 정절을 경쟁적으로 강요하였다. 거리마다 서 있는 관련 패방牌坊들이 좋은 보기이다. 『흡현지』에 '광서光緖 31년(1905), 성남가城南街 응공정應公井 골목어귀에 세운 효정절렬방孝貞節烈坊에 열녀와 정녀 65,078명을 표창하였다는 내용이 있었다'고 적혔다. 또 정표旌表를 받거나 받지 못한 열녀가 8,606명이나 되었다.

정도의 차이는 있지만 우리 조선시대에도 '효자 열녀의 광풍'이 몰아쳤었다.

(3) 형태에서 온 것

① 타고정打箍井

「여유박람」 기사이다.

사진 337

───────

송대(960~1279) 이전부터 써왔다. 이름
은 청마석青麻石 전 가운데에 테를 돈
을새김으로 꾸민 데서 왔다. 우물이 있
는 상점거리 80여 미터 앞쪽에 '허국
패방'이 있으며 이 일대를 '테우물거리
打箍井巷'라 부른다.

───────

우물은 사진 337에 보이는 상점거리 왼
쪽 아래에 있다. 네모꼴 판석 위에 둥근 전을 올려놓았다(사진 338). 바깥지름 75센티
미터에 안지름 60센티미터이며, 전 높이 62센티미터이다.

사진 338

사진 339

한쪽이 깨졌으며 사람이 빠지거나하지 않
도록 철망을 덮고 자물쇠를 채웠다(사진 339).
사진 340은 흡현 인민정부에서 2006년에 문
화재로 지정하였다는 안내판이다.

사진 340

② 대방정大方井

「여유박람」 기사이다.

―――――

송대 전부터 있었으며 이름은 전이 네모인 데서 왔다. 물이 마른 적이 없으며
지금도 쓴다.

―――――

사진 341은 두산가斗山街의 한데우물로
전을 이처럼 네모로 짠 것은 드물다. 위쪽
에 낮은 턱을 붙이고 바닥에 판돌을 고르
게 깔아놓은 큰 마을의 전형적인 한데우
물이다. 왼쪽의 한 여인은 쭈그려 앉아 빨
래를 한다. 오른쪽 끝으로 빨래 돌이 보인
다. 오른쪽 노인이 위쪽에서 빨래하는 아
내를 지켜보고 있다.

사진 341

전은 지름 1미터쯤에 높이 54센티미터
이며, 깊이는 4.19미터이다. 전과 달리 내부는 원형이며 벽돌로 쌓았다. 여러 사람
의 편의를 위해 전을 네모로 놓은 것이 분명하다.

물 표면 좌우 양쪽의 네모 구멍을 보면 물이 바닥에서 솟는 것이 아니라 지하수를
끌어들이는 구조임을 알 수 있다(사진 342). 이는 앞에서 든 응공정과 같다. 양철 두레
박으로 물을 긷는다(사진 343).

사진 342

사진 343

위쪽에 마련한 턱에서도 세탁물을 빨래 방망이로 두드린다(사진 344). 사진 345의
방망이와 함지는 우리도 낯설지 않다.

사진 344   사진 345

③ 일안정—眼井

사진 346의 우물 전은 바깥지름 88센티미터에 안지름 78센티미터이며, 높이는 53
센티미터이고 깊이는 3.73미터이다. 두레박줄을 감아쥔 아낙이 부드러운 미소를 지
은 채 물을 뜨려고 한다.

사진 347의 전 안쪽 구멍은 차오른 물을 빼기 위한 것이다.

양철두레박 한쪽에 길이 10센티미터에 지름 4센티미터인 쇠를 걸어놓은 덕분에 우
물에 넣으면 바로 이쪽으로 기울어서 물을 뜨기 쉽다(사진 348). 그렇지 않으면 한 동
안 줄을 좌우 양쪽으로 흔들어서 두레박을 기울여야 한다.
쇠파이프 대신 법랑琺瑯으로 만든 큼직한 그릇 덮개를 달아
맨 것도 눈을 끈다(사진 349).

사진 346   사진 347   사진 348   사진 349

④ 이안정兩眼井

「여유박람」 기사이다.

———

언제적 것인지 알 수 없으나 마을의 82세 노인은 명대부터 썼다고 한다. 안에 잉어가 있다. 휘주에서는 예부터 독이 있는지 알기 위해 한데우물에 물고기를 길렀으며, 이들이 죽으면 먹지 못하게 막았다.

———

전 두 개의 가로는 1.14미터이며 오른쪽 전의 안지름은 36센티미터, 높이는 55센티미터이고 깊이는 5미터이다(사진 350). 마을이름 쌍천방雙泉坊은 이 우물에서 왔다. 중년 아낙이 플라스틱 두레박으로 물을 떠서 빨래를 비빈다(사진 351).

| 사진 350 | 사진 351 |

⑤ 삼안정三眼井

「여유박람」 기사이다.

———

큰 가문望族에는 가족이 워낙 많아서 집마다 반드시 우물을 팠으며, 또 많은 형제자매들이 한 집에서 살기도 하는 탓에 물을 길을 때 자칫하면 다툼이 일어났다. 이를 막기 위해 우물을 너럭바위로 덮고 구멍 셋을 뚫어서 물을 따로 긷게 하였다. 이로써 다툼이 없어진 것은 물론 화합도 이루었다. 지금은 한데우물이 되어 마을에서도 쓴다.

———

사진 352의 위에 '영풍永豊'이라 새기고, 오른쪽에 '도광道光 3년(1823) 세차歲次', 안

쪽에 '건륭乾隆 임오壬午년(1726)'이리고 덧붙였
다. 뒤의 것은 판 일자이고 앞의 것은 고친 날
인가? 왼쪽에 끝에 '합리공수闔里公修'라는 내용
도 적혔다.

이때 흡현 인민정부에서 2006년에 문화재로
지정하였다.

무지개 꼴로 마련한 출입구도 볼거리이다.
세월의 무게를 견디지 못하고 금이 가서 오른
쪽 전 위아래에 쇠테를 둘렀다(사진 353). 사진
354는 안쪽에서 본 길가이다.

사진 352

사진 353

사진 354

⑥ **팔각정**八角井

전을 여덟모로 다듬어
맵시를 살리면서(사진 355),
벽은 둥글게 다듬는 재치
를 부렸다(사진 356).

안쪽 지름 33센티미터
에 높이 50센티미터이다.

사진 355

사진 356

(4) 동물 이름에서 온 것

① 하마정蝦蟆井

『흡현지』 기사이다.

당 정관貞觀 때(859~876), 유력한 가문에서 팠다고 한다. 천년 동안 물이 마르지 않아서 지금도 쓴다.

어떤 사람이 두 구덩이에 깃든 두꺼비를 보고 진흙을 거두어내자 돌로 쌓은 완연한 우물 두 개가 드러났다. 북쪽의 것은 깊이 한 발쯤에 물이 차고 달아서 많은 사람이 길어먹었다. 남쪽의 것을 '공모정公母井'이라 부른다.

이와 달리 「여유박람」에는 '우물 자리를 고를 때 바위에 숨었던 두꺼비가 뛰어나와 알려주었다고 하여 이렇게 부른다'고 적혔다.

이 일대에 물이 매우 부족한 것을 걱정한 그 가문에서 거리에 하나 더 판 우물을 정외정井外井 또는 자매정姉妹井이라 한다. 이는 휘주의 부자가 마을을 위해 덕을 베푼 좋은 본보기로 꼽힌다.

두꺼비는 물을 상징하는 동물이다. 두꺼비가 땅을 긁으면 샘이 솟는다는 말이 그것이다. 또 서왕모西王母의 선약仙藥을 훔쳐 먹은 항아姮娥가 달로 달아나서 두꺼비로 변했다는 신화는 그가 바닷물이 들고나는 것을 주관하는 영물임을 나타낸다. 한 임금이 잃어버린 옥새를 우물에서 찾아준 두꺼비의 공로를 사서 사위로 삼았다는 「두꺼비 아들」 이야기도 있다.

도교에서는 두꺼비가 신선을 인도한다. 후량後梁(555~587) 때, 유해劉海를 하마선인蝦蟆仙人이라 부른 것은 세발두꺼비가 온 세상 어디든지 데려다 준 데서 왔다. 그 두꺼비는 더러 우물로 달아났으며 그때마다 동전이 달린 줄로 끌어올렸다고도 한다.

사진 357의 우물은 한데우물로는 드물게 입구를 따로 마련하였다. 2006년 흡현 인민정부에서 문화재로 지정하였다는 안내판이 걸렸다.

입 지름 43센티미터에 바깥지름 65센티미터이며, 전 높이 49센티미터에, 깊이 5.7미터이다. 뒤의 벽을 판 자리는 우물지기를 모셨던 감실이고, 오른쪽은 우물 이름을 새긴 비이다(사진 358).

전을 돌로 깎았음에도 안팎이 모두 모래로 빚은 것처럼 부드럽다(사진 359·360). 웃통을 벗은 남자가 두레박의 물을 플라스틱 그릇에 붓고 있다(사진 361).

사진 357

사진 358

사진 359

사진 360

사진 361

(5) 길상을 나타낸 것

① 창복정昌福井 ② 부원정富源井 ③ 복천정福泉井 ④ 봉지정鳳池井

(6) 효의孝義를 나타낸 것

① 효의정孝義井

(7) 부부사이를 나타낸 것

① 원앙정

(8) 기타

① 용천정涌泉井

『흡현지』에 '자시子時와 오시午時에 물이 솟는다. 우물 난간과 옆에 백석용천白石涌
泉이라는 네 글자를 새겼다'는 기사가 있다.

이 우물은 북경의 자오정子午井을 닮았다. (☞ 1049)

② 중산항정中山巷井

『흡현지』에 '송대나 명청明淸대에 팠다'고 적혔다.

사진 362의 왼쪽 담 아래의 놓인 기름한 돌 두 개는 쉬는 자리이고, 뒷벽의 기름한 구멍은 우물지기를 모셨던 감실이나. 그 아래에 제물을 비치는 구멍도 있다.

사진 362

사진 363은 빨래를 위해 전 주위에 빗금을 새겨서 깔아놓은 돌이고, 사진 364는 빨래를 비비는 돌이다.

사진 363

사진 364

앞에서 든 대로 우물을 빨래터로 이용해온 것을 알 수 있다.

③ 단택정段宅井

「여유박람」 기사이다.

두산가 대방정大方井 부근 단택네 문 안에 있으며 당대唐代부터 썼다. 허리에 새끼줄을 감은 자취가 있다.

사진 365는 주위에 깔아놓은 판석과 달리 전은 금이 가서 아주 약해 보인다.

사진 366은 여러 개의 쇠줄로 만든 우물 덮개로 함부로 열지 못하도록 자물쇠를 채웠다. 한 가정 안마당의 우물인 점을 생각하면 재운을 상징하는 물을 간직하려는 의도가 더 클 터이다.

사진 365

사진 366

전 바깥지름 76센티미터에 입 지름 60센티미터이며 높이 62센티미터이다.

사진 367은 현 내아內衙의 것으로, 전 바깥지름 76센티미터에 안지름 58센티미터이며, 높이 70센티미터이다(사진 368).

휘주 우물 가운데 지붕을 갖춘 것은 이것뿐이다. 자금성의 우물처럼 지붕 가운데를 뚫어놓았다(사진 369). 하늘과 땅의 기운이 화합한다는 뜻인가?

두레박을 대문 밖 담에 걸어두는 것도 흡현 특유의 모습이다(사진 370).

사진 367

사진 368

사진 369

그림 61의 왼쪽은 물통이고 오른쪽은 멜대이다. 쓰지 않을 때는 고리와 고리를 맞물려서 세워둔다(『徽州民俗集錦』).

사진 370

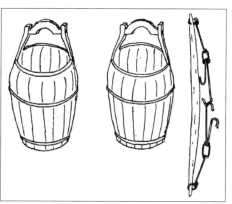

그림 61

5) 휘주구 암사동岩寺洞

사진 371은 거리의 삼안정이다. 둥근 전 위에 구멍 셋 뚫은 돌을 올려놓은 것을 보면 본디 일안정이었을 터이다(사진 372). 새 전과 본디 전 사이에 벽돌을 세워서 받쳤다(사진 373). 사진 374는 한 구멍에서 내려다 본 모습이다.

지름 79센티미터에 높이 70센티미터이며 깊이는 6미터가 넘는다. 위 구멍의 지름은 30센티미터이다.

사진 371

사진 372

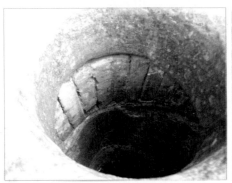

사진 373

사진 374

사진 375

사진 375도 같은 곳의 한데우물이다. 마을 노인에 따르면 왼쪽 벽에 박은 돌井銘에 '함풍 咸豊 4년(1854) 갑인甲寅에 과부 아무개가 마을을 위해 우물을 팠다'는 내용이 새겨져 있었다고 하나 지금은 거의 보이지 않는다. 앞서 죽은 남편의 명복을 빌었던 것일까?

오른쪽에서는 플라스틱 바가지로 길은 물을 세탁 그릇

사진 376

에 붓고, 왼쪽 위의 아낙은 채소를 씻으려 한다.

사진 376은 안 모습이다.

앞에서 든 남병촌처럼 집 앞 길가에 마련한 받침대에서 한 아낙이 빨래를 비비고 있다(사진 377).

사진 378은 왕촌汪村의 장대우물이다. 오늘날에는 이처럼 전이 없는 우물을 만나기 어렵다.

사진 377

사진 378(ⓒ 윤영기)

장대우물은 열하성熱河省 임서현林西縣의 사막지대에서도 썼다.

사진 379는 1930년대에 장대에 매단 두레박으로 물을 긷는 모습이다. 우물 앞으로 도랑을 팠으며, 오른쪽 아낙은 빨래를 한다.

사지 380에서는 내몽골의 한 소녀이 느릅나무로 꽈 큰 구유에 버들고리로 엮은 두레박의 물을 붓고 있다. 주위에서 집짐승들이 풀을 뜯는다.

사진 379

사진 380

4. 운남성

사진 381은 동남부에 위치한 문산주文山州 일대의 바가지 우물이다. 웅덩이가 깊고도 넓어서 한쪽 벽에 마련한 받침돌(층계)을 딛고 오르내린다. 앞에서처럼 바가지와 물통을 들고 내려가서 퍼 담는다.

사진 381(ⓒ 尹紹亭)

사진 382는 운남성 맹련현孟連縣 와족佤族자치현 마을의 한데우물이다. 싱가포르에 가서 성공한 사람이 2001년 고향에 마련하였다. 보존을 위해 번듯한 집을 세운 까닭이 이것이다. 위에 '각자가 위생을 잘 지키자講究衛生 人人有責'는 글을 적었으며, 합각 아래에 머리를 마주한 용이 맞두레를 입에 물고 논밭에 물대는 그림을 곁들였다(사진 383). 두레박 아래의 '바람과 비가 순조롭다風調雨順'는 글은 농사의 풍년을 바라는 뜻이다.

사진 384는 우물 안이고, 사진 385는 공덕을 기리는 비이다.

사진 382

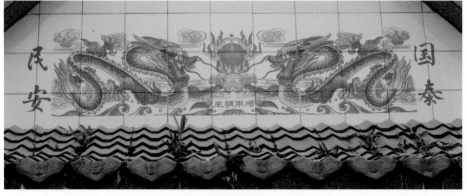

사진 383

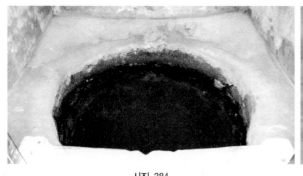

사진 384

功德碑

新加波国籍人民沈来嵌
發先生和混橄平混橄平为孟連壹
早涞混橄二社修建一座水池.
县万弍千元人民中的水池.
特此纪念

修建人：陈健成

开工日期 二〇〇〇年十一月二十九日
竣工日期 二〇〇一年一月二十日

사진 385

이와 달리 남부지역에서는 층을 지어 물이 세 단계로 흐르게 해서 맨 위쪽은 음료로, 둘째 칸에서는 채소 따위를 씻고, 맨 끝에서는 빨래를 하거나 허드렛물로 쓴다. 따라서 바닥이 보일 정도로 얕지만 물은 언제나 넘쳐흐른다. 이를 삼첩천三疊泉 또는 삼첩수三疊水라 한다.

사진 386은 여강麗江 나시족納西族마을의 전형적인 샘이다. 북쪽의 옥룡설산玉龍雪山(5,596미터)에서 사시사철 넉넉히 흘러내리는 덕분에 삼첩천이 여러 곳에 있다.

사진 386

사진 387은 같은 마을의 서고정曙古井이다. 둘째 샘에서 채소를 씻고 그 아래(오른쪽)쪽에서 빨래를 한다. 용도를 알리기 위해 오른쪽 난간 안쪽에 먹는 물飮水·채소 씻는 물洗菜·세탁 물洗衣이라고 적은 쪽널을 끼워 넣었다.

사진 388은 첫 샘 위에 마련한 지기의 모습이다.

사진 387

사진 388(ⓒ 百度)

사진 389는 운남성 서맹西盟 와족자치현의 음양정陰陽井이다. 왼쪽이 음정陰井, 오른쪽이 양정陽井으로 양쪽 물을 섞어 마시면 아기를 밴다고 한다(사진 390). 이는 도교의 음양설에서 왔다. 불교에서 성수聖獸로 받드는 코끼리가 동서로 마주섰으며 가운데에도 코끼리 머리가 보인다(사진 391). 등에 진 것은 탑인가?

사진 389

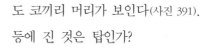

사진 390

사진 391

사진 392는 운남성 건수현建水縣 일대의 장대우물로, 장대 끝에 매단 플라스틱 두레박으로 물을 뜬다. 전이 없는 것은 앞의 우물과 같다. 이처럼 장대를 두레박줄로 대신한 고장은 많지 않다. 일본에서는 더러 썼지만 우리는 없었다. 장대는 줄보다 무겁고 다루기도 불편할 것이다. (☞ 1004~1005)

사진 392(ⓒ 百度)

사진 393은 초웅시楚雄市 대요현大姚縣의 큰길가 우물이다. 시멘트 전은 본디 원형이었으나 도로확장으로 반이 잘려 나갔다. 전이 그다지 두텁지 않음에도 젊은 여성이 위에 올라서서 물을 뜨는 것이 아슬아슬하다. 이 일대에서는 남녀 모두 이렇게 긷는다.

사진 394는 전에서 내려다 본 우물 안이다. 사진 395에서는 같은 곳, 같은 형식의 우물에서 한 남자가 물을 긷는다. 전이 낮은 탓에, 사고 방지를 위해 큰길가 쪽으로 쇠 울을 둘렀다.

사진 394

사진 393

사진 395

7장

기이한 샘과 우물

1. 술샘酒泉

① 『태평광기』 기사이다.

———

서북쪽 변방의 옥궤주玉饋酒는 주천酒泉에서 흘러나온다. 샘은 너비 한 발에 깊이 서 발이며 맛이 좋다. 주위에 놓인 옥 술통과 옥그릇으로 뜨면 다시 고여서 영원히 마르지 않는다 이 샘 속의 사람들은 하늘과 함께 태어나서 남녀 간이라도 부부가 되지 않는 까닭에 술을 마시면 사람이 태어나지도, 죽지도 않는다(20 「西北荒」).

———

옥궤주는 신선이 마시는 술이다. 옥 술통과 옥그릇도 이에서 왔다. 『신이경神異經』에 '고기처럼 맛 좋고 거울처럼 맑다酒美如肉 澄清如鏡'고 적혔다. 이 샘은 감숙성 서북부 주천시에 있다(사진 396).

② 이백李白(701~762)의 시(「달빛 받으며 홀로 마심月下獨酌」)이다(부분).

사진 396(ⓒ 김병모)

天若不愛酒	하늘이 술 즐기지 않는다면
酒星不在天	어찌 하늘에 주성 있으며
地若不愛酒	땅이 술 좋아하지 않는다면
地應無酒泉	마땅히 땅에 술 샘 없으리
天地旣愛酒	하늘과 땅 이미 술 좋아하니
愛酒胡愧焉	술 마시기 부끄러울 것 없네

『이태백李太白』

이백을 주성酒聖이라 부른 것을 알만하다. 술 없는 세상은 상상도 할 수 없다. 술을 다시는 마시지 않겠다고 백 번 이상 맹세하지 않은 자를 친구로 삼은 사람은 외롭다.

우리 이규보李奎報(1168~1241)도 '그대 조상 닷 말 술로 해정하시고五斗解醒聞乃祖 / 우리 일가는 석 잔에 도통하였네三杯通道出吾宗'라고 읊조렸다(『동국이상국전집』 제9권 고율시 「다시 화답함復和」).

③ **두보杜甫(712~770)의 시**(「음중팔선가飮中八仙歌」)**이다.**

知章騎馬似乘船	술 취해 말 탄 하지장 배 탄 듯
眼花落井水底眠	눈 어지러워 우물에 빠져 잠자네
汝陽三斗始朝天	서 말 술 마시고 조정에 나간 여양왕
道逢麯車口流涎	누룩 실은 수레만 만나도 침 흘리고
恨不移封向酒泉	술 샘 고장 주천의 태수 되기 바랐네
左相日興費萬錢	좌승상 이적지 날마다 노느라 만전 쓰네

『두보 시 300수』

술이라면 오금을 못 펴는 풍류장이 하지장賀知章(659~744)을 「음중팔선가」로 읊은 까닭이 이것이다. 술을 워낙 좋아하는 탓에 말을 타고 가다가 우물에 떨어져도 깨지 않는다는 뜻이다. 여양은 현종玄宗(712~756)의 조카 이진李璡(?~750)이고, 이적지李適之

사진 397(ⓒ 百度)

(?~747)는 같은 황제 때의 좌상이다.

주천은 한 무제武帝(전 142~전 87) 때, 병사 3만을 이끌고 서역 정벌에 나선 곽거병藿去病(전 140~전 117)이 감숙성 서북부에서 물 부족으로 병사들이 고통을 겪자, 무제가 보낸 술 한 병을 샘에 부으며 '이는 더 이상 물이 아니라 황제가 내린 술'이라고 둘러댄 데서 생겼다. 사진 397이 그의 상이다.

섬서성 대려현大荔縣에도 같은 이름의 샘이 있다. 『습유기』에 '술을 유달리 즐긴 진晉 요복姚馥이 무제武帝(265~289)가 조가朝歌(하남성 학벽시鶴壁市 기현淇縣 조가진朝歌鎭)의 읍재邑宰로 뽑았을 때는 가지 않다가, 주천酒泉 태수로 옮겨 주자 냉큼 부임했다'는 기사가 있다(권9).

강원도 영월군에도 같은 이름의 샘이 있으며, 경상북도 예천醴泉의 옛 이름도 주천이다. (☞ 618)

우리 정약용丁若鏞(1762~1836)은 이에 빗대어 '남호의 만곡이나 되는 물那將萬斛南湖水 / 황천으로 날라 술샘 만들면 좋겠네盡與泉塗作酒泉'라고 읊조렸다(『다산시문집』 제5권 「시」 황상의 아버지 인담 만사黃裳之父仁聃輓詞). 주인공 인담은 술병으로 죽었다

2. 도천盜泉

① 『중국신화전설』 기사이다.

———

공자(전 551~전 479)는 목이 몹시 말랐음에도, 이름이 마음에 들지 않는다며 도천 물을 마시지 않았다(「주진편」 상).

———

그의 뒤를 이은 증자曾子(전 505~전 436)도 마찬가지였다. 이로써 '도천 샘물盜泉之水'은 아무리 어려워도 올곧음을 잃지 않는 선비 정신의 상징이 되었다. 이 샘은 산동성

사수현泗水縣 동북쪽에 있다.

② **한유韓愈(768~842)의 시(「학을 생각함感鶴」)이다(부분).**

鶴有不群者	학 중에서 무리 짓지 않는 놈은
飛飛在野田	들의 논밭 사이를 한가히 나는구나
饑不啄腐鼠	굶주려도 썩은 쥐 먹지 않고
渴不飲盜泉	목말라도 도천 물 마시지 않아
貞姿自耿介	올곧은 성품 절로 굳세거니
雜鳥何翩翾	잡새들의 팔짝거림 끝없구나

『당시별재집』 1

'썩은 쥐'는 『장자』에 나온다. 장자가 위魏의 재상 혜시惠施(전 370?~전 309?)를 찾아 갔더니 자신의 자리를 빼앗으려는 줄 알고 사흘 밤낮으로 찾았다. 장자는 스스로 나서서 남방의 원추鵷鶵를 빌어 자신의 뜻을 이렇게 일렀다.

"남해에서 떠나 북해로 날아가는 원추는 오동나무가 아니면 깃들지 않고, 대나무 열매가 아니면 먹지 않으며, 예천의 물이 아니면 마시지 않는다. 그런데 썩은 쥐를 가지고 있던 올빼미가 지나가던 원추를 향해 꽥 하고 소리쳤다. 지금 그대는 위나라 때문에 내게 그 소리를 낸 것인가?"

③ **『하씨어림何氏語林』 기사이다.**

후한(25~219)의 악양자樂羊子가 길에서 얻은 금덩이를 아내에게 건네자 '지사志士는 도천 물을 마시지 않고 깨끗한 사람은 무례한 음식을 받지 않습니다. 하물며 주운 물건으로 이利를 얻어서 마음을 더럽히시렵니까?' 하였다. 그는 크게 부끄러워하며 들에 버렸다(『惺所覆瓿藁』에서 재인용).

또 그네는 공부하러 갔던 남편이 한 해 만에 돌아오자, 중도에 포기하는 것은 이와 같다며 짜던 베를 끊어버렸다.

④ 우리 『성호사설星湖僿說』 기사이다.

———

당 현종玄宗(685~762)이 무혜비武惠妃를 후后로 삼으려들자 반호례潘好禮(?~?)가 나섰다.

"혜비 아버지의 사촌형제再從叔 삼사三思와 종부從父 연수延秀가 기강을 어지럽힌 탓에 천하가 모두 미워합니다. 뜻있는 선비는 악목惡木 그늘에 쉬지 않고, 깨끗한 지아비는 도천이 넘쳐도 마시지 않습니다. 일반 백성들도 짝을 가리는데 하물며 천자이겠습니까?"

마침내 없던 일이 되었다(제25권 「經史門」).

———

⑤ 앞 책의 기사이다.

———

(산동성) 사수현 배미산陪尾山에서 솟는 사수泗水는 변성汴城에서 도천과 합치고, 노현魯縣에 이르러 둘로 나뉜 뒤, 북으로 흘러 수수洙水와 독수瀆水가 된다.

大于同時兼有跖	공자 때도 도척이 있었으니
吉凶元自在穹天	길흉은 본디 하늘에 달렸네
試從卞縣城西看	변현에서 성 서쪽을 돌아보라
泗水餘波合盜泉	사수의 남은 물결 도천과 합치는 것을

제1권 시 「사하를 읊음詠泗河」

———

세상만사가 천명天命에 따라 움직인다는 뜻이다. 사마천司馬遷(전 145?~전 86?)도 안연顏淵(전 521~전 490)과 도척盜跖을 보기로 들어 '과연 천도라고 하는 것이 옳은지 그른지 갈피를 못 잡겠다'고 적었다(『史記』 「伯夷列傳」).

도척은 춘추시대 말, 노魯나라 유하혜柳下惠(전 720~전 621)의 아우 유척柳跖이다. 9천 명의 무리를 거느리고 남의 우마와 부녀를 함부로 빼앗고 제후를 해친 천하의 대도大盜였음에도 천수天壽를 누렸다고 한다.

『고려사절요』에 경상북도 영주시 무신탑無信塔을 본 정습인鄭習仁(?~?)이 '악목 밑에서 쉬지 않고 도천물 마시지 않는 것은 이름이 나쁘기 때문이다. 그럼에도 온 고을에서 우러르는 탑을 '믿음이 없다無信'고 부르는 것은 참으로 괴이하다'며 허물고 그 벽돌로 빈관賓館을 고쳤다는 기사가 있다(제28권 「공민왕 3[1366]」).

3. 탐천貪泉

광동성 광주廣州의 탐천 물을 마신 광주자사廣州刺史들이 재물을 긁어모았다고 하여 붙은 이름이다.

사진 398은 1589년에 광주시 석문石門에 세운 탐천비이다.

사진 398(ⓒ 百度)

① 『세설신어』 기사이다.

―――――

동진 효무제孝武帝(373~396) 때, 오은지吳隱之(?~413)가 광주 자사로 갔다. 그곳 20리 떨어진 곳의 탐천은 마시기만 하면 욕심이 그칠 줄 모르고 솟는다는 말이 돌았다. 그러나 바로 가서 떠 마신 그는 맑은 절조를 더 잘 지켰고, 돌아올 때는 지닌 재물이 아무 것도 없었다. 뒤에 상서尙書를 거쳐 태복太僕이 되었음에도 방으로 들어오는 바람을 대와 쑥으로 막고, 식구가 끼니를 걸러도 태연하였다(「덕행」 제1).

―――――

② 그의 시(「탐천을 마시고 읊음酌貪泉詩」)이다.

―――――

古人云此水	옛 분네들 이 물 마시면
一歃重千金	천금 탐낸다 일렀지만
試使夷齊飲	백이숙제라면

終當不易心　　　마음 바뀌지 않으리

『진서晉書』 권90 「오은지 열전」

―――

③ 남조南朝 송대(420~479)의 성홍지盛弘之도 『형주기荊州記』에 '계양桂陽 남쪽 숙산宿山에서 솟아 큰 시내로 흐르는 횡계橫溪는 매우 깊어서 사철 마르지 않으며, 이를 마시면 재물에 탐욕이 난다'고 적었다.

형주는 지금의 호북성 양양시襄陽市이다.

탐천이 어디 따로 있으랴? 사람의 끝없는 욕심이 문제이다.

4. 염양천廉讓泉

이는 염천廉泉과 양수讓水를 더한 이름으로, 순박한 풍속을 지닌 고장의 대명사로 쓴다.

『남사南史』의 기사이다.

―――

송 명제明帝(465~472)가 양주자사梁州刺史 범백년范柏年(?~478)에게 광주 탐천 이야기 끝에 나눈 대화이다.

"경의 고을에도 이런 이름의 샘이 있느냐?"

"양주에는 오직 문천文川·무향武鄕·염천廉泉·양수讓水뿐입니다."

"경의 집은 어디인가?"

"염천과 양수 중간입니다." (권47 「범백년 열전」)

―――

이처럼 황제에게 응대를 잘 해서 신임을 얻었다고 한다. 양주는 섬서성 면현勉縣 동구주포東舊州鋪이다.

그러나 당唐의 왕발王勃(650 ?~676 ?)은 '탐천의 물 마셔도 상쾌함 느끼고酌貪泉而覺爽

/ 가난해도 오히려 기쁘다處涸轍以歡'고 읊조렸다(「騰王閣序」).

옳은 생각이다. 사람의 마음이 문제이지 물을 탓할 것이 아니다. 물의 본성은 언제, 어디서나 바뀌지 않는 까닭이다.

우리 황현黃玹(1855~1910)의 시(「장마철 오계 집 땔감이 떨어졌다기에 나무 한 짐 보내자, 장구시를 지어 준 것에 화답함霖雨聞梧溪薪匱餽以一擔梧溪以長句見謝和成」)에도 '사들인 땅에 큰 길 나기 바라지 않고買田不須阡陌連 / 물도 염양천 것만 마실 것 없네飮水不必廉讓泉'라는 구절이 있다(『梅泉集』 제1권 「시」).

5. 광천狂泉

원찬袁粲(420~477)에 대한 『남사南史』의 간추린 기사이다.

─────

원찬은 재주만 믿고 제멋대로 굴었으며 벼슬아치가 되어서도 마찬가지였다. 그를 빗댄 말이다. 옛적 어떤 나라에 광천이 있어 온 백성이 미쳤지만 다른 우물의 물을 먹은 임금은 말짱하였다. 미친 백성들이 그가 병들었다며 쑥을 태워 연기를 쐬고 침을 놓으며 약을 먹이자, 고통을 못 참고 광천을 마셔서 같이 미쳐 즐겁게 지냈다고 한다.

─────

세파에 시달린 나머지 차라리 미쳐버리기를 바라는 사람은 예나 이제나 한 둘이 아니다. 원찬은 남조南朝 송宋(420~479)의 대신이다.

우리 『동문선』에도 '좋은 경개 만나면 흥 넘치니佳境逢來饒逸興 / 그 미친 흥 광천마신 듯하다興狂還似飮狂泉'는 시(제17권 칠언율시 「양양루 운을 빌려 김예몽에게次襄陽樓韻 金禮蒙」)가 있다. 주인공 김예몽(1406~1469)은 세종대부터 세조대까지 여러 관직을 거쳤으며, 온화·청렴한 성품에 학문을 즐겼고 사부詞賦도 잘 지었다.

6. 음천淫泉

『사기』의 기사이다.

―――

(월남 광치성廣治城 동하시東河市) 일남군日南郡 남쪽에 음천이 있다. 땅으로 스민
물이 솟구쳐 나와 못을 이룬 데서 왔다는 설, 물이 달고 부드러워서 마시면 음란
해진다는 데서 왔다는 설, 물이 돌에 부딪는 소리가 사람의 노래와 웃음을 닮아
서 들으면 음탕해진다는 데서 왔다는 설 따위가 있다.

(…) 진秦대에 여산驪山(섬서성 서안시西安市 동북쪽)에 진시황의 무덤을 파는 중에 금
물오리가 나와서 남쪽의 음천으로 날아갔다고도 한다. 이 사실은 보정寶鼎 원년
(266), 일남日南(베트남 남부) 태수 장선張善이 군민들이 바친 금 오리를 살펴보고
알아냈다. 무덤을 지을 때 천하의 보물을 다 넣는 외에 일꾼들도 산 채로 묻었다
(권13 「前漢」).

―――

달고 부드러운 물이 음심을 돋운다는 대목은 헛말이고, 물오리가 진시황의 능에서
나왔다는 말도 마찬가지이다.

7. 투녀천妬女泉

『태평광기』 기사이다.

―――

병주幷州(산서성 태원시太源市)의 석애石艾와 수양현壽陽縣 경계에 투녀천과 투녀신묘
妬女神廟가 있다. 샘이 깊고 맑아, 천 발丈 바닥까지 훤히 비치며, 제사지낼 때 넣
은 동전과 양 뼈도 잘 보인다(권12 「투녀묘」).

―――

투녀는 개자추介子推(?~전 636)의 동생이다. 이 샘에 미녀가 다가서면 비가 내렸다고
하므로 '질투하는 여자 샘'이 아니라, '여자에게 질투하는 샘'이 옳다.

일본 효고현兵庫県 攝津國 有馬에도 곱게 차린 젊은 여성이 가까이 가면 끓어오른다
는 '질투 온천後妻湯'이 있다. 이와 달리 사람이 다가가서 큰 소리로 욕을 퍼부으면
곧 끓어오른 데서 왔다고도 한다.

8. 난로천難老泉

'물이 마르지 않는 샘'이라는 뜻으로, 난로성천難老聲泉이라고도 한다.

유래담이다.

산서성 태원시 진사晉祠 북쪽 금승촌金勝村의 유柳씨 처녀가 고당촌古唐村으로 시
집을 갔더니 고약한 시어미가 일부러 멀리 떨어진 곳의 물을 길어오게 하였다.
어느 날 한 노인이 말에게 물을 먹여 달라고 하여 애써 길은 물을 구유에 다
부어주자, 동이에 넣었다가 꺼내기만 하면 물이 차는 채찍을 주었다. 이를 안 시
어미가 몰래 동이의 채찍을 꺼내자 물이 넘쳤다. 며느리가 돌판으로 덮고 그 위
에 앉은 뒤부터 물줄기가 작아지더니 발아래로 졸졸 흘렀다. 1545년, 이를 기리
려고 샘 건너에 물어미각水母樓을 세웠다.

이 채찍이야말로 신기하기 짝
이 없다. 사진 399가 태원시의
난로천이다.

진사는 춘추시대에 진晉나라
를 세운 당숙우唐叔虞와 그의 어
머니이자 주무왕周武王(전 1023~
전 1021)의 아내 읍강邑姜에게 제
사를 받드는 사당이다.

사진 399(ⓒ 百度)

9. 자오정子午井

『열미초당 필기閱微草堂筆記』 기사이다.

호방교虎旁橋 근처 어떤 집 우물은 자시子時(밤 11~1시)와 오시午時(낮 11~1시)에만 물이 시원하고 달콤하며 시각이 바뀌면 써서 못 마신다. 이는 음기가 오시 중간에, 양기가 자시 중간에 생겨서 토지의 정기를 받기 때문이라고 한다. 그러나 자오음양子午陰陽 탓이라면 왜 다른 우물은 연관이 없는지 의문이다. 자오정子午井이라는 이름은 이처럼 시간에 따라 맛이 다른 데서 왔다.

같은 것이 북경시 호광회관湖廣會館 앞에도 있지만 물이 말라서 사실여부는 알 수 없다. 어느 때는 맑으며 달고, 다른 때는 써서 못 먹는 우물이 연복궁延福宮에도 남았지만, 자시나 오시와 연관이 없는 점에서 앞의 것과 다르다. 아마도 지하 수원에 따른 차이인 듯하다.

사진 400은 호광회관 문창각文昌閣 앞뜰의 자오정이다. '자정과 정오에 긷는 물만 달고, 다른 시간에 긷는 물은 그렇지 않다子午二時汲則甘余時則否'고 적혔다(사진 401).

우물은 입 지름 60센티미터쯤에 깊이 12미터이다. 우리에게도 같은 이름의 샘이 있다. (☞ 628)

사진 400(ⓒ 百度)

사진 401(ⓒ 百度)

10. 흑우정黑牛井

운남성 초웅시楚雄市 교외 흑정진黑井鎭의 소금우물 흑우정黑牛井은 한 아낙이 찾았다. 여물을 먹던 검은소墨牛가 어디로 사라졌다가 돌아오는 것을 이상히 여겨 뒤를 밟았더니 웅덩이의 물을 마시고 있었다. 그네가 혀에 대자 짠 맛이 돌고 누에콩을 넣었더니 잠기지 않고 떠올랐다.

이를 솥에 졸여 소금을 냈고 주민들도 모두 따랐다. 샘 이름은 이에서 왔으며 묵정墨井이라고도 한다. 명청明·淸대에는 이곳 세금이 운남성 수입의 절반을 차지하였다.

사진 402는 내력을 알리는 비이고, 사진 403은 생산되는 소금이다.

사진 402(ⓒ 百度)

사진 403(ⓒ 百度)

11. 쌍둥이우물雙胞井

① **운남성 묵강현墨江縣**은 인구 38만에 쌍둥이가 1,200여 명이라 쌍둥이고장雙胞之家이라 불린다. 2006년에 임산부 400명 중 13명이, 2007년에 557명 중 18명이, 2008년에 676명 중 19명이 쌍둥이를 낳았다. 이밖에 여러 향鄕과 진을 더하면 출생률이 더 높을 것이다. 이는 상포정의 물을 마셨기 때문이라고 한다.

원인은 북회귀선설과 검은 쌀黑米설로 나뉜다.

북회귀권설은 묵강현 가운데 3분의 2 지역은 북회귀선 남쪽에, 나머지는 북쪽에 있어서 열대와 온대가 만나 음양이 합치는 탓에 쌍둥이가 많이 태어난다는 것이다.

선 중심축에 있다는 호텔의 방 넷은 언제나 사람이 몰려들어 숙박비가 비쌀 뿐 아니라, 예약조차 어렵다는 말도 떠돈다.

검은 쌀설은 이곳의 검은 쌀이 알갱이가 굵고 차진데다가 단백질을 비롯하여 지방·아미노산·비타민·엽산葉酸 따위를 두루 갖추었고, 특히 엽산은 임신은 물론 쌍둥이 출생에도 영향을 끼친다는 주장이다.

쌍포정에서는 2005년부터 해마다 5월 1일부터 사흘 동안 세계 각지의 쌍둥이들이 모여 국제 쌍둥이대회를 열며, 이때 부녀자들이 몰려와 물을 마시고 떠간다.

사진 404가 묵강현의 쌍포천이다.

사진 404(ⓒ 百度)

② 쌍포정은 하서河西(감숙성)에도 있다.

이에 대한 전설이다.

———

옛적에 수신水神의 아기를 밴 소녀를 귀신이 들렸다며 무당이 죽이려 들었다. 하서河西로 달아난 그네가 낳은 쌍둥이가 두 개의 샘으로 바뀌었고, 이를 생명수로 여긴 마을에서 우물 청석靑石에 쌍포정双胞井이라고 새겼다.

———

마을의 112호 가운데 여덟 집에서 쌍둥이가 태어난 뒤부터 물을 마시면 쌍둥이를 쉽게 밴다고 일러온다.

귀주성 종강현 관동진貫洞鎭 점리占里 동족侗族마을의 우물 여덟 가운데, 쌍을 이룬 용수정榕水井의 하나를 암물女井, 다른 하나를 숫물男井이라 부르는 것도 이와 연관이 있을 터이다.

12. 월아천月牙泉

『돈황의 전설』 기사이다.

───

돈황에 명사산鳴沙山이나 월아천이 없던 때, 가뭄으로 작은 오아시스마저 말랐다. 사람들의 통곡을 들은 백운白雲선녀가 도우려 했지만 용왕의 허락 없이는 뇌공雷公과 전모電母를 부를 수 없었다. 안타까워서 흘린 그네 눈물이 땅에 떨어져 한곳으로 모여 샘이 된 덕분에 만물이 되살았다.

사람들이 사당을 세우고 황금빛 소상塑像을 모시면서 참배객이 점점 늘어났지만, 맞은편의 신사관神沙館은 점점 줄었다. 화가 난 대선인大仙人이 애송이가 되잖은 신통을 부렸다며 샘가에서 모래 한 줌을 쥐고 '일어나라' 소리치자 거센 모래 폭풍이 샘을 덮었다.

이에 백운선녀가 구천九天의 항아姮娥에게 빌린 초닷새 달을 받쳐 들고 사당으로 내려오자 월아천이 되었다. 그리고 상대가 다시 일으킨 모래 폭풍을 항아가 소맷자락으로 흔들어서 산 위쪽으로 날려 쌓인 것이 명사산이다(정병윤 2006 ; 76-82).

───

사진 405(ⓒ 百度)

여인의 눈물이 이룩한 사막의 오아시스라니 얼마나 귀한 존재인가?

사진 405가 그곳이다.

13. 이사천貳師泉

한 무제武帝(전 156~전 87)는 좋은 말이 있다는 소문이 들리면 반드시 손에 넣었다. 그의 명을 받은 장군 이광리李廣利(?~전 90)가 대원국大宛國을 치고 한혈마汗血馬 3천 바리를 끌고 올 때이다. 고비사막에서 물이 떨어지자 스스로 찾아 나섰다.

적수석滴水石이라고 새긴 깎아지른 절벽에 이른 그는 '물이 흐르는 바위라니 대체 누구를 속이느냐?' 소리치며 칼을 뽑아 바위를 내리쳤다. 세 번 내리친 끝에 물이 흘러내려 모두 목숨을 건졌다. 그를 기리려고 이사천이라는 이름을 붙이는 한편, 사당을 세우고 상도 모셨다. '이사'는 대원의 수도 '이사성'에서 왔으며, 이광리를 흔히 이사장군이라고도 부른다.

현천懸泉이라는 별명은 깎아지른 절벽의 샘이라는 뜻이다.

앞에서 든 대로 중이라면 지팡이를 썼을 터이지만 장군이라 칼을 휘두른 것이다.

14. 구십구정九十九井

『**고금도서집성**古今圖書集成』 기사이다.

———

주周의 선왕宣王(전 827~전 782)은 어느 날 자신은 하루 안에 우물 백 개를 파고, 아내는 백 필의 피륙을 짜는 내기를 벌였다. 다음날 아침 상대는 다 짰으나, 그는 한 개가 모자라는 99개의 우물을 팠다.

———

선왕은 초기에 전성기 못지않은 중흥中興을 이룩하였지만, 유능했던 방숙方叔이 병들어 죽은 뒤부터 내리막으로 접어들었다. 앞의 이야기는 그의 만년을 가리키는 듯하다.

15. 국성정國姓井

『중국의 생활민속』 기사이다.

───────

복건성 하문廈門에 국성國姓이라는 성씨가 팠다는 일고여덟 개의 우물國姓井이 있다. 상공궁항相公宮巷의 둘, 이원怡園·호계암虎溪岩 대동로大同路·중의원中醫院·연평공원延平公園의 한 개씩이 그것이다. 1661년 2천여 명의 군사를 3백여 척의 배에 싣고 하문을 떠나 중화민국(대만)을 정복한 정성공鄭成功(1624~1662)이 마련한 것으로, 연평공원의 것은 세 번 만에 찾은 까닭에 삼불정천三佛淨泉이라 부른다.

중화민국 철침산鐵砧山에도 국성정이 있다. 네덜란드군의 포위로 군사들이 물부족을 겪을 때, 칼을 뽑아 땅에 꽂고 하늘에 기도를 올리자 솟았다는 검정劍井이 그것이다.

본디 '국성國姓'은 황제의 성씨를 가리키는 말이다. 이李씨 천하였던 당대唐代에는 '이', 명대에는 '주朱'가 국성이었다. 정성공이 판 우물을 국성정이라 부르는 것은 그의 공적을 기리기 위한 것이다(김인옥 1996 ; 181~182).

───────

사진 406은 국성정과 그 유래를 알리는 글귀이다. 같은 이름의 우물은 다른 곳에도 있다. 사진 407은 검정이다.

사진 406(ⓒ 百度)

사진 407(ⓒ 百度)

16. 중령천中冷泉

① 『우초신지虞初新志』 기사이다.

———

유백추劉伯芻(758~818)의 말대로 천하제일의 샘이다. 옛적에 금산金山(강소성 진강시
鎭江市)에서 노닐던 이가 우연히 마셨더니 가슴과 겨드랑이에서 신선의 향기가 났
다고 한다. 1640년 봄, 내가 갔을 때는 기와를 덮은 정자 난간에 돌로 깎은 용이
똬리를 틀고 있었다. 주위의 바위를 덮은 이끼를 털어내자 '옛 사람이 마신 물은
곽박郭璞(276~324) 무덤 사이에 따로 있다. 자시子時(밤 11시~1시)와 오시午時(낮 11
시~1시)에 긴 두레박줄에 달린 구리 병을 석굴에 서너 척 넣으면 물을 찾지만,
여러 법식法式을 따르지 않으면 맛을 못 본다'는 글이 나타났다.

곽공의 무덤은 금산 기슭 서남쪽 파도 속에 있어서 가지 못하였다. 며칠 뒤 돌
아오는 배에 탄 도인의 해진 장삼長衫에서 맑은 소리가 나기에 물었더니 뒤웅박
이었다. 지름 17센티미터쯤에 높이 1.8미터로 겉은 누렇지만 속은 붉었다. 옆에
귀 셋을 달고 구리 징을 박은 긴 쇠사슬이 감겨 있었다. 귀에 걸린 끈 한 가닥
은 뚜껑 위 고리에 묶어서 도르래를 따라 오르내리며, 뒤웅박 옆으로 구슬을 묶
은 줄 한 끝은 뚜껑 위로 이어졌다. 그는 자기를 따라오면 중령천 물 한 곡斛(열
말)을 나눠주마고 하였다.

이틀 뒤 윤주潤州(강소성 진간현에 있던 주)에 이른 우리는 작은 배를 타고 무덤으로
갔다. 물결이 워낙 사나워 여러 번 실패한 끝에 겨우 옆 바위로 올라갔다. 그는
한 석굴 앞에서 여기가 중령천이라며 뒤웅박을 아래로 내렸다. 귀에 달린 쇠의
무게를 받아 뒤웅박이 기울어진 채 한 발쯤 내려가자, 두레박의 구리구슬을 흔들
어서 물을 채우고 뚜껑을 닫아 끌어올린 뒤, 질솥에 붓고 불을 지폈더니 곧 끓었
다. 영목欞木바가지에 떠서 맛보자 향기가 입에서 가슴으로 스미고, 두석 잔에 이
르러 겨드랑이 양쪽으로 퍼지면서 삿된 마음이 씻기는 느낌이었다. 나는 탄성을
지르며 '아, 이 물이로구나' 중얼거렸다.

옛 분네의 말 그대로이다. 천지의 신령한 기운은 반드시 감춰진 곳에서 뭉친다.
산도 강 복판에서 솟고, 샘도 깊은 강물 바닥에서 나와야 한다. 누구든지 이 물
맛을 보면 신선의 경지에 들 것이다.

도인의 성은 장張씨이고, 조상은 민閩땅 사람이라 한다.

장산래張山來(1650~?)의 말이다.

"내 고향 조환부趙桓夫 선생은 금산강 복판의 물과 곽박 무덤 사이의 물은 같다고 하였다. 그는 배 두 척을 60센티미터 거리에 나란히 띄우고 우물 정자꼴의 널을 걸쳐서 두 척 넓이의 공간을 마련하였다. 뚜껑이 달린 주석항아리 목에 긴 두레 박줄을 묶고 다른 줄을 뚜껑에 걸었다. 줄을 내린 뒤 뚜껑 줄을 당겨서 열고 물이 차면 끌어올렸다. 아마도 선생은 곽박 무덤 곁의 샘물 긷는 방법을 몰랐던 듯하다. 장 도인을 만났더라면 하는 아쉬움이 남는다."

———

영목은 영목影木이라고도 하며, 겉에 우툴두툴한 무늬가 돋았다. 민은 지금의 복건성이다.

우물은 깊이 4미터에, 입 지름 38센티미터이며, 전에서 물까지는 1.8미터 떨어졌다. 여섯모 전 높이는 32센티미터이고 안지름은 34센티미터이다. 오대五代 때(907~922), 덕소德韶화상이 팠다고 한다.

처음 주위가 네 빌이나 되어 빠져 죽는 사람이 많아지자 남송 소흥紹興 때(1131~1162)에 큰 돌을 덮고 구멍 여섯을 뚫었으며, 명明 홍치弘治 때(1488~1505) 하나를 메웠다. 순우淳祐 7년(1247), 항주시杭州市에 큰 가뭄이 들었음에도 이것만은 물이 줄지 않고 솟았다.

② 『원중랑집袁中郎集』 기사이다.

———

동쪽 오회吳會에서 노닐던 내 친구 마성麻城 구장유丘長孺(?~?)가 종복들에게 혜산천惠山泉과 단풍團風의 물 30담罈(짧은 목에 배부른 단지)을 (…) 떠메어 나르라 일렀다. 그러나 너무 무거워 강에 쏟아 붓고 도관하倒灌河의 물로 채웠다. 이를 모르는 주인은 이튿날 여러 호사가들에게 맛보였다. (…)

모두 냄새를 맡아가며 조금씩 씹어 먹듯 마셨고 삼킬 때는 목구멍에서 골골 소리가 났다. 마침내 서로 쳐다보며 '맛이 참 좋다. 구장유의 높은 홍취가 아니면 이승에서 무슨 인연으로 이 물을 마시겠는가?' 부러워하였다. 그러나 달포쯤 뒤 종복들이 털어놓은 (…) 사실을 안 호사가들은 탄식을 내뱉었다.

전에 동쪽으로 민정을 살피러간 내 아우 소수小修도 혜산惠山과 중령中泠의 샘물
동이에 각기 이름을 적은 붉은 쪽지를 붙여서 보냈다. 그러나 한 달여 만에 받았
더니 글자를 알아볼 수 없었다. 나는 아우에게 장난삼아 '어떤 것이 혜산샘물이
고 어떤 것이 중령샘물이냐?' 물었지만 구별 못하였고 맛을 보아도 마찬가지였
다. 우리는 서로 크게 웃었다. 실제로 혜산 것이 중령 것보다 나으며, 도관하倒灌
河의 물과 견주면 더 말할 것이 없다.

오吳의 관리가 된 나는 물맛을 자주 본 덕분에 잘 알게 되었다. 우연히 유우幼于
의 이 책을 읽다가 지난 일을 기억하고 나도 모르게 허리를 꺾고 웃었다. 동파東
坡 蘇軾가 사왔다는 하양河陽의 돼지고기를 손님들이 찬미한 일과 아주 닮았다.
이 글을 읽으면 유우도 한바탕 웃을 것이다(「識張幼于惠泉詩後」).

———

유우는 장태화張太和(?~?)의 자子이다.

단풍團風은 호북성 황강현黃岡縣 서북 50리에, 도수倒水로도 불리는 도관하는 마성
현 서쪽에 있다. 단도현丹徒縣 서북 석비산石潷山 동쪽에 있는 중령천의 가운데 글자인
'영泠'은 '영零'으로도 적는다. 찻물을 일곱 가지로 나눈 유백추劉伯芻(758~818)는 양자
강 남쪽의 영수零水를 제일로 쳤다.

숭녕천은 남녕수南零水·숭녕수中泠水·중유수中濡水·양사강심 세일천揚子江心第一
泉 따위로 불린다. 옛적에는 양자강 사이에 있었으나 청대 말, 진흙이 쌓여 육지샘陸地泉
이 되었다. 동전銅錢류의 금속화폐를 물을 가득 채운 잔속에 넣었을 때, 물이 위로

2~3센티미터 올라와도 밖
으로 넘치지 않아야 순수한
중령천 샘물이라는 말이 있
다. '잔은 차도 넘치지 않는
다盈杯不溢'는 말은 이에서
왔다.

사진 408에 '천하제일천
天下第一泉'이라고 새긴 돌
판이 보인다.

사진 408(ⓒ 百度)

17. 혜산천惠山泉

강소성 무석현無錫縣 서쪽에 위치한 혜산 백석오白石塢의 이 샘은 절강성 항주시 호포천虎跑泉 및 강소성 진강 중령천과 더불어 중국 삼대 명천으로 꼽힌다. 샘 20여 개에 차례로 이름을 붙인 당의 육우陸羽(733~804)는 여산廬山 강왕곡동康王谷洞 염수簾水를 으뜸으로, 혜산천을 버금으로 잡았다.

재상 이신李紳(772~846)도 고향의 이 물을 경성京城의 친구들에게 나누어주었으며, 맛을 본 동료 재상 이덕유李德裕(787~849)는 역참驛站에 천리 밖 장안으로 실어 보내라는 특명까지 내렸다. 또 송 휘종徽宗(1082~1135)도 공납품으로 삼아 달마다 여러 제단에 올리라고 일렀다.

사진 409에 '천하제이천天下第二泉'이라고 새긴 돌이 보인다. 사진 410은 물을 뿜는 용머리이다.

소식蘇軾(1037~1101)의 시(「형문의 장유 도관이 혜천을 노래한 내 시에 화답한 시에 차운하여 답함次韻答荊門張都官維見和惠泉詩」)이디(부분).

楚人少井飲　　초에서 물 덜 마신 덕분에
地氣常不漏　　언제나 땅 기운 보존되네
縮地爲惠泉　　그 기운 한데 뭉쳐 혜천 이루니
坌若有所折　　지맥 끊어진 듯 용솟음치네

사진 409(ⓒ 百度)　　　　　　　　사진 410(ⓒ 百度)

| 泉源本無情 | 샘에 본디 감정 없으니 |
| 豈問濁與澈 | 흐리고 맑음 어찌 따지랴? |

『소동파 시집』

---

18. 포돌천跑突泉

『오잡조』에 '제남濟南(산동성 제남시)의 두 가지 불가사의不可思議 가운데 하나인 포돌천은 땅에서 2미터까지 솟아오르는 모습이 볼만하다. 여름에도 겨울에도 마르지 않으며 흘러서 내를 이룬다'는 기사가 있다(권4 地部 2「濟南不思議」).

제주지주齊州知州였던 송의 증공曾鞏(1019~1083)이 샘 옆에 낙원당瀥源堂을 짓고『제주이당기齊州二堂記』를 쓸 때, 본디 이름 낙수落水를 샘이 솟구치는 모습을 본 떠 바꾸었다고 한다. 청의 강희제康熙帝(1654~1722)와 건륭제乾隆帝(1711~1799)도 가져왔던 옥천수玉川水를 버리고 이 물로 차를 달였다.

사진 411의 포돌천 왼쪽에 제일천이라고 새긴 비가 있다.

사진 411

청 회응빙懷應聘(?~?)의 시(「유포돌천기遊跑突泉記」)이다.

怒氣躍突	노한 기운 솟구쳐
如三柱鼎立	기둥 셋 서 있는 듯
并勢爭高	기운 모여 높이 솟으며
不肯上下	굽히려 들지 않누나
噴珠飛沫	구슬 쏟아지고 물방울 날려

| 又如氷雪錯雜 | 얼음 조각에 눈 섞인 것이 |
| 自相鬪擊 | 서로 치고 싸우는 듯하네 |

『?』

날카로운 발톱을 세우고 싸우듯 힘차게 쏟아지는 모습을 실감나게 표현했다.

공원으로 꾸민 이 샘 주위에는 금직천金織泉(사진 412)·수옥천漱玉泉(사진 413)·마포천馬跑泉(사진 414·415)·흑포천黑跑泉(사진 416·417)·유서천柳絮泉(사진 418)·두강천杜康泉(사진 419)·등주천登州泉(사진 420) 따위를 비롯한 41개의 샘이 곳곳에서 솟는다.

사진 412

사진 413

사진 414

사진 415

사진 416

사진 417

사진 418

사진 419

사진 420

19. 원앙정鴛鴦井

사천성 도강언시都江堰市 청성산靑城山에 있는 상청궁上淸宮은 진대晉代 건물이다. 당
현종玄宗 때 고친 뒤, 오대五代 전촉前蜀(901~925) 때 다시 지었다가 1869년에 중건하였다.

후촉後蜀(934~965) 왕 대소大小와 서비徐妃의 유적이라는 궁궐 우물 가운데 하나는
입이 둥글고, 다른 하나는 네모이다. 둥근 것은 양, 모난 것은 음을 나타내는 데서
원앙이라 부르는 듯하다. 하나는 맑고 따뜻하나, 다른 하나는 흐리며 이들이 서로 통
한다고도 이른다. 사진 421이 그 우물이다.

이밖에 신농神農이 태어나면서 자연히 생긴 하남성 휘현시輝縣市 구정九井, 그가 태어나 사흘 만에 씻겼다는 섬서성 보계시寶鷄市 구성천九聖泉, 순 임금이 구멍을 뚫고 빠져 나온 산서성 원곡현垣曲縣 순정舜井, 금인金人이 지

사진 421(ⓒ 百度)

팡이로 두드려서 솟은 하남성 익양시益陽市 금정金井, 다섯 장사가 주먹으로 쳐서 솟은 호남성 익양시益陽市 권차정拳扠井, 범이 차서 솟은 절강성 항주시 호포천虎跑泉(사진 422), 후한 광무제光武帝(25~57)가 '물이여 솟아라' 외치자, 스스로 기울어져서 두레박 없는 군사들이 마신 하북성 신주시辛州市의 경정傾井 따위도 있다.

사진 422(ⓒ 百度)

20. 액정厄井

하남성 형양현滎陽縣 범수진氾水鎭의 액정은 항우項羽(전 232~전 202)에게 쫓기던 한 고조高祖(전 206~전 195)가 우물에 숨었을 때, 뒤좇던 병사가 우물 전에 앉은 비둘기를 보고 안에 사람이 있는 줄 몰랐다는 고사에서 왔다(『太平寰宇記』 권52).

따라서 액정은 재난을 물리쳐준 우물이라는 뜻이다.

21. 소금우물鹽井

염정은 졸여서 소금을 내는 우물이며, 후한(25~220) 때 사천성에서 시작되었다. 이어 347년에는 깊이 15미터의 소금 호수鹽湖에서 끌어올려서 가스로 끓이기도 하였다. 오동협梧桐峽 일대에 만 개가 넘는 소금우물이 있었으며, 지름 1.2미터~1.5미터에 0~50미터의 바위를 뚫었다(R. P. 홈멜 1992 ; 173~179).

그림 62

그림 62는 사천성 공협邛峽의 후한 시대 유적에서 나온 소금 광산 모습이다. 왼쪽의 굴 아래에서 한 사람이 소금물을 통에 담는다. 통이 꽤 무거운 탓에 2층에서 둘이 도르래 줄을 당기는 것으로 모자라서 3층에서 다시 두 사람이 끌어올린다. 3층에서 오른쪽의 물그릇에 부으면 물은 홈통을 타고 빙빙 돌아서 오른쪽 부뚜막으로 내려온다. 이것을 솥에 붓고 졸여서 소금을 굽는다. 오른쪽 위에서는 긴 꽹이를 집은 사람들이 힌칭 바위를 뚫고 있다.

① 『천공개물天工開物』 기사이다.

───────

바닷가에서 멀리 떨어진데다가 교통이 불편하고 지세도 높아서 소금광鹽鑛은 모두 땅속에 있다.

사천에서는 하천에서 멀지 않은 곳의 돌산에 많은 우물을 파서 소금을 얻는다. 우물 입은 아주 좁아서 작은 주발로 덮을 만하다. 그러나 깊이는 100미터 이상 되어야 소금 층에 이르므로 우물을 파는데 인력과 경비가 많이 든다. (…) 이 때문에 깊은 것은 반년, 얕은 것은 한 달이 걸린다. 우물 깊이가 500미터에서 1,000미터가 되는 곳이 있으며 더 깊이 내려가기도 한다.

소금 물길에 닿으면 길이 한 발이 넘는 대의 맨 아래 마디만 남기고 나머지는 속을 뚫는다. 그리고 마디마다 판瓣을 달아서 물을 통으로 잘 들어오게 한다(밸브의 작용으로 대통에 물이 차면 수압으로 저절로 열려서 물이 들어오고, 이를 끌어올리면 대통 안의 압력으로 밸브가 닫힌다). 굵은 끈에 잡아맨 통을 바닥으로 내려서 물을 채우며, 우물 위에 설치한 길고나 두레틀로 통을 끌어올린다.

우물 옆 아래에 세운 물레에 줄을 걸고 다시 둥근 바퀴에 연결해서 소가 끌어 돌리면 물이 소금가마로 흘러들어간다(井鹽).

———

그림 63은 이 책에 실린 소금 굽는 모습이다.

그림 64의 왼쪽에 물레틀로 통을 끌어 올리고, 오른쪽에서는 연자매처럼 소가 바퀴 를 돌린다. 맨 아래에서 통에 담은 물 을 인부들이 멜대로 나른다.

그림 63

그림 64(ⓒ 百度)

양梁 무제(502~549) 때의 『문선文選』에 '집집마다 소금이 솟는 우물이 있다家有鹽泉 之井'는 대목이 보이지만(左思 「蜀都賦」), 안지추顏之推(520~590)가 『안씨가훈顏氏家訓』에 '대문 닫고 앉았어도 생활에 필요한 것들이 다 넉넉하나 염정鹽井만 없다家無鹽井百物 具'고 푸념한 것을 보면 그리 흔치는 않았던 듯하다(「治家」).

우리 이가환李家煥(1742~1801)은 『안씨가훈』의 기사를 빗댄 시(「이상사 규진의 큰 시냇가 유 거에서 읊음李上舍奎鎭大溪幽居」)에서 '집에 염정 없을 뿐이니家但無鹽井 / 어찌 활빈할 걱정하 랴何愁作活貧'고 읊었다(『詩文艸』 권2). 활빈은 넉넉한 사람의 재물을 빼앗아 어려운 사람 을 돕는 일이다.

② 『박물지』 기사이다.

___

임공현臨邛縣(사천성 공협시邛崍市) 남쪽 100리에 지름 1.6미터쯤에 깊이 두세 길의 화정火井이 있다. 제갈승상諸葛丞相(181~234)도 가서 보았으며, 옛적의 어떤 이는 대나무를 넣어 불을 얻어 썼다고도 한다. 뒤에 불길이 더 치솟자 그릇盆에 물을 끓여 소금을 냈다. 뒤에 사람들이 집에서 쓰던 불을 넣자 꺼졌으며 지금까지 그대로 남았다.

주천군酒泉郡(감숙성) 연수현延壽縣 남산의 화천火泉은 불길이 횃불처럼 솟는다(「異産」).

___

『태평광기』에도 닮은 기사가 있다.

화정은 '천연가스가 나오는 우물'이라는 뜻으로, 앞에서 든 공협시의 화정고진火井古鎭이 유명하다.

북조北周시대(556~581)에는 '불 나오는 우물能生火井'로 알려졌으며, 이를 신기하게 여긴 왕희지王羲之(307~365)가 친구에게 '염정鹽井과 화정火井을 그대가 직접 보았느냐?' 물은 적도 있다(「鹽井帖」).

③ 『오잡조』 기사이다.

___

촉蜀(사천성)에 화정과 염정이 있다. 화정은 기름과 같아서 뜨거워지면 탄다. 깊이 330여 미터의 염정에 물건을 넣으면 얼마 뒤 소금으로 바뀐다. 그러나 사람 머리털은 그대로 있다. 또 불회목不灰木이라는 것도 불을 붙이면 타지만 꺼지면 다시 본디 모습이 된다. (…)

노(산동성)의 공림孔林에도 불회목이 있다고 한다. 베어 화로를 만들고 불을 담으면 곧 붉게 탄다지만 나는 못 보았다(권4 地部 2 「火井及鹽井」).

___

공림은 산동성 곡부현曲阜縣 북쪽에 있는 공자의 무덤이다. 제자들이 각기 제 고장의 나무 백여 그루를 가져다가 무덤 주위에 심은 까닭에 이렇게 부른다.

『태평환우기太平寰宇記』에 사천성 봉주蓬州(의룡현儀龍縣 대인진大寅鎭)에 단사丹砂가 나오는 화정이 있다고 적혔으며, 『촉도부蜀都賦』에도 '불을 붙이면 우레 같은 소리가 나고 불빛은 10리에 뻗치는 외에 단사도 나온다'는 기사가 보인다(「注」). 사천성의 화정을 흔히 촉정蜀井이라 이른다.

④ 이에 대한 『천공개물』 기사이다.

———

사천 서쪽에 화정이라는 아주 기묘한 우물이 있다. 바닥의 물은 차며 불기운은 전혀 없다. 가운데를 쪼갠 긴 대의 마디를 없애고 다시 합친 다음, 칠포漆布로 동여매고 한쪽을 우물바닥에 꽂는다. 다른 끝은 구부러진 관에 연결하고 소금가마 위로 이르게 해서 가마에 불을 지피면 물이 곧 끓는다. 그럼에도 대를 풀어보아도 그을린 자취는 없다. 이처럼 불꽃이 일지 않았음에도 불이 작용한 것은 아주 이상한 일이다.

사천과 운남 일대의 염정에서 탈세脫稅가 자주 일어나지만 끝까지 찾아내기는 쉽지 않다(「井鹽」).

———

⑤ 『태평광기』 기사이다.

———

능주陵州(사천성 인수현仁壽縣 동쪽)의 염정(둘레 7미터에 깊이 180미터)은 후한의 선인仙人 장도릉張道陵(34~156)이 팠다. 구운 소금의 3분의 1은 관에 바치고 나머지를 백성들이 차지한 덕분에 이익이 많아 곧 읍을 이루었다. 만세통천萬歲通天 2년(696), 우보궐右補闕 곽문간郭文簡이 사들여 하루만에 45만 관을 벌었다.

우물가 옥녀묘玉女廟에 그에게 우물 자리를 가르쳐주었다는 12옥녀를 모셨으며, 밑에 신령이 깃들어서 불을 던지거나 더럽히면 벌을 받는다고 한다. 물을 긷던 어떤 사람이 불을 떨어뜨리자 물이 끓어오르고 흙탕물이 튀며 돌이 날아다니는 변괴가 일어난 적도 있다. 우물의 지하수맥이 동해에 닿는다고도 이른다(16 「鹽井」).

———

장도릉은 2세기 후반, 오두미도五斗米道를 창시한 도사이다. 우물자리를 옥녀들이 알려주었다는 대목도 이에서 왔다. 신자들에게 쌀 닷 되(9리터쯤)를 거둔 까닭에 오두미도五斗米道라 불렀다.

⑥ 『몽계필담』 기사는 다르다.

———

능주에 깊이 150쯤의 돌 염정이 있다. 위아래는 너르지만 허리께가 좁아서 장고
요長鼓腰라 불렀다. 옛적에는 바닥에서 위까지 잣나무를 세운 뒤, 시렁을 매고 줄
을 달아서 우물 옆에서 도르래로 퍼 올렸다. 시간이 지나 시렁이 썩자 다시 세우
려 하였지만, 독한 기운이 솟아 사람이 들어가자마자 죽었다. 다만 빗물이 흘러
들어가 독기가 갈아 앉는 틈을 타서 공사를 벌였고, 날이 개이면 손을 놓았다.
그러나 한 사람이 구멍 뚫은 함지에 물을 가득 채우고 우물 위에 걸어서 물이
빗방울처럼 흐르게 한 덕분에 서너 달 뒤부터 다시 퍼 올렸다(제13권 「權智」).

———

매우 과학적인 방법이다. '우물 옆에서 도르래' 운운한 대목은 물레우물 원리를 이
용한 것을 알려준다.

『지낭智囊』에 속을 판 송백나무로 깊이 90미터쯤의 벽을 쌓고, 물이 빗발처럼 흐르
게 한 꾀를 낸 사람은 벼슬아치 양좌楊佐(?~?)라는 기사가 있다.

⑦ 두보杜甫(712~770)의 시(「소금우물鹽井」)이다.

———

汲井歲搰搰	한 해 내내 길어 올리고
出車日連連	날마다 소금 수레 끄네
自公斗三百	관청에서 한 말 삼백 냥이건만
轉致斛六千	야바위꾼들 한 섬 육천 냥 받네
君子愼止足	군자라면 마땅히 그치련만
小人苦喧闐	소인배들 욕심 끝없구나
我何良歎嗟	내 탄식할 까닭이 무엇이랴
物理固自然	사물의 이치 바로 그런 것이니

『두보 진주동곡시기시 역해』

———

소금을 굽느라고 뼈 빠지는 사람들을 제쳐두고 두 배의 이익을 내는 장사꾼들을 꼬집으면서도, 세상이 그렇게 돌아가게 마련이니 어찌할 도리가 없다는 한탄이다.

사천성 일대에는 염정이 아주 흔하였다. 청의 만광태萬光泰(1712~1750)도 『통고通考』에 '당대에 소금 못鹽池 18개에 소금우물鹽井 640개가 있었으며, 이들을 탁지度支에서 관장하였다'고 적었다.

⑧ **소식**蘇軾(1037~1101)의 **시**(「제갈염정諸葛鹽井」)이다(부분)

五行水本鹹	오행은 물이 본디 짜다지만
安擇江與井	어찌 강과 샘을 구분하였으랴
如何不相入	둘이 섞이지 않는 까닭을
此意誰復省	뉘 알리
猶嫌取未多	소금 많이 못 얻을까 저어하여
井上無閑綆	쉬는 두레박 하나도 없구나

『소식 시집』

'안택강여정安擇江與井'은 강물이나 우물물이나 모두 짜다는 오행의 말이고 '영運'은 제갈염정의 짠 물이 사람들의 욕심을 채워준다는 뜻이다. 『서경』에 '오행은 첫째가 물이다. (…) 땅을 적시며 아래로 흘러가 짠 맛을 낸다五行一曰水 (…) 潤下作鹹水'는 기사가 있다(「洪範」).

또 소식은 '산 아래서부터 위까지 흩어져 있는 모두 열네 곳의 우물 가운데 열셋은 말랐다가 한 여름에 물이 불면 짜져서 장강長江이 미치지 않는 곳으로 구불구불 흘러 간다'는 주를 달았다.

1) 우산을 닮은 소금이 있다

『유양잡조』에 '구인현朐䏏縣의 소금우물에서 나오는 사방 한 치 크기의 소금은 가운데가 우산을 펼친 것처럼 솟은 까닭에 산자염傘子鹽이라 부른다'는 기사가 보인다

(10권 「물이」).

구인현은 사천성 개현開縣 일대이며 구인은 벌레 이름이다.

2) 감숙성 돈황燉煌에도 소금 우물이 있었다

『돈황의 전설』 기사이다.

───────

돈황 동쪽의 건정자乾井子가 소금 못新店子鹽池으로 바뀐 유래담이다.

대우大牛가 돈황에 묵던 날, 어머니가 병에 걸렸지만 물을 구할 길이 없었다. 이때 소금장수가 한 사발에 은전 한 닢을 내라고 하였다. 그네는 숨을 거두며 '나그네들을 위해 이곳에 우물을 파라'고 일렀다.

가난뱅이 대우가 우물 판다는 소문에 사람들이 도와주어서 여든 하루째 만에 물이 솟았다. 옆에 집新店子을 짓고 나그네들에게 물을 먹였으며, 돈 없는 사람도 목을 축이게 하였다.

몇 해 뒤, 그 소금장수가 물 값을 묻자 같은 값을 불렀다. 어이없다는 표정에 '당신도 그렇게 받지 않았느냐?' 꼬집고 나서 '있으면 몇 푼 내고 없어도 좋다'고 덧붙였다. 샘을 은 백 냥에 팔라던 상대는 금 한 덩이를 덧붙였고 그래도 듣지 않자, 밤에 소금 한 부대를 샘에 붓고 달아났다. 이튿날 물 대신 소금이 펑펑 솟아올라 대우는 큰 부자가 되었다(정병윤 2006 ; 191-197).

───────

운남성 대요현大姚縣 이족구彝族區 석양정石羊井에서도 소금이 나온다.

3) 소금장수는 부자이다

① 백거이白居易(772~846)의 시(「소금장수 마누라鹽商婦」)이다(부분).

───────

鹽商婦多金帛   소금장수 마누라 금분과 비단옷 많아

不事田農與蠶績	밭갈이나 길쌈 않고도 호강하네
南北東西不失家	동서남북 어디나 내 집이요
風隨爲鄕船爲宅	바람 따라 고향 삼고 배로 집을 삼네
稼得西江大商客	서강의 큰 장사꾼에게 시집와
綠鬢溜去金釵多	매끈한 머리에 금비녀 여럿이고
皓腕肥來銀釧窄	살찐 흰 팔에 은팔찌가 작구나
前呼蒼頭後叱婢	늙은 종 앞에 두고 뒤로 여종 꾸짖어
幸有稼鹽商	소금장수 남편 덕분에
終朝米飯食	하루 종일 맛있는 음식 먹고
終歲好衣裳	한 해 내내 좋은 옷만 입으니
好衣美食來何處	그 극진한 호강 어디서 왔나
逆修慙愧桑弘羊	상홍야에게 부끄러운 줄 알아라
死已久不獨漢世今亦有	죽은 지 오랜 오늘에도 모리배 있다니

『백낙천』

상홍양(전 152?~전 80)은 한의 낙양 상인으로 무제에게 뽑혀 대농승大農丞에 올랐으며 소금·쇠·술의 전매법을 제정하였다. 이 시는 소금 전매로 돈을 긁어모으는 모리배에 대한 한탄이다.

소금우물의 소금 생산은 1930년대에도 활발하게 이루어졌다.

② 『아세아대관亞細亞大觀』 기사이다.

사천성은 소금의 고장이라 정井가 붙은 지명에서 모두 소금을 거둘 만큼 많으며, 부순현富順縣의 자류정自流井과 매정賣井이 유명하다. 이들은 이강沱江의 지류인 계하溪下 유역에 있다.

1933년 무렵 자류정 인구 45만 명에 소금밭은 70만 평방미터에 이르렀다. 물은 땅 속 1,000미터에서 솟으며 해마다 한 해 3백만 원圓어치를 거두었다

우물은 입 지름 15센티미터쯤에 깊이 450~650미터이다(1927~1928 ; 16집 4-1).

사진 423은 1928년의 자류
정 모습으로 생산 방법은 그
림 62~64와 같다.

사진 423

8장

금기와 속담

—

1. 금기

우물을 신령스럽게 여긴 만큼 여러 가지 금기를 지켰다.

① 『유양잡조』 기사이다.

———

요스음 혼인식에서 신부를 낮을 때, 소 식 되글 절구에 넣고 사티도 우물을 덮으며, 모시풀 서 근으로 창을 가리고, 살矢 서 대를 문 위에 놓는다. 신부가 수레에 오르면 신랑은 말에 올라 수레 주위를 세 번 돈다(1권 「禮異」).

———

우물을 덮고, 창을 가리며, 문에 살을 놓고, 신랑의 말이 색시 수레를 도는 것은 신부를 따라온 악귀를 쫓는 방책이다. 조 석 되를 절구에 넣는 것은 공이로 가루를 낸다는 협박일 터이다.

② 『제경세시기승帝京歲時記勝』 기사이다.

———

5월 초하루와 단오에는 물을 긷지 않는다. 따라서 하루 전날 다투어 길어서 물두멍과 솥에 채운다. 이로써 우물의 독을 피한다(「禁汲」).

———

'우물의 독'은 둘러댄 말이고, 속뜻은 주인은 물론 아랫사람들도 명절에 일하지 말고 즐기라는 데 있다.

③『중국산동민속지中國山東民俗誌』 기사이다.

———

산동성 창읍현昌邑縣에서 아기 낳은 뒤 한 달이 되지 않은 아낙은 혼인잔치 따위에 가지 않으며, 어기면 '충파성沖破星'이라 욕한다. 또 그네를 파신인破身人이라 하여, 우물에 가까이 가면 물이 마르고 다리를 건너면 무너진다는 말도 있다. 또 상복喪服을 입는 기간 중의 과부가 우물 파는 자리에 얼씬거려도 해롭다(金丸良子 1991 ; 202).

———

아기 낳은 아낙의 이른바 피 부정을 조심하라는 뜻이다. 충파성은 '세차게 무너뜨리는 별'이고, 파신인은 '몸이 찢어진 사람'이라는 말일 터이다.

④『중국민간속신中國民間俗信』 기사이다.

———

과거에 뽑힌 (강소성) 소주 무환繆渙의 개구쟁이 열두 살짜리 아들喜官이 동무들과 놀다가 우물에 오줌을 누었다. 정천동자井川童子가 부府의 서낭府城隍에게 알렸더니 볼기 스무 대를 치라고 하였다. 그 아비와 고향이 같은 서낭이 가벼운 벌을 내린 것이다. 그러나 사로신司路神은 독약을 넣은 것과 같다며 목을 베라는 명을 내렸다(殷偉 외 2003 ; 120~123).

———

서낭이 친구 아들에게 가벼운 벌을 내린 것은 알음알이를 첫 손에 꼽는 전형적인 중국 관습이지만, 그렇다고 목을 베라고 한 것은 지나치다. 그리고 볼기 스무 대도 가볍지 않은 점을 생각하면 우물을 깨끗이 다루어야 한다는 교훈담일 터이다.

⑤『북경풍속대전』에 '잡귀가 색시에게 해를 끼친다고 하여, 신혼행렬은 우물이나 절이 있는 쪽으로 가지 않는다'는 기사가 있다(羅信耀 1988 ; 440).

우물지기가 새색시를 시샘한다는 뜻인가? 그렇더라도 절을 피하는 까닭은 알 수 없다.

⑥ **절강성 온주시**溫州市에서 7월 15일 아침에만 물을 뜨고, 우물지기들이 와서 목욕하는 저녁에는 근처에 가지 않는다. 우물에 체를 덮어 잡귀를 막으며, 물맛이 변하면 부적淨水符을 넣는다.

백중百中은 불교에서 4대 명절로 꼽는 만큼 부처님께 공양을 올리고 사람들은 조상의 극락왕생을 위한 불공을 드린다. 망혼일亡魂日이라는 별명이 나온 까닭이 이것이다. 그러나 지기들이 우물에 와서 목욕한다는 말은 처음이다. 더구나 체는 불과 불 사이에 틈이 있어서 잡귀가 마음먹기에 따라 드나들 수도 있다. 물맛이 변한 우물에 부적을 넣는 것은 흔한 일이다.

그림 65는 우물에 붙이는 부적이다. '황제가 물이 맑기는 명령한다 勅令淸淨水符'고 적었다.

그림 65

⑦ 『유양잡조』에 '자신의 그림자가 물·우물·욕조浴槽에 비치면 해롭다'는 기사가 있다.

물의 신령이 놀린다는 뜻인가?

우리 『지봉유설芝峯類說』에도 '걸을 때 그림자를 밟으면 나쁘다'는 기사가 보인다.

2. 속담

① 한 삽에 우물 판다一鍬掘个井.

② 한 삽에 우물 못 판다一鍬挖不出一口井.

③ 아홉 길 우물을 파다가 버린다.

④ 목마른 뒤 샘을 파려면 후회해도 늦다臨渴掘井 悔之無及.

⑤ 바늘로 샘을 파면 시간만 허비한다用針挖井百費工夫.

⑥ 물을 마시면서 우물 판 사람의 은혜를 잊지 않는다吃水不忘掘井人.

⑦ 한 사람이 우물을 파면 많은 사람이 마신다一人掘井萬人飲水.

⑧ 앞사람이 우물을 판 덕분에 뒤 사람이 마신다前人掘井後人吃水.

⑨ 우물에 사카린을 넣어 여럿이 단 맛을 본다井里放糖精甘頭大家.

⑩ 우물 안에 앉아서 하늘을 본다坐井觀天.

⑪ 우물 안에서 하늘의 별을 본다井底觀星.

⑫ 우물 속에서 하늘을 보면 삿갓만 하다井里看天若帽大.

⑬ 우물 안 개구리이다井底之蛙.

⑭ 우물 안 개구리는 너른 하늘을 본 적이 없다井裏的蛤蟆沒見大天.

⑮ 우물 안 개구리는 바다 이야기를 알아듣지 못한다井蛙不可以語於海.

⑯ 우물 안 개구리의 하늘은 좁고, 산 위를 나는 매의 시야는 너르다井底蝸天窄山
井鷲眼寬.

⑰ 우물 안 개구리는 안목이 짧다井底蝸眼光短.

⑱ 우물 안 개구리는 그 안이 좋다고 한다井裏蛤蟆只說井裏好.

⑲ 우물 안 개구리는 우물을 좋아한다井里蛤蟆愛井.

⑳ 우물은 쳐내야 하고 사람은 가르쳐야 한다井要掏人要敎.

㉑ 우물을 치고도 물을 먹지 못한다井渫不食.

㉒ 우물을 세 번 치면 좋은 물을 마시고, 세 스승을 섬기면 무예가 뛰어난다井淘
三遍吃水 人從三師武藝高.

㉓ 우물물은 강으로 흐르지 않는다井水流不到河里邊.

㉔ 우물물은 바다를 침범하지 않는다井水不犯河水.

㉕ 우물마다 맥락이 있다井井有條.

㉖ 우물을 떠난다背井離鄉.

㉗ 근원이 있기에 샘에서 신선한 물이 나온다爲有源源活水來.

㉘ 냇물은 샘이 있고 나무는 뿌리가 있다河有源樹有根.

㉙ 우물 바닥에 꽃을 새긴다井底雕花深刻.

㉚ 우물 속에 꽃을 심는다井里栽花.

㉛ 우물에 빠진 사람을 구하려고 우물에 뛰어든다從井救人.

㉜ 우물 피하려다 구덩이에 떨어진다避井落坑.

㉝ 우물에 빠진 사람에게 돌을 던진다落穽下石.

㉞ 우물에 빠진 개를 때린다打落水狗.

㉟ 소경은 우물에 빠지지 않고 절름발이는 절벽에서 떨어지지 않는다割子跌不到井裏跛子跌不倒崖裏.

㊱ 발 앞의 마른 우물에 빠질 줄 모른다.

㊲ 원보元寶를 안고 우물에 뛰어 든다抱着元寶跳井.

㊳ 두꺼비가 우물에 뛰어든다蛤蟆倒井.

㊴ 우물 안 개구리가 돌에 맞았다井底的蛤蟆被.

㊵ 우물이 마른 뒤에야 물의 소중함을 깨닫는다井乾才覺水可貴.

㊶ 곧은 나무는 먼저 베어지고 단 샘은 먼저 마른다直木先伐 甘泉先渴.

㊷ 우물에 물고기 없고, 마른 나무에 잎이 없다井水不出魚 枯樹沒有葉.

㊸ 마른 우물에는 물결이 일지 않는다古井無派.

㊹ 우물에 큰 고기 없고 새 숲에 큰 나무 없다井水無大漁新林無長木.

㊺ 붕어가 우물 바닥의 물결을 일으킨다井谷射鮒.

㊻ 우물을 덮고 절구로 쓴다塞井以爲臼.

㊼ 눈을 날라 우물을 메운다搬雪填井.

㊽ 우물에서 물을 길어 강에 붓는다井里打水往河里倒.

㊾ 우물에서 불을 구한다井中求火.

㊿ 고통의 우물을 벗어나 다시 불구덩이로 들어간다跳出苦井又掉進火坑.

(51) 우물에서 나와 다시 바다로 들어간다出了井底 又入海底.

(52) 게으른 놈은 우물가에서 목말라 죽는다懶人渴死在井邊.

(53) 우물에서 물긷는다井邊汲水.

(54) 때맞추어 운이 터서 우물 바닥에도 바람이 분다時來運通 井底有風.

(55) 우물물은 퍼낼수록 많이 솟고, 힘은 쓸수록 강해진다井水越打越來 氣力越使越有.

(56) 백 자 깊은 우물은 맑아서 볼 수 있지만, 한 치 두께 인심은 볼 수 없다百尺井水能看淸村厚人心難看透.

(57) 우물물이 맑고 차야 마신다井洌寒食泉.

(58) 우물과 절구를 다룬다井臼妾操.

(59) 우물 근처에서 물동이 깨지기 십상이다瓦灌不離井上破.

①~③은 우물 마련하기가 매우 어려움을, ④~⑤는 무슨 일에나 때가 있음을 일깨우며, ⑥~⑨는 우물이 인간에게 베푸는 공덕을 나타낸다.

⑩~⑲는 우물이 매우 좁은 공간이라는 말이다. 개구리가 등장하는 점에서 우물이 아니라 샘이라야 더 어울릴 터이다. 이러한 점은 우리와 달리 샘과 우물을 뚜렷하게 구분하지 않는 데서 온 것이기도 하다.

⑳~㉒는 우물 청소의 중요성을, ㉓~㉕는 인간사회에 한계가 있음을 이른다. ㉖~㉚은 우물이 모든 일에 바탕임을, ㉛~㉜는 좁고 깊은 우물은 위험도 하거니와 사람은 물론, 집짐승도 자칫하면 빠지는 사실을 알려준다.

㉝~㉞는 얄팍한 세상인심을, ㉟~㊱은 위험을, ㊲은 재물에 대한 지나친 애착을 경계한다. 마른 우물이 쇠락이나 절망을 나타내는 것을 그럴 듯하지만(㊵~㊷), 과부의 정절에 견준 것은 우리 정서와 다르다(㊸).

㊹~㊺는 실제로 우물에서 물고기를 키운 데서 왔으며, ㊺~㊿가 우물이 지닌 부정적인 면모를 보이는 반면, ㉝~㉟는 긍정적인 작용을 나타낸다. ㊄은 우리에게도 낯익다. ㊇에서는 여성이 맡은 집안일을 강조한 셈이다.

9장

두레박

1. 어원

1) 缾병

병은 부缶와 병幷이 합친 낱말이다.

'부缶'는 배가 불룩하고 목이 좁으며 입이 달린 장군缶이다.

소리 값 '병'은 '합치다'이 뜻으로, 같은 꺼푸 집에서 니은 빈쪽을 붙여서 하나로 붙이는 데서 왔다. 『설문』에 '부는 질그릇瓦器으로, 술이나 물을 담는다. 진秦에서 이것을 두드려서 가락에 맞춘 것의 형상'이라는 기사가 있다.

한편, 『광운廣韻』은 물 뜨는 그릇汲水器, 『정자통』은 술 그릇酒器으로 새겼다.

① 『이아주소爾雅注疏』 기사이다.

───────

부를 손염孫炎(?~?)은 '와기瓦器'라 하고, 곽박郭璞(276~324)은 '분盆'이라 적었다. 『시경』에 '부를 둥둥 두드린다'고 하였으므로 악기樂器이다. 『주역』에 '부를 치지 않고 노래를 부르니, 곧 늙은이가 한탄한다'고 적혔다. 『시경』의 '감기격부坎其擊缶'라는 말대로 부는 악기를 가리킨다. 『사기』에 '인상여藺相如(?~?)가 진왕秦王에게 부를 두드리라 일렀다'는 기사가 있다(「인상여전」).

「비괘比卦」에서도 '진실이 부缶에 가득하다. (…) 사람들이 부로 물을 길으므로

두레박이라 이른다'고 덧붙였다(「初六爻」). 『춘추좌전春秋左傳』의 저자는 노 양공襄
公 9년(전 561), 송宋에서 불이 일어났을 때 '두레박줄·두레박·양동이 따위를 갖
추었다具綆缶備水器'고 적었다. 따라서 부는 바로 두레박이다. (…)

───────

부아缶兒는 팔다리나 이목구비가 없는 장애아를, 부미缶米는 한 장군의 쌀인 16말을
나타낸다. 격부擊缶는 노래 부를 때 두드려서 박자 맞추는 것을 이르며 고부鼓缶도 마
찬가지이다.

고려 이제현李齊賢의 시(「민지澠池」)에 '한 번 꾸짖음에 바람과 우레 일고叱咤生風雷 /
만승 임금(진왕) 스스로 장군 두드리니萬乘自擊缶 / 진은 날개 달린 범이고强秦若翼虎 /
조는 쫓기는 쥐 신세로세懦趙眞首鼠'라는 구절이 있다(『동문선』 제4권 「五言古詩」).

이는 전국시대(전 403~전 221)에 조왕趙王과 진왕秦王이 민지澠池에서 벌인 술자리에
서 일어난 일을 이른다. 조왕이 진왕의 강요에 못 이겨 비파瑟를 타자, 따라갔던 인상
여가 격분하여 진왕에게 장구 치기를 권하였고 상대가 듣지 않자 '신臣이 다섯 걸음
안으로 목을 찔러서 왕에게 피를 뿌리겠습니다'고 대드는 바람에 할 수 없이 채를
들었다는 고사에서 왔다.

한漢의 사마상여司馬相如는 처음 이름이 견자犬子였으나, 뒤에 그를 사모하여 상여
로 고쳤다.

② 우리도 장군을 악기로 썼다. 『사계전서沙溪全書』 기사이다.

───────

부缶는 질그릇으로, 음률을 맞추고 물그릇으로도 쓴다. 『주역』에 '술동이와 궤는
질그릇으로 쓴다尊酒簋貳用缶'고 적혔다(「坎卦」 六四). 또 두레박으로도 이용한다.
(…)
굽이 없는 동이盆를 닮았다고도, 엎어놓은 동이 같다고도 한다(제23권 家禮輯覽圖說
「三代器用之圖」).

───────

2) 罐관

관은 부缶와 관雚으로 이루어졌다.

'관罐'은 '부缶'의 옛글자이며, 소리 값 '관雚'은 황새를 가리킨다. 따라서 주둥이가 긴 단지나 오지두레박을 이른다. 『집운集韻』에 '관은 두레박汲器이며, 쇠나 물푸레나무槻로 만든다'고 적혔다.

관힐罐詰은 관에 쟁여 넣은 식료품이지만, 사람을 한 곳에 가두어놓고 일을 시키는 것도 이렇게 부른다. 관자罐子는 물을 붓는 주전자, 관자옥罐子玉은 가짜 옥이다.

2. 고대의 두레박

그림 66은 섬서성 임당강채臨潼姜寨 및 서안西安 동산하東山河의 신석기시대 반파半坡유적(전 5000~전 4300)에서 나온 오지두레박이다.

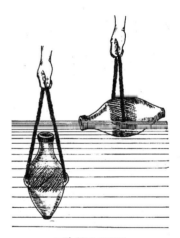

그림 66(© 穆祥桐)

목과 아랫도리가 좁은 빈면 배는 볼록하고 양쪽에 가로 붙인 귀에 줄은 꿰었다. 옆으로 뉘어서 물이 차면(그림 66의 오른쪽) 줄을 당긴다. 몸이 좁고 길어서 담기가 쉽지 않다. 길이 45센티미터에 가운데 지름 20센티미터쯤이다(그림 67).

그림 68은 숭택崧澤문화(전 3900~전 3200) 말기의 상해시 양묘촌陽廟村유적에서 나왔다. 배가 조금 부른데다가 바닥이 평평해서 안정감이 훨씬 높아졌다. 입 양쪽에 두레박줄을 꿰었을 터이다.

다음에 설명하는 사진 424·425·426은 절강성의 신석기시대 하모도河姆渡유적(전 6000~전 5000)에서 나왔다.

사진 424는 목이 좁고 바닥은 평평하며 배가 아

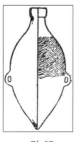

그림 67
(© 林巳奈夫)

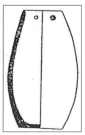

그림 68
(© 林巳奈夫)

주 부르다. 배에 붙인 귓구멍을 양쪽으로 뚫은 점이 눈에 띈다. 이로써 손에 쥐기도 쉽거니와 줄도 안정되어 물을 채우기가 훨씬 낫다. 좁은 목 위의 낮은 입술은 오늘날의 단지를 연상시킨다.

사진 424(ⓒ 周新華)

사진 425는 배에 납작한 손잡이가 달렸다. 두레박으로 뜬 물을 담아서 나르는 그릇으로 쓴 듯하다. 입술이 없는 까닭도 이에 있을 터이다.

사진 426은 입을 조금 좁히는 외에 양쪽에 두툼하고 너른 귀를 붙였다. 두레박줄을 꿰기 쉽거니와 우물에 내리거나 끌어올리는 데도 도움이 된다.

사진 425(ⓒ 周新華)

주신화周新華는 '손에 들거나 나르기 편하다便于提拿和携帶'고 적었지만(2002 ; 100~101), 그림 66에 견주면 사진 425를 뺀 나머지는 두레박으로 썼을 가능성이 훨씬 높다.

인휘성 휘주문화박물관徽州文化博物館의 한대漢代 유적에서 나온 사진 427·428도 마찬가지이다. 쌍이 통형 인문관雙耳桶形印紋罐이라는 이름의 사진 427은 독처럼 입이 너르고 아랫도리가 조붓해서 물을 담기 쉬우며, 사진 428(쌍이관雙耳罐)도 몸통 위에 목이 좁은 입을 붙

사진 426(ⓒ 周新華)

여서 흘러내리는 샘물을 받거나 바가지 우물의 물을 담아 나르기에 안성맞춤이다.

사진 429는 도르래우물에 걸린 한대漢代의 오지두레박으로 팽이처럼 밑이 뾰족하며 입술에 두레박줄을 걸었다.

사진 430도 앞의 것과

사진 427

사진 428

같은 시기의 것이다. 전에 붙인 정井자꼴 받침대에 올려놓았다. 입술이 밋밋한 것으로 미루어 물동이인 듯하다.

사진 431은 앞과 같은 때의 도르래우물 두레박이다. 키가 작고 배가 부르며 바닥이 널찍해서 안정감이 높다. 주둥이와 어깨 사이의 목을 좁혀서 줄이 좀체 벗어나지

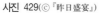
사진 429(ⓒ『昨日盛宴』)

사진 430(ⓒ 百度)

사진 431

않게 한 점도 돋보인다. 오지두레박의 모형으로 삼아도 좋을 터이다(산동성박물관 소장).

사진 432는 호북성 대야시大冶市 대야동록산大冶銅綠山의 선 2~후 2세기 유적 출토품이다. 두레박이 이미 광산에서 캔 금속을 담아 도르래에 걸어서 나른 것이지만 같은 것을 우물의 두레박으로 썼을 터이다.

그림 69는 상商나라(전 1600~전 1046) 중기 무렵의 하북성 고성현藁城縣 태서台西유적에서 나온 통나무 두레박이다. 주발처럼 위는 너르고 아랫도리는 조붓하다. 입 지름 19.5센티미터에 두께 2센티미터이며 높이 12.2센티미터이다. 형태로 미루어 귀는 손잡이로 삼았을 것이다.

그림 70은 신석기시대부터 전국시대 유적에서 나온 두레박들이다.

사진 432(ⓒ 林巳奈夫)

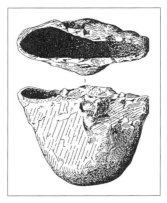
그림 69(ⓒ 鐘方正樹)

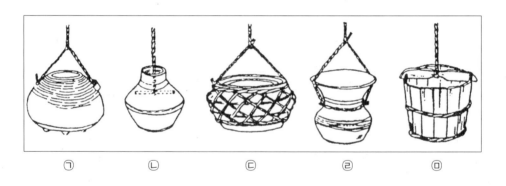

그림 70(ⓒ 鐘方正樹)

㉠은 펑퍼짐한 아랫도리에 짧은 발을 달았다. 어깨에 붙인 귀 양쪽에 꿴 줄을 모아서 두레박줄에 연결하였다. 앞의 것들도 줄을 이렇게 걸었을 터이다.

㉡은 배가 부르고 목이 좁으며 긴 입술이 달린 어깨에 붙인 일자—꼴 귀에 줄을 꿰었다.

㉢의 오지두레박은 워낙 깨지기 쉬워서 대오리로 엮은 그물을 씌웠다.

㉣은 입이 나팔꽃처럼 벌어진 질록한 허리에 줄을 감았다.

㉤은 한대漢代의 나무두레박이다. 나란히 세운 쪽나무 중간과 아랫도리에 테를 메워서 붙박은 점은 오늘날의 것을 닮았다.

이 무렵의 두레박에 대한 『중국사회풍속사中國社會風俗史』 기사이다.

―――――

두레박은 우물가에 두고 여럿이 썼다. 위魏의 손괴孫蒯가 사냥터에서 말에게 물을 먹이다가 두레박을 깨뜨린 탓에 욕을 먹었다는 기록이 있다(『춘추좌전』 襄公 17년[전 556]). 두레박은 공공물公共物이었던 것이다.

나무두레박을 퍼뜨린 것은 위魏의 관령管寧(158~242)이다. 마을 한데우물에 남녀가 모여들어 혼잡한데다가 때로 싸움까지 벌어지자 나무통을 많이 사서 물을 미리 길어두고 차례대로 들고 가게 하였더니 다툼이 그쳤다고 한다(尚秉和 1969 ; 123~136」).

―――――

손괴가 두레박釣瓶을 깨뜨린 것은 상공殤公 3년(전 556) 봄이다. 대부大夫인 그가 국경을 넘어가 조대曹隧(조나라 영토)에서 사냥하다가 중구重丘(조나라 읍)로 돌아와 말에게 물을 먹이던 중에 일어난 일이다. 이로써 사람들이 그의 아버지를 욕하자 그 해 여름 석매石買와 함께 조나라를 공격, 중구를 손에 넣었다고 한다.

주민들이 아버지를 들먹인 것을 보면 두레박이 매우 드물었던 것을 알 수 있지만, 그렇다고 군사를 이끌고 가서 쳐부수었다니 군자가 아닌 것이 분명하다.

관령은 후한 말의 지조 높은 선비이다. 황건적黃巾賊의 난리를 피해 요동으로 간 그를 조정에서 여러 번 불렀으나 듣지 않고 37년 동안 제자를 가르치며 청빈하게 지 냈다(『삼국지』 권11 위서 「관령전」). 나무통 마련으로도 모자라 물을 떠놓기까지 하였다니, 그때로서도 보기 드문 인물임에 틀림없다.

3. 오늘날의 두레박과 물통

1) 두레박

사진 433은 절강성 항주시 교외 농촌의 나무두레박이다. 얇게 켠 쪽나무를 둥글게 세우고 어깨와 바닥에 쇠테를 메워서 붙박았다. 줄 대신 긴 장대 끝에 박은 갈고리에 걸어서 물을 들어올린다(사진 434).

사진 433

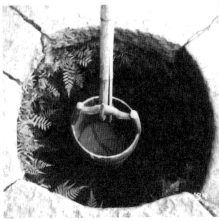

사진 434

사진 435와 사진 436은 절강성 금화시金華市 교외 농촌마을의 손 두레박이다. 위가 안으로 조금 구부러진 쪽나무들을 모은 뒤, 가운데와 아랫도리에 테를 메웠다. 손잡이를 제몸에 붙여 깎은 것이 눈에 띈다. 물을 따르기 쉽도록 한 쪽을 오목하게 다듬었다. 손잡이가 안쪽에 있어서 물을 뜰 때 자

사진 435   사진 436

연히 균형이 잡히는 것도 장점이다. 이것은 논밭에 거름을 줄 때도 이용한다.

양철통이 나오기 전에는 그림 71처럼 백양나무 쪽을 둥글게 세우고 두세 개의 쇠테를 메운 나무통을 썼다. 한 말 들이는 지름 33센티미터에 깊이 30센티미터쯤이며 무게는 7킬로그램이다(二甁貞- 외 1942 : 59~60).

그림 71

사진 437은 대오리로 엮은 두레박이다箬斗. 흑룡강성 일대에서 쓴 것으로 입 지름 28센티미터에 높이 20센티미터, 깊이 26센티미터이다. 안쪽에 두터운 헝겊 따위를 씌워서 물이 새지 않을 것이다. 입 가운데에 가로 걸어놓은 두툼한 몽둥이 가운데에 고리를 박고 줄을 잡아맸다. 『관장 중국 전통농구館藏中國傳統農具』에서 이를 고리두레박柳罐이라고 소개한 것은 잘못이다.

사진 438은 고리두레박이다. 『농정전서農政全書』에도 실린 것을 보면 오래 전부터 많은 지역에서 쓴 것을 알 수 있다. 하루 이틀 쓰지 않고 그대로 두면 말라서 물이 새지만 물을 담으면 곧 불어나서 틈을 메운다.

사진 437(ⓒ 雷于新)

『중국북부 농구조사北支の農具に關する調査』에 '잔 버들가지를 삼끈麻絲처럼 꼬아 엮어 짰으며, 물은 절대로 새지 않는다. 지름 40센티미터쯤에 깊이 50센티미터, 바닥

지름 25센티미터이다. 한 해쯤 쓰며 값은 2원圓'이
라는 기사가 보인다(二甁貞一 외 1942 ; 52).

입 주위에 두께와 너비 5센티미터쯤 되는 테를
둘러서 힘을 더하고 양쪽에 붙박은 고리에 손잡이
를 걸었다.

사진 438

조선 순조純祖(1800~1834) 때, 연경燕京(북경)에 갔
던 이는 『계산기정薊山紀程』에 '길가의 우물도 역시
벽돌로 쌓았으며 속은 깊고 입은 작다. 두레박은
모두 버들로 엮어서 깨지지 않는다. 우물이 깊으면 길고를 세우고 두레박줄만 당긴
다'고 적었다(「渡灣」 12월 23일). (번역자는 '용두레'로 옮겼으나 길고가 옳다.)

『연행록선집燕行錄選集』에도 '두레박은 모두
버들로 짜며 깨지거나 새지 않고 가볍다. 우물
입이 몹시 좁아서 두레박이 겨우 드나든다'는
기사가 있다(「庚子燕行雜誌」).

사진 439 왼쪽 아래의 함석두레박은 산동성
장구시章丘市 교외의 것이다. 찌그러지기 쉽지
만 기벼워서 널리 퍼졌다.

사진 440은 산동성 제남시에서 플라스틱 두
레박으로 물을 푸는 모습이다. 무겁지도 깨지
지도 않는 장점을 지녀서 오늘날에는 어디서
나 눈에 띈다.

사진 441은 운남성의 플라스틱 두레박이다.

사진 439

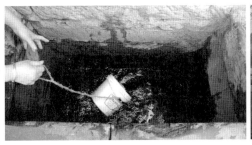

사진 440

사진 441

예나 그제나 물을 긷다가 두레박을 빠뜨리는 일은 예사였고, 이때는 장대에 달린
갈고리로 건져 올렸다.

그림 72는 강소성 무석시无錫市 환성하
環城河의 당대唐代(618~907) 유적 우물에서
나온 갈고리들이다.

바닥에 빠진 두레박을 건지는 데 쓴 왼
쪽의 세발짜리는 길이 11.9센티미터이며
나머지 둘은 길이 10~19.5센티미터이다(馬
晉仁 1983 ; 44~51).

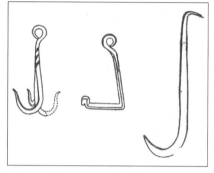
그림 72

2) 물통

그림 73은 양철통이나 플라스틱통이 나오기 전까지 쓴 전형적인 물통이다. 쪽나무
를 둥글게 붙여 세운 다음, 위 가운데 아래 세 곳에 테를 메워서 붙박았다. 배는 조금
부르지만 입이 조붓해서 물이 쉽게 흘러넘치지 않는다(중국휘주문화박물관 소장).

양쪽의 기둥도 위를 좁히고 고리를 거는 가로대에 홈을 파서 고리가 벗겨지지 않게
하였다. 멜대도 옛 법식 그대로
이다.

그림 73

「정녀貞女의 고사故事」라는 제
목에 이어 '나이 열다섯의 여인
이 온가족의 생활을 떠맡았다'
고 한 것은 그네가 물장수로 돈
을 벌어 생계를 이어간 것을 알
려준다. 안휘성 휘주徽州의 남자
들은 한 번 장사 길에 나서면 쉬
돌아오지 못하는 까닭에 아낙이
집안을 꾸려나갈 수밖에 없었던
것이다.

그림 74는 냇가에서 빨래하는 여인 옆에 놓인 물통으로 앞의 것을 빼닮았다(중국휘주문화박물관 소장).

사진 442는 1930년대 초, 귀주성貴州省 귀주시에서 어린 소녀가 물통의 고리를 걸어놓은 멜

그림 74

사진 442

대를 어깨에 올려놓으려는 모습이다. 물은 통에 반쯤 채웠을 터이다.

사진 443은 귀주성 검남현黔南縣의 부이족布依族 물통이다. 몸통 위아래 두 곳에 쇠테를 두르고 가운데에 물음표꼴로 꼬부린 긴 쇠 손잡이를 설넜나. 이곳 뿐 아니라 삼시싱 일대에서도 같은 엇을 썼다.

사진 443

4. 상징

(1) 슬기와 두레박

① 『순자』의 기사이다.

———

예부터 '줄 짧은 두레박으로 깊은 우물물 긷지 못하고, 슬기 모자라는 사람과 성인의 말씀을 나눌 수 없다'고 일러왔다.

본디 시詩·서書·예禮·악樂의 분수는 보통 사람이 알기 어렵다(「영욕」).

───────

② 『장자』의 기사이다.

───────

주周 영왕靈王(전 571~전 545) 때, 장홍萇弘이 곤소대昆昭臺에서 공자에게 물었다.
"회回가 제齊나라로 떠난 뒤, 왜 근심어린 표정을 지으셨습니까?"
"옛적에 제의 관자管子가 '작은 자루에 큰 물건을 담지 못하고, 두레박줄이 짧으
면 깊은 우물물을 긷지 못한다'고 일렀다. 사람은 태어나면서부터 천명天命대로
살게 마련이며, 또 사람이 몸을 지키는 것도 각기 알맞은 방법이 있기 때문이다.
이들은 바꾸지 못한다(「至樂」)."

───────

『공자가어孔子家語』에 '공자가 주周 경왕敬王(전 519~전 476) 때의 대부大夫 장홍에게
음악을 배웠다'고 적혔다.
또 『장자莊子』에 '간신의 참언으로 쫓겨난 그가 촉蜀에서 사절한 3년 뒤, 무넘을 팠
더니 피가 모두 푸른 구슬로 바뀌어 있었다'는 대목도 보인다(「雜篇外物」).

③ 『포박자』 기사이다.

───────

갈대 구멍을 통해 하늘을 보는 좁은 소견임에도 스스로 이목이 못 미친다고 둘
러댄다. 이는 눈을 가리고 여덟 자밖에 안 되는 두레박줄로 백 길仞의 깊은 우물
물을 길으려는 것과 같다. 두레박줄 짧은 것은 생각 않고, 우물에 물 없다는 탓만
하는 것이다(권7 「塞難」).

───────

사람은 자신의 능력을 과대평가하는 나머지 잘못을 남의 탓으로 돌리기 쉽다.

④ 『전국책』 기사이다.

───────

주周 난왕赧王 53년(전 262), 진秦 소양왕昭襄王이 한韓을 치려 들었다. 이를 안 환혜

왕桓惠王(?~전 239)은 겁을 먹은 나머지 상당上黨(하북·하남성 경계지역) 태수 근황중靳黃重에게 영토를 넘겨주라고 일렀다. 그의 대답이다.

"두레박으로 물을 길을 정도의 지혜만 지녀도 자신의 직책을 남에게 넘기지 않는다는 말이 있소. (…) 나는 여기서 싸우다가 목숨을 버리겠소."(권18「趙策」)

———

왕이 태수를 풍정馮亭으로 바꾸었지만 30일 뒤, 오히려 趙의 효성왕孝成王(전 265~전 245)에게 '한이 나라를 진에 넘기려 하나 백성들은 조나라에 들어가기를 바랍니다. 17개 성읍을 대왕에게 바치겠습니다' 일렀다.

이에 효성왕이 공자公子 조표趙豹의 속뜻을 묻자 '성인은 까닭 없는 이익無故之利을 화근으로 여기는 법'이라며 막았다.

'세상에 나타난 문헌만도 수천 질帙이고 그 요점만 간추려도 수백 권이니, 아무리 두레박줄이 길어도 진실로 그 깊은 물을 길을 수 없다'는 말도 있다.

⑤ 『설원說苑』의 기사이다.

———

제齊의 관중管仲(전 719~전 645)이 환공桓公(?~전 643)에게 말하였다.

"무릇 짧은 두레박줄도는 깊은 우물의 물을 긷지 못합니다. 슬기기 모지리는 사람은 성인이 만은 따르지 못합니다. (…) 성인이 하는 일에 보통사람은 깨닫기 어렵습니다(「政理篇」)."

———

⑥ 한퇴지韓退之(768~824)는 '겸손에 평탄한 길 있음 알고歸愚識夷途 / 성현의 샘물 길을 두레박줄 얻었다汲古得修綆'라고 읊조렸다(『韓昌黎集』권1「秋懷詩」).

성현의 말씀을 샘물에 견준 것은 참으로 그럴듯하다.

⑦ 앞 사람의 시(「가을날의 감회秋懷詩」)이다(부분).

———

| 斂退就新懦 | 물러나자니 앞으로 나약해지겠고 |
| 趨營悼前猛 | 바삐 이루려니 옛적 용맹 두렵네 |

歸愚識夷途	어린 마음으로 돌아가면 길 평탄하리니
汲古得修綆	우물물 길으려 긴 두레박줄 얻으리라
名浮有猶恥	이름 앞서면 오히려 부끄러운 법이라
味薄眞自幸	욕심 버리니 참으로 다행일세

『당시별재집』 1

———

수경은 긴 두레박줄, 미박은 고서 연구를 가리킨다.

(2) 깨끗한 삶과 두레박

유종원柳宗元(773~819)의 시(「두레박 노래甁賦」)이다(부분).

———

不如爲瓶	차라리 두레박 되어
居井之眉	우물가에 머물며
鉤深把潔	깊은 곳 깨끗한 물 길으며
淡泊是師	담박함 본받으리
淸白可鑒	그 깨끗함 거울삼아
終不媚私	끝내 붙좇지 않으리
綆絶身破	줄 끊어져 몸 깨진들
何足怨咎	어찌 남 탓하랴?
歸根反初	본디 자리로 돌아가니
無慮無思	걱정도 사념도 없네

『유종원집』 제2권 「고부古賦」

———

비록 몸이 부서져도 남의 탓 않고 본디 자리로 돌아가겠다는 결심에 머리가 숙여진다.

(3) 배움의 이치와 두레박

① 『잠서潛書』의 기사이다.

배움은 본성을 다하고 또 위아래와 사방을 통틀어 모두 한 몸에 갖추는 데 있다.
우물에서 물 긷고 부싯돌로 불을 얻어도 물이 끊임없이 솟고 부싯돌이 끊임없이
불을 일으키는 것과 같다.

우물이 너무 작아서 두레박 하나가 간신히 들어가고, 부싯돌이 대추만 하다면
어떻게 끊임없이 이루겠는가? 이는 천지의 물이 두레박이 겨우 들어가는 작은
우물에 모이고, 천지의 불꽃이 대추만한 부싯돌에 감추어진 덕분이다. 따라서
물과 불이 본디 스스로 무궁한 탓이며, 우물과 부싯돌이 무한한 까닭이 아니다
(「性功」).

인간에게 가장 긴요한 불과 물과 들어 배움의 본성을 깨우쳤다.

(4) 어진 정치와 두레박

두보杜甫(712-770)의 시(「구리 두레박銅瓶」)이다(부분).

亂後碧井廢	난리 뒤 맑은 우물 메웠지만
時淸瑤殿深	태평시절엔 요전 안에 있었지
銅瓶未失水	구리두레박에 물 남았을 때
百丈有哀音	슬픈 소리 끝없었느니
蛟龍半缺落	교룡의 반이 사라졌지만
猶得折黃金	지금도 황금 값에 맞먹네

『두보 진주동곡시기시 역해』

구리 두레박은 어진이가 임금의 은혜를 펴서 백성들에게 고루 베푸는 것을 이른다.
첫 구절은 세상이 어지러우면 우물을 메우지만, 태평하면 옥으로 꾸민 궁정에서

쓴다는 뜻이고, '물이 남았을 때'는 옛적에 늘 물을 길었다는 말이다.

백장은 긴 두레박줄이나 우물 깊이를, 슬픈 소리는 두레박에서 흘러 떨어지는 물소리를, 교룡은 두레박 겉에 장식한 무늬를 가리킨다.

(5) 진리와 두레박

『한서漢書』의 기사이다.

엄공儼公은 고승 유엄선사惟儼禪師(751~834)이며, 습지習之는 유학자 이고李皐(733~792)이다. 둘 사이에 승려僧과 속俗이 가로 놓였음에도 가까이 지냈다.

일찍이 낭주자사郞州刺史에 오른 이고가 낙산樂山의 상대를 찾아가 '도道가 무엇입니까?' 묻자, '구름은 하늘에 있고 물은 두레박에 있소' 하였다.

이고가 지은 게偈이다.

몸의 형체를 학처럼 단련해도 천 그루 소나무 아래의 두 함函에 남긴 경經이로세. 내 와 물으니 구름은 하늘에 있고 물은 두레박에 있다고만 하네(권 90 「儼公與習之親」).

자연의 이치 자체가 도이니 굳이 멀리 가서 찾지 말라는 뜻인가?

(6) 선비와 빈 두레박

『한서』의 기사이다.

양웅揚雄(전 53~18)이 말한 법도 있는 선비에 대해, 술꾼을 비난하는 내용의 주잠酒箴을 읽은 진준陳遵(?~47?)이 장송張竦(?~?)에게 일렀다.

"자네는 우물 꼭대기에 걸린 빈 두레박이로세. 항상 위태로운데다가 술은 한 방울도 마시지 않은 채, 외로이 새끼줄에 매달려만 있으니 술 부대鴟夷만도 못하네. 술 부대에는 하루 종일 술이 담기고 늘 공가公家에서 쓰지 않는가? 그렇다면 술이 왜 나쁜가?"

둘은 매우 가까운 사이였음에도 생활은 아주 달랐다. 장송은 몸가짐을 조심하는 법도 높은 선비였으나, 술을 즐기는 진준은 늘 빈객들에게 술자리를 베풀며 거리낌 없이 지냈다. 그는 두레박과 술 부대를 들어 친구를 자신에 견준 것이다(권92 「진준전」).

우리 이규보李奎報(1168~1241)는 이를 들어 '조육은 진훤을 사모하고糟肉慕陳暄 / 정병은 장송을 비웃었네井瓶笑張竦'라는 시(「9월 13일 여관의 모인 선배들에게 보임九月十三日 會客旅舍 示諸先輩」)를 지었다(『동국이상국전집』 제6권 「古律詩」).

조육은 술과 고기이다.

『남사南史』에 '진훤陳暄(557~589)은 진陳 후주後主(582~589) 때의 유명한 술꾼이다. 그의 조카가 무절제한 음주를 넌지시 말리자 나는 술 마시며 늙을 터이니 너는 간섭하지 말라며 듣지 않았다'는 기사가 보인다(권61 「진훤전」).

(7) 한가로움과 두레박

진관秦觀(1049 1100)의 시(「처주의 수남 암자에서處州小南庵置」)이다.

此身分付一蒲團	이 한 몸 부들방석에 맡기고
靜對蕭蕭玉數間	조용히 대숲 지나는 바람소리 듣노라
偶爲老僧煎茗粥	이따금 노승 만나 차 죽 끓이려
自攜修綆汲淸寬	긴 두레박줄 잡고 맑은 물 긷네

『중국시와 시인』

젊어서 소식蘇軾(1037~1101)에게 배운 진관은 비서성秘書省 정자겸 국사원 편수관正字兼國史院編修官에 올랐다. 고문古文과 시뿐 아니라 사詞에도 뛰어나서, 그를 황정견黃庭堅·장뢰張耒·조보지晁補之 등과 함께 소문사학사蘇門四學士라 불렀다.

(8) 이별과 두레박

① 백낙천白樂天(772~846)의 시(「우물의 은두레박을 건짐井底引銀瓶」)이다.

———

井底引銀瓶	우물의 은두레박 건지려
欲上絲繩絶	두레박줄 당기자 끊기고
石上磨玉簪	돌에 놓고 옥비녀 갈자
玉簪欲成中央折	허리 부러져 버렸네
瓶沈簪折知奈何	두레박 빠지고 비녀 꺾여 어찌하나
似妾今朝與別君	오늘 아침 임과 이별한 나와 같구나

『백낙천 시집』 권4

———

② 우리 윤선도尹善道(1587~1671)의 시(「반첩여 시 두 수에 차운함次班婕妤二首韻」)에 '임금의 황금 수레 사양할 때當辭金輦時 / 은두레박줄 끊길 것 어찌 일있으라豈料銀瓶絶'는 구절이 있다(『고산유고孤山遺稿』 제1권 「시」).

반첩여는 전한 성제成帝(전 32~전 7)의 후궁이며, 첩여는 상경上卿에 해당하는 궁중 여관女官이다. 그네를 끔찍이 사랑하던 상대가 조비연趙飛燕(전 45~전 1) 자매에게 홀리자, 홍가鴻嘉 3년(전 18)에 스스로 물러나서 태후太后를 모시며 지냈다.

(9) 사람의 평생과 두레박

『태평광기』의 간추린 기사이다.

———

당 보응寶應 연간(762~763), 유양維揚(절강성 양주시揚州市) 교외에서 갑자기 폭우를 만난 원무유元無有는 길가 빈집으로 들어갔다. 비바람이 자면서 달이 뜨자 특이한 차림의 선비 넷이 나타나더니, 각기 평생의 일을 시로 지었다.
마지막 사람의 노래이다.

清冷之泉候朝汲   맑고 시원한 아침 물 길으려고
桑綆相牽常出入   뽕나무 줄에 매달려 오르내리노라

날이 밝으면서 그는 집 안의 낡은 두레박·다듬이방망이·등잔대·깨진 솥 따위가 네 사람의 변신임을 알았다(369 「元無有」).

―――――

사람의 손때 먹은 살림살이가 조화를 부린다는 내용의 민담은 우리에게도 흔하다.

(10) 재난과 두레박

① 『포박자』 기사이다.

―――――

태구현太丘縣(하남성 영성현永城縣) 장관을 지낸 진중궁陳仲弓(104~187)은 진실한 사람이다. 그가 쓴 『이문기異聞記』의 한 대목이다.

"난리를 피해 떠돌던 장광정張廣定이 네 살짜리 어린 딸을 서너 달 동안 먹을 음식과 함께 큰 두레박에 담아 마을 어귀의 오래된 무덤 구멍으로 내려 보냈다. 3년 뒤 선생이 끝나 고향으로 돌아와 딸의 유골을 거두려고 들어갔더니 놀랍게도 살아 있었다. 아이는 목을 길게 빼고 숨 쉬는 거북을 따라 했더니 배고픔이 없어졌다고 하였다.

이는 분명히 사람이 선도仙道를 닦아서 거북을 따르면 장수를 누린다는 증거이다."(「陳仲弓」)

―――――

진궁중은 고결한 인품을 지닌 사람으로 이름 높다.

② 『세설신어世說新語』 기사이다.

―――――

그가 순랑릉荀朗陵(518~565)을 찾아간 때, 하인이 없이 원방元方이 고삐를 잡고, 계방季方은 의장을 지닌 채 뒤 따르고, 어린 장문長文만 수레에 올랐다. 이들을 맞은 상대는 숙자叔慈에게 문을 열라고 이르는 한편, 자명慈明이 술을 따르고, 음식을 여섯 아들이 돌아가며 나르게 하였다. (…) 이를 본 태사太師는 '덕행 높은 이들이 동쪽에 모였습니다'는 상소를 올렸다(「德行」).

────────

(11) 실패와 두레박

『주역』에 '거의 이르렀음에도 물을 뜨지 못하고 두레박 깼다汔至 亦未繘井 羸其瓶 凶'는 대목이 있다. 이는 변화를 꾀함에도 뜻을 못 이루고, 고치려 하나 되지 않는 것을 이른다.

또 앞 책에 '두레박을 거의 끌어올렸는데 우물 밖으로 들어내지 못하고 도중에 깨지거나 뒤집혀서 물이 쏟아지면 나쁘다'는 기사도 보인다(「卦辭」).

(12) 불끄기와 두레박

『춘추좌전』 기사이다.

────────

노양공魯襄公 9년(전 564) 봄, 송나라에 큰 불이 나자 사성司城 악희樂喜(?~?)는 (…) 삼태기와 들것, 두레박줄과 두레박을 마련하고 물그릇을 갖추었다(「노양공」).

────────

송宋 평공平公 때 사성司城을 지낸 악희는 슬기로운 재주로 나라를 안정시키는 데 공을 세웠다. 기근이 들자 나라의 곡식을 백성들에게 꾸어주면서 대부大夫들도 따르게 하였다. 이때 그는 꾸어준 증서를 만들지 않았고, 곡식 없는 대부는 자신이 대신 낸 덕분에 굶어죽은 사람이 없었다.

(13) 두레박 치레

『이십사차기二十四箚記』 기사이다.

────────

제齊 무제武帝(482~493)의 치황후郗皇后는 비妃 정령광丁令光(485~526)을 시샘한 나머지 날마다 곡식 다섯 곡斛을 찧게 하였다. 성품이 독하고 투기심 많은 황후는 죽은 뒤, 용이 되어 황제의 꿈에 모습을 드러냈다.

무제가 병들 때마다 용이 물을 뿜으며 덮개 없는 우물 위로 솟아오른 탓에 늘 은도르래銀鹿盧에 금 두레박金瓶灌을 걸고 온갖 음식을 담아 제사 지냈다. 황제가 끝내 새 황후를 들이지 않은 것은 이 때문이다(『南史』권12 「치황후전」).

―――――

한 곡斛이 한 섬이므로 다섯 곡이면 닷 섬이다. 이는 하룻밤에 찧기 어려운 양으로, 그만큼 시달렸다는 뜻일 터이다. 용이 악귀 구실을 하는 것은 드문 일이다.

'鹿盧'는 '轆轤'가 옳다.

(14) 죽음과 두레박

『세설신어』 기사이다.

―――――

위魏 문제文帝(220~226)는 용맹스런 동생 임성왕任城王이 두려웠다. 어머니 변태후卞太后 방에서 함께 바둑을 두며 대추를 먹는 틈을 타, 꼭지에 독을 넣고 자신은 말짱한 것만 골라 먹었다.

이를 모르는 동생이 독에 걸리자 어머니는 물을 찾았다. 그러나 그가 두레박을 미리 부숴 놓은 탓에 맨 발로 달려갔음에도 물을 긷지 못하였다. 이로써 상대는 목숨을 잃었다(「尤悔」제33).

―――――

동생을 이처럼 야비하게 죽이다니 몹쓸 사람이다.

역사상 최초로 아버지의 권력을 그대로 이어받아 황제의 자리에 올랐음에도, 개인 감정을 앞세워 조식曹植과 조창曹彰 같은 뛰어난 친족을 내친 탓에 나라가 기울어지고 말았다.

(15) 험한 산길 오르기를 두레박줄에 견준다

원굉도袁宏道(1568~1610)의 시(「'주비이의 산간에서 지음'에 운을 맞춤和朱非二山間之作」)이다(부분).

愁絶蒼龍嶺	창룡 고개 참으로 험하니
青苔萬古銅	푸른 이끼 만년 묵은 구리 같구나
嶂深憑練汲	민둥산 깊어 두레박줄로 긷듯이 오르고
棧絶賴枝通	잔도 끊어져 나뭇가지 잡고 건네
洞隔寒溪雪	골짜기의 찬 시내 흰 물살 일으키고
僧歸石罅風	중 돌아가는 바위 틈새로 바람 부누나

『원중랑집袁中郞集』 제47권

───

원굉도는 형 원종도袁宗道, 동생 원중도袁中道와 함께 삼원三袁으로 불린다. 그는 오현지현吳縣知縣으로 치적을 쌓은 뒤 이부낭중吏部郞中에 올랐다. 시의 본뜻은 개성을 자유롭게 드러내는 데 있으므로 격조格調에 얽매일 필요가 없다는 말이다.

5. 속담

① 두레박줄이 짧으면 깊은 물을 뜰 수 없다.

② 제 집 두레박줄 짧은 것 모른 채, 남의 집 우물 깊은 것만 탓한다不恨自家汲繩短 只恨他家苦井深.

③ 유아두처럼 아둔한 사람은 받들 수 없고, 두레박줄은 잡아도 반듯하게 서지 않는다奉不起的劉阿斗扶不直的井繩兒.

④ 태산의 낙숫물이 바위를 뚫고, 가는 두레박줄이 우물 난간을 끊는다泰山之霤穿石 單極之綆斷幹.

⑤ 대나무 타고 하늘로 올라가고, 두레박줄 타고 땅으로 들어간다扶竹上空 扶井繩入地.

⑥ 뱀에 한 번 물리면 두레박줄을 10년 동안 무서워한다一朝被蛇咬 十年怕井繩.

⑦ 우물이 두레박 속에 들어간다井落在弔桶里.

앞 기사에 대한 설명이다.

①은 무슨 일을 이루려면 빈틈없는 준비가 필요하고, ②~③은 어찌할 수 없을 만큼 어리석은 상태를 나타낸다.

④는 어떤 일이든지 쉬지 않고 이어나가면 마침내는 뜻을 이루고, ⑤는 두레박으로 우물을 긷는다는 뜻이다.

⑥~⑦은 앞의 것들과 달리 매우 부정적이다.

동아시아의
우 물

일본

1장

어원
---

1. 泉(이즈미)

① 『어원대사전語源大辭典』 설명이다.

———

땅에서 솟아오르는 물, 또는 물이 솟는 곳이다. 이데미즈出水에서 왔다.

———

③ 『일본어의 어원사전日本語源源辭典』 기사이다.

———

땅에서 솟는 물이나 그 물이 솟는 장소를 나타낸다. 『우진보물어宇津保物語』에 '앞에서 물이 솟는다. 파서 손을 보았더니 물이 흘러서 재미가 끝없다'는 기사가 있다. '이즈いず(出)'와 '미み(水)'로 이루어졌다.

———

앞의 두 가지 설명은 우리와 같다.

『우진보물어』는 970년대에 나온 옛 이야기집이다.

샘은 죽음의 세계를 가리키기도 한다.

『고사기古事記』에 '남신 이자나기伊耶那岐가 여신 이자나미伊耶那美를 만나러 죽음의 세계인 요미노쿠니黃泉國로 갔다'는 기사와, 자신에게 모욕을 주고 달아나는 이자나기를 잡으려고 이자나미가 황천군黃泉軍 1,500명을 풀었다는 대목이 있다. 또 신이 주아이仲哀천황(192~200)의 아내(오키나가타라시히메息長帶比賣命) 입을 빌려 '서쪽에 금은보화가 가득한 나라를 주마'고 일렀음에도 '높은 곳에 올라가보았지만 국토는커녕 망망대해 뿐입니다' 대꾸하자, 매우 화가 난 나머지 '이 천하는 네가 다스릴 나라가 아니다. 너는 죽음의 세계인 요미노쿠니로 가라'고 외쳤다.

『일본서기日本書紀』에도 '이자나미가 자신을 뒤좇는 이자나기를 피해 천진평판泉津平坂으로 갔다'는 내용이 있다. 천진평판은 황천黃泉과 현천現泉 사이에 있는 고개로 황천평판이라고도 한다(권1 「神代」상). 그가 황천으로 찾아가자 '나의 남편이시여, 왜 이렇게 늦게 오셨습니까? 저는 이미 황천의 음식을 먹었습니다' 하는 대목과, 그곳으로 통하는 길을 지키는 천수도자泉守道者가 '당신과 함께 이승으로 돌아가지 못한다'고 알렸다는 아내의 말을 전하는 기사 따위도 보인다.

저승을 황천로黃泉路라 하고, 숨이 끊어졌을 때 '샘 아래의 사람이 되었다'고 이르는 것도 마찬가지이다.

2. 井戸(이도)

① 『어원대사전』 설명이다.

———

땅을 파고 그 안의 물을 긷는 것. 이도ィド의 이ィ는 '있다居(い 이)'의 이ィ와 같다. 도ド는 장소處이다. 흐르는 물河水을 둑堰으로 막은 것을 이제키ィゼキ라 하며, 마시는 물을 담는 가늘고 작은 농호瀧壺에 정井자를 붙여서 이도井戸 또는 이카와井カワ라 불렀다.

———

② 『일본어의 어원사전』 기사이다.

———

땅을 파내려가서 지하수를 길어올리는 시설이다. "최마악催馬樂"에 '밭 가운데 우물井戸에, 빛나는 전수총田水蔥'이라는 구절이 있다. 정井은 이ゐ로, 물水이 '있다い

ゐ'・사람도 '있다ゐる(居)'고 쓴다. 물이 고여 있는 것이다. '호戶'는 '도と(所)'가 옳다. 흐르는 물은 '하시리이하시りゐ(走井)'이다.

──────

"최마악"은 헤이안平安시대(8~12세기)에 퍼진 고대 가요이다. 본디 있던 각지의 민요・풍속・노래 따위에 외래악기의 반주를 곁들인 형식이다.

전수총은 논에서 자라는 부들 따위의 푸성귀를 가리킨다.

③ 『일본어원대사전』 기사이다.

──────

'도ど'는 '처處・소所'의 뜻이다.

땅을 파고 지하수를 긷게 한 것이다.

　㉠ 이도ヰド(井所)의 뜻이다(『雅言考』・「國語の語根とその分流=大島正健」).

　㉡ 이도ヰド(堰門)의 뜻이다(『和訓栞』).

　㉢ 정전井殿 또는 정소井所의 줄임말이다(『兩京俚言考』).

──────

한편, 우물을 가리키는 츄고쿠中國나 규슈九州 등지의 '가와川'・'이즈伊豆' 및 오키나와沖繩제도의 '가아'는 냇물을 머던 옛적 말이다. 본디 우물은 내 가운데를 돌이니 나무로 막고 물을 뜬 데서 시작되었다.

자연적인 샘은 정井, 사람이 판 것은 이도井戶라 부르며, 이들은 19세기 말에 퍼졌다. 우물을 중심으로 마을이 생기고, 이에 따라 교역이 이루어진 것은 우리나 중국과 같다. 『출운풍토기出雲風土記』의 '큰 우물이 있는 해변에 사람들이 모여들어 저자를 이루었다'는 대목이 그것이다. 『만엽집萬葉集』의 '해자류시海柘留市'도 교통의 요지라는 이점도 있거니와 우물 덕분에 성장과 발전을 거듭하였다. 전국에 우물을 지명으로 삼은 곳이 많은 것도 이에서 왔다.

④ 『의식주 어원사전衣食住語源辭典』 기사이다.

──────

지하수를 긷는 깊은 웅덩이로, 샘을 가리키기도 하나 대체로 우물堀井戶을 이른다.

확실한 설은 없다. 이와테현岩手県・후쿠시마현福島県에서는 냇가 빨래터의 웅덩

이에 고인 물도 이도라고 한다. 자연이든, 땅을 파서 솟아나든 물이 나오는 곳을 생활과 주거의 터전으로 삼은 까닭에 물이 나오는 곳의 이ィ와 사람이 사는 장소의 이居는 겹치게 마련이므로 언어상으로도 뿌리가 같다.

―――

우리도 중부 이남에서는 우물을 샘이라고 부르는 곳이 적지 않다.

⑤ **다카도리 마사오**高取正男**의 설명이다.**

―――

현재 우리가 쓰는 우물井戸이라는 말을 옛적에는 흔히 호리카와掘井戸라 일렀다. 그때의 우물은 땅을 파서 마련한 것이 아니라, 물이 솟는 데를 조금 손질한 것이기 때문이다.

이도井戸의 ィ(이)는 둑堰(ヰ[이])이다. 둑은 물을 가두는 곳이며, 집 근처 실개천에 마련한 빨래터를 이도바타ヰ(ィ)ドバタ라 부르는 곳도 적지 않다. 이도바타井戸端는 호리카와 주위만 가리키지 않은 것이다. 이밖에 이도를 이케ィヶ라고도 하였으며, 이는 '이개루ィヶル(묻다[埋める])'라는 낱말과 연관이 있다. 본디 티메루ためる(막아서 담아두다)라는 뜻으로, 흐름을 막아서 물을 가두는 곳도 '이케' 또는 '이도'였다. 따라서 이도를 이케라고 부르는 지방에서는 이케池를 유쓰ュッ라고 일렀다. 또 이도를 카와カワ(내川)라고도 하지만, 그곳에서는 내를 카와라カワラ(川原)라고 하여 둘을 따로 다루었다(宇野隆夫 1986, 『井戸』에서 재인용).

―――

⑥ **시라키 고사부로**白木小三郎**의 설명이다.**

―――

'정호井戸'는 곳에 따라 뜻이 아주 다른 듯하다. 이를테면 신슈信州(長野県) 남부인 원산遠山지구 등지의 'いと(이토)'는 봇물堰水을 가리키며, 집 앞으로 흐르는 도랑가를 이도바타井戸端라 불렀다. 또 정호를 이케라 부른 곳도 적지 않지만, 이때의 정호는 이케루いける의 이ぃ로, '모으다溜める(貯める)'의 뜻인 듯하다. 따라서 정호는 흐르는 물을 가둔 곳으로, 본디 정호나 샘泉도 가와川와 같은 뜻으로 써왔을 것이다(宇野隆夫 1986, 『井戸』에서 재인용).

───────

 '우물'이라는 낱말이 사람이 땅을 파서 만든 시설이 아니라, 자연히 흐르는 냇가를 가리키는 데서 왔다는 말은 그럴 듯하다. 우리도 마찬가지이다. 경상북도 영주시 문수면 수도리 등지에서는 근래까지 마을 옆으로 흐르는 낙동강 물을 마셨고, (☞ 559~560) 같은 도의 경주시 안강면 양동良洞마을 서쪽의 주민들도 1970년대 초까지 형산강兄山江 물을 길어 먹었다. 설거지는 물론, 빨래도 같은 곳에서 하였으므로 강이 곧 우물이었던 셈이다. 중국도 예외가 아니다. 운하를 낀 절강성 항주시杭州市 부근의 주민들은 지금도 쌀이나 채소를 씻고 설거지와 빨래를 하며 심지어 변기馬通도 닦는다.

 한편, 나카야마 타로中山太郎는 정호井戶의 호戶에 대해 『상륙국풍토기常陸國風土記』의 앵정櫻井 관련 기사와, 『습개초拾芥抄』의 '정호전井戶殿과 현정호懸井戶는 (교토京都) 1조一条에 있는 동동원東洞院의 서남'이라는 내용 따위를 들어 '호는 부호釜戶의 호와 함께 민호民戶와의 연관에서 나온 말인 듯하다. (…) 이를테면 정호를 예부터 마을이나 집터의 경계가 되는 지점에 마련해서 그 지역의 표적標的으로 삼은 것이 좋은 보기'라고 하였다(1915 ; 19).

2장

정井·천泉의
성과 이름

---

1. 정·천의 성

1) 정井

　다음은 1995년에 나온 『일본인명日本人名』에 실린 215개의 성 가운데 '정井'이 맨 앞에 붙는 성씨이다. '荒井아라이'처럼 뒤에 오는 것도 적지 않지만 여기서는 다루지 않는다. 또 여러 가지로 불리는 것은 으뜸꼴만 뽑아 가나다순으로 늘어놓았다.

1 井家이이에	2 井街이마치	3 井家上이케가미	4 井家之上이케노우에
5 井家津이케즈	6 井竿이자오	7 井澗이타니	8 井江이에
9 井岡이오카	10 井開이카이	11 井階이카이	12 井尻이지리
13 井高이다카	14 井谷이타니	15 井公이키미	16 井鍋이나베
17 井貫이누키	18 井關이제키	19 井光이코우	20 井橋이하시
21 井口이구치	22 井久保이쿠바	23 井堀이쿠보	24 井龜이호리
25 井筧이노우	26 井芹이세리	27 井汲이쿠미	28 井崎이자키
29 井簱이바타	30 井氣田이키타	31 井那이나	32 井內이우치
33 井奈이나	34 井奈波이나바	35 井能이노우	36 井端이바타
37 井堂이도우	38 井代이시로	39 井対이즈이	40 井島이지마
41 井嶋이지마	42 井東이토우	43 井洞이비라	44 井頭이가시라

45 井藤이토우	46 井藤賀이토우가	47 井落이오치	48 井浪이나미
49 井蕗이부키	50 井瀧이타키	51 井瀬木이세키	52 井料이료우
53 井林이바야시	54 井立田이타쓰다	55 井馬이우마	56 井面이오모테
57 井面館이노모다치	58 井茂이시게	59 井門이도	60 井尾이오
61 井美이미	62 井半나가라이	63 井畔이구로	64 井辺이베
65 井伏이부세	66 井福이데후쿠	67 井本이모토	68 井部이베
69 井箆이오노	70 井山이야마	71 井三이미	72 井杉이스기
73 井森이모리	74 井上이노우에	75 井床이도코	76 井生이오이
77 井石이이시	78 井城이키	79 井世이요	80 井勢이세
81 井沼이누마	82 井手이데	83 井水이즈이	84 井守이모리
85 井狩이카리	86 井須이스	87 井手口이데구치	88 井手籠이데가고
89 井手尾이데오	90 井手野下이데노시타	91 井手前이데마에	92 井手川이데가와
93 井式이시키	94 井植이우에	95 井神이카미	96 井実이자누
97 井深이부카	98 井辻이쓰지	99 井桜이자쿠라	100 井野이노
101 井野口이노구치	102 井野瀬이노세	103 井野辺이노베	104 井野場이노바
105 井野川이노가와	106 井於이에	107 井堰이세키	108 井延이노베
109 井淵이부치	110 井染이소메	111 井葉野이바노	112 井奥이오쿠
113 井隈이노쿠마	114 井用이모치	115 井庸이쿠라	116 井牛이우시
117 井宇이노우	118 井熊이구마	119 井元이모토	120 井垣이가키
121 井原이하라	122 井遠이토우	123 井原木이바라기	124 井越이고시
125 井唯이타다	126 井邑이카도	127 井二이부타	128 井伊이이
129 井伊谷이이노야	130 井一이노이치	131 井場이바	132 井磧이세키
133 井田이다	134 井前이사키	135 井畑이바타	136 井殿이도노
137 井町이마치	138 井爪이즈메	139 井早이하야	140 井助이스케
141 井鳥이토리	142 井藻이모	143 井舟이부네	144 井隼이하야
145 井中家이나카야	146 井地이지	147 井之口이노구치	148 井之上이노우에
149 井之神이노카미	150 井之川이노가와	151 井倉이쿠라	152 井川이가와
153 井泉이즈미	154 井添이소에	155 井清이키요	156 井草이쿠사
157 井村이무라	158 井邨이무라	159 井塚이즈카	160 井槌이즈치

161 | 井出이데	162 | 井出井이즈이	163 | 井出之上이데노우에	164 | 井出村이데무라
165 | 井吹이부키	166 | 井置이오키	167 | 井太家이다야	168 | 井沢이자와
169 | 井士이즈치	170 | 井土野이토노	171 | 井筒이즈치	172 | 井樋이비
173 | 井筒屋이즈쓰야	174 | 井田이비다	175 | 井巴마스토모	176 | 井波이나미
177 | 井坂이사카	178 | 井阪이사카	179 | 井平이타이라	180 | 井坪이쓰보
181 | 井浦이우라	182 | 井表이오모테	183 | 井下이게	184 | 井下原이가하라
185 | 井下田이게타	186 | 井向이무키	187 | 井脇이와키	188 | 井形이가타
189 | 井桁이게타	190 | 井戸이도	191 | 井号이고우	192 | 井戸口이도구치
193 | 井戸端이도바타	194 | 井戸沼이도누마	195 | 井戸垣아도가키	196 | 井戸田이도다
197 | 井戸之瀬이데노세	198 | 井戸川이도가와	199 | 井戸村이도무라	200 | 井丸이마루
201 | 井厚이코우	202 | 井後이코우	203 | 井黒이구로	204 | 井詰이즈메
205 | 井ヶ田이게타	206 | 井ノ田이너구치	207 | 井ノ内이노우치	208 | 井ノ迫이노사코
209 | 井ノ本이노모토	210 | 井ノ部이노베	211 | 井ノ上이노우에	212 | 井ノ元이노모토
213 | 井ノ蔵이노쿠라	214 | 井ノ川이노가와	215 | 井池도부이케	

다음은 집포 이름이다.

1 | 井戸端이도바타	2 | 井戸尻이도지리	3 | 井戸上이도우에	4 | 井向이무키
5 | お井戸오이도	6 | 大井戸오이도	7 | 井丸이마루	

앞에서 든 성 씨를 닮은 것끼리 짝지우면 다음과 같다.

① 우물을 나타내는 성

井沼이누마·井水이즈미·井池이지·井之川이노가와·井川이가와·井泉이즈미·
井ノ川이노가와·井川水센센스이·井泉水센센스이·井沢이자와·井戸이도·
井戸沼이도누마·井戸川이도가와

② 우물의 근원이나 상태 따위를 나타내는 성

井内이우치 · 井ノ内이노우치 · 井本이모토 · 井元이모토 · 井ノ本이노모토 · 井勢이세 ·
井ノ元이노모토 · 井深이부카 · 井淵이부치 · 井奧이오쿠 · 井ノ蔵이노쿠라 · 井清이키요 ·
井厚이코우 · 井黒이구로

③ 우물에 연관된 시설을 나타낸 성

井竿이자오 · 井階이카이 · 井口保이쿠바 · 井橋이하시 · 井堂이도우 · 井床이도코 ·
井手이테 · 井手口이테구치 · 井手籠이테가고 · 井手尾이테오 · 井手下野이테노시타 ·
井手前이테마에 · 井手川이테가와 · 井門이도 · 井宇이노우 · 井堰이세키 · 井垣이가키 ·
井槌이즈치 · 井筒이즈치 · 井桁이게타

이테井手는 둑을 가리킨다.

④ 우물 위치나 주위를 나타내는 성

井澗이다니 · 井江이에 · 井岡이오카 · 井開이카이 · 井尻이시리 · 井高이다카 ·
井崎이자키 · 井堂이도우 · 井島이지마 · 井嶋이지마 · 井尾이오 · 井ノ迫이노사코 ·
井辺이세키 · 井辻이세키 · 井瀧이타키 · 井野이노 · 井野口이노구치 · 井野瀬이노세 ·
井野辺이노 · 井野川이노가와 · 井於이에 · 井演이히로 · 井葉野이바노 · 井原이하라 ·
井遠이토우 · 井越이고시 · 井隈이노쿠마 · 井伊谷이이노야 · 井場이바 · 井磧이세키 ·
井前이사키 · 井田이다 또는 이비다 · 井地이지 · 井倉이쿠라 · 井阪이사카 · 井浦이우라 ·
井表이오모테 · 井向이무키 · 井脇이와키 · 井形이가타 · 井丸이마루

이도우井堂와 이도노井殿는 우물 앞에 세운 건물, 정십井辻은 우물 앞 네거리이다.

⑤ 아들의 태어난 순서를 나타내는 성

井一이노이치 · 井二이부타 · 井三이미

'일一'은 첫째, '이二'는 둘째, '삼三'은 셋째아들을 가리킨다.

⑥ **직업이나 벼슬을 나타내는 성**

井家이이에 · 井郷이비키 · 井堀이쿠보 · 井汲이쿠미 · 井部이베 · 井染이소메 ·
井筒屋이즈쓰야

이이에井家와 이쿠보井堀는 우물 파는 기술자, 이쿠미井汲는 물장수, 이베井部는 관청의 우물을 돌보는 부서, 이소메井染는 염색장이이다. 이즈쓰야井筒屋는 두레박을 만들거나 생산하는 공장인가? 후쿠오카현福岡県 기타규슈시北九州에 같은 이름의 백화점도 있다.

⑦ **마을 · 거리 · 가문을 나타내는 성**

井街이마치 · 井洞이비라 · 井城이키 · 井邑이카도 · 井町이마치 · 井中家이나카야 ·
井村이무라 · 井邸이무라 · 井出村이데무라 · 井太家이다야 · 井戸村이도무라

이비라井洞 · 이도무라井戸村 · 이데무라井出村는 우물 주위의 마을, 이마치井街와 이마치井町는 우물이 있는 거리, 이카도井邑는 우물가에 서는 시장이다.

⑧ **논밭 형대나 위치를 나다내는 성**

井氣田이키타 · 井畔이쿠로 · 井立田이비쓰다 · 井田이니 또는 이비니 · 井畑이비니 ·
井ノ田이너구치 · 井土이즈치 · 井田이타 또는 이비타 · 井戸田이도타

⑨ **우물 주위의 식물에 관한 성**

井筺이노우 · 井芹이세리 · 井瀬木이세키 · 井林이바야시 · 井衫이스기 · 井森이모리 ·
井桜이자쿠라 · 井原木이바라기 · 井藻이모 · 井草이쿠사 · 井崎이자키

⑩ **우물 속 동물에 관한 성**

井龜이카메 · 井馬이우마 · 井守이모리 · 井蛙세이아 · 井牛이우시 · 井熊이쿠마 ·
井爪이즈메

이모리井守는 도롱뇽, 이즈메井爪는 메뚜기이다. 이쿠마井熊의 뜻은 알 수 없다.

⑪ 우물에 연관된 풍류를 나타낸 성

井光이코우 · 井簱이바타 · 井浪이나미 · 井美이미 · 井雪이유키 · 井城이키 ·
井月세이게츠 · 井鳥이토리 · 井隼이하야 · 井吹이부키 · 井波이나미 · 井風이카제

⑫ 기이한 성

井公이키미 · 井落이오치 · 井生이오이 · 井植이우에 · 井神이카미 · 井井이이 ·
井知夫이치오 · 井之神이노카미 · 井塚이즈카 · 井坪이쓰보 · 井下原이가하라

⑬ 뜻을 모르는 성

井鍋이나베 · 井寬이누키 · 井規이노리 · 井那이나 · 井奈이나 · 井奈波이나바 ·
井賴이요리 · 井篦이노우 · 井狩이카리 · 井須이스 · 井実이자누 · 井茂이시게 ·
井半나카라이 · 井伏이부세 · 井延이노베 · 井淵이부치 · 井演이히로 · 井用이모치 ·
井庸이쿠라 · 井唯이타다 · 井耳이미미 · 井伊이이 · 井早이하야 · 井添이소에 ·
井巴마스토모 · 井津志이쓰지 · 井沢이자와

2) 천泉

앞의 『일본인명』에 실린 것 가운데 '천泉'이 맨 앞에 붙은 성씨 35개이다. 여러 가지로 불리는 것은 으뜸꼴만 뽑아 가나다순으로 늘어놓았다.

1│泉이즈미	2│泉岡이즈오카	3│泉見이즈미	4│泉谷이즈미야
5│泉国이즈미쿠니	6│泉崎이즈미사키	7│泉乃이즈미노	8│泉村이즈무라
9│泉対센타이	10│泉頭센도우	11│泉類센루이	12│泉名이즈나
13│泉坊이즈미호우	14│泉並이즈나미	15│泉本이즈미모토	16│泉山이즈미야마
17│泉森이즈모리	18│泉瑞센즈이	19│泉石센세키	20│泉水이즈미
21│泉野이즈노	22│泉屋이즈미야	23│泉王子센오우시	24│泉雄이즈오
25│泉原이즈미하라	26│泉源楼센겐로우	27│泉二이즈미니	28│泉田이즈미다

이들을 닮은 것끼리 짝지우면 다음과 같다.

① 샘을 나타낸 성

泉이즈미・泉本이즈미모토・泉名이즈나・泉王子센오우시・泉井이즈이・

泉川이즈미카와・泉沢이즈미사와・泉海센카이

② 샘을 마을 이름으로 삼은 성

泉国이즈미쿠니・泉坊이즈미호우・泉村이즈무라

③ 샘 주위를 나타낸 성

泉岡이즈오카・泉見이즈미・泉谷이즈미야・泉崎이즈미사키・泉対센타이・

泉頭센도우・泉並이즈나미・泉山이즈미야마・泉森이즈모리・泉石센세키・

泉野이즈노・泉源楼센겐로우・泉田이즈미다・泉亭이즈미테이

④ 뜻을 모르는 성

泉乃이즈미노・泉雄이즈오・泉類센루이・泉伝센덴

⑤ 신령스러움을 나타낸 성

泉瑞센즈이

⑥ 샘 위의 건물을 나타낸 성

泉屋이즈미야

한・중・일 세 나라는 오랜 동안 유교문화권에서 함께 지내 왔음에도 일본에서는 성씨苗字제도가 발달하지 않았다. 옛적에는 귀족만 가졌으며, 그나마 미나모토源・타이라平·후지와라藤原·타치바나橘 넷뿐이었다. 서민들은 본디 성이 없었고 이를 지니게 된 것은 1870년 9월, 평민성씨허가령平民苗字許可令이 나오면서부터 본격화 하였지만 처음에는 세금과 징집을 걱정한 나머지 받아들이지 않았다. 출가한 승려들도 정부 방침을 따르지 않자, 이태 뒤 주직승려 성씨필칭의무령住職僧侶苗字必義務令을 내어서 창성創姓을 부추겼다.

생각이 바뀌면서 글 모르는 백성들이 배운 이에게 부탁하면 떠오르는 대로 일러주기 일쑤였다. 이를테면 '네 집이 어디 있느냐?', '밭 가운데 있습니다' 하면 '중촌中村이 좋다', '곳간이 있느냐?', '그렇습니다' 하면 '곳간주인倉持으로 하라'는 식이었다. 앞에서 든 대로 샘·우물·논·밭·동식물·골짜기 따위가 성이 된 까닭이 이것이다. 더구나 짓궂은 작자는 우스꽝스럽거나 비상식적인 것을 장난삼아 붙이기도 하였다. '이카미井神'·'세이아井蛙'·'이즈카井塚'·'센오우시泉王子'·'이즈미쿠니泉國'·'센까泉下'·'인도우犬童' 따위가 좋은 보기이다.

아들이 태어난 순서를 우물이나 샘으로 나타낸 것도 마찬가지이다. 1961년에 육군제2사단 17연대에 '안또상무'라는 이름표를 단 상병이 있었다. 일본사람인가 싶어 까닭을 묻자, 형과 같은 아들이 또 태어났다고 하여 부모가 '또 상무'라 붙였다는 대답이었다. 이는 일본식 이름 짓기의 본보기이다.

앞 책에 실린 성씨만 42,000여 개에, 읽는 방법이 56,000여 가지에 이르고 전국의 성씨가 10만~13만 개나 되는 것은 이러한 사정과 연관이 깊다. 한편, 코마高麗·쿠다라百濟·시라기新羅·가라加羅 따위처럼 일본으로 건너간 우리 조상의 성씨가 있는 점도 기억할 일이다.

우리 같으면 호적을 바꾸려고 난리를 칠 터임에도 그대로 쓰는 것을 보면 여간 너그럽지 않다. 여성이 혼인하면 제 성을 버리고 남편의 것으로 바꾸는 일도 마찬가지이다. 따라서 성씨에서 특별한 뜻을 찾을 것은 없는 셈이지만, 대표적인 성씨 30개 가운데 '이노우에井上'가 16위를 차지하는 것은 우물에 대한 정서가 우리나 중국과 견줄 수 없을 만큼 깊고 너른 것을 알려준다.

앞에서 든 우물 관련 성(215)에 견주어, 샘이 그것(35)의 6분의 1에 지나지 않는 것은 외딴 곳에 있어 가까이 하기 어려운 까닭일 터이다.

2. 정·천의 이름

1) 정井

앞 책에 '정井'이 맨 앞에 붙는 이름 20개가 실렸다.

1ㅣ井卿세이쿄	2ㅣ井規이노리	3ㅣ井岐雄이키오	4ㅣ井賴이요리
5ㅣ井伴이토모	6ㅣ井雪이유키	7ㅣ井声이세이	8ㅣ井演이히로
9ㅣ井温이온	10ㅣ井蛙세이아	11ㅣ井月세이게츠	12ㅣ井二세이지
13ㅣ井耳세이지	14ㅣ井齋세이사이	15ㅣ井井세이세이	16ㅣ井知夫이치오
17ㅣ井津志이쓰지	18ㅣ井泉水센센스이	19ㅣ井特세이토쿠	20ㅣ井風세이후

정지부井知夫(이치오)와 정정井井(세이세이)을 성과 이름으로 삼기도 한 것은 이들을 뚜렷이 구분하지 않은 것을 나타낸다.

이들을 닮은 것끼리 짝지우면 다음과 같다.

① 우물을 이름으로 삼은 것

井泉水 세세스이

② 우물 상태를 이름으로 삼은 것

井温이온

③ 벼슬을 이름으로 삼은 것

井卿세이쿄

④ 우물을 아들 순서로 삼은 것

井二세이지

⑤ 우물과 연관된 풍류를 이름으로 삼은 것

井雪이유키 · 井声이세이 · 井月세이게츠 · 井齋세이사이 · 井賴이요리 · 井伴이토모

⑥ 사람의 성품을 타나낸 것

井井세이세이

⑦ 뜻을 모르는 것

井規이노리 · 井岐雄이키오 · 井演이히로 · 井耳세이지 · 井知夫이치오 ·

井津志이쓰지 · 井特세이토쿠

2) 천泉

앞의 사전에 실린 '천泉'이 맨 앞에 붙은 성씨 37개이다.

1 | 泉介센스케	2 | 泉景센케이	3 | 泉光院센코인	4 | 泉丘子센큐시
5 | 泉橘센키츠	6 | 泉道센도우	7 | 泉郞센로우	8 | 泉竜센류우
9 | 泉流센류우	10 | 泉美이즈미	11 | 泉夫이즈오	12 | 泉三센조우
13 | 泉三郎센자부로	14 | 泉石센세키	15 | 泉碩센세키	16 | 泉成센나리
17 | 泉城센죠우	18 | 泉水센스이	19 | 泉兒센지	20 | 泉庵센안
21 | 泉奧센오우	22 | 泉二센지	23 | 泉二郎센지로우	24 | 泉一센이치
25 | 泉子센시	26 | 泉蔵센조우	27 | 泉汀센테이	28 | 泉助센스케
29 | 泉晃센쵸우	30 | 泉之助센노스케	31 | 泉澄센쵸우	32 | 泉次센지
33 | 泉処센쇼	34 | 泉太郎센타로우	35 | 泉太朗센타로우	36 | 泉下센카
37 | 泉慧센에이			

이들을 닮은 것끼리 짝지우면 다음과 같다.

① 샘의 상태나 주위의 풍광을 나타낸 것

泉景센케이 · 泉流센류우 · 泉石센세키 · 泉成센나리 · 泉水센스이 · 泉蔵센조우 ·

泉汀센테이 · 泉晁센쵸우 · 泉澄센쵸우 · 泉処센쇼

② 사람 이름으로 삼은 것

泉丘子센큐시 · 泉郎센로우 · 泉三郎센자부로 · 泉兒센지 · 泉二郎센지로우 · 泉子센시 ·

泉助센스케 · 泉之助센노스케 · 泉太朗센타로우 · 泉太郎센타로우 · 泉慧센에이

센큐시泉丘子 및 센시泉子를 제외한 나머지는 남자 이름이며, 이二와 삼三자를 지닌
것은 태어난 순서를 가리킨다.

③ 샘의 상태·위치·주위를 나타낸 것

泉奥센오우 · 泉光院센코인 · 泉城센죠우 · 泉庵센안

④ 샘가의 식물을 나타낸 것

泉橘센키츠

⑤ 샘의 동물을 나타낸 것

泉竜센류우

⑥ 저승의 뜻을 지닌 것

泉道센도우 · 泉下센카

⑦ 아름다움을 나타낸 것

泉景센케이 · 泉美이즈미

⑧ 직업을 나타낸 것

泉夫이즈오

⑨ 뜻 모르는 것

泉介센스케・泉碩센세키・泉蔵센조우・泉次센지

  우물보다 샘 관련 이름이 상대적으로 많은 것은 사람의 성정에 잘 어울리는 데서
왔을 터이다. 여자 이름 둘도 이를 가리킨다.

  '정'과 달리 성과 이름이 같은 것은 '센스이泉水'・'센세키泉石'・'센지泉二' 셋뿐이
다. 아들 순서를 매긴 것을 우물과 같지만, 우물에 없는 '센류우泉龍'는 뜻밖이다. 실
제로 용은 샘보다 우물에 더 어울리는 까닭이다.

3장

옛적우물

1. 우물이 생긴 까닭에 대한 설

① 야요이弥生시대(전 3세기~3세기) 전기에 맨우물이 나온 것은 논농사와 함께 대륙에서 들어온 것을 알려준다(宇野隆夫).

② 농경문화와 연관이 아주 없지는 않지만, 그 시기에 우물이 있었다는 확실한 자료가 적으므로 논농사에 연결시키는 것은 무리이다(藤田二郎).

③ 야요이시대 전기 말~중기 초와 중기 후반에 많이 늘어나는 것은 청동기 및 금속기생산과 연관된 대륙계 기술과 함께 수공업 생산의 필요에 따라 생긴 것을 나타낸다(堀 大介).

한편, 교토京都 시전제당방市田齊當坊유적에서 야요이시대 중기 초의 우물 두 개가 나온 것은 출현 시기를 짐작하는데 도움이 된다. 지금까지 야요이시대 우물 200여 개가 나왔으며 이들은 서일본의 기타규슈北九州·세토나이카이瀬戸内·키나이畿內·도카이東海지방에 집중적으로 분포하며, 과반수는 야요이시대 후기의 것이다. 형식은 대부분 맨우물이나 귀틀우물이고, 맨우물의 분명한 자취는 중기 초에서 전반기에 나타난다.

2. 우물 변천설

우노 다카오宇野隆夫의 간추린 글이다.

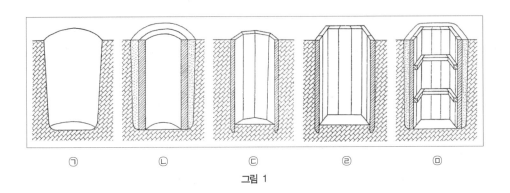

그림 1

야요이시대 우물은 벽의 유무와 구조에 따라 세 유형으로 나눈다.

① 맨우물(그림 1의 ㉠)

② 귀틀우물(그림 1의 ㉡)

③ 기타(그림 1의 ㉢·㉣·㉤)

①에는 보호 장치가 없는 것과 부분적으로 갖춘 것이 있으며,

②에는 속을 파낸 통나무를 박은 것이(㉡),

③에는 길이로 짠 널귀틀을 박은 둥근 형(㉢), 가로로 짠 널귀틀을 박은 모난형 (㉣), 가로로 짠 귀틀 서너 곳에 띠를 둘러 보강한 것(㉤) 따위가 있다.

이밖에 밑을 뗀 옹기를 박은 것과 식물로 엮은 울을 친 것 따위도 있다.

우물은 오사카大阪 가와우치河內평야의 야마가山賀유적에서 나온 열 개가 대표적 이다. 지름 1.5~2미터의 부정타원형에 깊이 1미터의 것이 대부분이며, 기원지는 기타규슈 지방이다. 이 시기의 우물 발굴사례가 적은 것은 굴土坑이나 움에 대한 구별이 뚜렷하지 않은 까닭이다.

야요이 중기 유적은 기타규슈와 키나이를 중심으로 하는 서부 일본에 집중적으 로 분포하며 형식은 맨우물이 대부분이다. 후쿠오카현의 한 유적板付에서 깊이 3미터가 넘는 본격적인 것이 선보였으며, 이것은 물이 차서 무너지기 쉬운 아랫 도리를 보강하였다. 또 같은 현의 다른 유적比惠에서 밑을 뗀 큰 옹기를 박은 것

도 드러났다.

이 시기에 우물 수가 늘어나고, 깊어지며, 측벽을 보호하는 기술도 발달하였다. 특히 나라현奈良県 한 유적唐古의 통나무우물은 전기 및 중기의 것으로는 아주 뛰어나다. 이 형식의 조형祖型은 중국 화남華南의 논농사 문화유역에 분포하며, 야요이시대 후기의 귀틀우물 기술의 바탕이 되었다.

야요이시대 후기의 우물 형식이 맨우물인 점에는 변화가 없지만, 귀틀을 박은 우물도 열 개가 넘는다. 이들 가운데 통나무우물 외에 앞에서 든 세 형식의 귀틀우물도 들어있다. 통나무우물은 오사카의 한 유적池上을 비롯하여 키나이에서 넷, 호쿠리쿠北陸지방에서 하나가 나왔다.

야요이시대 후기에는 귀틀우물이 아주 많이 늘어난다. 기타규슈 및 키나이 뿐 아니라 세토나이카이와 도카이지역도 마찬가지이다. 기타규슈는 중기 이래 맨우물이, 세토나이카이는 ㉢, 키나이는 ㉡, 도카이지방은 ㉣과 ㉤이 주류를 이루어서 지역 차이가 뚜렷한 것이 특징이다.

고훈古墳시대(3~6세기)부터 아스카飛鳥 및 나라奈良시대(593~784)를 지나면 귀틀우물이 눈에 띠게 발달한다. 이들은 지역적 특징이 사라지는 반면, 통나무우물이 앞에서 든 ㉠·㉢·㉣보다 격식이 높은 형식으로 굳어졌으며, 이는 키나이 영향 덕분이다.

야요이시대부터 고훈시대 사이에는 맨우물, 고대에는 귀틀우물, 중·근세에는 돌 귀틀우물이 주류를 이룬다.

귀틀은 물을 뜨는 사람의 안전을 지키면서 더러운 물이 흘러드는 것을 막는 시설이며(한쪽 길이 70센티미터쯤), 우물 바닥에 박기도 한다.

우물 지붕에 대한 증거는 없지만 중국 한대漢代의 명기明器는 거의 모두 귀틀에 기둥을 박고 지붕을 얹었으며, 화남지방에서는 이와 달리 기둥을 우물 주위에 따로 세웠다. 후쿠오카현의 한 유적比惠에서 기둥을 양쪽에 두 개씩, 사가현佐賀県의 다른 곳言宅田 西分貝塚에서 세 개씩, 오사카 유적中野에서 네 개씩 세운 것이 나왔다. 이 위에 화남식 지붕을 덮었을 가능성이 있지만 수는 많지 않다. 명기를 잘 살펴보면 지붕의 대부분은 두레박이 달린 도르래가 비에 젖는 것을 막기 위한 시설임이 분명하다. 따라서 야요이시대에는 특히 더러운 물이 흘러들면 안 되는 중요한 우물에만 지붕을 세웠을 터이다.

두레박은 나라현의 한 유적唐古에서 여러 개 나왔으며, 목에 새끼줄을 맨 목짧은 단지短頸壺가 대표적이다. 오사카의 한 유적龜井에서 나온 목이 길거나 짧은 단지에 새끼줄을 맨 자취는 없지만, 겉이 닳은 것은 두레박으로 쓴 사실을 알려준다. 중국에서 한대에 널리 퍼진 도르래우물이나 길고우물은 현재 나타나지 않았다. 헤이안平安시대 말(12세기)에서 가마쿠라鎌倉시대(1192~1333)의 풍속도에 여성이 줄을 맨 그릇曲物을 물에 던져서 손으로 뜨는 것이 있다. 곡물曲物과 토기의 차이가 있지만 야요이시대에는 거의 모두 이것으로 물을 길었을 터이다.

야요이시대 우물을 위치 중심으로 나누면, 마을의 한데우물과 집안의 개인우물 두 유형이 있다.

마을은 고지에, 우물은 낮은 데에 알맞다는 자연적 요인으로는 한데우물에 대한 설명이 어렵다. 저습지에 있는 도로登呂 유적은 집 옆에 땅을 파면 곧 물이 나옴에도 멀리 떨어진 곳에 귀틀우물을 마련하였다. 이는 물을 각 집에서 필요에 따라 긷지 못하고 마을에서 정한 일정한 규칙에 따른 사실을 나타내는 듯하다. 우물곁에 높은 귀틀을 세우는 기술이 없었던 야요이시대에는 아이들이 빠지는 위힘도 피할 겸 집 근처에 파지 않았을 터이다. 그것은 어떻든지, 이 형식의 우물은 도시적 생활이 퍼질 때까지 남아서 마을 생활에 큰 구실을 하였다.

개인우물은 한 채 또는 서너 채의 움집 근처에 마련하는 형식으로, 두 채에 한 개씩 있는 후쿠오카현 한 유적比惠과 한 채에 한 개씩 딸린 오사카 유적瓜生堂이 좋은 보기이다. 이밖에 주추를 놓지 않은掘立柱 건물 안의 우물은 야요이시대 중기에 더러 나타난다.

우물을 단지 지하수를 얻기 위한 구멍으로 본다면 죠몬繩文시대(전 1만년~전 3세기)에도 있었을 터이다. 이는 야요이문화가 성립되는 주요한 조건의 하나이므로 가볍게 보기 어렵다. 그러나 우물을 파는 기술·위치·제사 따위를 묶어서 다룬다면 야요이시대 우물은 죠몬시대 것과 다르며, 그 시대를 연 논농사문화 복합체의 하나로 보아야 한다. 그리고 조선에서 들어온 논농사문화의 복합요소를 북방계와 남방계로 크게 나눈다면 우물은 남방계 산물이다.

야요이시대 우물은 전기·중기·후기에 따라 차이가 뚜렷하다. 전기에는 수가 적고 대부분 소규모이지만, 중기에는 수가 늘어나고 기술적 진전이 있었으며 집안 우물에 제사도 지냈다. 후기에는 귀틀우물형식이 널리 퍼지고 지방색이 뚜렷하며 수도 더욱 늘어난다. 이러한 변화는 농경사회의 정착과 계급사회로 향하는 성장의 일면을 알리는 것이기도 하다.

야요이시대 귀틀우물은 대륙적인 모습을 지녔지만, 아스카 및 나라시대로 접어들면 중국의 벽돌博璧우물에 견주어 본격적인 일본적 색체를 띠게 된다. 대륙에서 들어온 논농사문화가 죠몬문화의 뒤를 이어, 독특한 일본문화를 이루어가는 긴 과정에서 야요이시대가 아주 중요한 구실을 한 사실을 우물이라는 하나의 유구遺構를 통해서도 알 수 있다(1986 ; 25~37).

———

3. 여러 설에 대한 아키다 히로키秋田裕毅의 간추린 반론

———

(1) 죠몬시대에 우물이 없었다는 설

1만여 년에 걸치는 죠몬시대에 없던 우물이 야요이시대에 갑자기 나타난 이유가 무엇인가 하는 점이다. 그때 사람들도 땅을 조금 파면 물이 나온다는 긴단한 사실을 몰랐을 까닭이 없다. 집이나 마을 주위로 흐르는 내를 이용하였으므로 일부러 땅을 팔 필요가 없었을 뿐이다.

(2) 권력관계 설

땅을 여러 길 파려면 기술이 필요하고 돈도 많이 드는 점을 들어, 야요이시대의 수장首長이 자신의 힘이나 제사권을 드러내려고 마련하였다는 주장이다. 그러나 우물 유적이 반드시 사람이 많은 지역이나 권력자가 있는 곳에 나타나지 않을 뿐더러, 지역에 따라 형식이 다른 점을 떠올리면 설득력이 떨어진다. 이를테면 사가현佐賀県의 왕이 거주한 요시노가리吉野ヶ里유적의 야요이시대 마을 터 10여 곳에서 우물이 하나도 나타나지 않은 것이 좋은 보기이다. 따라서 우물은 권력자의 상징이 아닌 것이 분명하다.

(3) 환호環濠마을 설

야요이시대 중기에 지하수면까지 파내려간 우물이 마을 구성요소의 하나로 떠오르고, 중국 강남지역에서 들어온 벼농사 영향도 컸으며, 이른바 환호環濠마을이 형성되면서 외적을 막기 위한 물 공급의 필요성이 높아졌다는 주장이다. 그러나 우물이 논농사가 시작된 수백 년 뒤에야 나타나고, 모든 환호마을에 있지도 않은 점을 보면 믿기 어렵다. 실제로 일반 가정에서는 헤이안平安시대(8~12세기)부터 갖추기 시작하였다.

(4) 청동기생산 설

야요이시대 중기에 우물을 판 마을에서 조선계朝鮮系 무문토기無文土器로 보이는 토기와 청동기 거푸집이 나타나는 것은, 조선반도에서 건너온 사람들이 청동기와 유리제품 생산을 위해 판 것을 나타낸다는 호리 다이스케堀大介의 주장이다. 그러나 청동기제작에 우물을 따로 파야할 만큼의 물이 필요한 것인가? 앞에서 든, 유물이 나오지 않는 지역의 우물은 어떻게 볼 것인가? 조선계 마을에서 모두 청동기를 구웠는가 하는 점도 의문이다.

(5) 음료수 확보 설

일반적으로 우물을 음료수를 얻기 위한 시설로 여기기만, 야요이시대 중기의 우물은 움土坑의 하나로 보인다.

음료수를 얻으려고 우물을 판다면 마땅히 물이 마르지 않는 곳을 골라야 함에도, 야요이시대 중기 이후부터는 지하수면까지 파지 않았을 뿐더러, 고훈시대에는 오히려 우물이 아주 적어진다. 그리고 음료수를 위한 우물임이 분명한 7세기 이후의 것은 대체로 지름이 1미터쯤임에도, 이 무렵의 웅덩이는 이보다 크며 2.5미터를 넘는 것도 있다. 이렇게 크면 두레박으로는 긷지 못한다. 두레박을 가운데에 넣어서 물을 담을 수 없고, 끌어 올릴 때 벽의 흙이 들어가서 마실 수도 없다. 고고학계에서는 우물과 주거를 한 묶음으로 보고 마을 한 복판이나 한쪽에 있는 한데우물을 떠올리지만, 관련 유적이 반드시 주거지 가운데나 부근에서 나타나지 않는다. 오늘날에는 오히려 우물과 마을과의 연관에 대해 의구심을 지닌 학자들이 늘어나고 있다. 따라서 나는 지금껏 우물로 여겨온 웅덩이는 식물 갈무리를 위한 시설이라고 믿는다.

움은 다섯 가지가 있다.

① 견과류 및 곡물 갈무리용

② 목기 갈무리용

③ 토기처리용廢棄土坑

④ 제사용

⑤ 진흙 조달용

①은 곡물류를 직접 갈무리하거나 질그릇 따위에 담아서 넣는다. 그릇은 깊이 2미터에 이르기도 하며 대부분은 씨앗이다. 중국 화북 및 동북부의 회갱灰坑을 닮은 이것은, 중국이나 조선반도에서 논농사기술과 함께 들어왔으리라는 설이 유력하다.

②는 야요이시대 전기에 여러 종류의 목기를 버린 움이다. 재목을 물에 담그기도 하였다지만, 고훈시대 이후에 나타나지 않는 점 따위로 미루어 믿기지 않는다.

③은 토기류 외에 쓰레기 따위를 버렸다.

④에서 나온 토기류 가운데 특이한 형태를 지닌 것은 풍년을 바라는 제사 때 신에게 바친 것이다. 토기는 실제로 야요이시대 전기부터 고훈시대 전기까지 끊임없이 썼으며 붉은 색깔이 대부분이다.

앞에서 우물과 여러 종류의 움을 살펴보았지만, 대부분은 제사용으로 생각된다. 지하세계에 깃든 신을 받들기 위한 것으로, 제사 내용도 우물이나 움에 차이가 없으며, 움보다 깊은 우물이 신에게 더 가깝다고 여겼을 뿐이다. 이러한 흐름은 야요이시대 후기에서 고훈시대 전기까지 이어지지만 제사의 성격은 점점 형식적으로 바뀌며, 이 뒤부터는 깊거나 얕거나 수가 줄고 목적도 희미해진다.

통나무우물도 음료수용이 아니라 수장首長이 올리는 제사를 위한 시설에 지나지 않는다. 그렇지 않다면 야요이시대 중기부터 고훈시대 말기에 이르는 6백여 년 동안, 전국을 통틀어 겨우 80개소에서 나타난 점을 설명할 방법이 없다.

일본의 성신星神신앙은 중국에서 들어왔으며, 고대인은 지하세계에 더 많은 관심을 기우렸다. 그리고 농작물을 비롯한 모든 생명체를 맡은 지하의 신이 움을 통해 오간다고 믿었다. 단순한 움보다 물이 퐁퐁 솟는 데를 선호한 것도 그 모습을 신의 출현으로 본 까닭이다.

야요이시대 전기의 움 가운데 유물이 적은 것은 깊이가 얕기도 하거니와, 신 관념이 덜 여물었기 때문이다. 유물 가운데 목기, 그 중에도 농기구가 많은 것은 농경의례와 연관이 깊다. 그리고 토기를 일부러 깨뜨려 넣은 것은 움을 신의 통로라고 여긴 데서 온듯하나 확실한 까닭은 알 수 없다. 야요이시대 중기 이후 및 율령律令시대(8~12세기) 우물에서 나오는 숯이나 재는 불을 이용해서 제사 자리의 부정을 가신 자취이다. 한편, 움이나 우물을 메우지 않거나 반쯤 메우다가 만 것은 오가던 신이 갇혀서 재앙을 내릴까 두려워한 탓이다. 메울 때 숨통息拔き 삼아 대나무를 꽂는 풍습이 이에서 왔다.

집 주위나 마을 가까이 흐르는 물을 음료수나 생활용수로 쓰던 사람들이 우물을 파기 시작한 것은 불교전래와 연관이 깊다(2010 ; 1~88).

———

4장

—

우물의 종류

—

우물은 벽체의 구성 등에 따라 열한 가지로 나눈다.

———

1. 맨우물素掘り井戸
2. 달팽이우물螺井戸
3. 통나무우물丸太刳り井戸
4. 널우물板組井戸
5. 곡물우물曲物桃井戸
6. 통우물桶組井戸
7. 돌우물石組井戸
8. 옹기우물土器井戸
9. 하니와우물埴輪井戸
10. 질솥우물羽釜の井戸
11. 펌프ポンプ

———

1. 맨우물

벽을 쌓지 않고 파내려간 원초적 우물이다. 전이 없어서 비가 내리면 흙물이 흘러

들거나, 바닥에서 솟은 물이 벽에 스며서 무너지기 쉬우
므로 무엇보다 땅이 단단해야 한다.

그림 2는 시가현滋賀県 쿠사쓰시草津市 유적矢倉口에서
찾은 둘 가운데 하나이다. 바닥에서 적지 않은 제사용품
이 나왔다.

사진 1은 같은 현, 같은 시 유적今津町 弘川으로 흙벽이
그대로 드러났다. 이곳의 우물 둘 가운데 하나는 8~10세
기, 다른 하나는 9~12세기의 것이다. 벽이 무너지거나
흙이 흘러들어가 물이 흐려질 염려가 있어 덮개나 지붕
을 꾸민다. 제물로 넣은 41점의 유물이 나왔다. 가장 원
시적인 이 형식은 야요이시대 전기 말(2,000년 전)에 나타
난다.

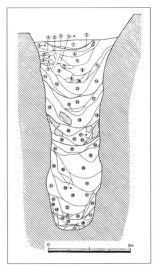

그림 2(ⓒ「井戶とその祭祀」)

오사카의 한 유적山河에서 야요이시대 전기
의 것이 10여 개 나왔으며, 크기는 지름 1.5~2
미터에 깊이 1미터쯤이다. 이 뒤부터 깊이와
형태가 바뀌면서 이어 내렸고, 야요이시대부
터 고훈古墳시대에 널리 퍼져나갔다.

야요이시대 중기에는 기타규슈와 키나이지
역을 중심으로 한 서부 일본에 집중적으로 나
타나며, 후쿠오카현의 한 유적板付의 것은 깊

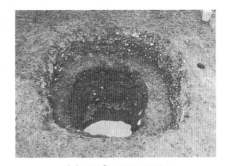

사진 1(ⓒ「井戶とその祭祀」)

이가 3미터에 이른다. 또 이 시기에 수가 늘어날 뿐 아니라 더 깊어지고 벽을 보호하
는 기술도 나타나는 따위의 발전이 이루어졌다.

야요이시대 맨우물의 단면은 세 가지이다(그림 3).

   ㉠ 거의 수직으로 파내려간 원통형
   ㉡ 양쪽으로 비스듬히 판 화분형
   ㉢ 중간에 2단 테라스를 붙인 형

야요이시대 후기에 이르면 원통형이 커

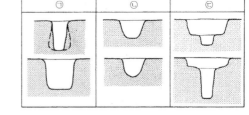

그림 3(ⓒ 藤田三郎)

지기도 하고, 제사에 쓴 듯한 토기도 선보인다.

고훈시대 이후의 형태는 야요이시대 것과 같다. 규슈 후쿠오카 평야의 것은 맨우물이 대부분이며, 고훈시대 전반부에 ⓓ형이 나타나고 벽을 쌓은 듯한 자취도 더러 보인다.

오사카의 고훈시대 후기 유적에서 나온 63개는 전체(80개)의 80퍼센트쯤을 차지하며, 아스카飛鳥시대(593~686)로 접어들면 전체(47개)의 반쯤(26개) 된다. 이처럼 고훈시대에 견주어 크게 줄어드는 것은, 우물을 판 목적이 음료수 확보가 아닌 다른 데 있었음을 알려 준다. 따라서 고훈시대가 끝나는 것과 동시에 필요성도 사라졌을 것이다.

2. 달팽이우물

너른 바닥에 판 우물 옆의 비탈을 빙빙 돌아 내려가서 물을 길으며, 우물을 파려고 붙인 계단형식은 뒤에 청소에도 썼다. 두터운 사력층砂礫層을 수직으로 파는 것은 거의 불가능하였기 때문이다. 에도江戶시대(1600~1867)에는 최소 한 사람 앞에 1.8리터의 물을 얻을 수 있으면 살림을 따로 났다고 한다. (…) 옛적에 무사시노武蔵野 대지의 지하수위가 낮은 곳에서는 물을 얻기 어려운데다가 파는 기술도 모자란 탓에 이 형식의 한데우물을 파고 물을 길었다.

도쿄東京 하무라시羽村市 고노카미五ノ神신사神社의 것이 좋은 보기로, 30도의 비탈 12미터 아래에 있다. 크기는

사진 2(ⓒ 야후)

사진 3(ⓒ 야후)

지름 15.5미터에 깊이 5.5미터이며, 긴 네모꼴의 한 변은 16.5~14.3미터이다. 260여 년 전, 홍수를 피해 높은 지대로 옮아간 사람들이 물을 얻으려고 팠으며 수도가 들어온 1962년까지 한데우물로 썼다(深澤靖幸 1997 ; 326~327). (사진 2·3, 그림 4)

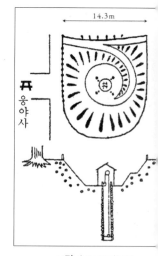

그림 4(ⓒ 秋田裕毅)

이를 대동大同 때(806~810)에 팠다고 하나 근거는 없다. 1741년의 우물 수리 때, 바닥에서 연문延文(1356~1361)~정장正長(1428~1429) 시기의 판비板碑 24장이 나와서 무로마치室町시대(1392~1573) 이전에 판 것이 확인되었다. 이것은 지역의 한데우물로 1960년에 수도가 들어올 때까지 썼다. 물통을 멜대에 걸고 40미터쯤의 비탈을 오르내린 것이다.

같은 형식의 우물은 앞의 시 오일시정五日市町 阿伎留神社, 아오우메시青梅市 新町 및 오사카大阪 사야마시狹山市 北入會, 같은 시의 또 한 곳堀兼神社에 남아 있으며, 아키가와시秋川市 雨間와 다치가와시立川市 砂川町 등지에서도 썼다. 이들이 언제 마련되었는지는 알 수 없다.

사이타마현 사야마시의 겠北入會 七曲井은 모를 죽인 긴 네모꼴로 짧은 지름 9미터쯤에 긴지름 13미터쯤이며 기울기는 45도, 지면에서 10.5미터 아래에 있다. 현의 사적史蹟으로 지정된 이것을 1202년에 팠다지만 분명치 않다. 여러 차례 수리를 거쳤고, 1759년 이후에 쓰레기와 모래로 묻혀 있다가 1970년에 제 모습을 찾았다. 우물은 주위 70여 미터에, 지름 18~20미터이며 지표에서 10미터 되는 곳에 전이 있고, 옆에 1708년에 세운 비도 보인다.

위는 계단형이고, 가운데는 구불구불한 비탈이며, 바닥에서는 빙 돌아간다. 칠곡七曲우물이라는 이름은 이에서 왔으며, 발굴 중에 1272년에 세운 비가 나왔다. 길은 너비 70센티미터에, 길이 40미터가 넘는 듯하다(小作壽郎 1986 ; 146~147).

사력과 점토질粘土質의 충적층沖積層인 긴끼近畿일대에도 같은 우물이 있다. 7~8세기의 등원경藤原과 평성경平城京 것이 대표적이며, 등원경의 40여 개 가운에 10여 개가 맨우물이다. 벽을 칠 널을 얻기 어려운 탓에 파기만 했을 터이다. 평성경에는 1.7미터 이하의 둥글거나 모난 것이 네 개 있다(宇野隆夫 1986 ; 26~28·藤田三郎 1988 ; 53~66·小池伸彦 1996 ; 153·秋田裕毅 2010 ; 133~224·龍 孝明, 久住猛雄, 菅波正人, 山崎賴人 2013 ; 52·鹿野 疊 2013 ; 73~75).

3. 통나무우물

속을 파낸 통나무를 이어 쌓아서 벽을 삼은 것으로 야요이시대 중기에 나왔다(그림 1의 ㉡). 나라현奈良県 한 유적唐古에서 가장 오랜 것이 나왔고, 가장 큰 것은 오사카池上層根에서 나온 녹나무樟통으로, 안지름 1.8~1.9미터에 바깥지름 2.1~2.2미터이다. 현재의 높이는 1미터쯤이지만 본디 2미터쯤으로 보인다.

이보다 뒤의 것은 나라현 생구군生駒郡 법기사法起寺 옛 터에서 선보였다. 깊이 6.8 미터쯤에 안지름 0.9×0.5미터, 바깥지름 1.3×0.8미터쯤이다. 이밖에 반 또는 네 쪽의 나무를 하나로 붙인 것도 있다. 이 형식은 13세기 무렵까지 이어 내렸으며, 주로 긴끼지역에 퍼졌다.

한편, 왕권 및 수장首長과 연관된 유적 가운데 눈에 띄는 것은 큰 건물에 딸린 제사용 우물이다. 위치는 주로 건물 중심축, 도리 및 들보의 연장부, 기둥 옆 등지이다.

오사카 야요이시대 유적池上曾根에서 환호마을의 특정지역, 곧 일반주거지역에서 떨어진 곳에 독립건물과(사진 4) 노송나무檜 벽을 지닌 큰 우물이 나왔다(사진 5). 동서 열 칸(19.2미터), 남북 한 칸(6.9미터) 크기의 건물에서 1미터쯤 떨어진 곳에 세운 큰 건물掘立柱建物(바닥 면적 133평방미터)의 남북중심선에 있는 것은 건물과 깊이 연관되었음을 알린다.

사진 4(ⓒ 야후)

사진 5(ⓒ 야후)

또 주위에서 나온 여러 가지 유물들은 이 일대가 비일상적인 성스러운 공간임을 나타낸다. 따라서 우물은 제사를 위한 시설이고 건물은 씨족의 우두머리나 무당이 농사의 풍요를 비는 신전神殿이었을 터이다. 제사 담당자들은 이 성수聖水로 몸과 마음을 닦으면서齋戒 신들이 우물을 통해 지하세계로 드나든다고 여겼을 것이다.

한편, 고훈시대 초 아이치현愛知県의 한 유

적八王子에서는 마을 밖 신성공간에 마련한 우물과 건물도 나왔다(秋田裕毅 2010 ; 133~224 · 穗積裕昌 2013 ; 23~24).

사진 6은 시가현 오츠시大津市의 것南滋賀으로 안지름 103센티미터에 두께 20센티미터쯤 되는 대형이다. 헤이안平安시대(8~12세기)에 썼을 터이지만, 나라奈良시대(710~784)로 올라갈 가능성도 있다. 통나무우물은 앞에서 든 형식 가운데 가장 격식이 높다.

사진 6(ⓒ 井戸とその祭祀)

또 사진 7은 8세기 초 시가현 한 유적蒲生郡蒲生町의 것으로 삼나무杉를 3분의 2와 3분의 1의 비율로 쪼갠 뒤 마주 붙여 박았다. 안지름 80센티미터에 두께 5센티미터이다. 통나무는 길이로 자르고 나서 속을 파내는 것이 훨씬 쉬운 까닭이다. 아랫도리를 두 겹의 덩굴로 둘러 감았으며, 이러한 형식은 야요이시대 중기에 나타난다.

사진 7(ⓒ 井戸とその祭祀)

사진 8은 나라현 평성경에서 나온 삼나무 우물벽이다. 지름 1.7미터에 높이 190센티미터이다.

4. 널우물

가장 오랜 것이 교토의 한 유적市田齊當坊에서 모습을 드러냈다. 시대는 야요이시대 중기에서 중기 전반기이며, 둘 모두 지름이 3미터를 넘는 대형이다. 파내려간 단면은 위가 너른 화분형逆台形이고, 바닥에 널귀틀縱板을 박았다(高野陽子 2004 ; 169).

사진 8

톱 따위의 연장이 없던 고훈시대 이전에는 결이 곧은 노송이나 삼나무로 널을 마련할 수밖에 없었다. 이 형식은 통나무우물의 개량형으로 궁정이나 옛 절터宮庭廢寺 부

그림 5(ⓒ 秋田裕毅)

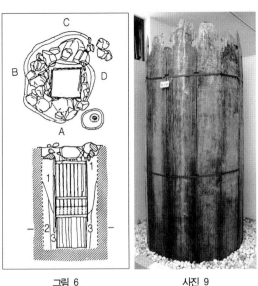

그림 6
(ⓒ 滋賀県埋蔵文化財センター)

사진 9

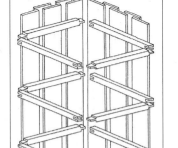

그림 7(ⓒ 山本輝雄)

근에서 나타나며, 규모로 미루어 주로 절집 부엌에 딸렸을 터이다. 이밖에 등원경·평성경·장강경長岡京·평안경平安京 등지에서도 드러났다.

널을 길이로 세운 우물縱板組井戶은 야요이시대 후기 초에 나타나서 300~400년 동안 이어 내렸다. 6세기의 관청官廳 유적에서 주로 발견되며, 7세기~15세기에 널리 퍼졌다. 두터운 것厚板은 길이 2.4미터에 너비 54센티미터이고 두께는 4.5센티미터이다. 결이 곧은 삼나무나 노송나무를 켠 얇은 널薄板은 길이 3.6미터에 너비 18센티미터, 두께 12센티미터쯤이다. 그리고 아주 얇은 것(3~4밀리미터)은 13세기 초, 둘이 당기고 밀어서 켜는 큰 톱大鋸이 중국에서 들어오면서 생산되었다(그림 5).

그림 6은 시가현의 한 유적彦根市 妙藥寺에서, 사진 9는 나라현 평성경에서 나왔다. 노송나무 널 12장으로 짰으며, 높이 2.3미터에 한 장 너비는 26센티미터이다.

한편, 널을 옆으로 끼운형橫板組井戶 가운데 가장 오랜 것은 시가현 야요이시대 유적二の畦 橫枕에서 선보였다. 대표적 형식은 귀틀井籠組우물이며 한 변의 길이가 1미터를 넘는 것이 많다(그림 7). 평성경에서 나온 나라시대 우물 40여 개 가운데 20여 개쯤이 그것이다. (☞ 1177~1187) 이들 가운데 동서 5.4미터에 남북 3.0미터에 이르는 양조장酒造司 것이 가장 크다. 귀족이나 벼슬아치 집에서 집중적으로 나타나는 것은 상류층이 아니면 마련하기 어려웠던 사정을 알려준다.

가네가타 마사키鐘方正樹는 '널우물이 평면적으로 커지면

서 속을 판 통나무를 구하기 어려운 데다가 약하기 때문에 이 방식으로 바뀌었다'고 적었다(2003 ; 70~72).

귀틀식은 등원경에 없지만 장강경과 평안궁 유적에서 한 개씩 나타났다. 이 형식이 평성경으로 옮긴遷都 뒤부터 늘어난 것은 율령국가律令國家가 최성기를 맞으면서 잔치를 자주 베풀고, 귀족이나 고급관리들의 집에서도 본 뜬 결과이다. 한편, 장강경과 평안궁에 적은 것은 관청 축소에 따라 관원이 줄고 자재나 기술자 동원이 어려웠던 탓이다.

형태는 네모꼴이 기본이지만 둥근꼴·여섯모꼴·여덟모꼴도 선보였으며, 드물게는 열한 개나 열두 개짜리도 있다.

근년에 사가현佐賀縣의 한 유적土生에서 야요이시대 중기 초에 것이 드러났다. 가로 붙인 널 두 장의 양끝을 기둥에 뀐 원시형이다. 이 일대가 조선반도에서 건너온 도래인渡來人과 연관이 아주 깊은 점에서 그들이 직접 들여왔을 가능성이 높다. 실제로 조선반도에서 4세기 후반에서 5세기 전반기의 (서울) 풍납토성風納土城에서 첫 선을 보인 뒤, 남쪽의 백제 세력권으로 퍼져 나갔다. 조선반도 남부의 영산강 유역은 말 사육 기술과 연관이 깊은 도래계 집단지역이므로, 이들이 직접 들여왔다고 해도 좋을 것이다(鍾方正樹 2013 ; 4~6·秋田裕毅 2010 ; 192~203).

5. 곡물우물

곡물은 얇게 켠 노송나무나 삼나무를 둥글게 말아서 붙박은 그릇이나 기구이며, 이들을 여러 개 이어 쌓아 벽을 삼은 것이 곡물우물이다(그림 8·사진 10). 시가현 나가하마시長浜市 宮司의 것은 아래에 작은 것을 놓고 조금씩 큰 것으로 바꾸어 가며 다섯 개를 쌓았다(사진 11). 목재를 구하기도 어렵거니와 둥글게 짜기도 쉽지 않은 탓에 벽을 삼았지만 약해서 오래 가지 못하는 단점이 있다.

고훈시대 유적에서 곡물쪽이 나오는 것을 보면 역사가 오

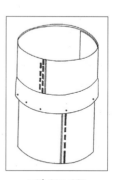

그림 8(ⓒ 야후)

사진 10(ⓒ 야후)

사진 11(ⓒ 滋賀県埋蔵文化財センター)

랜 듯하나, 수가 늘어나는 것은 8세기 이후이다. 앞에서 든 대로 두 손으로 당겨서 판판하게 깎는 톱鐵이 전국에 퍼진 덕분이다. 10세기 이후 네모꼴方形과 둥근꼴을 합한 것이 나오다가 12세기에 둥근꼴이 주류를 이룬다.

이 형식은 물이 넉넉한 저습지대에 알맞으며 벽은 두세 개로 쌓는다. 그러나 맨 아래의 작은 것에서부터 4분의 1이나 3분의 1씩을 물려가므로 높이 60센티미터에 이르려면 5~6개가 필요하다(鐘方正樹 2003 ; 78~80 · 秋田裕毅 2010 ; 203~206).

6. 통우물

바닥을 뗀 나무통을 거꾸로 이어 쌓아서 벽을 삽은 형식이다. 11세기 후반 기타큐슈 지역에 처음 나타나서 300여 년 뒤에는 전국으로 퍼졌다. 또 근세에 들어와 도시를 중심으로 표준규격의 통이 많이 나오면서 늘어났고 간토關東지역에는 15~16세기까지 남아 있었다. 주로 저지대에 분포하며 고지대에는 의외로 적다. 옛적에는 위를 너르게 잡고 아래로 조금씩 좁혀 내려간 뒤 우물 벽을 쌓았지만, 이 형식은 수직으로 파고 통을 박은 덕분에 일이 주는 외에 수명도 늘어났다. 따라서 우물을 크게 파는 데도 도움이 된다. 11세기 후반, 이른바 당방唐房이라는 거주 지역에 살던 송宋나라 무역상들이 후쿠오카博多에 자기네 방식으로 판 것이 시초라고 한다.

통은 박판博板이라 불리는 안쪽에 굽은 널을 둥글게 붙인 용기로, 무너지거나 물이 새지 않는 장점을 지녔다. 물이 새지 않도록 둥글게 짜 맞추려면 양옆의 각도가 고르고 또 평평해야 한다(小池伸彦 1996 ; 153 · 鐘方正樹 2003 ; 80 · 秋田裕毅 2010 ; 206~210).

그림 9는 시가현 히코네시彦根市 彦根遺跡의 노송나무통으로 쌓은 8세기 우물이다. 지하수위가 높은 지대에 분포하며, 밑에서부터 세 개는 아래가 너르고 위는 조붓한

것을 이어 붙이고, 맨 위는 물 긷는 이의 편의를 위해
너른 통을 덮어씌웠다. 사진 12는 앞과 같은 현의 유적
彦根市 彦根城 御殿 모습이다.

이 방법을 20세기에도 이용한 것은 놀라운 일이다. 아사쿠
라 와카히코朝倉治彦의 보고이다.

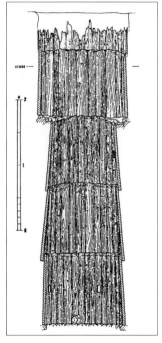

시가현 고도군高島郡 高島町 가모카와鴨川 유역의 한
마을에서 1910년 무렵부터 1930년대 사이에 우물을
팔 때, 바닥이 없는 너 말들이 술통四斗樽을 벽으로
삼았다. 먼저 땅을 조금 파고 통을 박아 고정시킨 뒤,
한 사람이 안으로 들어가 땅을 파면서 통을 아래로
내린 것이다. 부드러운 습지대이므로 깊이 1.2~1.5
미터를 파는 것은 어렵지 않았다(2001 ; ?).

그림 9(ⓒ 井戸とその祭祀)

7. 돌우물

벽을 돌로 쌓은 우물은 이미 7세기 전반기에 선
보였음에도 8세기 초에서 12세기 후반 무렵까지
거의 보이지 않다가, 12세기 후반에서 13세기 전반
기에 교토 및 나라 일대에 나타난다. 그림 10은 시
가현 긴코하치만시近江八幡市 安土町에서 나온 돌우
물 단면도이다.

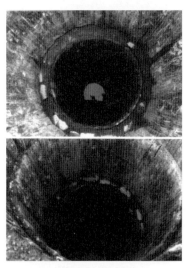

사진 12(ⓒ 秋田裕毅)

가네가타 마사키鐘方正樹는 전란과 대화재를 계기로 목재 수요량이 폭발적으로
늘어난 탓에 돌을 골랐다고 하였으나, 아키다 히로키秋田裕毅는 석조미술품에 대한
관심과 수요가 펴지고 장인匠人계층이 등장하면서 선호한 결과로 보았다.

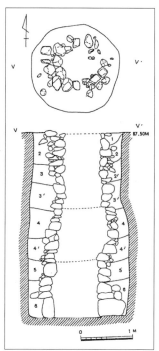

이것이 간토지방에 나타난 것은 16세기 후반이며, 시가현 16세기 후반의 유적多賀町 敏滿寺에서 지름 1.7미터에 깊이 9미터에 이르는 큰 우물이 드러났다. 앞 사람은 우리나라 대구광역시 동천동東川洞 청동기시대 돌우물의 영향을 받았을 가능성이 높다고 하였다(鐘方正樹 2003 ; 93~94 · 秋田裕毅 2010 ; 210~218). (☞ 109~111)

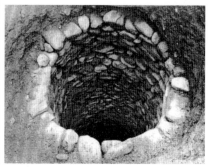

사진 13은 시가현多賀町 敏滿寺 16세기 성곽의 돌우물이다. 지름 170센티미터에 깊이 9미터가 넘으며 냇가의 돌을 되는 대로 쌓아 올렸다.

그림 10(ⓒ 滋賀県埋藏文化財センター)　　사진 13(ⓒ 滋賀県埋藏文化財センター)

8. 옹기우물

크기와 형태가 비슷한 옹기로 벽을 친 우물이다(그림 11). 구하기 쉽지만 깨지기 쉬운 옹기를 쓴 것은 야요이시대 중기의 나라현 유적 唐古 · 鍵이 처음이다. 긴지름 2미터에, 짧은 지름 1.5미터, 깊이 0.7미터의 타원형 바닥에 목짧은단지短頸壺와 옹기를 겹쳐 쌓았다.

이것은 중세의 것과 직접적인 연관이 없으며 12세기에는 규격품으로 쌓은 우물이 적지 않게 나타난다. 오사카 유적佐堂 · 若江에서 12~14세기의 질솥土師器羽釜을 쌓은 우물이 여러 곳에서 모습을 드러냈다(鐘方正樹 2003 ; 85~86).

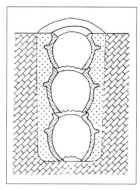

그림 11(ⓒ 秋田裕毅)

9. 하니와우물

전국 통틀어 서너 곳에서 선보였을 정도로 아주 드물다. 오사카 유적南河内郡 太井의 것은 위 지름 1.35미터에 바닥지름 90센티미터, 깊이 4.7미터에 이르는 대형이다. 바닥에 20센티미터쯤의 조약돌礫과 하니와쪽을 깔고 원통꼴 하니와 네 개를 이어 올렸다. 옛 무덤의 것을 들어내어 썼을 것이다(사진 14).

이밖에 오사카 후지이테라시藤井寺市 유적(하자미はざみ)에서도 긴지름 1.5미터에 짧은지름 1.2미터, 깊이 2.3미터의 3단 우물이 나왔다. 이들도 제사와 연관이 있을 터이다(秋田裕毅 2010 ; 218~220).

사진 14(ⓒ 秋田裕毅)

10. 질솥우물

오사카 유적加美에서 13세기의 것 두 개가 나타났으며 이 가운데 하나는 깊이 90센티미터이다. 나라보다 가와우치河内(오사카부) 일대에 더 많으며, 한 유적八尾市 佐堂에서 아홉 개짜리도 나왔다. 맨 위 것은 지름 1.9미터에 바닥지름 1.3미터, 깊이 1.4미터이고, 맨 아래에 지름 45센티미터의 곡물을 놓았다. 바닥에서부터 3단까지의 솥은 입이 아래로 가도록 거꾸로, 4단부터 7단까지는 바르게, 이 위부터 꼭대기까지는 다시 거꾸로 쌓아서 일곱 단의 솥 입에 맞추었다(사진 15).

이러한 유형은 나라 및 오사카 일대에서만 나타나며, 신에게 바치는 제물을 솥에 마련하는 점에서 제례와 연관이 있을 터이다(秋田裕毅 2010 ; 221~224).

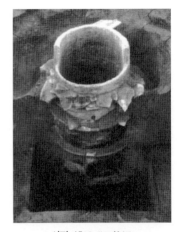
사진 15(ⓒ 秋田裕毅)

11. 펌프ポンプ

　사진 16은 북해도 개척민촌에 복원한 펌프이다. 처음 보는 어린이들이 하도 신기해하는 까닭에 19세기 말의 복장을 갖춘 직원이 하루 종일 곁에 서서 설명을 한다(사진 17).

사진 16

사진 17

　사진 18은 오키나와 나하역사박물관의 것이고, 사진 19·20은 아마미ㅇ시마奄美大島의 것으로 지금은 쓰지 않는다.

사진 18

사진 19

사진 20

5장

오늘날의 우물

1. 장대우물

긴 장대로 두레박줄을 대신한 우물이
다. 나라시대(710~784) 말기의 평성경右京
二条 三坊 三坪 우물에서 곡물두레박 옆에
붙은 지름 1.5센티미터에 길이 88.1센티
미터의 상대 손잡이가 나왔다(사진 21).
물 뜨는 구기는 입 지름 15센티미터에,
깊이 9.24센티미터이며, 한 변 길이 20센
티미터쯤에 높이 21센티미터이다. 네모꼴 우물은
깊이가 1.3미터에 지나지 않는다.

사진 21(ⓒ 鐘方正樹)

그림 12는 장대가 너무 길어서 지붕을 뚫고 꿰었
다. 지붕이 상처를 입었지만 두레박 잃을 걱정은 하
지 않아도 좋다. 두레박은 쪽나무를 둥글게 세운 뒤,
위아래에 테를 메우고 양쪽에 세운 기둥에 가로대
를 걸어서 손잡이로 삼았다.

통나무로 짠 전도 중국은 물론 우리에게도 없는
볼거리이다. 한쪽에 널을 걸어서 두레박 받침으로
삼고, 전 바닥 주위에 크고 작은 돌을 네모로 깔아

그림 12(ⓒ ?)

놓은 것이 눈에 띈다. 지붕 얼개와 기둥도 아주 단순하다.

그림 13은 히시카와 모로노부菱川師宣가 1695년에 낸 풍속화집(『和國百女』)에 실린 「세탁洗濯」이라는 이름의 그림이다. 물을 뜬 맨발의 중년 아낙네가 두레박을 기우려서 물통에 붓는다. 장대 길이가 1.5미터쯤 되는 것을 보면 우물은 그리 깊지 않을 터이다. 오른쪽의 나막신 신은 아낙은 쪽나무통에 받은 물에 빨래를 하고, 왼쪽의 맨발 여인은 빨래를 줄에 널어 펴는 중이다.

그림 13

우물 전은 앞의 것과 같지만 주둥이를 좁혀서 물을 뜨기 편하며, 전 바닥 주위에 쪽널(?)을 네모로 깔아서 깨끗한 느낌을 준다.

사진 22는 연립주택長屋 한쪽에 마련한 한데우물이다. 두레박과 장대는 밀힐 것도 없고 두레박 받침도 그림 12를 빼 닮았다. 우물 건너 위쪽은 한데뒷간이다.

사진 22(ⓒ ?)

사진 23의 장대를 사람 키에 견주면 2미터를 훌쩍넘을 듯하다. 남자가 물을 길었는지, 길으려는지 알 수 없다. 오른쪽으로 쪽나무로 짠 물통과 물그릇이 보이며, 정초에 길은 정화수若水를 물통에 붓는다.

장대가 깊은 우물의 물을 뜨기 편하다는 말도 있지만, 젖은 손으로 쥐면 미끄러질 염려도 적지 않고 특히 겨울철에는 불편도 따를 것이다. 그것은 어떻든지, 이 우물의 역사가 매우 길고, 또 근래까지 여러 곳에서 쓴 것을 보면 널리 퍼진 듯하다.

우리는 쓰지 않았지만 중국 절강성 및 안휘성 등지에는 지금도 남아있다. (☞ 1003~1004)

사진 23(ⓒ 『日本の歴史』)

2. 길고우물(撥ね釣瓶하네쓰루베)

'하네쓰루베'는 '매 달린 두레박釣瓶'이 '오르내린다撥'는 뜻이다. 언제부터 썼는지 알 수 없으나 에도江戶시대에 널리 퍼졌다. 300평에 물을 대는데 4~6시간이 걸리지만 잘하면 한 시간에도 마친다. 가뭄으로 물이 줄면 시간제한을 두고 어느 밭에 먼저 댈 것인지 따로 정하였다.

우물 전이 둘이면 사람이 위에 올라 서서 폈으며, 아주 큰 경우에는 그림 14처럼 널 두 쪽을 나란히 건너지르고 서서 두레박을 가운데로 넣었다.

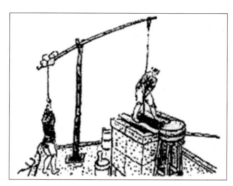

그림 14(ⓒ 야후)

그림 14에서는 가로대 왼쪽 끝에 돌 무더기를 달아맸음에도 아래에서 사람 이 줄을 당긴다. 농가에서는 흔히 밭 가운데에 판 샘에 보통 때는 흙을 덮고 농사를 짓다가 가뭄이 들면 흙을 0.5~1미터 파내 고 물을 퍼서 댄다.

그림 15는 테라지마 료안寺島良安이 1712년에 낸 『화한삼재도회和漢三才圖會』에 실렸다. 우물 옆 에 세운 기둥 위쪽에 짧은 나무를 끼우고 장대를 꿰었으며, 장대 한쪽에 달아놓은 고리에 두레박 손잡이(대나무)를 걸고 반대쪽에 돌을 담은 오쟁이 를 잡아맸다. 우물 전과 두레박은 모두 쪽나무를 둥글게 세우고 테를 메워서 붙박았다. 앞에서 든 대로 논이나 밭 가운데 우물을 마련한 것이 특이 하다.

그림 16은 오쿠라 나가쓰네大蔵永常(1768~1861)의 『농구편리론農具便利論』에 실린 「여름날 밭에 물대 는 그림」이다.

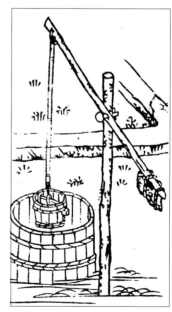

그림 15

그림 16   그림 17

앞 책의 기사이다.

———

키나이畿內의 모래밭砂地에서는 여름 가뭄 때, 우물물을 퍼서 고랑과 고랑사이의 도랑에 흘려보낸다. 한 사람이 물을 푸면, 다른 사람이 괭이로 끌어 댄다. 오사카의 모래밭에서는 밭마다 샘을 마련해 두고 썼다.

———

그림 17은 앞 사람이 쓴 『농가비배론農稼肥培論』의 것이다. 앞의 것과 대조적으로, 물통의 물을 밭에 붓는다. 두 가지를 함께 그릴 수 없었던 까닭이다. 앞에서 든 대로 그림 15 · 16 · 17은 모두 샘이 밭 안에 있다.

사진 24는 북해도北海道 삿뽀로시札幌市 교외에 복원한 북해도 개척촌北海道開拓の村의 길고우물이다.

두레박이 달린 장대를 길고 채에 꿰지 않고 끈으로 연결해서 이리저리 움직이게 한 것이 돋보인다(사진 25). Y자꼴로 벌어진 기둥에 채의 한 끝을 붙박았으며, 같은 꼴의 큰 기둥 아랫도리 양쪽에 버팀목을 덧붙였다(사진 26). 전은 쪽나무를 길이로 세워 고정시켰고(사진 27) 두레박은 사다리꼴로 짰다. 사진 28은 우물 안 모습이다. 기둥 길이 3.2미터에 가로대 지름 18센티미터이며, 두레박을 잡아맨 몽둥이는 길이 2.5미터에 지름 4센티미터이다.

사진 29는 나라현 고시군高市郡 高取町 入生谷의 길고우물이다. 왼쪽에 박은 기둥 위 양쪽에 덧댄 널 사이에 장대를 걸고 비녀를 질러서 붙박았다. 법식대로 장대 왼쪽에 둥근 돌을 매달았다.

사진 24

사진 25

사진 26

사진 27

사진 28

우물에 네모 전을 붙이고 평평
한 바닥을 도랑쪽으로 물매를 잡
아서 물이 잘 흘러내린다.

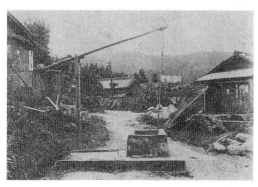

사진 29(ⓒ?)

3. 도르래우물

이것은 근세 이후에 나왔으며, 앞에서 든 『화한삼재도
회』에는 '녹로轆轤'로 적혔다(그림 18). 지붕 천장에 달아
맨 통나무도르래 양쪽 줄에 두레박을 걸었고, 도르래는
천장에 연결된 짧은 작대기 둘 사이에 쐐기를 질러서 고
정시켰다.

두레박과 물통은 모두 쪽나무를 둥글게 세우고 테를
메워서 붙박고, 우물 벽도 같은 꼴로 짠 통나무로 보강하
였다. 이처럼 우물 네 귀에 짧은 기둥을 세우고 쪽널을
우물 정井자 꼴로 건너질러서 전으로 삼은 것은 아주 드
물다.

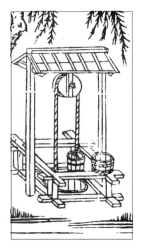

그림 18

그림 19는 우타가와 도요쿠니歌川豊國(1869~1725)
작품으로 키가 훤칠한 미인 둘이 물을 긷는다.
도르래는 잎의 깃처럼 통나무로 깎은 듯하다. 전
으로 둥근 나무통을 박고 바닥 주위에 널을 깔았
다. 왼쪽의 두 여인은 천을 씻는다.

그림 20의 도르래는 우물이나 두레박 크기에
견주어 지나치게 작다. 왼손에 줄을 잡고 두레박
을 끌어 올리고, 오른 손으로는 반대쪽에 달린
두레박을 내리는 중이다. 쪽널로 짜 맞춘 정井자
꼴 전은 반듯하며, 우물 벽은 돌벽이다. 왼손으
로 줄을 들어 올린 듯한 남자의 모습을 보면 물
통을 멜대에 걸어 나르려는 듯하다.

그림 19

그림 21은 일본민가원日本民家園의 전시품이
다. 한데우물에 도르래 두 개를 걸어서 두 사람
이 물을 뜨는 편리한 우물이다.

그림 22는 이하라 사이가쿠井原西鶴(1642~1693)
가 1685년에 낸 『서학 제국이야기西鶴諸國ばなし』

그림 20(ⓒ『日本の歷史』)

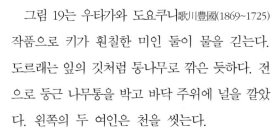

에 실린 도르래우물이다. 빨래를 마친 여인이
줄을 당겨서 두레박을 내린다. 천장에 붙인
작대기에 도르래를 걸은 탓에 자칫하면 흔들
릴 터이다. 귀틀 전 아랫도리에 널 두 장만
끼운 것도 허술하기는 마찬가지이다. 귀틀 오
른쪽에 쪽나무 물통이, 오른쪽 아래에 물통과
빨래통이 보인다. 기둥에 서너 개의 막대기를
박아서 장대를 빨래 길이에 알맞게 옮길 수
있다.

그림 21

사진 30은 앞에서 든 북해도개척촌의 도르
래우물이고, 사진 31은 마룻대에 붙박은 쇠
도르래이다. 가운데에 꽃모양의 무늬를 넣어
서 힘을 보탰다.

나무 전은 91×80센티미터이며, 높이는 80
센티미터이다.

사진 32는 양쪽 줄에 걸린 나무 두레박이
다. 이 지역은 겨울에 눈이 많이 쌓이는 탓
에 큰 집에서는 흔히 우물을 부엌 한쪽에 마
련한다(사진 33). 나무전은 167×157센티미터

그림 22

사진 30

사진 31

사진 32

이며 높이는 75센티미터이다. 크고 튼튼하게 짠 두레박은 위가 조금 너르고 아랫도리는 조붓하며 위아래 두 곳에 쇠테를 둘렀다. 지름 25센티미터에 높이 30센티미터이다(사진 34).

사진 33   사진 34

한편, 교토 등지에서도 편리를 좇아 우물을 부엌에 두기도 하였다.

사진 35는 나라현립奈良県立 민속박물관 중류가옥의 도르래우물이다. 도리 양쪽에 걸어놓은 가로대 아래에 나무로 깎은 도르래를 붙박았다.

사진 35   사진 36

사진 36은 옆모습으로 두레박줄이 벗어나지 않게 하려고 홈을 깊이 팠다.

사진 37은 아귀를 빈틈없이 맞춘 돌 전과 덮개이고, 사진 38은 잡석으로 쌓은 벽이다. 우물 지붕은 사진 30과 같다. 둥근 우물에 네모 전을 붙인 것은 '하늘은 둥글고 땅은 네모天圓地方'임을 나타낸 것인가?

사진 37

사진 38

사진 39는 아키타현秋田県 도오노시遠野市 전승원傳承園의 도르래우물이다. 우물도 우물이려니와 양쪽에 펌프까지 박은 덕분에 두루 쓸 수 있다. 오른쪽 펌프에서 자아올린 물은 어린이 키 높이의 홈통을 타고 목욕탕 욕조로 들어가고(사진 40), 왼쪽의 펌프는 끝에 놓인 물통으로 흘러내린다(사진 41).

위에 도르래를 달았으며, 아래의 귀틀도 크고 단단하게 짰다(사진 42). 도르래의 걸린 왼쪽 두레박줄을 기둥에 한 번 걸었다가 두레박에 연결한 것도 돋보인다.

사진 39

사진 40

사진 41

사진 42

두레박 받침돌 또한 크고 반듯한 것이 어느 것 하나 허술한 구석이 없다. 두레박줄은 지름 5센티미터에 이르며, 통 자체도 백 년쯤은 거뜬히 견딜 듯하다 (사진 43·44). 두레박은 안 지름 26센티미터에 높이 25센티미터이다. 일본에서도 가장 뒤떨어졌다는 동북의 산골 마을에 이 같은 우물이 남은 것은 부러운 일이다.

사진 45·46은 오키나와 나하那覇 역사박물관의 쇠 도르래이다.

사진 47은 가고시마현鹿兒島県 가고시마시鹿兒島市 여명관黎明館의 도르래 우물이다. 가운데를 둥글게 판 두툼한 돌 두 장을 전으로 삼았으며(79×127센티

사진 43   사진 44

사진 45   사진 46

미터), 도르래뿐 아니라 도르래집도 통나무를 깎았다. 우물 입 지름은 60센티미터이다(사진 48).

두레박은 위가 너르고 아랫도리는 조붓하다. 높이가 38센티미터에 이르므로 청장년이 아니면 다루기 어려울 터이다(사진 49). 앞의 우물과 대조적으로 네모 우물에 둥근 전을 올렸다(사진 50).

사진 47

사진 48

사진 49

사진 50

　사진 51도 같은 마을의 우물이다. 도르래를 도리에 박은 편자에 걸은 점이 눈을 끈다(사진 52). 우물 지붕 기둥에 붙인 '정지두井之頭 흑문黑門'이라고 적은 종이는 성스러운 공간임을 나타낸다(사진 53).

　전은 1.28×1.31미터에 높이 70센티미터이다.

사진 51

사진 52

사진 53

아오모리현青森県 미사와시三澤市 북쪽의 개간촌開墾村에 19세기 말의 서양식 도르래우물이 있다.

1872년, 옛 두남번사斗南蕃士 히로사와 야스토廣澤安任(18930~1891)와 옛 팔호번사八戸蕃士 오타 히로키太田廣城(1838~1911)가 영국인 둘과 개목사開牧社라는 회사를 세우고 목장을 꾸렸다. 이는 일본 최초의 근대 서양식목장으로 축산업계에 큰 공헌을 끼쳤다.

마을에는 영국인이 살던 집을 비롯해서 마구·닭장·대장간 따위의 그때로서는 아

사진 54

주 보기 드문 서양식 주거생활 전반을 복원해 놓았다. 따라서 도르래우물도 일본에 처음 선보인 서양식우물인 셈이다.

사진 54는 1.95×1.9미터의 귀틀이며, 시멘트 받침대를 마련한 남쪽은 높이 90센티미터, 동쪽은 1.85미터이다. 복원할 때 땅을 파지 않아서 깊이는 모른다. 천장에 도르래 집만 매달린 까닭도 마찬가지이다.

가장 큰 특징은 사진 55처럼 여러 사람이 동시에 쓰도록 긴 개수대를 설치한 점이다. 물을 퍼서 오른쪽 끝의 네모 홈통에 부으면 왼쪽으로 흘러내려가며 쓰

고 난 물은 중간 뒤쪽의 구멍으로 빠져나간다.

왼쪽 끝에 지게로 나르는 물통이 보인다. 높이 25센티미터에 위 지름 30센티미터이며, 두께 7밀리미터이다. 왼쪽 뒤로 앞에서 든 건물들이 늘어섰다.

사진 56 · 57은 무릎을 꿇은 채 오른손의 빨랫감을 빨래판에 비비는 아낙이다. 수건을 머리에 힘껏 동인 것도 예사롭지 않거니와, 힘을 쓰려고 발바닥까지 곧추 세운 모습이 안쓰럽다. 등에 아기를 업지 않은 것은 그마나 다행이다. 우리네 옛적 어머니들도 마찬가지였다.

사진 55

사진 56

사진 57

4. 땅속우물 · 신화의 우물 · 두레박우물

1) 땅속우물

가고시마현 오시마군大島郡 오키노에라부지마沖永良部島의 주길암천住吉暗川은 보통 우물과 달리 깊은 땅 속에서 솟는다. 사진 58이 아래로 내려가는 비탈길이다.

설명문 내용이다.

―――――

이곳의 지질은 융기隆起산호초 석회암층으로 이루어졌으며, 물은 그 사이의 틈으

로 빠져 땅으로 스며들었다가 종유암골鐘乳岩洞을 타고 바다로 나간다. 이 종유암골 일부에 종횡으로 생긴 구멍에 물이 고이는 데를 쿠라고クラゴー(暗川)라 부른다.

섬에 내川다운 것이 없고, 섬 가운데로 흐르는 여다천余多川(2급 하수) 뿐이어서 일상생활에 필요한 물을 얻기 위해 사람들이 암천이나 용수湧水 근처로 모여들어 마을을 이루었다.

이 샘은 한 여름에 개나 고양이가 흠뻑 젖은 채 바위 틈사이로 나오는 것을 보고 찾았다고 한다. 처음에는 굴 입구가 높이 18센티미터에 너비 91센티미터로 아주 좁았던 탓에 귀를 땅에 대고 기어들어가거나 나올 수밖에 없었다.

사진 58

기념비井銘에 따르면 메이지明治 7년(1874), 가고시마현에서 보낸 석공기술자 여섯 명과 마을 사람들이 힘을 합쳐서 냈다고 한다. 안쪽은 낮에도 어두워서 다른 사람과 부딪히지 않도록 '헤헤 호 누 츄우ヘ-ヘ- ホ-ヌチュウ'라고 소리치면서 드나들었다. 물이 넉넉해서 주민들의 일상용수는 물론, 빨래와 목욕도 하였고 세상 돌아가는 이야기를 나누며 이웃과 사귀었다. 그러나 물통을 머리에 이거나 어깨에 메고 30미터쯤의 계단을 오르내리는 일은 중노동에 가까운 일과였으며, 더구나 부녀자들에게는 참기 어려운 고통이었다. 쇼와昭和 37~38년(1962~1963)에 간이簡易 수도를 놓고 이듬해 4월부터 급수를 시작하면서 어려움이 없어졌다. (…)

이 샘은 마을이 내를 중심으로 발달한다는 남도南島 생활문화의 한 단면을 보여주는 동시에, 원형을 갖춘 비교적 큰 규모의 암천인 점에 중요한 가치가 있다.

———

사진 59는 샘에서 올려다본 모습이다. 간이수도가 생기기 전에는 아낙네들이 물통을 머리에 이고 비탈길을 오르내렸으며(사진 60), 앞에서 든 대로 물이 넉넉해서 빨래

사진 59

사진 60(ⓒ『日本民俗學大系』권6)

사진 61(ⓒ『日本民俗學大系』권6)

도 하였다(사진 61). 사진 62는 웅덩이 위에 잠금장치를 한 오늘날의 모습이다.

사진 63의 왼쪽이 내력을 새긴 정명井銘이고, 오른쪽은 '수신水神'이라고 새긴 비이다.

이 우물은 가고시마현에서 2001년 4월 27일, 천연기념물로 지정하였다(사진 64).

사진 62

사진 63

사진 64

2) 신화의 우물

가고시마현 남쪽 이부스키시指宿市 개문정開聞
町 부근의 옥정玉の井은 신대神代부터 가장 오랜
우물로 손꼽혀 왔으며, 본디 용궁성龍宮城 문 앞
에 있었다고 한다.

용신 토요타마히메豊玉姬가 아침저녁마다 물을
길었고, 이곳에서 히코호호데미노 미코토彦火火出
見尊를 만나 부부의 인연을 맺었다. 『일본서기』에
형의 낚시 바늘을 잃고 옥신각신 하던 그가 그네
를 만난 끝에 해신海神의 도움으로 다시 돌아온다
는 내용이 보인다(권제2). (☞ 1221~1222)

사진 65

사진 65는 입구이고, 사진 66은 이름을 새긴
비이다. 왼쪽에 사이또 모키치斎藤茂吉(1882~1953)
가 지은 '옥정에 마음이 끌려 / 언덕에 올랐더니
/ 흐르는 샘 보이지 않누나'는 내용의 노래비를
세웠다.

사진 66

사진 67처럼 도리이鳥居를 세운 우물은 아주
드물다. 신화시대와 연관시키려고 꾸몄을 터이
다. 사진 68은 우물 입이다.

'속 빈 가정'이라는 말대로 허술하기 짝이 없다. '이 우물이 바다와 육지를 잇는

사진 67

사진 68

일본에서 가장 오랜 우물'이라는 안내판 내용도 터무니없기는 마찬가지이다.

같은 이름의 우물은 여러 곳에 있으며, 심지어 세계 제2차대전 뒤에 생긴 도쿄墨田區의 유명 사창가도 이렇게 불렀다.

3) 두레박우물

사진 69는 가고시마시知覽町 武家屋敷의 우물(오른쪽)이다. 네모 전 위의 반달꼴 돌 덮개도 다른 데 없는 볼거리이다. 왼쪽에 한데부엌이 있어 여간 편리하지 않다. 사진 70은 우물 안이다.

 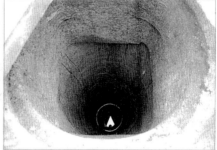

사진 69 사진 70

5. 오키나와제도沖繩諸島의 우물

1) 물받이

물이 모자라는 오키나와제도에서는 제주도처럼 빗물을 모아서 마셨다.

『오키나와 민구沖繩の民具』 기사이다.

———

지금은 거의 보이지 않지만 어디서나 나무의 줄기를 타고 흐르는 빗물을 독에 받아 음료수로 삼았다. 기와지붕 처마의 빗물받이는 지금도 남았으나 새茅지붕은 불순물이 흘러들기 쉬운 까닭에 뜰의 나무를 이용하였다. (…) 나무줄기에 새·

짚·쿠바クバ 잎 따위를 감아서 물을 모은 것이다. 구리
쿠니栗國에서 1미터나 떨어진 나무에서 돌확石水槽에 받
는 것을 본적이 있지만, 보통은 나무아래의 독에 받는다.
사진 71은 요나쿠니與那國의 것으로, 복목福木 줄기에 쿠바
잎을 감아서 만들었다.

물이 모자라는 곳에서는 흔히 이러한 방법을 쓰지만,
나무도 적당한 것이라야 한다. 미야코지마宮古島에서는
유시그シ나무로 받은 물을 첫손에 꼽았다. 오래두면 '보
후라ボーフラ'라는 부유물이 생기므로 고쓰コツ의 손잡이로
독을 탁탁 두드려서 갈아 앉힌 뒤에 물을 뜬다. '보후라'는
물이 썩지 않은 것을 알려주는 까닭에 오히려 마음이 놓였
다고 한다(上江洲 均 1973 ; 26).

사진 71(ⓒ 上江洲 均)

———

사진 72는 류큐마을琉球村 어떤 집 처마에 걸린 빗물받이이
다. 조리처럼 뜬 우묵한 바탕 끝에 자대기를 꿰고 밑이 우산처
럼 퍼진 줄 네 개를 달아서 한꺼번에 둘 이상의 독에 받는다.

사진 73은 샛집 지붕 처마에 연결한 홈통으로 빗물을 받는
모습이다. 홈통이 길어서 중간을 받침대로 괴었다.

사진 74는 나무줄기 가운데 잡아맨 미야코
지마의 빗물받이이다. 흘러내리는 물이 식물
로 엮은 줄을 타고 독으로 들어간다.

사진 72

사진 73(ⓒ 那覇博物館)

사진 74(ⓒ 林義三)

이렇게 해서 받은 물은 부엌채 주위의 독이나(사진 75), 부뚜막 옆 물두멍에 부어두고 쓴다(사진 76).

사진 75

사진 76

2) 바가지우물

사진 77은 시마지리군島尻郡 仲里村의 한 데우물이다. 오키나와제도에서는 매우 드물게 건물을 세우고 그 위에 반달꼴 지붕까지 얹었다. 반으로 나눈 왼쪽은 음료수용이며, 오른쪽에서는 빨래 따위를 하는 허드렛물로 쓴다. 이는 제주도와 아주 닮았다.

오른쪽 아기를 업은 여인 옆에 놓인 나무통에 빨래 감이 잔뜩 쌓였고, 왼쪽 구석에서도 쭈그려 앉아 빨래를 한다. 엄마를 따라온 아이들이 우물가에서 맴도는 것도 우리와 같다.

사진 78은 나하시那覇市 슈리성首里城 부근의 배정천拜井泉이다. 주위에 돌담을 두르고 앞에도 턱을 붙였으며 바닥에도 돌을 평평하게 깔았다 (사진 79). 물은 안쪽 세 곳에서 흘러나온다.

사진 80은 왼쪽에 마련한 제단으로, 위쪽에 지기를 모시는 감실龕室을 마련하였다.

사진 77(ⓒ 上江洲 均)

사진 78

사진 79   사진 80

① **안내판 내용이다.**

―――――

본디 사람들은 이 샘 주위에 마을을 꾸려왔다.

샘이나 우물은 마을 제사에 중요할 뿐 아니라, 때때로 옛 마을의 자취를 살피는데 아주 중요한 자료를 보여준다. 마을의 모든 샘과 우물이 그러한 것은 아니고, 조상대대로 써온 것만 도움이 된다. 샘의 이름 '배정천拜井泉'도 이에서 왔다. 물이 지닌 영력靈力에 따라 생명이 태어난다는 신앙에서 그 은혜에 보답하는 제사를 지낸 것이다. 아기가 태어날 때는 '산정천産井泉'이라는 특별한 곳에서 길어온

물을 부뚜막지기火の神에게 바쳤다가 아기 이마에 바른다. 또 해가 바뀌면 아침 일찍 산정천의 물을 떠오며, 이를 '와카미즈若水'라 하여 가족의 이마나 정수리에 바른다.

샘 옆에 모신 수신水の神은 옥성촌자玉城村字 중촌거仲村渠에 남아 있는 산정천을 바탕 삼아 꾸몄다.

―――――

사진 81

사진 81은 슈리성 서천문瑞泉門 부근의 용통 龍樋이다.

사진 82의 돌계단 끝에 보이는 것이 서천문이고, 사진 83은 물이 나오는 용통이다. '통'은 우물이나 샘의 물을 긴 관管이나 도랑 따위에

사진 82

사진 83

받아서 아래로 보내는 시설이고, '용'은 물이 용의 입에서 흘러나오는 데서 왔지만 '천' 대신 '통'자를 붙인 까닭은 알 수 없다. 정작 서천문이라는 이름도 이에서 왔을 터이기 때문이다.

물을 왕궁에서 음료수로 쓴 것은 물론이고, 중국의 사신이나 책봉사冊封使가 머무는 나하 항구 부근의 천사관天使館으로도 날랐다

사진 84

용통은 1523년에 중국에서 가져왔다고 한다.

사진 84도 같은 곳에 있는 한수천통·천寒水川樋川이다.

② **안내판 설명이다.**

서천문 앞 용통과 함께 슈리 성안의 중요한 수원水源이다. 생활용수 외에 불을 끄는 데도 썼다는 말이 있다.

흘러넘치는 물은 땅속의 도랑을 통해 구경문久慶門 밖 좌우에서 다시 땅속으로 스몄다가 건너편의 원감지圓鑑池로 빠져나가며, 이곳이 차면 용담龍潭으로 흐른다. 이로써 슈리성의 배수처리 방법의 하나를 알 수 있다.

사진 85는 물 구멍이다. 서천문을 향했을
때 오른쪽에 용통이 있으며, 샘은 오른쪽으로
흐른다.

사진 86은 입구에서 본 금성촌金城村의 금
성대통천金城大樋川이다. 좌우 양쪽에 돌단을
쌓아서 쉴 곳을 만들고 앞쪽에도 작은 마당
을 마련하였다.

사진 85

③ **안내판 내용이다.**

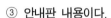

이 샘은 금성촌의 한데우물로 땅 속에 묻
은 두 개의 통을 이용해서 지하수를 흘려
보낸다. 앞에 10평방미터쯤의 반달꼴 저
수지를 마련하였으며, 물은 돌을 깔아놓
은 마당 남쪽으로 흘러나간다. 샘 주위에
흙과 돌로 벽을 쌓고, 뒤쪽에 네 개의 단
을 마련하였다.

동쪽의 집회소 부근은 옛적에 후이-후이-자-
모-토라고 불린 광장으로, 고개를 오르내리는
사람과 말이 물로 목을 축이고 한숨을 돌렸다.
1977년에 사적으로 지정되었다.

사진 86

통천은 오키나와제도의 전통적인 한데우물 가운
데, 바위 속에서 솟는 물 주위에 돌담을 두른 것을
가리킨다.

17세기말쯤, 오미타케 지쿠돈베칭大見武筑登之親
雲上(1642~1713)이 가고시마에서 배워온 기술을 이
용해서 이 물로 처음 종이를 떴다고 한다.

사진 87은 안쪽에서 내려다 본 것으로, 반달꼴

사진 87

사진 88

사진 89

사진 90

둑에 물을 가두었다. 말이 걸어 내려와서 물을 마실 수 있도록 길가에 턱을 붙였다(사진 88).

안쪽 가운데의 받침에 지기水神를 상징하는 돌을 올려놓았다(사진 89). 오른쪽이 물 구멍이고, 옆에 물을 떠가는 사람들의 사진과 앞에서 든 내용을 담은 옛 비가 남아 있다. 동치同治 2년(1864)에 세운 것으로, 청나라 연호를 쓴 것은 류큐琉球왕국(1611~1871)이 중국으로부터 큰 영향을 받아온 사실을 알려주는 반증이다. 우물지기와 이들이 용에 연관된 까닭도 마찬가지이다.

사진 90도 서천문 부근 중지천仲之川이다.

④ **안내문 내용이다.**

이 샘은 동쪽의 금성대통천과 서쪽의 한수천통천 사이에 있는 까닭에 중지천이라 부른다.

수질과 수량이 모두 뛰어나며 가물어도 줄지 않는다. 비가 내려도 맑아서 인근 주민의 생활용수 뿐만 아니라 류큐왕국 시대에는 가물거나 할 때 슈리 성내의 왕궁에서 식수로도 썼다.

1863년 6월, 대홍수로 무너지자 궁성의 치쿠도노베칭筑登之親雲上과 아라가키新垣 치쿠도노베칭 등 백성 45명이 4만 관문貫文을 거두어 왕부王府에 청원하여 손을 보았으며 이들은 뒤에 벼슬을 받았다. 입구에 내력을 알리는 비를 세웠으나 오키나와 전쟁(세계 제2차대전) 때 깨졌으며,

3분의 2만 시교육위원회에 있다.

사진 91에 보이는 물이 마른 바닥은 '가물어도 줄지 않는다'는 말과 다르다. 사진 92는 벽을 파고 만든 지기를 모신 감실이다.

이 샘은 1977년 나하시에서 사적史蹟으로 지정하였다.

사진 91

사진 92

사진 93은 어떤 섬의 한데우물이고, 사진 94는 정명井銘이다.

⑤ 그 내용이다.

마을에 수도가 들어오기 전까지 음료수로 썼으며, 태풍이나 재해 따위가 일어나면 특히 중요한 구실을 하였다.

옛적에는 새벽을 알리는 종이

사진 93

사진 94

울리자마자 물을 길어서 얼굴을 씻고 산탕産湯으로도 썼다.

수많은 큰 나무 뿌리에서 물이 솟아 숲을 무성하게 키우는 한편, 찬물 또한 끊임없이 흐른다. 자연을 보호합시다.

생명의 물을 아껴 씁시다.

사진 95는 나하시 역사박물관 전시물이다. 두툼한 우물 전 3분의 2쯤 되는 위에 우산을 편 듯한 덮개를 붙였다. 잡물이 들어가는 것을 막기 위한 것인가? 오른쪽은 물두멍이고 그 사이에 물 뜨는 쇠바가지를 놓았다(사진 96). 부엌 안에 마련한 우물일 터이다.

사진 95

사진 96

사진 97

사진 97은 요론도與論島 민속촌 부엌채 앞의 우물로 뒤쪽에 물두멍이 보인다. 잡석을 섞어서 둥근 전을 쌓았다(사진 98). 입 지름 63센티미터, 전 높이 50센티미터이다.

사진 98

3) 두레박우물

사진 99는 류큐마을 우물이다. 참외를 닮은 검은 석회암의 반을 길이로 자르고 아래쪽에 턱을 붙여서 전으로 삼은 아주 특이한 모습이다. 석회암이 다른 돌보다 무르다고는 해도 공력이 이만저만 들지 않았을 터이다.

이로써 물을 뜰 때 들이치는 비바람을 막을 수 있다. 전에서 우물 바닥까지는 2미터쯤이다(사진 100).

사진 99

사진 100

사진 101은 아마미시奄美市 역사민속자료관에 복원한 농가의 우물이다. 검은 석회암을 되는 대로 쌓아서 전을 꾸몄다. 깊이 1.5미터쯤이다(사진 102).

오키나와제도에는 샘이 이곳저곳에서 넉넉히 솟는 덕분인지 우물이 많지 않으며 깊이도 2미터쯤에 지나지 않는다.

사진 101

사진 102

4) 길고우물

『오키나와 민구沖縄の民具』 기사이다.

이곳의 이름 '쓰리위ツリウキ'는 '하네쓰루베はねつるべ'의 와전일 터이다. Y자꼴로 벌어진 나무 끝에 작대기를 걸고, 그 위의 가로대橫杆에 연결한 대나무에 두레박을 달았다. 가로대 반대쪽에 무거운 돌을 붙여서 그 무게로 두레박이 오르내린다. 마을은 모래밭沙地 지역으로 우물 깊이는 두세 발이다.

길고우물은 모두 본도本島의 영향을 받아 생겼을 터이지만, 이곳에서는 생활용수가 아니라 논밭에 물을 대는 것이 특징의 하나이다. 요나죠与那城 村照間에서는 새 備後閭 밭으로 옆 도랑溜池의 물을 길어 올린다. (…) 새는 물을 넉넉해야 잘 자라기 때문에 들여왔을 것이다.

사진 103은 1960년 9월, 처음으로 아마미오시마 북쪽 마을赤木名에서 본 길고우물이다. 앞에 기둥 넷으로 받친 창고를 지닌 집과 그 건너편에 돌로 쌓은 집짐승 우리가 있었다. 10년 뒤 다시 갔더니 집짐승우리는 물론, 우물도 보이지 않았다(上江洲 均 1973 ; 21).

사진 103

―――――

사진 104도 앞과 같은 곳에 있다. 터가 좁은 까닭에 기둥 오른쪽에, 끝이 오른쪽으로 뻗은 덧기둥을 붙였다. 이로써 긴 채를 올리거나 내리기 쉽다. 우물전은 시멘트 관管으로 대신하였다.

5) 도르래우물

사진 105는 쿠메도久米島의 것이다.

『류큐제도의 민구琉球諸島の民具』 기사이다,

사진 104

―――――

도르래井戸車를 칭가チガン―・아나가アナガ―・구루마가クルマガ―라 부른다. 너서 발 깊이의 우물에서는 쓰지 않지만, 더 깊으면 필요하다. 오키나와 본도에서는 일반적으로 구루마라 일컫는 반면, 한 곳伊平屋에서는 란바ランバ, 다른 데宮古保良에서는 난바ナンバ라 한다.

물은 본디 샘에서 길었으나 기술과 기구가 발전하면서 땅을 깊이 팠다. 따라서 샘은 마을 공동으로 쓴 반면, 칭가는 대체로 개인이 썼다.

사진 105(ⓒ 上江洲 均)

야에야마八重山는 1695년, 도림사挑林寺 外假屋에서 세 곳에 마련한 것이 시작이라고 한다. 오키나와본도는 분명히 알 수 없지만 슈리(나하시)에 남은 것을 보면 두레박을 달지 않았거나, 물을 많이 길을 필요 때문이었는지 주둥이는 좁게, 바닥은 너르게 팠다.

사진 106

사진 106의 우물은 깊이가 수십 길에 이른다. 기타하라北原에서는 1885년 이후에 오키나와본도에서 들어온 사람들이 마련하였다. 한데우물에는 석회암으로 깎은 네모 전을 놓았다. 양쪽에 세운 기둥에 가로대를 걸고 그 위에 다시 세운 짧은 기둥에 도르래를 끼웠다. 높이 160센티미터쯤이다. 도르래는 둥글게 깎은 널 두 장 사이에 다른 널을 끼우고 못으로 붙박았지만, 흔히 통나무를 잘라서 만든다. 금속제가 나온 뒤로는 가로대에 달아맸다. 이 마을과 이웃의 오하라大原에는 같은 형식의 것이 비교적 많이 남아 있다(1973 ; 20).

───

이 우물이 지닌 가장 큰 특징은 도르래를 가로대 위에 올려놓은 것으로, 오키나와제도는 물론이고 일본 본토에서도 보지 못하였다. 이곳 춘신의 물질문화 연구가 우에즈 히토시가 아무 말도 붙이지 않은 까닭이 궁금하다.

1979년에 나온『류큐제도의 민구琉球諸島の民具』에는 사진 106처럼 다른 것을 소개하였다. 이어 우에즈 히토시가 1980년에 낸『오키나와의 생활과 민구沖縄の暮らしと民具』에는 보이지 않으며, 이곳과 가장 가까운 곳의 민구를 다룬『가고시마의 민구かごしまの民具』에도 들어 있지 않다. 그리고 두 차례에 걸친 오키나와본도 및 여러 섬에 대한 현지 조사를 벌였음에도 눈에 띄지 않았다. 따라서 본토는 말할 것도 없고 오키나와제도에도 매운 드문 것이 분명하다.

이곳이 19세기말 일본에 통합되기까지 독립왕국이었고, 그 사이에 일본보다 중국에 더 가까웠던 점에서 중국에서 들어왔을 가능성도 있지만, 고농서와 경직도 따위와 근대에 나온 일본인들의 적지 않은 보고서에도 보이지 않아 궁금증만 쌓였다.

의문의 일부가 2016년 1월 31일 밤에 풀렸다. 우리나라에서 2010년에 상영된 첸 카이커陳凱歌 감독의 영

사진 107

화「조씨 고아趙氏孤儿案」(한국명「천하영웅」)에 사진 107의 우물이 나타났던 것이다. 농가 앞마당 우물 양쪽의 기둥에 가로대를 걸고 한가운데에 도르래를 붙박았으며, 위에 올려놓은 기러기는 물이 마르지 않기를 바라는 뜻일 터이다.

전국시대를 배경으로 한 영화이므로 세트장에서 찍은 듯하나 실제로 농가에서 썼을 가능성도 크다. 중국 어디인지 다시 궁금해지지만, 중국문화의 대부분이 복건성에서 오키나와제도로 들어갔으므로 가늠이 가능하다. 이곳의 민속을 다룬『청속기문淸俗紀聞』에 실린 도르래우물은 형태가 다르지만, (☞ 중국 ; 그림 24) 부엌채 · 목욕간 · 창고 · 나무헛간柴倉 따위를 두루 갖춘 것을 보면 대갓집 우물임에 틀림없으므로, 살림 형편에 따라 두 가지를 쓴 것으로 짐작할 수 있다. 사진 105의 형식이 작고 구조가 간단하며 오키나와제도의 작은 섬에서 쓴 까닭도 연관이 깊을 터이다.

한편, 한대의 화상석에는 단 한 점이 보인다.

사진 108은 1956년의 나카가미군中頭郡 서원정西原町의 도르래우물로 오른쪽에 도르래와 두레박 일부만 보인다. 우물가에서 바구니 두 개를 머리에 얹는 어머니를 어린 딸이 돕는 모습이 정겹다. 이때만 해도 도르래우물이 드물지 않았던 까닭에 사진 찍는 사람이 우물을 초점에서 젖혀놓았을 터이다.

사진 109는 류큐마을 우물이다. 양쪽에 세운 돌 기둥 위에 홈을 파고 동굴이 나무를 걸었다. 지금은 보이지 않지만 가운데에 도르래를 달았을 것이다.

앞에서 든 사진 99처럼 ㄷ자꼴의 낮은 담을 두른 것이 눈에 띤다(사진 110).

사진 108(ⓒ 上江洲 均)   사진 109   사진 110

6장

—

궁궐의 우물

—

1. 등원경藤原京

등원경은 나라현 가시하라시橿原市에 있던 아스카飛鳥시대(593~686) 도성이다. 최초의 본격적인 도읍지로 천황이 바뀔 때마다 천도하던 관례에서 벗어나 지토持統(686~697)·몬부文武(697~707)·겐메이元明(707~715) 3대가 거주하였으며, 겐메이가 710년 평성궁平城宮으로 옮아간 이듬해 일어난 불로 잿더미가 되었다.

평성경처럼 성곽을 두르지 않은 미완성의 두성으로 읽혀졌지만, 기본원리는 평성경에 이어 모인경慕仁京(741~745)·장강경長岡京(784~793)·평안경平安京(794년 이후) 따위로 이어 내렸다.

등원경 이전에 사원에서만 쓴 와전瓦塼은 고구려와 백제의 불전佛殿양식을 닮았다. 7세기 고분에서 나온 널 모양板狀 전이나 소간전궁小墾田宮 추정지에서 출토된 연화문전蓮花紋塼도 중국 남북조양식이 백제를 거쳐 들어온 것이다. 7세기의 사원 기단 가운데 와적기단瓦積基壇은 전기단塼壇을 평기와나 둥근 기와로 바꾼 것으로, 역시 중국 남북조양식을 따랐다고 하겠다(町田 章 1988 ; 136).

이곳의 우물 20개는 모두 694년부터 710년까지 16년 동안 썼다. 서방관아西方官衙(남북 250미터, 동서 130미터)에서 넷이 나왔고, 동방관위에서 발견된 둘 가운데 하나는 지름 1.8미터에 깊이 1.7미터의 자취만 남았으며, 다른 하나는 지름 2.5미터에 깊이 0.7미터의 얕은 샘이다.

남서관위의 것은 한 변 1.4미터에 깊이 2.7미터의 네모우물이고, 귀틀 벽 안쪽의

한 변은 70센티미터에 높이 2.5미터이다. 귀틀이 11
층 남았지만 궁안 우물 가운데 가장 깊다(사진 111).

궁 남서 귀퉁이에서 드러난 것은 지름 1.2미터에
깊이 0.9미터의 맨우물이며, 북쪽에서도 지름 2.5미
터에 깊이 1.3미터짜리 부정원형不整圓形과, 남쪽에
서 한 변 1.3미터에 깊이 1.2터인 모가 이지러진隅丸
方形 같은 형식의 우물이 나왔다. 이밖에 궁 바깥쪽
의 다섯 개를 비롯하여, 궁 주변 거리와 부속건물 등
지에서도 선보였다.

사진 111(ⓒ 秋田裕毅)

(1) 이곳 우물의 특징이다.

———

① 거의 모두 궁궐 부속건물에 딸렸다. 이들은 정전正殿 등지의 것과 달리 실제로
썼을 가능성이 높다.

② 지름 1미터가 넘는 큰 우물이 없다. 가장 큰
것이 95센티미터이며 평균은 80~70센티미터
이다.

③ 기본형인 널귀틀(사진 112) 외에 맨우물 따위
의 여러 형식이 뒤섞였지만 돌우물은 없다.

④ 널을 옆으로 끼운 '귀틀횡판조井籠横板組'는
보이지 않으나, 이 형식이 8세기 초에 나온
것을 생각하면 뒤에 발견될 가능성도 없지
않다.

사진 112(ⓒ 秋田裕毅)

———

(2) 평성궁과 다른 점이다.

———

① 우물과 주변 건물의 위치를 견주면 평성궁에 비교적 많은 대구획大區劃·관청
중앙·주전정면형主殿正面形이 없다. 또 말 사육 구역으로 보이는 서방관아 외

에 다른 관청과 연관된 것은 발견되지 않는다.

② 우물 틀 형식이 아주 다르다. 등원경에서 나오지 않은 귀틀횡판조가 평성궁에는 가장 흔한 형식으로 등장한다. 이러한 차이는 등원경에 대한 조사가 10퍼센트에 지나지 않는 반면, 평성궁은 그 세 배에 이르는 점과도 연관이 있을 터이다. 그러나 조사면적에 견주면 등원경쪽 우물이 훨씬 많으므로, 발견되지 않은 것이 아니라 본디 적었던 것으로 보아야 한다.

③ 평성궁에 큰 우물이 많다.

────

등원경은 관청 안에 배치된 건물 한 채 또는 두세 채마다 우물이 딸렸다. 이들의 지름은 80센티미터쯤이고 형식은 다양하며, 필요한 장소에 적당한 재목을 써서 알맞은 우물을 팠다. 이에 견주어 평성경 우물은 궁정형식이라고 할 귀틀횡판조가 대부분이고, 벼슬에 따른 분화分化, 통일과 규제, 불필요한 대형화가 이루어졌다. 등원경에서 평성궁으로 성숙해가는 율령국가 발전에 따라 궁 안의 우물도 실용성에서 점점 벗어나 격식의 세계로 빠져 들어간 셈이다(黑崎 直 1995 ; 293~308).

등원궁의 우물은 서방관아 및 동방관아지구에서 많이 나온 반면, 2000년대 이후 조사한 대극전원大極殿院이나 조당원朝堂院지구에서는 나타나지 않았다. 또 관아지구의 우물은 여러 가지 귀틀형식 외에 매우묵도 섶부였으며, 한 변이 1.3미터 되는 것도 있지만 가장 흔한 것은 0.5~0.9미터이다.

등원경의 우물 조사가 진행됨에 따라 앞에서처럼 여러 가지 귀틀형식 외에 적지 않은 맨우물과 함께 돌우물과 옹기須惠器우물 그리고 드물게는 기와瓦組우물도 드러났다. 이들은 지름 1미터를 넘는 것이 적으며, 가장 큰 것이라야 1.2미터이고 대부분은 0.5~0.9미터이다(海野 聰 · 小田裕樹 2013 ; 33~35).

2. 평성경平城京

나라시대(710~784)의 수도로 710년에 세웠으나, 740년에 공인경恭仁京 및 난파경難波京으로 옮겨간 동안 버려졌다가, 745년에 다시 도읍이 되어 784년까지 정치중심지 구실을 하였다(사진 113).

고대 율령국가 수도로서의 원활한
기능을 위해 여러 관청·사원·시장
따위가 들어서는 외에 많은 사람이
모여든 결과, 여러 계층의 관리와 그
가족까지 넣으면 인구가 10만에 가
까웠다. 정부가 관리들에게 나누어
준 집터는 벼슬에 따라 장소와 크기

사진 113

에 차등이 있다. 정치 행정의 중심지인 평성궁 주변의 귀족은 일정一町(4,500여 평), 평
성궁 외곽인 9조条 및 8조의 하급 관리는 16분의 1정에서 32분의 1정, 또는 64분의
1정을 받았다.

평성경 궁내에서 발굴된 우물 터 약 300개 이상 가운데, 나라시대의 것은 260개쯤
이며, 원칙적으로 집마다 한 개씩 있었다(篠原豊— 1990 ; 1).

이 시기의 우물 19개는 일정한 담을 두른 내궁内裏우물, 내궁과 궁궐 담 사이의 외
궁内裏外우물, 궁궐 관청구역의 관아官衙우물로 나뉜다. 이들은 궁 안의 것이 둘, 관아
의 것이 14개이며, 분명치 않은 것이 셋이다.

1) 내궁우물

내궁은 천황이 일상생활을 하는 공간이지만, 때로 정무도 보고 벼슬아치들을 위한
잔치도 베풀었다. 우물은 바깥지름 1.6미터
에 높이 2미터의 큰 나무 속을 파서 박은 통
나무丸井筒우물과, 한 변 1.7미터 크기의 널
을 네모로 짜 맞춘 귀틀형이 선보였다(사진
114). 귀틀 주위에 동서 8.3미터, 남북 14.5
미터에 자갈을 깔고, 우물 위에 사방 한 칸
크기의 지붕을 세웠으며(그림 23), 너비 30~
40센티미터의 도랑도 마련하였다(사진 115).

사진 114

그림 23(ⓒ?)

사진 115

2) 외궁우물

궁궐 동남쪽에서 안쪽 한 변 길이 1.42미터의 네모 귀틀우물이 나왔다. 너비 25센티미터쯤의 널 세 쪽이 붙어 있었고(사진 116), 우물 위에 사방 두 칸의 지붕을 얹었다(그림 24). 주위에 다른 건물은 없으며 남과 북에 서문으로 드나드는 길을 냈다.

사진 116(ⓒ『平城宮跡資料館圖錄』)

그림 24(ⓒ?)

3) 관아우물

(1) 건물과 연결시키면 넷으로 나뉜다.

① 관아 안 중심건물 정면의 소주방大膳職우물이 대표적이다(사진 117).

② 중심건물과 직결되지 않지만 구획 안 중앙부의 양조장酒造司우물을 들 수 있
　다(사진 118).

③ 중심건물 옆이나 뒤에 있는 것으로, 전돌 관아塼積官衙우물이라 부른다.

④ 중심건물에 딸린 곁채의 우물로 마구馬寮우물이라 부른다.

———

사진 117(ⓒ『平城宮跡資料館圖錄』)　　　　　　　　　　사진 118

㉠ 부엌우물은 큰 것 셋이 발견되었다. 소주방 정전正殿 남쪽의 중심선상에 있는
귀틀우물로 안쪽 한 변 2.25미터이며, 가로 널 두 장이 모습을 드러냈다. 우물은 사방
한 변 7미터에, 깊이 4미터에 이르며 바깥쪽에 지름 5센티미터, 길이 1미터의 도랑을
팠다. 이것은 한 번 메웠던 것을 헤이안平安시대(8~12세기) 초기에 고쳐서 되 쓴 듯하
다.

㉡ 양조장 우물은 궁내성宮內省의 것이다. 둘 가운데 하나는 12미터쯤 떨어진 곳에
동서로 나란히 있으며 둘은 동시에 썼다. 동쪽의 것은 동서 안쪽 한 변 4미터에 남북
변이 3.0미터가 되는 네모꼴이며, 위에 동서 3칸 남북 2칸의 지붕을 세웠다. 서쪽의
것은 동서 8.3미터에 남북 8미터의 돌밭 가운데 있다. 안쪽 한 변 길이 2.8미터의
귀틀 두 쪽이 남았다. 배수를 위한 도랑을 마련한 것은 앞의 것들과 같다. 이 둘은
나라시대 전반기에 판 뒤, 서너 번 손을 보면서 써 왔다.

같은 형식의 우물 두 개가 더 있으며 그 중 하나는 안쪽 한 변 1.1미터의 귀틀식으
로, 널의 너비는 50센티미터이다. 이들은 동서 70미터, 남북 60미터의 대지 가운데에
팠다.

ⓒ 벽돌 벽의 관아우물은 정전에서 동쪽으로 7미터 떨어진 관청지구의 중심 건물 뒤 서쪽에 있다. 안쪽 한 변 1.5미터의 귀틀식으로 15쪽의 널이 남았다. 주위에 한 변 4.5미터 넓이의 옥석玉石을 깔았으며 설거지대 받침으로 보이는 시설도 드러났다. 이 형식의 우물은 셋이 더 있다.

ⓡ 마구지구는 동서 84미터에 남북 250미터로 건물이 북반부에 몰려 있으며, 우물을 낀 건물은 북쪽으로 치우친 동벽 부근에 위치한다. 안쪽 한 변 1.3미터의 널 열 쪽이 남은 귀틀우물로 나라시대 중기의 것인 듯하다. 안에서 주마主馬라고 적은 묵서명墨書銘 토기도 나왔다.

다섯 개가 더 있지만 이 가운데 셋은 분류하기 어렵다.

ⓜ 곡물曲物로 벽을 치거나 전을 세운 우물이 적지 않지만, 하나를 제외한 나머지는 모두 나라시대 이후의 것이다. 이것은 널을 길이로 세워서 짠 전과 통벽井筒으로 구성되었다. 전의 한 변 1.2미터쯤에, 통 지름 60센티미터쯤이다. 통 바닥을 붙박으려고 나무못 구멍도 뚫었고, 전은 네 귀에 세운 기둥에 널을 끼워서 짰다. 나라시대 후반의 것인 듯하다.

ⓗ 관아우물은 넷이 복원되었으며 한 변 1.8미터가 넘는 큰 전이 딸렸다. 이는 부엌우물과 양조장우물에 버금가는 규모이다.

이러한 전이 부엌으로 보이는 지구에 셋, 양조장 지구에 둘 있으며, 효도지역의 관아건물은 앞에서 든 두 건물과 맞먹는 비중을 차지한다. 따라서 주리나 양주에 필요한 대량의 물을 공급했을 것이다. 한 변 1.8미터에서 3미터에 이르는 대형 전을 지닌 우물 두세 개가 한 곳에 몰려 있는 까닭이 이것이다.

사진 119는 궁 안 서대사西大寺 식당원食堂院 자리에서 모습을 드러낸 아주 큰 우물이다. 노송나무로 귀틀을 짰으며 한 변의 길이는 2.3미터에 이른다. 연력延曆 11년(792)의 연기年紀를 지닌 목간木簡과 묵서토기墨書土器 따위도 나왔다.

평성궁 우물의 가장 큰 특징은 벽을 귀틀이 아닌 형식非籠組으로 꾸민 점이다. 네 귀에 기둥을 세우는 대신, 널 양

사진 119(ⓒ 『飛鳥資料館』)

쪽에 붙인 턱凸과 구멍凹을 맞물리고 위아래 양쪽 한두 곳에 크고 작은 턱을 붙여서 이중으로 붙박는 형식이다. 평성궁에서 발굴된 19개 가운데 14개가 이것이다(그림 25).

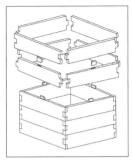

그림 25(ⓒ 鐘方正樹)

야마모토 히로시山本博의 말대로 7세기 중엽에 나온 이 형식은 나라시대에 널리 퍼졌으며 특히 크고 호화로운 궁전 우물에 적용되었다.

이와 대조적으로 귀틀우물이 셋 밖에 나오지 않은 것은 관청의 비중이나 거주자 벼슬에 따른 결과로 보인다. 따라서 발굴된 유구遺構의 성격을 복원하는 데 새로운 자료를 제공하는 셈이 된다. 또 한 걸음 더 나아가 귀틀우물에 나타나는 규모 자체도 관청의 격식을 반영하는 것으로 보아도 좋을 듯하다.

평성경의 비롱조非籠組우물 틀 가운데 큰 것은 남북 2.9미터에 동서 5.3미터에 이르며, 작은 것은 1.1미터까지 여러 종류가 있다.

귀틀우물의 존재 여부는 궁내 관청의 격식과 경내京內 주민의 벼슬관위 따위에 좌우되는 것으로 생각된다(黑崎 直 1976 ; 25~35).

우물 평면형에는 네모형方形·모 없는 네모형隅丸方形·둥근형·타원형 따위가 있다. 이들 가운데 깊이 2미터가 넘는 것은 두 단계로 판 것이 많다.

대부분의 우물 바닥에 귀틀을 박았으며 반듯하게 붙박으려고 자연석이나 벽돌塼을 깔아서 다졌다. 그러나 우물 위에 전을 세운 것은 드러나지 않았다.

우물 주위를 포장하고 배수구를 마련한 것은 평성경이 셋, 평성경 궁내에서 다섯이 나왔다. 이밖에 지붕을 얹어서 세탁도 가능한 형식은 평성경이 둘, 평성궁내가 일곱이다(그림 23). 한편, 무너지는 것을 막기 위한 네모형·둥근형·다각형 따위의 널벽을 거의 모두 갖추었으며, 네모가 80퍼센트, 널을 세워서 끼운 것縱板組이 60퍼센트이다.

사진 120은 평성경에서 드러난 한 변 길이 70센티미터의 작은 우물이다. 바닥에 자갈과 목탄을 깔

사진 120(ⓒ 國立奈良文化財研究所)

사진 121(ⓒ『平城宮跡資料館圖錄』)

았으며 적지 않은 수의 완형 토기도 나왔다(사진 121).

맨무울은 나라시대 전반기에, 곡물우물은 말기에 집중적으로 나타나며, 횡판조 가운데 깊이 1.5미터 이상의 것은 평성궁에 분포한다. 이와 대조적으로 평성경 안의 것은 0.6~1.2미터에 지나지 않는다. 이로써 율령국가에서 규모는 물론, 꾸밈에도 권력이 영향을 끼친 것을 알 수 있다.

평성경 궁안에서 나온 제사 유물은 우물을 파고 나서 자갈을 깔고 백회색의 모래로 다진 바닥에서 나온 재곶齋串 셋으로, 평성경에서도 같은 것 둘이 나왔다. (☞ 1187) 하나뿐인 여덟모우물(사진 122)에서 나온 가는 막대기細棒 15점은 물이 끊임없이 솟기를 바라는 제사 때 바친 듯하다.

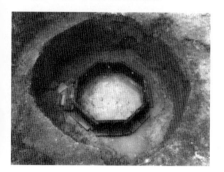

사진 122(ⓒ 秋田裕毅)

평성경 안 우물 가운데 여과시설을 갖춘 것은 19개이고, 자갈을 깐 것이 13개, 목탄을 놓은 것이 다섯, 노송나무가지로 짠 그물을 편 것이 하나이다. 그물은 부유물을 거두기 위한 것으로 네 귀퉁이를 돌로 지질러 두었으며 바다에서 캐곶 친 개기 니있디. 묵딘 두께는 15센티미터쯤이고, 그 아래에서 한 점씨의 만년통보萬年通寶와 유기욱이 신고였다.

한편, 우물 부근에서 나온 유물 가운데 인형이나 토기에 사람 이름을 쓰거나 선으로 나타낸線刻 것과 두 눈과 가슴에 나무못을 박아서 저주의 수단으로 삼은 것도 섞였다(사진 123). 이밖에 '흙말·말뼈·급급急急 급여율령急如律令·□신申 / 대장군'이라고 적은 토사기土師器 뚜껑과 '천天·금일今日·도道' 따위의 글자를 지닌 토사기 잔이 나왔으며 이들은 모구 주문呪文을 나타낸 부호이다(篠原豊— 1990 ; 11).

사진 123은 물 긷는 당번을 적은 나무쪽이다.

사진 123(ⓒ 國立 奈良文化財研究所)

가네가타 마사키鐘方正樹는 귀틀우물 존재여부가 관청의 비중 및 주민의 벼슬과 연관된다는 점에 대해 '평성경에서 안 길이 2.23미터의 우물이 발굴되고, 2미터나 넘는 큰우물이 반드시 궁안에만 있지 않은 것이 분명하지만, 격식에 알맞은 상징성을 지닌 것은 사실'이라고 덧붙였다(2003 ; 43).

(2) 그러나 아키다 히로키秋田裕毅의 생각은 다르다.

───────

이 형식 가운데 안 길이 1.2미터가 못되는 것이 많고 궁내나 경내에 부엌이나
양조장처럼 물을 많이 쓰는 관청이나 대가족의 저택이 또한 적지 않은 점에서
실용적 목적으로 큰 우물을 마련했을 가능성이 있으며, 각각의 우물이 격식과
연관되었는지는 의문이다. (…)
널 하나하나를 장부로 붙박는 횡판정롱조横板井籠組는 안 길이 1.2미터 이상 되는
큰 우물에 알맞은 형식이지만, 길이·너비·두께가 일정한 목재를 갖추고 수준
높은 기술자를 확보하려면 경제력과 권력이 필요하다. 이러한 힘을 지닌 곳은
관청 가운데에도 중추적이면서 물 수요도 많아야 하며, 저택이라도 일부 특권
계층에 한정될 수밖에 없다. 따라서 큰 정롱조 우물이 일부 관청이나 특권 계층
에 집중된 것은 특별한 격식 때문이 아니라 경제력과 권력을 쥔 수요자들에게
물이 그만큼 더 필요했기 때문일 터이다(2010 ; 197~198).

───────

우물은 수맥이 닿는 곳에 파지만 터가 4분의 1 정町이 못 되는 집에서는 내곽內郭
몸채主殿 옆이나 앞쪽 옆에 마련하였고, 이들은 지붕을 올린 것이 많다. 뒤에 택지의
중심에서 벗어나면서도 우물 자리가 집안의 요지를 차지한 점에 주목할 필요가 있
다. 음료수를 얻는 우물은 예부터 신성하게 여겼으며, 「구주력具注曆」에 부뚜막 짓는
날과 우물 파기 좋은 날이 적힌 것을 보면 집안 신사神事의 하나로 손꼽은 것이 분명
하다. (…)

두레박도 나왔다. 소나무 속을 둥글게 후벼 파고 쇠테를 두른 다음 쇠고리를 붙인
것으로 오늘날의 것과 다르지 않다. 이밖에 옹기형 토기에 나무 등걸을 잡아맨 것도
있었다(町田 章 1988 ; 158).

평성경에 지붕을 세운 우물이 적지 않은 점에서 도르래를 썼을 가능성이 없지 않지
만 확실한 증거는 없다.

한편, 이곳의 우물과 출토유물을 모두 살펴본 시노하라 도요카즈篠原豊一는 곡물두
레박을 제사 기구를 담아서 우물에 넣는 데 썼을 것으로 추정하였다(小池伸彦의 1996

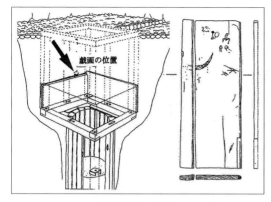

그림 26(© 金子裕之)

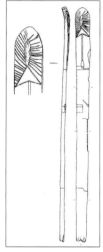

그림 27(© 金子裕之)

사진 124(© 國立奈良
文化財研究所)

156쪽에서 재인용).

평성궁 우물 유적에서 나무로 깎은 자지도 나왔다. 궁녀용이라는 설도 있지만, 사이타마현埼玉県 秩父에서 지금도 정월 열나흗날 물이 끊임없이 솟아나게 해달라며 바치는 것으로 미루어 제물로 보는 것이 타당하다. 뒤쪽의 구멍에 끈을 꿰어 걸어놓는다.

같은 유물이 야요이시대 오사카 유적池上曾根에서도 나와서 역사가 오랜 것을 알려준다. 이밖에 7세기 후반의 나라현 비조지飛鳥池의 돌이 깔린 우물 유적에서 귀틀에 그린 보지와 꽃이 드러나기도 하였다(그림 26).

카네코 히로유키金子裕之는 '이 뒤에도 나무로 깎은 자지가 각지에서 나타나는 것은, 생명의 뿌리를 자극하는 방법이 널리 퍼진 결과이다. 우물이나 냇가는 음양결합의 에너지가 가득 차는 성스러운 장소인 까닭에 여러 가지 제의를 벌인 것'이라고 적었다(2005 ; 161~162). 그림 27은 다른 유적에서 나온 보지를 나타낸 형상이다.

궁정 우물 가운데는 귀틀을 길이 2~3미터, 두께 10센티미터 이상의 널 열 장을 쓴 것도 있다. 이에 견주어 서민의 것은 엷은 널을 이리저리 짜 맞추었을 뿐이지만 집이 아무리 작아도 우물은 모두 갖추었다. 깊이는 깊어야 3미터이다.

8세기 후반기의 서룡사西隆寺 우물을 메운 일꾼들에게 1월 22일과 24일, 술지게미를 주었다는 내용이 적힌 목간木簡이 나왔다(사진 124). 얼어붙은 몸을 녹이는 데 도움이 되었을 것이다.

한편, 좌경左京 3조条에서 위는 네모이고 아래는 여섯모인 특이한 형태의 우물이 발굴되었다(사진 125). 네모의 한 변 길이 2.4미터이지만 여섯모 한 변은 길이 1.1미터에 깊이 2.3미터로, 지금까지 알려진 가장 큰 우물이다. 안에서 목간·토기·기와 따위와 함께 천평天平 2년 (730)의 연호를 지닌 문서의 굴대軸도 나왔다. 토기로는 단지須惠器壺·

식기류·잔과 접시土師器 따위도 들어 있다(田邊征夫 1992 ; 4).

고대 전기(7~9세기)는 나무귀틀 우물이 가장 발달한 때였다. 건물을 다시 세운 비율에 견주어 우물을 다시 판 일은 적은 편이어서 한 건물군建物群에 두셋쯤이다. 우물 위에 세운 건물(지붕) 가운데, 벽이 없는 것은 1×1칸, 2×3칸 및 여섯 모형이 있고, 벽을 친 것은 2×3칸 규모이다.

귀틀 주변에 냇돌·자갈·기와·벽돌 따위를 깔고 빨래터로 썼으며, 주위보다 한 단 낮추어서 더러운 물이 집안으로 흘러들지 않는다. 나무귀틀은 77퍼센트, 둥근 전은 20퍼센트이다. 나무귀틀 가운데 널을 옆으로 끼운 것橫板組이 31퍼센트(사진 114), 길이로 세운 것縱板組이 46퍼센트이다(사진 9). 둥근 우물은 곡물벽이 14퍼센트를 차지하며, 깊이 0.6미터가 안 되는 작은 우물의 82퍼센트가 이들이다.

바닥의 모래층을 조금 둥글게 파고 귀틀이나 곡물을 한두 개 박아서 깨끗한 물을 모은 기구가 마나이まない이다. 이밖에 귀틀 바닥에 그물·자갈·기와 쪽 따위를 5~10센티미터 깔은 덕분에 물에 모래가 섞이지 않는다. 자갈의 크기는 1~3센티미터이다. 이밖에 숯을 묻어서 물을 거르는 방법도 썼다.

두레박 감은 나무와 질 두 가지이며, 목제는 속을 판 것과 곡물을, 질은 옹기를 썼다. 좌경左京 五条 二坊에서 나온 통나무 두레박에는 쇠고리를 달았다. 질두레박은 단지須惠器壺·병提瓶·독土師器瓮 따위의 목에 새끼나 덩굴을 감았으며, 새끼를 십자꼴로 붙박은 곡물도 선보였다. (☞ 1418~1420)

평성궁에는 내리·양조장·동원東院·마구간·큰 소주방大膳職·작은 소주방內膳職 따위에 큰 우물이 딸렸고 모두 위에 튼튼하게 짠 나무귀틀을 놓았다.

등원경과 평성궁 우물을 주위 건물군 위치에 연관시키면 ㉠ 대구획 우물, ㉡ 관청 우물, ㉢ 큰 담을 두른 우물로 나눈다.

이 가운데 귀틀식井籠組으로 짠 평성궁의 큰 우물은 볼거리이다. 등원경에는 관청 안 건물군마다 우물이 있으며, 안지름은 80센티미터쯤으로 장소·크기·재질 따위에 규칙성이 없지만, 평성경은 지위에 따른 관청이나 집터의 차이처럼 우물 귀틀에도 규칙성과 통일성이 나타나서 실용성보다 격식에 치중한 자취가 뚜렷하다. 이는 평성경의 집안 우물도 마찬가지이며, 궁에서 가까운 1정町 이상의 집터나 절집 우물은 3미터가 넘는 것이 많다. 또 장강경의 귀틀형식도 평성경과 큰 차이가 없다. 이는 두 곳의 우물 연대가 같은 데서 왔을 터이다(篠原豊― 2005 ; 6~9).

근래 평성경 우경右京의 16평(한 평은 한 변 130미터이다)을 8분의 1로 나눈 집터에서 나온, 긴네모꼴의 나무 궤辛櫃로 벽을 삼은 우물은 아주 흥미롭다(사진 126). 바닥에 지름 60센티미터에 높이 50센티미터의 곡물을 박고, 긴 쪽 길이 105센티미터에 짧은 쪽 70센티미터 그리고 높이 39센티미터의 바닥과 덮개를 뗀 궤를 올려놓은 것이다(그림 28). 안에는 8세기 후반에서 말 사이의 토기가 들어 있었다.

물은 짧은 쪽 아래 가운데 파 놓은 2×6센티미터의 구멍을 통해 받았을 것이다. '신궤'라는 이름의 '신辛'은 일본말 'カラ가라'로, 본디 우리를 가리키는 한韓으로 적다가 8세기에 '당唐'으로 바꾸었으며, 근래에는 다시 신辛으로 적는다. 나라시대까지도 '가라'는 외국에서 들어온 새롭고 신기한 물건의 상징이었으며, 역대 천황들의 보물 창고인 정창원正倉院 유물 가운데 '가라'가 붙은 것의 대부분은 신라 제품이다. 동대사東大寺 한쪽에 있는 가라쿠니辛國신사도 신라나 백제 신사라는 뜻이며, '신궤'도 마찬가지이다.

사진 126
(ⓒ『奈良市埋蔵文化財調査槪要報告書』)

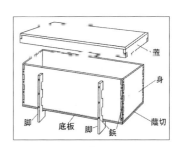

그림 28
(ⓒ『奈良市埋蔵文化財調査槪要報告書』)

나라현 보고서(「奈良市埋蔵文化センター 速報展示資料」 43호 ; 2011)에 지금까지 선보인 궤 15개 가운데 우물에서 나온 것은 두 개이고, 장강경에서도 하나가 나왔다는 기사가 보인다.

3. 장강경長岡京

장강경은 784년부터 794년까지 야마시로쿠니山城國 乙訓郡에 있었으며, 지금의 교토 일향시向日市・장강경시長岡京市・교토 서경구西京区 일대이다.

칸무桓武천황(781~806)이 평성경의 지리적 약점을 보완하려고 북으로 40킬로미터 떨어진 이곳으로 옮긴 것이다. 계천桂川 및 우치천宇治川 따위의 큰 강 셋이 만나 정천淀川을 이룬 덕분에 전국에서 모여드는 물자를 내리는 산기진山崎津이 생겨서 작은 배들도 짐을 풀거나 실었다. 또 물을 거슬러 오르면 바로 도시 가운데로 들어가게 되어 육로를 이용할 수밖에 없었던 문제도 풀렸다.

이 궁의 우물 자리 40여 개 가운데 형태가 남은 것은 29개이지만, 그나마 뚜렷한 것은 18개에 지나지 않는다. 이들을 벽의 형태에 따라 구분하면 다음과 같다.

① 속을 들어낸 통나무 우물丸太刳拔き井戶

속을 파 낸 통나무를 박아서 벽을 삼았다(그림 29). 모두 셋으로 하니는 속을 팠지만 나머지 둘은 나무를 길이로 자른 뒤 안을 후벼 파고 맞물렸다. 앞의 것은 길이 1.84미터에 지름 0.6미터쯤 되는 노송檜松나무이다. 아랫도리에 취수구取水口로 보이는 네모 구멍(0.15×0.1미터)을 뚫었다. (☞ 사진 135)

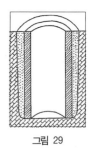

그림 29

② 널을 길이로 세운 우물縱板組無支持井戶

널을 길이로 둥글게 세웠을 뿐, 가로대를 걸거나 기둥을 박지 않은 것이다(그림 30). 이들 가운데 둘은 바닥 가운데에 곡물曲物 두 개를 놓았다.

하나의 지름은 곡물과 거의 같고, 다른 하나는 1.5배쯤이어서 아래 것은 물을 가두기 위한 것인 듯하다. 평면은 모두 둥글며 깊이는 60센티미터쯤으로 얕다. (☞ 사진 9)

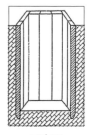

그림 30

③ 널을 길이로 짠 틀을 박은 우물縱板組橫棧どめ井戶

얇은 널을 네모로 세우고 안쪽에 듬성듬성 가로대를 걸어서 붙박았다(그림 31). 이

형식은 여덟이며, 가로대는 대체로 두 개이다.

우물 안쪽 길이 1미터쯤이지만, 70센티미터짜리도 섞였다. 평면은 둥근 것이 넷, 네모가 세이며, 하나는 모른다.

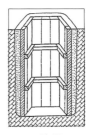

그림 31

④ 널을 가로로 끼운 귀틀우물橫板井籠組井戶

두꺼운 널 양 끝 가운데에 홈을 요철凹凸로 파고 맞추어서 쌓은 것으로(그림 32), 셋이 있다.

안쪽 한 변 길이가 1.35미터나 되어 궁 안 우물 가운데 가장 크며, 두께 5센티미터의 노송나무 벽이어서 수명도 아주 길다. (☞ 사진 114)

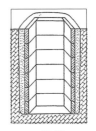

그림 32

⑤ 널을 길이로 짜고 네 귀에 기둥 박은 우물縱板組隅柱橫棧どめ井戶

틀 꼴은 앞의 것과 같지만 네 귀에 기둥을 박고 가로대로 붙박은 것으로 모두 일곱이다(그림 33). 앞의 것에 견주어 구조가 조금 복잡하지만 그만큼 튼튼하다. 기둥은 모 난 것角材, 둥근 것圓材, 둥근 것의 모서리를 발라서 네모로 깎은 것 세 종류가 있다.

우물 한 쪽 길이는 0.9~1미터이며 1.4미터에 이르는 큰 것도 있다. 파내려간 평면은 둥근 것(다섯)과 네모(둘)로 나뉜다. 기둥에 'ㅇ示'자를 새겼다. (☞ 사진 111)

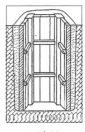

그림 33

⑥ 곡물우물

바닥이 없는 곡물(지름 0.5~0.6미터) 여섯 개를 쌓았으며(그림 34), 깊이는 1.5미터를 넘지 않는다. 곡물이 워낙 약해서 깊이 묻을 수 없기 때문이다.

앞에서 든 여섯 종류는 27퍼센트(여덟)를 차지하는 ①이 제일 많으며, 24퍼센트(일곱)인 ②가 버금이고, ③은 7퍼센트(둘)에 지나지 않는다.

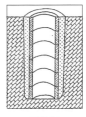

그림 34

장경궁에는 널벽우물이 전체의 반이 넘으며 이러한 경향은 나라시대부터 헤이안平安시대의 마을 유적은 말할 것도 없고 평성궁에서도 보편적으로 나타난다. 이는 궁성과 백성의 우물벽에 차이가 없었던 것을 나타낸다. 또 평성경에 견주어 귀틀 구조가 아주 적은 것은 장경궁 우물의 거의 대부분을 알지 못하는 것이 원인이다.

한편, 우물 40개 가운데 우물 벽과 평면이 드러난 것은 25개이다. 네모方形벽 우물은 같은 평면을 지닌 것 여섯에, 둥근 것이 열이어서 이를 선호한 것이 뚜렷하다. 이처럼 우물벽과 평면 형태는 같은 종류와 다른 종류 둘로 나뉘며, 앞의 것은 ③과 ⑥ 형식에, 뒤의 것은 ② 형식에 딸렸다. 우물은 모두 부속건물이나 헛간 따위의 작은 건물 가까운 곳에 있다.

앞의 여섯 형식은 평성궁과 거의 차이가 없다(山本輝雄 1989 ; 289~306).

7장

—

옛 기록의 우물

—

다음 여섯 문헌의 우물을 살펴본다.

1. 『풍토기風土記』
2. 『연희식延喜式』
3. 『일본서기日本書紀』와 『고사기古事記』
4. 『만엽집萬葉集』
5. 『교토풍속지京都風俗志』

본문에 이름만 실린 것은 따로 다루지 않는다.

1. 『풍토기風土記』

지역의 풍토기 편찬은 겐메이元明 천황 때(713년 5월)부터 시작되었다.

『속일본기續日本紀』 기사이다.

———

화동和銅 6년(713) 5월 2일, 영제국令制國에 다음 사항을 조사, 보고하라는 명을 내렸다.

① 은·구리·염료染料·풀草·내川·새·짐승·벌레 따위의 물산

② 토지의 상태

③ 산·내·언덕原·들野 따위의 지명 유래

④ 노인들이 전하는 옛이야기旧聞 및 특별한 일

지방 각 곳의 관청에서 꾸민 이 책은 관에서 낸官撰 사서·지지地誌·역사·노래집 따위를 모은 일본 최초의 풍속집이기도 하다.

정본定本에 가까운 것은 『상륙국풍토기常陸國風土記』·『출운국풍토기出雲國風土記』·『파마국풍토기播磨國風土記』·『비전국풍토기肥前國風土記』 넷이고, 『풍후국풍토기豊後國風土記』는 일부가 빠졌으며, 나머지는 뒤에 나온 문헌에서 옮겨 실은 일문逸文만 남았다.

상륙국은 현재의 이바라키현茨城県 대부분과 후쿠시마현福島県 대웅大熊에 있던 대국이고, 출운국은 시마네현島根県 일부, 파마국은 효고현兵庫県 서남쪽, 비전국은 사가현佐賀県과 나가사키현長崎県 일부, 풍후국은 오이타현大分県이다.

1) 『상륙국常陸國 풍토기』

상륙국은 645년과 646년, 지금의 이시오카시石岡市에 국부國府와 국분사國分寺가 들어서면서 생겼다. 딸린 11개 군은 신치新治·백벽白壁(真壁)·축파筑波·하내河内·신태信太·자성紫城·행방行方·향도香島(鹿島)·내하那賀(那珂)·구자久慈·다가多珂(多賀)들이다. 보고서에 '토지가 너르고 산과 바다의 물산이 넉넉해서 사람들이 극락처럼 풍요롭게 지낸다'는 기사가 있다.

이 책의 간추린 우물 기사이다.

	이름과 장소	기사
1	新治井(新治)	倭建命이 東夷를 치고 新治郡을 지날 때, 國造인 祖比奈珠命에게 우물 파라고 이름. 물은 시원하고 맑음.

	이름과 장소	기사
2	筑波岳 流泉(筑波)	구름 위로 솟은 筑波岳 서쪽 봉우리는 험해서 男神도 못 오름. 동쪽도 같지만 반석의 샘은 봄·겨울에도 마르지 않아 봄가을에 많은 사람들이 모여 즐김. 『만엽집』에 노래 실림(권9).
3	碓井(信太)	景行천황 때 점쟁이가 우물 자리 찾음.
4	田餘井(茨木)	倭建命이 언덕에서 식사할 때 水部에게 새로 파라는 명 내림. 본디 이름 '맛 좋은 물'이 '다마리(田餘)'로 바뀜.
5	玉造井(行方)	국내 巡狩 때 海北를 친 倭建命이 '槻野의 淸水'에서 손 씻고 옥으로 축복함. 지금도 '옥처럼 맑은 물'이라 부름.
6	國社大井(行方)	縣의 신에게 제사지냄. 우물에 남녀 모여 먹고 마시고 즐김.
7	椎井(行方)	자연히 솟는 물로 황무지를 논밭으로 바꾸었으며, 지금도 추정이라 부름. 메밀잣나무(椎木) 뿌리에서 맑은 물이 솟아 우물로 못 이름 삼음.
8	香島靈泉(香島)	향도신사 주변은 卜씨 터전임. 높지만 위가 평평하며, 동서 바다에 닿고 골은 개 이빨처럼 곧게 뻗어 마을과 경계를 이룸.
9	高松出泉(香島)	바다의 모래와 조개가 쌓여 언덕이 됨. 솔숲과 메밀잣나무 따위가 우거져 산이 되고, 동남쪽 소나무 아래에 좋은 샘이 있음.
10	卜氏井(香島)	☞ 8 香島靈泉
11	曝井(那賀)	아낙들이 세탁한 천을 말림.
12	密筑里大井(久慈)	마을의 맑은 우물을 대정이라 부름. 여름에 술과 음식을 먹고 마시며 즐김.

(1) 신치정新治井

———

동이국東夷國을 평정한 야마토타케루倭武·倭建命가 이 마을을 지날 때, 국조國造 히나라스노 미코토比奈良珠命에게 우물을 새로 파라는 명을 내렸다. 맑고 시원한 물이 솟아서 칭찬받을만 하였다. 가마를 멈춘 천황이 기쁜 나머지 손을 씻을 때, 소매가 샘에 늘어져서 젖은 탓에 나라 이름을 '히타치ひたち(常陸)'라 지었다.

———

이와 달리 길이 똑바로 뻗은 데서 '직통ヒタミチ·直通' 또는 '히타치'가 되었다고도 한다.

노인들의 말은 조금 다르다.

———

스진崇神천황(전 97~전 30)이 동이를 치려고 신치 국조의 조상 히나라스노 미코토를 보냈다. 그가 이곳에 와서 우물을 파자 맑은 물이 솟았다. '우물을 판다'는 말에 덧붙여서 군 이름을 신치라 부르게 되었다. 지금도 신치에 있으며 때로 제시를 올린다.

———

물이 넉넉한 덕분에 논에도 대어서 군의 이름으로 삼았다. 또 행방군 추정의 맑은 물도 못에 모았다가 황무지 개간에 쓴 것은 우물물을 논밭에 댄 좋은 보기이다.

천황이 우물 이름을 군과 나라 이름으로 삼은 것은 신령이 깃든 신성한 장소임을 나타낸다. 이는 무력이 아니라 우물을 파서 생활용수는 물론, 논농사에 필요한 물까지 마련해 줌으로써 지역 주민을 감복시킨 결과이기도 하다. 히나라스노 미코토는 평범한 지방관리가 아니라 우물 파는 기술자였던 까닭에 그리 보냈을 것이다. 이는 야요이弥生시대(전 3세기~3세기)의 논水田개발과 연관이 있다(山本 博 1970 ; 30~31). (☞ 1197-1198)

(2) 축파산筑波岳 유천流泉

———

축파현筑波県의 본디 이름은 키노쿠니紀の國였다. 지금 이름은 스진崇神천황 때, 나라를 세우려고 온 쓰쿠바노 미코토筑波命가 자신의 이름을 후세에 남기고 싶다며 바꾸어달라고 청한 결과이다.

여러 신을 찾아다니던 조상님의 어미 신神祖이 후지산富士山(3,776미터)에서 묵어가기를 청하자 제사新嘗祭 기간이라며 거절하였다. 이에 신이 한 해 내내 눈과 서리가 덮이는 재앙을 내린 탓에 사람들이 가기 어려워서 산신에게 제물을 바치지 못하였다. 그러나 축파산에서는 제사 기간이지만 묵어가라며 음식을 대접하였고, 이를 기뻐한 신이 영원히 농사의 풍년을 거두라는 축복을 내렸다.

이 뒤부터 지금껏 축파산에서 사람들이 모여 노래하고 춤추며 즐겨온다. 험악한 너럭바위 사이로 흐르는 물은 사철 마르지 않는다. 동쪽 여러 마을의 남녀가 봄철 꽃필 때와 가을 단풍철에 아시가라葦原 언덕에 모여 먹고 마시며 손잡고 어깨를 나란히 하여 다음 노래를 부른다.

축파산 우다가키歌垣에서 만나고 싶었던 저 아가씨,

누구의 청혼을 받아 신의 산에서 노니는가

나는 만나주지도 않으면서

축파산의 우다가키 날

하룻밤 함께 지내고 싶었네

아내 못 얻고 홀로 잠드는 이 밤

빨리 밝기 바라는 마음뿐이네

세간에 '이 날 모임에서 구혼求婚의 보물을 얻지 못하면 딸로 여기지 않는다'는 말이 전한다.

이 풍속은 단순한 놀이가 아니라, 농사의 풍년을 허락해준 수신水神에게 올리는 감사제이기도 하다. 산봉우리를 남신과 여신으로 여기며, 같은 날 짝짓는 남녀가 많은 것도 연관이 깊다.

———

우다가키歌垣는 남녀가 모여 노래 부르며 짝을 찾는 연중행사이다. 고대 일본과 중국 남부 그리고 인도차이나반도 북부 여러 소수민족 사이에 퍼졌으며 우리 호남지방이 강강술래도 닮았다. 중국 귀주 성貴川省 남동부의 마오족苗族은 정교절敏橋節인 4월 2일에 마을 뒷산에서 벌이다 노래를 주고받다가 뜻이 맞으면 숲으로 들어가 짝을 짓고 뒤에 부부가 된다.

서봉과 동봉으로 이루어진 축파산은 이자나기노 미코토伊弉諾尊와 이자나미노 미코토伊弉冉尊 두 신이 내려온 영산靈山으로, 서봉은 남체산男體山(871미터), 동봉은 여체산女體山이라고 한다. 두 산정에 신대神代(진무神武[전 660~전 585]천황 이전의 신神이 통치한 시대)에 세운 신사가 있다(사진 127).

사진 127(ⓒ 야후)

『연희식』에도 남신일좌男神一座를 명신대사 名神大社에, 여신을 명신소사明神小社에서 받든다는 기사가 보이며, 이들을 산기슭의 논에 물을 넉넉하게 보내주는 신으로 받든다.

이는 음양이 합쳐서 풍요를 거둔다는 도교의 사상을 연상시킨다.

행방군 국사國社의 대정, 구자군 밀축리密筑里의 대정,『출운풍토기』읍미邑美의 찬우물㳂井 따위에서도 남녀노소가 모여서 맛좋은 음식을 먹고 노래와 춤을 추며 즐겼다. 농사의 풍년과 물에 대한 감사제인 셈이다.

(3) 대정碓井

———

게이코景行천황(71~130)이 카스미우라霞浦의 우키섬浮島 도바리궁帳宮에 왔을 때, 마실 물이 없자 점쟁이에게 점을 치라고 일렀다. 그가 여러 곳을 뒤진 끝에 찾은 것이 대정이다. 지금도 웅률촌雄栗村에 있다.

———

점으로 우물 자리를 찾은 유일한 보기이다. 야마모토 히로시山本博는 '513년, 백제에서 오경박사五經博士 단양이段楊爾가 오고, 510년에 고안무高安茂가 그와 교대한 것이 역易이 들어온 첫 기록이라며, 이때부터 점점 퍼져서 점筮풍속이 궁중은 물론 일반에도 자리 잡았다'고 적었다(1970 ; 61).

다른 방법을 쓴 전설도 있다. 한 화상和尙이 사카이시堺市 해회사海會寺에서 물이 모자라는 것을 걱정하자, 어떤 노인이 두견새 깃털을 땅에 나란히 놓았다가 이튿날 아침에 살피되, 습기를 더 많이 머금은 털이 있는 데를 파라고 하였다는 것이다. 이 물이 유명한 금룡수金龍水이다(사진 128).

사진 128(ⓒ 야후)

(4) 전여정田餘井

———

옛적에 언덕에서 쉬던 야마토타케루가 음식 먹을 때, 귀인貴人의 음료수를 담당한 관리水部에게 우물을 파라고 일렀다. 마침내 향기 넘치는 깨끗한 물이 솟아 마시기에 아주 좋았다. 천황이 '그치지 않는 물'이라고 하여 '전여田餘(たまり)'라는 마을 이름이 생겼다.

———

(5) 옥조정 정상玉造町井上

———

천하를 순행하며 해북海北을 평정한 야마토타케루가 이 나라를 지날 때, 규야機野
의 청천淸泉에서 손을 씻고 옥으로 축복하였다. 지금도 행방리行方里에 '옥처럼 맑
은 물'이 있다.

———

(6) 국사대정國社大井

———

행방군行方郡 서쪽에 있는 진제津濟는 이른바 행방군의 바다이다. 신사 안에 찬샘
寒泉이라는 이름의 대정이 있다. 군민이 모두 모여서 떠마신다.

———

'대정'은 크기를 알리는 단순한 낱말이 아니라 신령스런 우물이라는 뜻이며, 사람
이 많이 모여든다는 의미도 들이 있다.

『긋신루풍토기今常陸國土記』에도 '마을의 대정은 여름에 차고 겨울에 따뜻하다.
(…) 더운 여름철에 술과 안주를 마련하여 남녀가 먹고 마시면서 즐긴다'는 기사가
보인다.

(7) 추정椎井

———

① 게이타이繼體 천황(507~531) 시절, 전괄箭括 씨氏의 마타치麻多智가 군 서쪽 갈대
밭葦原에 새로 논을 풀고 물을 대려 하였다. 이때 야도夜刀의 신谷神(蛇)이 서쪽에
서 무리를 이끌고 나타나 가로 막았다. 갑옷을 입은 마타치는 산 입구의 경계에
깃발印杖을 세우고 소리쳤다.

"여기서부터 위는 신의 땅이고 아래는 인간의 논이다. 지금부터 나는 신의 사제
자가 되어 영원한 경배를 올린다. 따라서 인간인 우리를 숭배하지 말라."

이어 신사를 세우고 신을 받들었다. 마타치의 자손들은 지금도 신을 섬긴다.

────────

사람이 일부러 판 것이 아니라 자연히 솟는 물을 한곳으로 모아서 논을 푼 청수淸水이다. 이는 야요이시대의 논농사와 연관이 깊으며 '추정'은 곧 '용수涌水'를 기리킨다.

야도의 신인 뱀을 농경을 방해하는 신으로 여겨왔으나 여러 기록에 나타난 대로 뱀은 수신水神의 상징인 용의 다른 모습이므로, 본디 풍요의 신이었다가 전승 도중에 바뀌었을 것이다(山本 博 1970 ; 31).

────────

② 고토쿠孝德천황(645~654) 때, 미부노무라지마루任生連麻呂가 처음 이 계곡을 본격적으로 개간하기에 앞서 둑을 쌓았다. 야도의 신이 못 주변 메밀잣나무椎에 올라가더니 동안이 지나도 움직이지 않았다. 그가 '못을 판 것은 인간의 행복을 위해서이다. 천황의 교화에 따르지 않는 너는 무슨 신이며 어디 있는 신인가?'가 소리친 다음 인부들에게 일렀다.

"눈에 보이는 여러 가지 어충류魚虫類를 겁내지 말고 모두 잡아 죽여라."

이로써 신인 뱀들이 사라졌으며 '메밀잣나무못椎井池'이라는 이름이 생겼다. 못 주위에 이 나무가 자라고 물이 솟은 까닭에 '정井'을 덧붙여 못 이름으로 삼았다.

────────

야마모토 히로시山本博는 간토關東지역의 논농사가 키나이畿内보다 늦은 점을 들어, 앞의 내용이 서기 1~3세기의 사정과 연관이 있다고 하였다(1970 ; 31).

이러한 개척전설은 게이타이繼體천황 및 고토쿠孝德천황 시절에 나왔으며 게이타이 때, 야하즈씨마다지箭括氏麻多智가 저습지 갈대언덕葦原에서 추정을 발견하고 논을 풀 가능성을 생각한 것이 시초이다. 이 전설에도 앞에서처럼 방해자 야도신을 쫓는 내용이 들어있다.

오사카의 의라정依羅井과 용신정龍神井도 마찬가지이며, 수신에게 바친 거울 따위가 나온 것은 봄에 풍년을 빌고, 가을에 감사 제례를 지낸 것을 일러준다.『출운국풍토기』에 '대정이 있는 물가에 사람이 모여들어 저자가 이루어졌다'고 적힌 대로, 우물은 소규모 교역의 중심지였다. 아스카시飛鳥市의 아스카성을 비롯한 여러 곳의 '대정촌大井村'은 우물 이름을 지명으로 삼은 좋은 보기이다.

이바라키현茨城県에 있는 사진 129가 추정지椎井池라고 한다.

(8) 향도영천香島靈泉

———

향도신사 주위는 복卜씨 터전이다. 높은 대지여서 위가 평평하고 동과 서는 바다에 닿으며, 개의 어금니를 닮은 골짜기는 마을로 이어진다. 산의 나무와 풀이 무성해서 담을 두른 듯 하며, 골짜기의 샘은 마을에서 아침저녁으로 길어 올려도 마르지 않는다. 우뚝 솟

사진 129(ⓒ 야후)

은 봉우리에 신사를 세우고 소나무와 대나무를 둘렀다. 골짜기 허리께에 우물을 팠으며 주위에 담쟁이덩굴과 칡이 뒤엉켜서 절벽이 보이지 않을 정도이다. 가을에 마을을 지나려면 고지대의 많은 나무들이 붉게 물들어 비단과 같은 아름다움을 뽐낸다. 신들이 사는 곳과 같은 경지를 이룬 영지靈地이다.

———

(10) 복씨정卜氏井

☞ ⑧ 香島靈泉

(11) 폭정曝井

———

구우야具宇野 동북쪽 속하粟河를 긴 곳에 역가驛家를 두었다. 남쪽에 언덕이 있으며 중간에서 샘이 솟는다. 수량이 많은데다가 맑고 깨끗하다. 주변 마을의 아낙네들이 여름철에 세탁한 천布을 퍼놓고 말린다고 하여 폭정이라 부른다.

———

사진 130(ⓒ 야후)

사진 130은 폭정 곁에 세운 비이다. (☞ 1240)

(12) 밀축리대정密筑里大井

> 구자천久慈川 하구의 다카이치高市 마을 동북 2리 떨어진 밀축みつき(미쓰키)의 고
> 월高月 히다치시日立市 수목水木마을 가운데 있다. 물은 여름에 차고 겨울에 따듯
> 하다. 솟은 물이 내를 이룬 덕분에 여름 더운 날, 여러 남녀가 술과 음식을 가
> 지고 모여들어 즐긴다.

사진 131은 밀축리대정 곁에 세운 밀축리신사 본전本殿이고, 사진 132는 대정의 용
머리이다.

사진 131(ⓒ 야후)

사진 132(ⓒ 야후)

2) 『출운국出雲國 풍토기』

733년 2월 30일에 꾸며서 쇼무聖武천황(724~749)에게 보냈다고 한다. 「나라 끌기國引
き」 신화를 비롯한 여러 이야기가 담겼으며, 다른 풍토기에는 없는 신의 이름들도 보
인다. 지금까지 나온 『풍토기』 가운데 완본完本에 가장 가깝다.

간추린 우물 기사이다.

	이름과 장소	기사
1	眞名井社(意字)	伊弉諾尊과 天津彦根命을 받든다.
2	狭井社(意字)	
3	狭井高守社(意字)	紀州熊野庄司의 딸 弁吉女가 佳縁을 빌어 낳은 아이가 武蔵坊弁慶이라 함. 이름을 佐爲高守神社로 바꿈.
4	井社(意字)	받드는 岐神은 大國主大神의 명을 받아 建主神과 함께 전국을 돌며 반대자들을 평정, 천하통일을 이룬 공신임.
5	朝酌上社(島根)	島根県 동쪽에 있음. 제신 都久豆美命는 隠岐와의 해상교통 수호신임.
6	朝酌下社(島根)	須佐之男命가 신라에서 이곳으로 왔음.
7	大井社(島根)	島根県의 名水 100選에 뽑힘. 물이 끊임없이 솟는 大井池도 있으며 지금은 대정신사로 불림.
8	小井社(島根)	
9	御井社(秋鹿)	
10	垂水社(秋鹿)	孝德천황 때 물을 上町台地의 궁으로 니름. 이 공로로 阿利眞公 垂水公이 됨. 지금도 맑은 물이 솟는 못과 옆에 심은 「垂水大松」이 있음.
11	大井社(秋鹿)	
12	水社(楯縫)	
13	御井社(出雲)	부근에 生井·福井·綱長井 따위의 우물 셋 있음. 八上比賣가 産湯으로 이용함.

13개 우물에 모두 사社가 붙은 것은 제사와 연관이 있는 것을 알려준다.

대정과 어정은 둘, 나머지 협정·협정고수정·조작상정·조작하정·정井·소정小井들은 하나이지만 실제로는 같은 이름인 셈이다. 진명정眞名井·수水·수垂도 하나씩이다. 이들 가운데 '조작'은 아침에 물을 떠서 신에게 바친 데서, '수垂'는 산에서 폭포처럼 흘러 떨어진 데서 왔다.

(1) 진명정사眞名井社

① 『일본서기』 기사이다.

———

스사노오노 미코토素盞鳴尊가 '나는 본디 다른 마음이 없습니다. 다만 부모의 엄

명을 받아 지금 영원히 긴고쿠近國로 떠납니다. 그러나 누님을 뵙고 가려고 틈을 내어 구름 안개를 헤치고 먼 길을 왔음에도 기뻐하기는커녕 화를 내실 줄 몰랐습니다' 하였다.

이에 아마테라스노 오미카미天照大神가 '그것이 사실이라면 무엇으로 증명하려느냐?' 묻자 이렇게 대답하였다.

"그 맹세에 반드시 아이를 낳는다는 내용을 넣읍시다. 내 아이가 여아이면 흑심이 있고, 남아이면 깨끗하다고 여겨 주시오."

아마테라스노 오미카미는 먼저 상대가 찬 긴 십악검十握劍을 세 토막 낸 뒤, 아마노마나이天眞名井에 흔들어 씻고 아작아작 씹어 뱉었다. 이 입김에서 나온 첫째 신이 타코리히메田心姬, 둘째가 타기츠히메湍津姬, 셋째가 이츠키시마히메市杵嶋姬이다.

이번에는 스사노오노 미코토가 상대의 머리핀과 꾸미개, 팔에 걸친 팔판경八坂瓊에 달린 오백 개의 어통御統을 받아, 앞에서처럼 아마노마나이에 씻은 뒤, 씹다가 뱉었다. 입김에서 마사카아카츠카치하야히아마노오시호미미노 미코토正哉吾勝勝束日天之忍穂耳命가 나오고, 이어 아마노호히노 미코토天穂日命, 아마츠히코네天津彦根命, 이쿠츠히코네 미코토活津彦根命, 쿠마노노쿠비스노 미코토熊野木豫樟日命 등 다섯 남신이 태어났다.

아마테라스노 오미카미는 '아이들이 태어난 근원을 따지면 팔판경에 달린 오백 개의 어통은 내 것이고 따라서 다섯 남신도 내 아들'이라며 맡아 길렀다. 이어 '그 십악검은 본디 스사노오노 미코토의 것이므로 이에서 태어난 세 여아는 모두 네 아이'라며 건네주었다. 이 여신들은 축자筑紫의 흉견군胸肩軍들이 받드는 신이다(「神代」상 제6단).

———

'천진명정'은 '하늘에 있는 성스러운 샘'이라는 뜻이다.

'악'은 10센티미터쯤 되는 길이의 잣대이므로, 십악검은 1미터짜리 칼이지만 실제의 길이는 아니며, 사람의 목을 베는 이검利劍이라고 한다.

사진 133(ⓒ 야후)

사진 133이 교토의 이세신궁伊勢神宮 안 진명정이다. 오른쪽에 '어령수御靈水, 하늘의 진명정수天の眞明井の水'라고 적은 팻말을 세웠다.

② 『고사기』 기사는 조금 다르다.

———

두 신은 아메노야스가와天安河를 사이에 두고 맹세하였다. 아마테라스노 오미카미가 먼저 타케하야스사노 미코토建速須佐之男命가 찬 토쯔카쯔루기十拳劍라는 긴 칼을 건네받아 세 조각으로 자른 다음, 하늘의 마나이眞名井에서 길어온 물에 흔들어 씻어서 씹었다가 내뿜었다. 이 입김에서 태어난 신이 타키리비메노 미코토多紀理毘賣命로, 오키쯔시마히메노 미코토市村嶋比賣命라고도 한다. 둘째 이찌키히메노 미코토多岐都比賣命는 샤요리비메노 미코토狹依毗賣命라고도 불리며, 셋째는 타끼쯔히메노 미코토多岐都毗賣命이다.

이번에는 스사노오가 아마테라스의 왼쪽 미즈라에 감겨 있던 오백 개의 구슬을 꿴 꾸미개를 건네받아 하늘의 마나이에 씻은 다음, 씹어 뱉었다. 이 입김에서 태어난 신이 마사카쯔아카쯔카찌하야히 아메노오시호미미正勝吾勝勝束日天之忍穗耳命이다. 그리고 오른쪽 가즈라의 구슬을 받아 씹어 뱉었을 때 입김에서 태어난 신은 아메노호히天之菩卑命이다. 같은 과정을 거쳐서 아마쯔히코네天津日子根命와 쿠마고쿠스비熊野久須毗命 등 다섯 신이 태어났다.

아마테라스는 스사노오에게 '뒤에 나온 다섯 남자는 내 물건에서 생겼으므로 당연히 내 아들이다. 그리고 앞서 태어난 세 여신은 네 물건에서 생겼으므로 또한 네 자식'이라 일렀다(상).

———

아메노야스가와는 하늘의 강이다. 타키리비메노 미코토의 '타'는 접두어, '키리'는 안개, '비메'는 여성이므로 안개에서 태어난 여신이라는 뜻이다. 오키쯔시마히메노 미코토는 오끼隱岐섬의 여신, 이찌키시마히메노 미코토는 이끼壹岐 섬의 여신이다. 사요리비메의 '사'는 접두어, '요리'는 신이 들린 것을 가리킨다. 또 타끼쯔히메노 미코토의 '타키쯔'는 물이 소용돌이친다는 뜻으로, 바다의 여울을 맡은 신임을 알린다.

마사카쯔아카쯔카찌하야히 아메노오시호미미의 '마사카쯔'는 틀림없이 이긴다, '아카쯔'는 내가 이긴다, '카찌하야히'는 빨리 이기는 영력을 이른다. 그리고 '아메'는 천손계의 신, '오시'는 큰 위력, '호'는 벼 이삭, '미미'는 존칭이다. 아메노호히의 '호'는 벼이삭을 상징하고 '히'는 영력이므로, 벼 이삭의 신령이라는 말이다. 아마쯔히코네의 '히코네'는 해의 자식을 가리킨다. 이쿠쯔히코네는 앞의 신과 대칭을 이루는 신으로 '이쿠'는 생명의 뜻이므로 생성력을 알리는 신의 이름이다. 쿠마고쿠스비의 '쿠마노'는 지명, '쿠스비'는 기이한 정령이라는 의미이다.

③ **카네코 히로유키**金子裕之의 설명이다.

아마테라스노 오미카미는 여성, 스사노오노 미코토는 남성이다. 아마테라스노 오미카미가 씹은 것은 스사노오노 미코토의 십거검十拳劍이고 스사노오노는 옥이다. 세모꼴·검·칼처럼 끝이 뾰족한 것은 남성, 옥은 여성을 나타내며 한쪽은 양陽, 다른 쪽은 음陰이 되므로 맹약에 따른 신들이 탄생한 것은 당연한 일이다(2005 ; 143).

시마네현島根県 출운出雲 지방에 이 우물을 받드는 마나이眞名井신사가 있으며(사진 134), 부근의 8~10세기 유적三田谷 1號에서 '마나이麻奈井'라고 쓴 8세기 전반기의 토기須惠器도 나왔다(그림 35).

이에 대해 타쓰미 가즈히로辰巳和弘는 '물이 솟아오르는 바위틈을 가리키는 이 말에 물이 끊이지 않

사진 134(ⓒ 야후)

기를 바라는 뜻이 담겨있을 터이다. 우물을 높이는 '마나이'라는 말이 여러 곳에 있는 것도 증거의 하나'라고 적었다(2005 ; 119~121).

또 어정御井신사(『풍토기』에는 어정사로 적혔다)의 8세기 후반에서 9세기 전반기의 건물터에서 '삼정三井' 및 '정井'이라고 쓴 토기도 적지 않게 나왔다(辰巳和弘 2005 ; 120).

천진명 또는 천진명신사는 여러 곳에 있다.

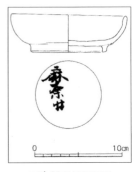

그림 35(ⓒ 辰巳和弘)

(5) 조작상사朝酌上社

『출운풍토기』에 조작상사와 하사가 들어 있지만嶋根郡 처음에는 하사 하나뿐이었으며, 다른 신사를 본떠서 상사를 덧붙였다. 이 뒤부터 상사가 본사 구실을 하였다.

(6) 조작하사朝酌下社

『신국도근神國島根』 기사이다.

이 신사를 지키는鎭守 숲이 월향산月向山이다. 스사노오노 미코토가 신라에서 치토値土로 지은 배에 침향청목沈香青木을 싣고 건너와 지금의 다가多賀에 이르자, 다가묘진多賀明神이 말하였다.

"청목을 싣고 이 신기神崎를 지나가는 일본은 내 나라이다. 나는 배를 이곳에 대고 머물 터이니, 너는 언덕 위로 올라가라."

이어 풍우가 몰아치더니 흙이 쌓여서 배가 곧 산이 되었고, 이곳에서 자란 청목으로 다가묘진이 궁을 지었다. 당선산唐船山이라는 이름은 이에서 왔다.

출운지방에는 스사노오노 미코토가 신라에서 쇠를 불리는 기술을 들여왔다는 전승이 퍼져 있다. '당선상'의 '당'은 '가라韓'로 한국을 가리킨다.

사진 135는 시마네현 마쓰에시松江市의 조작하사이다.

사진 135(ⓒ 야후)

(7) 대정사大井社

『만엽집』의 「해자류시海柘留市」와 함께 우물가에 사람들이 모여들어 큰 저자를 이루고, 이로써 큰 마을이 생긴 사실을 알려주는 보기이다.

일본의 가장 오랜 우물로 궁중에서도 신을 섬겼다. 생기生気를 지닌 대정신은 아기를 돌보고 병을 고쳐준다고 한다.

(12) 수사水社

아메노미나카누시 카미天御中主神·미즈하노메노 미코토罔象女之命·미이노 카미御井神 따위를 섬긴다. 아메노미나카누시 카미는 『고사기』에 천지개벽신, 미즈하노메노 미코토는 물의 신, 미이노 카미는 안산安産의 신으로 등장한다.

(13) 어정사御井社

『고사기』 기사이다.

오호쿠니누시 카미大國主大神가 어여쁜 야카미히메八上姫를 사랑한 끝에 아기를 배게 하였다. 달이 차서 상대를 만나려고 출운대사出雲大社로 갔다가 본처須世理姫가 두려워 그대로 돌아섰다. 신내화산神奈火山 기슭의 직강마을直江里에서 옥동자를 낳게 되자, 세 개의 우물生井·福井·綱長井을 차례로 돌며 씻긴 다음, 아이를 남긴 채 혼자 인번因幡으로 돌아갔다. 이 뒤부터 아이를 키노마타노 카미木俣神 또는 어정신御井神이라 부른다(상).

기노마타는 가위다리꼴로 벌어진 곳에 신이 머문다는 생각에서 왔다.

앞의 신들은 전국에서 안산과 물의 수호신으로 받든다.

어정의 '어'는 백성의 우물이 아닌, 왕족을 위한 특별한 우물이라는 뜻이다. 『파마국풍토기』의 시어정厮御井·송원어정松原御井·좌좌기어정佐佐木御井들도 마찬가지이며, 모두 황거皇居 및 행궁과 천황의 거둥行幸에 연관되어 있다. 『상륙풍토기』의 자성군茨城郡 상원桑原언덕에서 야마토타케루가 식사할 때, 수부水部에 일러서 우물을 팠다는 기사도 마찬가지이다.

유랴쿠雄略천황(456~479) 즉위 전기前紀에 '미마御馬황자가 이 물을 백성들만 마시고 왕자는 못 마신다'고 저주한 것도 좋은 보기이다.

세 우물 가운데 사진 136이 생정生井, 사진 137이 복정福井이다.

사진 136(ⓒ 야후)

사진 137(ⓒ 야후)

3) 『파마국播磨國 풍토기』

편찬연대에 대한 기록은 없지만 715년 또는 717년에 지방 행정조직이 국國·군郡·리里에서 국·군·향鄕·리로 바뀌었음에도, 이 책에서 그대로 있는 것을 보면 715년쯤으로 생각된다. 빠진 부분도 더러 있다.

간추린 우물 기사이다.

	이름과 장소	기사
1	厮御井(賀古)	景行천황이 明石郡에서 식사하여 카시와테 우물이라 함.
2	松原御井(賀古)	景行천황이 궁궐을 가고(賀古)의 소나무 들판으로 옮길 때 팠음.
3	冰山流井(揖保)	빙산 동쪽의 流井 물을 崇神천황이 길어 올리자 얼음이 됨.
4	出水里寒泉(揖保)	찬 물(寒水)이 솟았다고 하여 마을 이름 삼음.
5	宗我岡井(揖保)	골풀(菅)이 산기슭에 자라므로 주변을 관생(菅生)이라 부름.
6	針間井	
7	酒井野井(揖保)	應神천황이 궁을 太子町 立岡山에 지은 뒤, 우물을 파고 술 빚는 酒殿 세움. 주정야라는 이름 이에서 옴.
8	韓淸水 (揖保)	신라에서 돌아온 진구(神功)황후의 배가 머물 때, 하룻밤 사이에 가래나무(萩)가 한 길이나 자랐다고 하여 萩原이라 부름.

	이름과 장소	기사
9	邑寶里井(讚容)	彌麻都比古命가 우물을 파고 여행용의 마른 밥을 그 물에 말아 먹음.
10	都麻里井(託賀)	播磨刀賣와 丹波刀賣가 나라의 경계를 정할 때, 온 播磨刀賣가 마을 우물물이 맛있다고 하여 都麻라 부름.
11	修布里井(賀毛)	應神천황 순행 때, 오리가 날아와 수후리 우물가 나무에 앉음. 천황의 명을 받은 사람이 한 대의 살로 두 마리 잡음.
12	佐佐御井(賀毛)	應神천황 순행 때 소나무에 축복을 내린 뒤, 측근의 신하가 우물을 판 데서 사사어정이라 부름.
13	志深里井(美囊)	이자호와케노 미코토가 마을 우물에서 식사할 때, 시지미고둥이 밥 그릇 언저리로 기어오름.
14	駒手御井(明石)	명석 驛家의 우물로, 배에 물을 실어서 仁德천황의 궁에 아침저녁으로 나름. 束鳥라는 이배는 우물 옆 녹나무를 베어 지음.
15	酒井(印南)	景行천황 때 含藝里 酒山에서 술이 솟아 이름 붙임. 백성들 취해 소란을 피운 탓에 메움, 天智천황 때 다시 파자 술 냄새가 남.
16	小目野井	應神천황이 하리마국 소목야에 머물 때, 신하가 우물을 팠다고 하여 '佐佐御井'이라 부름.

(1) 시어정厮御井

아메노히사히코노 미코토天伊佐佐比古命를 섬긴다. 게이코천황의 황후 이나비노오호이라쓰메노 미코토稲日大郎姫命가 쿠시쓰노와케노 미코토櫛角別命를 낳을 때 큰 고통을 겪었다. 두 번째 아이를 가졌을 때는 아메노히사히코노 미코토가 한 이레 밤과 낮 동안 천지신명에게 안산을 빈 덕분에 무사히 쌍둥이大碓命·小碓命를 낳았다. 이로써 그를 안산의 신으로 받든다.

① 이에 대한 『일본서기』 기사이다.

게이코천황이 18년(88) 봄, 바닷길로 위북葦北의 작은 섬에 가서 묵으며 끼니를 들었다. 야마베노아미코山部阿弭古의 선조 위히다리小左에게 찬 물을 떠오라 일렀지만 때마침 섬에 물이 없어 어찌할 바를 몰랐다. 이에 하늘을 우러러 천신天神

에게 빌자, 갑자기 맑은 물이 해안에서 솟아서 길어 바쳤다. 그 섬을 미즈시마水
嶋라고 한다. 샘은 지금도 섬 해안에 있다(권 7).

───────

시어정의 '시'는 천황의 식사를 맡은 사람이라는 뜻이다.

② 『우물연구井戶の研究』 기사이다.

───────

시어정·송원어정·좌좌어정·구수어정 따위처럼 관사 '어'를 붙인 것은 궁궐
전용이므로 백성은 먹지 못한다는 뜻이다. 그러나 이들 가운데 시어정과 구수
어정은 천황 이전부터 있었으므로 본디 백성의 것이었음에 틀림없다. 『만엽집』
에 실린 노래 20여 수 가운데 등원어정藤原御井(권1)·산변어정山邊御井(권2)·유쓰
루잎어정ゆづる葉御井(권2)·산변오십사어정山邊五十師御井(권13)·인부어정靭負御井(권
20)의 다섯 수도 마찬가지이다(山本 博 1970 ; 27).

───────

(2) 송원어정松原御井

───────

게이코천황이 아내稻日太郞媛가 죽자 슬픔이 너무 커서 궁을 이곳으로 옮기고 마
련한 우물이다. 1920년대에 기궁신사崎宮神社의 가을 제사나 미상신사尾上神社의
의례 때 쓰다가, 가고천加古川을 보수하면서 지금의 송원松原공원으로 옮겼다.

───────

우물은 게이코천황이 송원에 궁
을 지었을 때, 어떤 사람이 찬 물이
나오는 샘을 판 것으로, 송원의 어
정이란 이름은 이에서 왔다.

사진 138은 효고현兵庫県 가코가
와시加古川市 尾上町 養田의 송원어정
이다.

사진 138(ⓒ 야후)

(3) 빙산류정冰山流井

———

빙산 동쪽에 유정流井이 있었다. 오진應神천황이 물을 길어 올렸더니 곧 얼어붙었다. 빙산이라는 이름이 붙은 까닭이다.

———

오진은 백제의 곤지昆支(?~477)왕자이자, 비류왕毘有王(427~455)의 아들이다. 아울러 개로왕蓋鹵王(455~475)의 아우이며, 무령왕武寧王(501~523)의 아버지이기도 하다.

(5) 종아강정宗我岡井

———

오진천황 순례 때, 이 언덕에 우물을 파자 물이 아주 맑고 차가웠다. 맛을 본 천황이 '내 마음이 갑자기 상쾌해졌다'고 하여 '종아부宗我富(스가후すがふ)'라 불렀다.

———

'종아부'는 상쾌하다는 뜻이다.

(6) 침간정針間井

———

진구神功황후(170?~269?)가 신라정벌에서 돌아왔을 때, 하룻밤 사이에 가래나무萩의 싹이 트더니 한 발 높이로 자란 까닭에 추원萩原이라 부른다.

이때 신주神酒를 담그려고 판 우물이 침간정이다. 이로써 부근의 논밭 개간을 막았다.

———

침간과 파마播磨는 음이 통하는 낱말이며, '하리播磨'는 개간을 나타낸다. 따라서 침간정은 개간하는 땅 사이에 있는 토지라는 뜻일 터이다.

가라쿠니韓國에서 건너와 우즈강宇頭江 하류 어귀에 이른 아메노히보코天日槍(앞으로 히보코로 적음)가 아시하라시코葦原志擧乎命에게 '이곳의 주인인 너는 내가 머무를 곳을 마련하라'고 일렀더니 바다 가운데를 주었다.

칼로 바닷물을 휘젓고 머무르자 용맹을 두려워한 아시하라시코가 영토를 먼저 차지하려고 이히보 언덕에 올라가 밥을 먹을 때, 입에서 밥알이 떨어진 까닭에 이히보 언덕이라 부른다. 이곳의 작은 돌은 모두 밥알을 닮았다.

또 지팡이를 꽂았더니 그 자리에서 차가운 샘물이 솟아서 남북으로 흘렀다. 북쪽은 차갑고 남쪽은 따듯하다(노성환의 『일본신화에 나타난 신라인의 일본전승』에서 재인용).

침간정을 추간우물萩間の井戸이라고도 한다. 사진 139는 유래비이다.

사진 139(ⓒ 야후)

(7) 주정야정酒井野井

─────

오진천황이 궁을 태자정太子町 입강立岡의 입강산立岡山에 마련하였을 때, 우물을 파고 주전酒殿을 세웠다. 주정야라는 이름은 이에서 왔다.

─────

주전은 궁전 행사에 쓰는 제주를 빚는 건물이나 관청일 터이다.

(8) 한청수韓清水

─────

① 신주神酒를 빚기 위해 판 우물이 하리마우물針間井이어서 부근의 개간을 막았다. 또 병 안의 물이 넘쳐흘러 우물이 되었다고 하여 가라쿠니샘新羅泉이라 부른다. 아침에 이 병에서 물을 길으면 오전 사이에 다시 찬다.

─────

앞에서 든 대로 '가라'는 '한韓'을 가리키지만, 신라를 이렇게도 부른 것은 뜻밖이다.

다음의 석신石神 관련기사도 이 지역과 신라가 아주 가까운 사이였음을 알려준다.

─────

② 파마국 카미지마神嶋에 있는 불상을 닮은 석신石神의 얼굴에 오색의 옥이 박혔고 가슴에는 눈물이 흘러내린 자취가 남았다. 석신상이 우는 모습인 것은 오진

천황 때, 신라에서 온 사람이 세상에 더 없는 보물이라고 생각한 나머지 한쪽 눈을 도려낸 탓이다. 신은 눈물을 흘리면서 크게 화를 내고 폭풍을 일으켜 배를 갈아 앉혔다.

배는 다카지마高嶋 남쪽 해안으로 떠내려가다가 뒤집혀서 사람이 모두 죽었으며, 그들의 주검을 묻은 해안을 가라하마韓濱라 부른다. 지금도 이곳을 지나는 뱃사람은 아주 조심하며 '카라히토韓人'라는 말이나 장님이라는 말을 입 밖에 내지 않는다. 카라니지마韓荷嶋는 그들의 파손된 물건들이 흘러든 데서 나온 이름이다. 이 신은 한국에서 왔다.

―――――

'신라 사람이 석신의 눈을 도려냈다'는 대목은 신라의 침공을 이를 터이다. 오죽이나 혼이 났으면 입에도 담지 않겠는가?

(9) 읍보리정邑寶里井

―――――

미마쓰히코노 미코토彌麻都比古命가 마른 밥을 물에 말아먹고 나서 '나는 여러 나라를 다스리러 왔다'고 하여 마을을 '읍보邑寶(大 : おほ)'라 부른다. 이어 우물 판 곳의 이름을 어정마을御井村이라 붙였다.

―――――

(10) 도마리정都麻里井

―――――

하리마노토메播磨刀賣와 단바노토메丹波刀賣가 국경을 사이에 두고 있을 때, 하리마노토메가 마을에 와서 우물물을 마셨다. 물에서 향기가 나자 '맛있다'고 소리쳤다. 이것이 잘못 전해져 지금도 '쓰마つま'라고 일러온다.

―――――

'우마이うまい(맛있다)'가 '쓰마'로 바뀐 것인가? '물맛 좋다水うまし'가 '쓰마'로 줄어든 것인가? '도마리정'은 '쓰마 마을의 우물'이라는 뜻이다. 하리마노토메는 하리마를 대표하는 늙은 여인이다.

(11) 수포리정修布里井

───────

한 여자가 물을 뜨려다가 우물에 빠졌다. 이 때문에 '修布(스후すふ)=吸う'라 부른다.

───────

여자가 빠진 것은 중국이나 신라 우물처럼 전이 없었기 때문일 터이다.

(13) 지심리정志深里井

───────

리추履中천황(400~405)이 마을의 우물물을 길어 식사할 때, 시지미고둥이 밥그릇으로 기어올랐다. 천황은 '아파국阿波國 순행 때 내가 먹은 조개인지 모르겠다'고 하였다. 이로써 이곳을 '시지미志深'라 부르게 되었다.

───────

(15) 주정酒井

───────

게이코천황 때 샘에서 술이 솟은 적이 있다. 사람들이 마시고 취한 나머지 싸움질을 벌이자 메워버렸다. 덴지天智천황 9년(670), 다시 팠을 때도 술 냄새가 났다.

───────

이 샘물은 9월의 가을이 되면 흰 빛으로 바뀌고 신 맛이 돌아서 마시기 어렵지만, 1월의 정월에는 맑고 차가워진다고 한다.

우리네 영월에 있는 주천酒泉도 같은 이유로 신이 부숴버렸다. (☞ 617)

(16) 소목야정小目野井

───────

오진천황이 소목야小目野에 머물 때, 따르던 신하가 우물을 판 까닭에 '사사어정佐佐の御井'이라 부른다. 천황은 물을 기리는 노래를 불렀다.

작은 반점이 아름답게 찍힌 이 대나무 위로
우박이 내리고 서리가 내리고 하는 우물마저도

물이 마르는 때가 여러 번 거듭되리라

그러나 이 조릿대 우물만은 언제나 맑고 찬 물이

끊이지 않고 솟아오르기 바라노라

소목의 소죽잎小竹葉 우물이여

___

4)『비전국肥前國 풍토기』

편찬 시기는 향리제鄕里制가 행정구역으로 채용되고 성이나 봉수烽燧 따위의 군사 관련 기사가 자세한 점으로 미루어, 732년의 절도사節度使 설치 이후부터 740년의 향리제 폐지 이전 사이로 보인다.

게이코천황이나 진구황후의 전설과 밀접한 관계를 나타낸 전설과 설화 그리고 땅거미 土蜘蛛와 여자두목女性賊長에 얽힌 설화를 많이 다룬 것이 특징이다.

간추린 우물관련 기사이다.

	이름과 장소	기사
1	海藻井(三根)	米多鄕 한 가운데의 우물은 짜다. 옛적 바닥에서 해초가 자람.
2	永世社(基建郡)	景行천황이 고라(高羅) 행궁에서 돌아올 때, 샘가에서 밥을 먹다가 갑옷을 바침.

(1) 해조정海藻井

게이코천황이 사냥하러 왔을 때 보고 해초우물海藻井이라 불렀으며, 지금은 마을 이름이 되었다.

(2) 영세사永世社

___

게이코천황이 고라高羅의 행궁에서 돌아오다가 주전酒殿의 샘 옆에 이르러 밥 먹을 때, 갑옷에 빛이 비쳐서 이상히 여겼다. 함께 있던 복부卜部의 우에사카殖坂가 '이곳의 땅지기가 갑옷을 가지고 싶어 합니다'고 알렸다. 천황은 '사실이 그렇다면 갑옷을 바칠 터이니 영세의 보물로 삼으소서' 하였다. 영세사라는 이름은 이에서 왔다.

───────

우물곁에서 음식을 먹을 때 땅지기가 나타난 것은 우물이 수신과 지신이 만나는 성소聖所임을 알려준다.

복부는 고대에 제사를 맡은 귀족으로 점괘에 따라 길흉을 판단하는 일을 업으로 삼았다. 우에사카는 누구인지 모른다.

5) 『풍후국豊後國 풍토기』

정확한 편찬 연대는 알 수 없지만 『일본서기』의 「게이코기景行紀」와 거의 같은 기사가 실린 점 등에서 720~740년으로 생각된다. 닮은 형태를 지닌 『출운풍토기』가 733년에 완성되었다고 하므로, 같은 시기에 나왔다는 설이 유력하다.

저자는 7세기 후반 규슈九州 치쿠젠쿠니筑前國에 설치된 대제부大宰府와 깊은 연관이 있는 인물로 생각된다. 732년에 서해도절도사西海道節度使로 대제부에 간 후지와라노 우마카이藤原宇合(694~737)가 각지의 풍토기를 모아서 열 달 만에 지었다고도 한다.

머리에 국명國名의 유래를 적고 일전日田·구주玖珠·직입直入·대야大野·부해海部·대분大分·속견速見·국기國埼 등지의 각 군 이름의 유래와 전설을 실었다. 지명은 게이코천황의 규슈 순행 때 많이 생겼다.

간추린 우물 관련 기사이다.

	이름과 장소	기사
1	臭泉(日田)	景行천황이 왔을 때 수라간 근무자가 御水로 쓰려고 길어 올리자 이무기가 나옴. 천황은 반드시 나쁜 냄새가 날 터이니 메우라고 함. 臭泉이라는 이름 이에서 옴.

(1) 후천臭泉

───────

이 마을에 샘이 있다. 게이코천황 거둥 때, 수라간 사람이 천황에게 바칠 물을 뜨자 이무기가 나타났다. 이에 천황은 '반드시 나쁜 냄새가 날 터이니 메우라' 일렀다. '냄새 나는 샘'이라는 이름이 붙은 까닭이다. 지금 이 마을을 구담球覃이라 부르는 것은 잘못이다.

───────

우물에서 나온 이무기는 바로 우물에 신령이 깃들었음을 나타낸다.

2. 『연희식延喜式』

율령시행 규정집인 이 책은 헤이안平安시대(8~12세기) 중기에 나왔다. 전 50권에 3,300조쯤 들어 있어 고대사 연구에 중요 자료가 된다. 세칙細則은 927년에 완성되었으며, 그 뒤 여러 번의 개정을 거쳐 967년부터 시행에 들어갔다.

간추린 우물 관련 기사이다.

	이름(神社)	지역	기사
1	大井	山城 · 伊勢 · 尾張 · 常陸 · 丹波 · 出雲	
2	石井	山城 · 越中	淸水를 神格化한 옛 신사로 雲生水라고도 부름. 金藏寺 護摩堂 북쪽 맑은 샘 위에 모심.
3	水主	山城	
4	三井	山城	西本殿 가까운 왼쪽 세 개의 작은 신사가 나란히 있음. 현재 東社에서 伊賀古夜日賣命, 中社에서 建角身命, 서사에서 玉依媛命를 섬김.
5	樺井	山城	
6	御井	大和 · 美濃 · 但馬 · 出雲(2)	백성은 마시지 못하는 우물임.

	이름(神社)	지역	기사
7	波多瓺井	大和	
8	垂水	攝津・出雲	
9	淺井	尾張	
10	磐井	武蔵	바위에서 솟는 우물임.
11	蘆井	近江・丹波	갈대밭에 있음.
12	淸水	美濃	
13	井口	越前	
14	出水	加賀	
15	本村井	加賀	마을의 우물임.
16	船井	丹波	
17	新井	丹波	새로 판 우물임.
18	泉井上	和泉	우물 위에 신사를 세움.
19	耳井	丹馬	귀를 닦은 우물임.
20	幡井	因幡	
21	板井	因幡	널을 깔은 우물임.
22	楯井	出雲	우물에 난간 붙임.
23	眞名井	出雲	
24	水	出雲・壹岐	
25	野井	出雲	들에 있는 우물임.
26	井尸鍾乳穴	備甲	
27	天水沼間比古	阿波	
28	天水寒比賣	阿波	
29	粟井	讚岐	조 밭에 물 댐.
30	大水上	讚岐	큰 우물에 신사 세움.

46개소의 신사 가운데 상륙국과 파마국의 것이 반이 넘는다. 성격이 같은 이름을 묶으면 다음과 같다.

(1) 수신水神계열

출수出水(5)・수주水主(2)・수신水神(2)・대수상大水上・천수소간비고天水沼間比古
・천수한비매天水寒比賣・수水

(2) 근원을 알리는 것

석정石井(2) · 반정盤井

(3) 위치를 나타낸 것

노정蘆井(2) · 산정山井 · 야정野井 · 본촌정本村井

(4) 상태를 나타낸 것

대정大井(6) · 수수垂水(2) · 천정淺井 · 청수淸水 · 신정新井

(5) 신사의 위치를 알리는 것

정상井上 · 천정상泉井上

(6) 시설을 알리는 것

화정樺井 · 판정板井 · 순정楯井

(7) 형태를 보이는 것

정호종유혈井戶鐘乳穴 · 이정耳井 · 선정船井

(8) 물대는 장소를 나타낸 것

속정粟井

(9) 이용자 신분을 알리는 것

어정御井

(10) 신앙과 연관된 것

진명정眞名井

(11) 신사의 수를 나타낸 것

삼정三井

(12) 기타

정구井口·파다장정波多甌井·번정幡井

이들에 대한 야마모토 히로시山本博의 설명이다.

『연희식』은 『풍토기』보다 뒤에 나왔으므로 『풍토기』에 없는 것이 『연희식』에 실린 것은 이상할 것이 없지만, 『풍토기』의 것이 보이지 않는 것은 의문이다. 이를테면 『출운풍토기』 13사 가운데 6개소가 없다. (…) 따라서 두 책에 빠진 것이 적지 않은 듯하다. 또 너른 규슈九州 지역의 우물이 이키壹岐의 것 하나뿐인 점도 그렇다.

이처럼 우물과 청수淸水를 받드는 신사가 많은 것은 고대인들이 우물이나 청수를 얼마나 신성하게 여겼던 가를 알려주는 증거이다(1970 ; 41).

---

(1) 대정大井신사

지금은 우가미타마노 카미宇賀靈神를 섬기지만, 본디 오오아야쓰 카미大綾津日神·오오나오히노 카미大直日神·카무나오비노 카미神直日神 따위를 받들었다.

이는 8세기 초, 신라에서 건너간 하타노 가와가쓰秦河勝가 큰 둑을 쌓아 갈야천葛野川(大堰川, 桂川)을 고친 것과 연관이 있다.

(8) 수수垂水신사

고도쿠孝德천황 때, 이 물을 상정上町의 대지에 있는 궁궐로 날랐고, 그 공로로 아리진공阿利眞公을 수수공垂水公이라 불렀다. (…)

옛적에는 수량이 넉넉한 경승지였던 까닭에 『만엽집』에도 서너 수의 노래가 실렸다. (…) 물은 벼농사에도 도움이 되었을 것이다(山本 博 1970 ; 43).

(18) 천정상신사泉井上神社

'신관神官이 천천의 이네코いねこ신사'라고 한 대목의 이네코는 '벼稻'를 가리킨다. 따라서 신역神域인 '국부國府의 청수淸水'라는 뜻으로 흘러넘치는 물을 논에 댄 데서

왔다. 나라 이름 '이즈미和泉'도 마찬가지
이다. (…)

　동서 30미터쯤에 남북 15미터쯤 되는
긴 타원형 못으로, 금줄을 두르고 잡인의
출입을 막았다(山本 博 1970 ; 46).

　사진 140은 오사카의 천정상신사이다.

사진 140(ⓒ 야후)

3. 『일본서기』와 『고사기』

　『일본서기』는 가장 오래된 정사正史로, 『고사기』를 넣으면 두 번째 역사서로(전 30
권) 720년에 완성되었다. 신화시대부터 지토持統천황(686~697)대까지의 왕실을 중심으
로 한 편년체編年體이며, 이 가운데 「계도系圖」 한 책은 없어졌다.

　『백제기百濟記』·『백제본기百濟本記』·『백제신찬百濟新撰』 따위의 우리 관련 사료를
비롯하여 『위서魏書』와 『진서晉書』 등 중국의 사서史書도 함께 실었다. 우리 관련 부분
가운데 진구황후가 신라와 가야를 정복하였다는 근거 없는 대목이 보이고, 연대年代
도 백제의 기년紀年과 120여년의 차이가 나는 따위의 부정확한 부분도 들어 있다.

　간추린 두 책의 우물 관련 기사이다.

	이름	기사
1	天眞名井	天照大神과 素戔嗚尊이 우물을 두고 맹약함.
2	海神宮門前井	山幸彦과 豊玉姬가 우물에서 인연 맺음.
3	御陰井	懿德천황 紀元년
4	冷水	景行천황 18년
5	居醒泉	경행천황 40년
6	淡路島 寒川	記 · 仁德
7	駒手の御井	『播磨國風土記 逸文』 (☞ ⑬) 『播磨國風土記』
8	瑞井	反正천황 卽位前紀 ☞ 6

	이름	기사
9	櫟井	允恭천황 7년
10	磐井	雄略천황 卽位前紀
11	難波 來目邑 大井戶(天武 紀元年)	淸寧천황 卽位前紀
12	百濟大井	敏達천황 紀元년
13	櫻井	推古천황 20년
14	朴井	推古천황 24년
15	山御井	天智천황 9년
16	金綱井	天武천황 紀元년

(1) 천진명정天眞名井

☞ 1201~1204 · 1274

(2) 해신궁 문전정海神宮門前井

① 『일본서기』 기사이다.

형 호노스소리노 미코토火蘭降命가 동생 사치코海幸의 도구를 시험 삼아 바꾸었지만 도움이 되지 않았다. 후회한 형은 아우의 활과 살을 돌려주고 제 낚시 바늘을 달라고 하였다. 그러나 이미 잃어버린 까닭에 동생이 새로 만들어 주었음에도 먼저 것을 내라는 고집을 부렸다. 하는 수 없이 차고 있던 칼로 만든 바늘을 많이 건네주었지만 듣지 않았다. 동생이 바닷가에서 근심에 잠겨 있을 때, 시호츠찌노오지鹽土老翁가 나타났다.

그의 말을 들은 상대는 촘촘하게 엮은 광주리를 바다에 갈아 앉혔다. (…) 이에 올라탄 그가 찬란한 해신궁 앞에 이르자 우물과 그 곁에 가지와 잎이 사방으로 뻗친 아가위나무가 있었다. 동생이 나무아래에서 얼쩡거리는 사이, 한 미인이 옥 그릇에 물을 뜨러 나왔다가 우물에 비치는 그의 모습을 보고 집으로 달려가 부모에게 알렸다. 자리를 여덟 겹으로 깔고 그를 맞은 해신은 (…) 물고기들을 부려서 낚시 바늘을 찾았다.

해신의 딸 토요타마히메豊玉姬와 혼인한 세 해 뒤 고향에 가고 싶어 하자 해신은 (…) 낚시 바늘을 주며 형에게 건넬 때 빈구貧鉤라 중얼거리라고 일렀다. 또 조만경潮滿瓊과 조학경潮涸瓊도 내놓고 조만경을 물에 적시면 물이 곧 차서 형이 빠질 터이니 상대가 잘못을 인정하거든 조학경으로 물을 빼서 구해주라고 덧붙였다. 한편, 해산을 앞둔 아내는 산실産室을 마련해 놓고 기다리라고 부탁하였다. 집으로 돌아와 그 말대로 따르자, 형은 스스로 항복하며 '그대의 배우俳優로 백성이 될 터이니 용서해 달라'고 빌었다(권2 「神代」 하).

사치코의 '사치'는 물고기나 동물을 잡는 기구, '비코'는 남자를 가리킨다. 따라서 야마사치는 사냥꾼, 우미사치는 어부라는 말이므로 '사치'는 곧 인간에게 행복을 가져다준다는 뜻이기도 하다. 시호츠찌의 '시호'는 바닷물이나 조수, '츠'는 '의'라는 의미 조사, '찌'는 신령스럽다는 뜻이다. 따라서 바다의 신령이자, 해로海路의 신이다. 토요타마히메의 '토요'는 풍요, '타마'는 구슬이므로 진주를 닮은 바다의 여신을 나타낸다.

또 빈구는 '이 바늘을 지니면 가난하게 된다'는 뜻의 주문呪文이며, 조만경은 조수를 채우는 구슬이다. 『고사기』에는 염영주鹽盈珠로 적혔다. 그리고 조학경은 조수를 마르게 하는 영력을 지닌 구슬이다. '배우'는 말 그대로 신이나 인간을 즐겁게 해주는 인물로, 이 글에서는 복종한다는 말이다.

아가위나무의 사치코가 우물에 비친 것은 우물과 나무가 다른 세계로 가는 통로임을 알려준다.

② 『고사기』의 간추린 기사이다.

울고 있는 호오리노 미코토火遠理命신에게 시호츠찌鹽椎신이 나타나서 배에 태우며, 와타쯔미綿津見궁 문 앞의 우물곁 계수나무에 올라가 있으면 누가 도와줄 것이라 일렀다. 해신의 딸 토요타마히메豊玉毘賣의 하녀가 옥그릇玉器에 물을 뜨려다가 우물에 빛이 비쳐 올려다보았더니 잘생긴 젊은이가 있었다. 그의 말에 따라 물을 떠 바쳤음에도 마시지 않고 목에 걸었던 구슬을 떼어 입에 넣고 다시 그릇에 뱉었다. 하녀가 그릇에서 구슬을 떼려고 해도 떨어지지 않자 토요타마에게 그대로 바쳤다. 구슬을 본 그네는 '문 밖에 누가 있느냐?' 물었다.

청년은 해신의 딸과 혼인하였고 뒤에 고향으로 돌아왔다. 아기를 밴 아내도 해안으로 나와 마련해 놓았던 산실産室에서 아기를 낳으려 하였다. 해산 광경을 보지 않기로 한 남편이 약속을 어기자, 그네는 어린 것을 풀에 쌓아 해변에 버린 뒤 길海道을 없애고 돌아갔다(상).

———

③오카다 세이지岡田精司는 이들의 공통점으로 다섯 가지를 들었다.

———

  ㉠ 정천 주위가 천진신天津神의 아들이 나타나는 장소이고
  ㉡ 계수나무에 신의 아들이 숨으며
  ㉢ 시녀가 물을 뜨러 나오고
  ㉣ 호오리노 미코토가 물을 머금은 뒤 옥 장식을 토하며
  ㉤ 물 담은 그릇이 옥기나 옥완처럼 옥 제품인 점

———

그는 ㉠은 정천 주위가 무대이고, ㉡계수나무는 지금도 신사에서 쓰는 점에서 신의 아들이 숨을 만한 장소이며, ㉢토요타마히메나 하녀가 물을 뜬 것은 여성이 물을 바치는 점을 알려준다는 설명을 달았다.

이어 『고사기』에만 보이는 ㉣에 대해 '물을 마시지 않았다'는 이제까지의 주석과 달리 '물을 머금었지만 삼키지 않았다'는 뜻이라고 덧붙였다. '옥으로 샘을 축복하였다'는 『상륙국풍토기』의 기사처럼, 주옥珠玉으로 정수井水에 베푼 주술적 의례라는 것이다(1980 : 203).

또 옥기玉器는 궁정 제사용으로 '사산조의 페르시아(226~651)에서 생산된 옥완玉碗이 왜倭 오왕五王시대에 남조南朝를 거쳐 들어왔을 가능성이 크다'면서 '조선반도에도 경주를 비롯한 고신라시대의 서봉총瑞鳳塚·금관총·금령총金鈴塚 따위에서 유리 그릇이 나오고, 그 중에도 경주 8호 북분北墳에서 아름다운 유리잔이 선보였다'고 덧붙였다.

실제로 정창원正倉院에 있는 백류리완白琉璃碗을 비롯하여 안칸安閑천황(534~545) 능에서 나온 옥주발玉椀 따위는 신라에서 들어갔을 가능성이 아주 높다.

(3) 어음정御陰井

『일본서기』에 안네이安寧천황(전 549~전 511)을 무방산畝傍山 남어음정 상릉南御陰井上陵에 묻었다는 기사가 보이고(「이토쿠懿德천황 원년[전 510] 8월」), 『고사기』에도 '무방산 미호도美富登에 있다'고 적혔다.

이에 대해 야마모토 히로시山本博는 역대 천황의 능 124개소 가운데 우물을 능 이름으로 삼은 단 하나의 보기로, 무방의 산 형태를 바탕 삼아 우물의 위치를 나타낸 것이라 하였다. 이어 '무방산 서남에 있는 어음정'과 '어음 서쪽에 있는 우물'을 든 다음, 『일본서기』의 문장에 견주어 어음정은 고유명으로 '무방산 미호도 서남에 있는 미호도정井 옆의 능'을 줄인 말이라고 덧붙였다(1970 ; 68~69).

① 그러나 『일본서기』 암파본岩波本의 해설은 다르다.

───────

'어음상정御陰上井'을 미호토노이노우헤ミホトノイノウヘ로 읽을 것인가, 또는 미호토이노우헤ミホトイノウヘ로 읽을 것인가에 따라 의미가 달라진다. '무방산 남쪽 어음의 우물 위畝傍山の南の御陰の井上'라면 '무방산 남쪽의 어음'이 되고, '무방산 남쪽의 어음'이라면 '미호토이ミホトイ'는 우물井 이름이 되는 까닭이다. 호토ホト는 조선어에도 Pochi(陰門 보지)라는 낱말이 있으며, 나라조奈良朝(710~784) 때는 여음女陰을 가리켰다. 당시의 명명법을 생각하면 아마도, 능의 형태에 따라 미호토이로 불렸을 터이다.

───────

실제로 능 자리를 가리킬 때는 대체로 지명이나 다른 기점을 바탕삼아 방향을 나타낸다. 이를테면 진무神武천황(전 660~전 585) 능에 대한 『고사기』의 '무화산지북방 백도미상畝火山之北方白檮尾上'은 방향과 지명을, 『일본서기』의 '무방산 동북畝傍山東北'은 방향을 알리는 것이 좋은 보기이다. 2대 천황綏靖(전 581~전 549) 능을 가리키는 『고사기』의 '형전강衡田岡'과, 『일본서기』의 '도화조전 구상桃花鳥田丘上'은 지명이다.

② 호토가 보지의 옛말이라는 설이 또 있다.

───────

여성성기의 외음부外陰部를 이르는 낱말이다. '어음御陰'이나 '음소陰所'처럼 여음
女陰의 글자로 대신하는 경우가 많다. 지금은 쓰지 않지만死語, 외음부처럼 생긴
지형을 가리키는 지명으로 남아 있다.

———

야나기타 쿠니오柳田國男(1875~1962)
도 요코하마시横浜市 호도가야保土ヶ
谷의 '호도ほど'도 지형이 보지ほと를
닮은 데서 왔다고 하였다.

『음명어휘陰名語彙』에도 '富登(호
토)는 여음의 고어이며, 蕃登 또는 保
土로도 적는다. 또 음陰(호토)은 불이
나는 곳火處을 가리킨다'고 적혔다(中
野榮三 1968 ; 306).

사진 141은 무방산의 안네이천황
릉이다.

사진 141(ⓒ 야후)

(4) 냉수冷水

『일본서기』 기사이다.

———

게이코천황이 18년(88) 4월 11일, 바닷길로 가서 위북葦北의 작은 섬에 묵으며 밥
을 먹었을 때, 야마베 아비코山部阿彌古의 선조 오히타리小左에게 냉수를 떠오라고
일렀다. 섬에 물이 없어 당황하던 그가 하늘을 우러러 천지신명께 빌었더니 갑자
기 바닷가에서 맑은 물이 솟아서 바쳤다. 이로써 섬 이름이 수도水島가 되었으며
지금도 있다(권 7).

———

무더운 여름철이라 찬물을 찾았을 터이다.

위북이 쿠마모토현熊本県 위북군葦北郡 미나마타시水俣市를 중심으로 하는 지역이라
는 설과, 야쓰시로시八代市의 남부도 들어간다는 설이 있다.

산부아미고의 '산부'는 산림관리와 생산을 맡은 지역의 무리이고, 수도는 쿠마모토현 야쓰시로시 서남쪽에 위치한 구마천球磨川 하구의 섬이다.

(5) 거성천居醒泉

① 『일본서기』 기사이다.

———

게이코천황 40년(110) 10월, 야마토타케루는 산신이 구름을 일으키고 우박을 뿌린 탓에 봉우리에 안개가 끼고 골짜기가 어두워서 길을 잃었다가 오랜 고생과 강행군 끝에 겨우 빠져나왔다. 그러나 마음이 흔들린 탓에 취한 것처럼 어리둥절하던 중에, 산 아래의 샘물을 마시고 정신을 되찾았다. 거성천이라는 이름은 이에서 왔다(권 7).

———

거성천은 시가현滋賀県 판전군坂田郡 米原町에 있는 성정醒井이라고 한다.

② 『고사기』 기사는 조금 다르다.

———

야마토타케루가 산신을 맨손으로 무찌른다며 이부키伊服岐산으로 올라가자 소처럼 크고 흰 멧돼지가 나타났다. 그는 '산신의 사자임에 틀림없다. 지금이 아니라 돌아갈 때 죽이겠다' 외치고 산으로 올라갔다. 그러나 산신이 큰 우박을 내리는 바람에 크게 당황한 나머지(흰 멧돼지는 신의 사자가 아니라 신 자신인 것을 몰랐던 탓이다), 산에서 내려와 타마쿠라베玉倉部 시미즈清泉에서 쉬면서 기운을 되찾았다. 거오청천居瘟清泉이라는 이름이 붙은 까닭이다(중).

———

사진 142(ⓒ 야후)   사진 143(ⓒ 야후)

'독기를 뿜는 산'이라는 뜻의 이부키산은 시가현滋賀縣과 기후현岐阜縣 사이에 있으며, 『일본서기』에는 뱀으로 등장한다. 타마쿠라베는 시가현 미원정米原町 사메가이醒井泉라는 설과, 기후현 불파군不破郡 關原町의 타마玉라는 설로 갈린다.

거오청천은 앉아서 쉴 때, 의식을 일깨워주는 청천淸泉(시미즈)이라는 뜻이다.

사진 142는 야마토타케루의 상이고, 사진 143은 거성청수라는 이름의 못이다.

(6) 담로도 한천淡路島寒川

① 『일본서기』 기사이다.

한제이反正천황(406~410)이 아와지淡路궁에서 태어났을 때, 이는 통뼈이고 용모 또한 빼어났다. 서정瑞井의 우물물로 씻겼더니 우물 안에서 다지多遲꽃이 피었다. 이에 우물 이름을 태자의 이름으로 삼았다. 그 꽃은 지금의 호장화虎杖花이다(권12).

'통뼈의 이와 빼어난 용모'는 위대한 인물의 징표이다. 그리고 '서정'의 물로 씻긴 것産湯은 그에게 신령스러움을 더하였다는 뜻이다. 호장화는 여름에 조금 붉은 색이 섞인 흰꽃을 피우면서 작은 열매를 맺는 여귀과蓼科 식물이다.

궁궐 및 우물 이름이나 다지꽃도 그의 후광을 빛내는 요소이다. 『고사기』에 '아와지어정淡道御井'이라 적힌 것으로 미루어, 예부터 신비스런 우물로 여긴 것이 분명하며, 이는 신라 박혁거세 탄생담을 연상시킨다.

앞글에 나타난 대로 이 우물을 서정이라고도 부르고, 오진·리추·인교 천황들이 거둥한 점에서 5세기에 있었던 듯하다.

효고현兵庫縣 삼원군三原郡 西淡町 역전櫟田의 산궁産宮 신사 앞에 사적으로 지정된 서정이 있다. 4.1미터×5.8미터에, 지면에서 수면까지 2.1미터이고, 깊이는 75센티미터이다.

② 『고사기』의 다음 기사는 이 우물을 예부터 성수聖水로 여긴 사실을 알려준다.

닌토쿠仁德천황(313~399) 때, 토노키兎村河 마을 서쪽에 있는 큰 나무의 그늘이 워낙 넓어서 아침결에는 담로도에 뻗치고, 저녁에는 가와찌쿠니河內國 타카야스야마高安山를 넘어갈 정도였다. 나무를 잘라 고야枯野라는 배를 지었더니 엄청나게 빨랐다. 섬의 맑은 물을 아침저녁으로 이에 실어 천황에게 바쳤다(하).

———

천황이 성수聖水를 마심으로써 영력靈力을 얻었다는 뜻이다. 물을 배에 실어 나른 것, 배를 신령스런 나무靈樹로 지은 것, 배가 매우 빨랐던 점도 마찬가지이다. 또 아와지섬을 이자나기와 이자나미 두 신이 창조하였다는 신화도 신비감을 더해주는 요소이다.

토노키는 오사카 다카이시시高石市 부목富木이다. 지금도 토노키等乃伎신사가 있으며 남쪽으로 작은 강이 흐른다. 『파마국풍토기』에는 가와치쿠니 토촌촌河內國兎寸村으로 적혔다. 오오와 이와오大和岩雄는 토노키가 『삼국유사』의 영일현 도기야都祈野에서 왔다고 하였다(노성환 2009 ; 263).

타카야스야마는 오사카와 나라현 경계에 있는 생구산지生駒山地이다. 오사카에 야오시八尾市 타카야스쵸高安町라는 지명이 남았다.

사진 144는 담로도의 서정신사이다.

사진 144(ⓒ 야후)

(8) 서정瑞井(「反正卽位前紀」)

☞ 1227~1228

(9) 역정櫟井

『일본서기』의 간추린 기사이다.

———

인교允恭천황(412~453)의 애인 소토오시노이라쓰메衣通娘姬가 황후忍坂大中姬의 시샘이 두려운 나머지 아후미近江 사카타坂田에 머물렀다. 이때 이카쓰노오미鳥賊律

使主가 찾아와 돌아가자면서, 그렇지 않으면 자신이 죽는다고 하였다. 천황의 충신을 살리려고 따라나선 그네는 왜倭의 가스카春日에 있는 역정에서 음식을 먹으면서 그를 위로하였다(권 13 7년 12월).

———

그러나 이듬해 2월 어느 날 아침, 우물곁에 핀 벚꽃을 본 천황은 멀리 보낸 애인 생각이 떠오르자 '벚꽃의 아름다움이여 / 어차피 사랑할 것이라면 더 일찍 했으면 좋았을 것을 / 내 사랑하는 여인이여' 하는 노래를 불렀다.

사카타는 시가현滋賀県 판전군坂田郡 지역이고, 역정은 덴리시 역본정櫟本町 부근에 있다.

(10) 반정磐井

① 『일본서기』 기사이다.

———

유랴쿠雄略천황(456~479) 3년(459) 8월, 미마노황자御馬皇子가 전부터 가깝게 지내온 미와노키미무사三輪君身狹를 즐겁게 해주려고 찾아가다가 천황의 복병을 만나 미와三輪 이하이磐井 부근에서 맞붙었다. (…) 사로 잡혀 죽게 된 그는 우물을 향해 '오래도록 백성만 마시고 천황은 마시면 안 된다'는 저주를 퍼부었다(권 14).

———

『대화지大和志』에 '성상군城上郡의 우물은 암파정岩波井 하나뿐이고, 모두 마셔도 마르지 않는 점으로 미루어 이하이를 가리키는 듯하다'는 기사가 있다.

② 야마모토 히로시山本博의 상황 설명이다.

———

백성의 우물이므로 천황이 차지하면 신의 벌을 받는다는 뜻이다. 천황이 이미 차지했는지 그렇게 하려고 들었는지 알 수 없지만, 전부터 서민의 우물이었던 사실임에는 틀림없다. 이 사태는 즉위한 천황이 궁궐을 지으면서 백성의 것을 전용 우물로 삼으려한 데서 온듯하다. 따라서 그의 저주는 미와노키미무사가 아니라 유랴쿠천황을 겨냥한 것이다.

본디 백성의 우물이 신神 전용으로 바뀌면서 그를 위한 신사를 세우는 관행이 근래에도 있었다. 동궁이던 다이쇼大正천황(1912~1926)이 육군의 대훈련을 참관한 뒤에 마셨다며, 일반의 사용을 금하는 동시에 큰 바위로 덮어버린 오사카 자목茨木신사의 명수名水 흑정黑井이 그것이다(1970 ; 25~27 · 44).

─────

반정의 반磬은 '부동不動'의 뜻으로 '영원' 또는 '성스러움'을 나타내기도 한다. 따라서 성스러운 '미와의 우물三輪の井'은 제사를 받든 호족 미와씨가 신으로부터 지배권에 대한 인정을 받을 것을 나타낸다(辰巳和弘 2005 ; 115). 이는 '천황의 우물'에 대비되는 '호족의 우물'을 가리키기도 한다. 본디 백성의 것을 천황이 독차지한 우물이 적지 않으며, 뒤에 설명하는 시어정廝御井과 구수어정駒手御井도 마찬가지이다.

나라현 사쿠라이시櫻井市 岩坂町의 이하루는 코보弘法대사(774~835)가 팠다. '은명수銀明水'라고도 불리며, 질병 치료에 효험이 높다고 한다.

(11) 난파難波 내목읍來目邑 대정호大井戸

『일본서기』의 간추린 기사이다.

─────

세이네이清寧천황(480~484) 즉위년(480), 하내 삼야현주河內三野県主인 코네小根가 황태자와의 역모 사건에 걸려서 죽게 되었다. 이때 오호토모노무로야오무라지大伴室屋大連가 나서서 구해주었고, 그는 은혜 갚음으로 난파難波 내목읍 대정호의 논 40정町을 주었다(권 15).

─────

대정호는 다른 곳에 보이지 않으며 『섭진지攝津志』에 '주길군住吉郡 원리소야遠里小野의 옛 이름이 난파 내목來目 대정호'라는 기사가 있다.

이른바 646년에 벌어진 대화개신大化改新 이전의 면적 단위는 '시로代'이며, 여기서는 율령제 단위에 따랐다. 전령田令에 '논田은 길이 30보, 너비 30보를 단段, 10단을 정町으로 삼는다'는 대목이 있다(「田長條」). 따라서 1단은 50대, 10정은 5,000대, 1정은 1헥타르가 조금 넘는다.

(12) 백제대정百濟大井

『일본서기』에 '비다쓰敏達천황(572~585) 원년(572) 4월, 백제대정에 궁을 지었다'는 기사가 있다.

백제대정 일대는 백제 사람들의 집단 거주지였을 터이다. 천황이 궁을 지은 것도 자신이 백제계 인물이었던 까닭이다. 삼성당三省堂에서 낸 『대사림大辭林』에도 '백제궁은 나라현北葛城郡 広陵町의 백제 땅百濟の地에 있었던 것으로 추정된다'고 적혔다. 뿐만 아니라 비다쓰의 친손자인 제34대 조메이舒明천황(629~641)도 나라현 백제강百濟川 옆에 백제궁과 백제사百濟寺를 세웠으며 3층탑은 지금도 있다.

또 그가 백제궁에서 죽자 '백제대빈百濟大殯'으로 장례를 치렀다는 내용도 보인다. 백제대빈은 백제왕실의 상례로, 제25대 무령왕(501~523) 능에서 나온 묘지명에 곰나루 (웅진·공주)에서 '백제대빈'을 치렀다고 하였다. 일본의 한 고대 사학자가 죠메이를 '백제천황百濟天皇'이라 불렀으리라고 말한 것도 기억할 일이다. 이러한 점들은 5세기 초의 일본이 백제의 식민지와 다름없었음을 알려준다.

사진 145가 오사카의 백제왕신사이고, 사진 146은 옛 백제대사百濟大寺의 샘이다. 절 이름은 대안사大安寺로 바뀌었다.

사진 145(ⓒ 야후)   사진 146(ⓒ 야후)

(13) 앵정櫻井

『일본서기』 기사이다.

스이코推古천황(592~628) 20년(612) 2월, 오吳나라에서 배운 기악伎樂 춤을 추는 백제사람 미마지味摩之가 귀화하였다. 그를 앵정에 살게 하여 소년들에게 가르치라고 일렀다(권 22).

─────

오는 중국의 오나라가 아니라 고구려이다. '오'의 일본말 '구례'는 바로 구려句麗에서 왔으며, 고구려의 '고'는 존칭이다. 『고려사』에도 '구례'가 보인다.

우물은 그가 기악무를 가르친 아스카飛鳥에 있다. 기악은 고대 테베트와 인도의 탈춤으로, 우리나라에 들어와 불교행사에서 베풀었다. 정창원正倉院 · 법륭사法隆寺 · 동경국립박물관 등지에 있는 탈 가운데 우리 것을 연상시키는 것이 적지 않은 까닭이 이것이다.

(14) 박정朴井

『일본서기』 기사이다.

─────

스이코천황 24년(616) 7월, 액구인掖玖人 30명이 오자, 박정에서 살게 하였다. 그들은 돌아가지 못하고 모두 죽었다(권22).

─────

박정은 바가지우물이라는 뜻인가?

액구는 가고시마현鹿兒島県 남쪽 끝의 옥구도屋久島이다. 박정은 나라西木辻町와 오사카 사시와타시岸和田市 西之內 木憂井池에 있다고 한다.

(15) 산어정山御井

『일본서기』 기사이다.

─────

덴지天智천황은 9년(670) 3월, 산어정 곁에 여러 신의 자리를 마련하고 폐백을 바쳤다. 이때 나카토미노 카네 노무라지中臣金連가 축사를 읊었다(권 27).

─────

우물지기를 비롯한 여러 신령에게 큰 제사를 올렸다는 것이다. 축사는 알려지지 않았지만, 임신란壬申亂(673년 6월 24일~8월 21일)으로 정세가 급박하게 돌아가던 때였으므로, 국가의 무궁한 발전과 태평을 바라는 내용을 담았을 것이다.

산어정은 시가현 오츠시大津市 園城寺町 삼정사三井寺 금당金堂 옆의 알가정閼伽井이라고 한다. 정면 세 칸, 측면 두 칸 크기의 건물 안에 있다. 주위에 크고 작은 돌 20여 개를 긴 네모꼴로 쌓았으며 깊이는 10센티미터쯤이다. (☞ 사진 166~167)

(16) 금강정金綱井

『일본서기』의 간추린 기사이다.

———

덴무天武천황 원년(673) 7월 4일, 장군 오토모노무라지후케히大半連吹負가 싸움에 져서 달아나던 군사들을 금강정에서 다시 모았다. 이때 고시군高市郡 대령大領의 다케치노아가타누시코메高市県主許梅가 갑자기 입이 붙어 말을 못하다가 사흘 뒤 신의 말씀이라며 털어놓았다.

"나는 고시사高市社 사대주신事代主神이자, 신협사身狹社 생령신生靈神이다. 진무神武천황(전 660~전 585) 능에 말과 여러 가지 무기를 바쳐라. 나는 천황 앞에 서서 불파不破로 모셔 왔으며 지금도 군중軍中에서 지키고 있다. 서쪽에서 몰려오는 군사들을 조심하라."

그는 이 뒤에 깨어났다(권 28).

———

고시군은 나라奈良분지 남쪽 카시하라시疆原市 대부분과 야마토大和 다카다시高田市 동남부, 고시군高市郡 명일향촌明日香村 및 고취정高取町 일대이다. 금강정 자리가 지금의 카시하라시 소강정小綱町이라고 하나 분명치 않다. 대령은 군의 행정을 맡은 군사郡司의 장관이며, 고시사는 카시하라시 고전정高殿町에, 신협사는 같은 시 견뢰정見瀬町에 있는 신사이다.

『일본서기』에 우물에 제사를 지냈다는 기사가 없지만, 앞에서 든 산어정처럼 신의 자리를 마련하고 전황을 아뢰며 가호를 빌었을 터이다(山本 博 1970 ; 77).

4. 『만엽집萬葉集』

가장 오랜 노래집으로 장가長歌 256수, 단가 4,207수, 기타 64수 등 모두 4,536수를 실었다. 우리 이두처럼 한자를 이용한 만요가나萬葉假名로 적었으며 8세기말쯤, 오토모노노 야카모치大伴家持(?~?)가 예부터 불러온 노래를 모았다. 문학적 성과가 높은 것은 물론이고, 사상사思想史나 생활사 연구에도 큰 도움을 준다.

우물과 연관된 노래이다.

	이름	권 (번호)
1	藤原の御井	권제1 52
2	山邊の御井	권제1 81
3	ゆづる葉御井	권제2 111
4	山清水	권제2 158
5	竹原井	권제3 415
6	泉里	권제4 696
7	走井	권제7 1113
8	詠井	권제7 1127
9	石井	권제7 1128
10	垂水	권제8 1418
11	曝井	권제9 1745
12	眞間の井	권제9 1808
13	垂水の水	권제12 3025
14	海柘留市の井	권제12 2963
15	山邊五十師御井	권제13 3235
16	驛馬驛のつつみ井	권제14 3439
17	山の井	권제16 3807
18	小野ゆ出づる水	권제16 3875
19	寺井	권제19 4143
20	靭負の御井	권제20 4439

이들 가운데 열두 수에 대한 설명을 붙인다.

(1) 등원궁藤原宮 어정가御井歌

やすみしし わご大王 高照らす	야스미시시 우리 대왕님 타카테라스
日の御子 荒栲の 藤井が原に	해의 아들 아라타헤노 후지이 들판에
大御門 始め給ひて	새 궁전 짓기 시작하여
埴安の提の上に あり立たし	하니야스의 연못 둑 위에
見し給へば	언제나 서서 바라보시면
大和の 青香具山は	야마토의 푸른 카구야마는
日の經の大御門に	동쪽으로 낸 문을 향해
青山と 繁さび立てり	봄의 산답게 푸르고 무성하네
畝火のこの瑞山は	우네비의 이 상서로운 산은
日の緯の 大御門に	서쪽으로 낸 문을 향해서
瑞山と 山さびいます	경사스런 모습 보이누나
耳城の 青菅山は	미미나시의 청관으로 둘린 산은
背面 大御門に 宜しなへ	북 문 앞에서 보기도 좋게
神さび立てり	신령스레 솟았구나
名くはし 古野の山は	이름두 빛나는 요시노의 산은
影面の 大御門ゆ 雲居にそ	남문쪽에서 구름 저 편으로
遠くありける	멀리 솟았구나
高知るや 天の御蔭	잘 다스리네 대왕 궁전이여
天知るや 日の御蔭の	통치를 잘하는 해의 궁전이여
水こそば 常にあらめ	그 물이야말로 영원하리
御井の清水	우물의 맑은 물이여

(권제1 52)

등원이라는 궁 이름이 '등정원藤井が原'에서 왔으며, 그곳이 카구야마香具山・우네비畝火산・미미나시耳梨산・요시노吉野산 따위의 신령스런 네 개의 산이 동서남북으로 둘려쌓은 영지靈地임을 알려준다. 그리고 '궁전의 맑은 물이여, 끊이지 않고 영원히 솟으라'고 읊조려서 황궁과 천황을 찬미하였다. 앞에서 든 대로 서정이 아와지섬의

상징이 듯이, 이 우물은 등원궁의 표상이었던 것이다.

① '어정御井'에 대한 야마모토 히로시山本博의 설명이다.

———

'어'는 물론 서민의 것이 아니라는 뜻이다.

㉠은 천황景行(또는 應神)이 적석군赤石郡의 이곳에서 식사할 때, 물을 떠 바친 데서 온 이름이며

㉡은 가고賀古에 송원궁宋原宮을 지을 때 솟은 찬물이라고 하여 고송원故松原의 어정이라 불렀고

㉢은 오진應神천황(270~310)이 소목야小目野에 왔을 때, 신하가 우물을 파고 붙였으며

㉣은 닌토쿠仁德천황(313~399) 때 이 우물의 물을 배에 실어 상정대지上町台地의 황궁으로 나른 데서 왔다. 이처럼 어정은 천황의 궁궐·행궁·거둥 따위와 연관이 깊다(1970 ; 26~27).

———

② 다음 '후지와라궁 부역꾼 노래藤原宮之役民作歌'에 궁궐 건축 과정이 들어 있다.

———

우리 대군, 해님의 황자가 후지와라 땅에 나라 다스리시려고 궁궐을 높이 지으시네. 검님이신 채 생각나는 그대로 하늘과 땅도 함께 도우시므로 오우미노쿠니近江國 전상산田上山의 전나무 각재角材를 우치천宇治川에 띄워 내리네. 이것을 잡으려고 법석대며 일하는 백성들은 집도 잊고 몸도 돌보지 않은 채 집오리처럼 물에 떠서(자기네가 짓는 궁전에 아직도 불복하는 나라들을 복종시킨다는 뜻을 지닌 그 거세도巨勢道에서 우리나라는 영원히 불변의 나라가 되리라는 이상한 그림을 등에 진 거북도 새 시대가 왔다며 나타난) 천천泉川에서 가져온 전나무 각재를, 떼를 지어 강을 거슬러 올려 보내겠지. 부지런히 일하는 모습 보니 참으로 우리 검님 그대로이네(권1 50).

———

③ 타쓰미 카즈히로辰巳和弘의 설명이다.

———

궁궐 이름 후지와라藤原는 후지이가와라藤井が原에서 온 것을 알 수 있으며, 물도 사방의 명산으로 둘려 쌓인 성지에서 솟으므로 영원히 끊이지 않을 것이라 하였다.

이카루班鳩의 법륜사法輪寺 서북쪽에 지금도 이카루어정班鳩の御井이 있다. 이곳은 쇼도쿠聖德(574~622)태자의 비 하카카미노 이라쓰메菩岐岐美娘女를 배출한 카시와데씨膳氏가 도움을 주어왔다고 전한다. 카시와데씨는 천황의 식사를 전담한 부족이었으므로 이 우물도 천황 전용이었을 가능성이 높다(2005 ; 111~112).

---

(2) 산변어정山邊の御井

「화동 5년(711, 임자) 여름 4월, 장전왕을 이세의 재궁에 보낼 때, 산 옆 어정에서 지음和銅五年壬子夏四月 遺長田王 于伊勢齋宮時 山邊御井作歌」

山の邊の 御井を呼見がてり	산 옆의 어정을 보고 오넌 김에
神風の伊勢少女ども 相見つるかも	이세의 아가씨들도 만났네

(권제1 81)

일찌부터 보고팠던 야나노헤山邊의 신령스런 물을 보았을 뿐 아니라, 신령스런 바람이 부는 이세의 성聖처녀도 만났다는 내용이다.

사진 147이 산변어정이다.

사진 147(ⓒ 야후)

(3) 유쓰루잎어정ゆづる葉御井

「요시노궁에 납실 때 유게노 미코황자가 누카타노 오호키미에게 보낸 노래 行于吉野宮時 弓削皇子贈與額田王歌一首」

いにしへに戀ふる鳥かも	옛적 일을 그리는 새인가
ゆづる葉の御井の上より鳴きわたり行	굴거리나무 곁 우물 위로 울며 날아가네

(권제2 111)

지토持統천황이 678년, 요시노吉野에 거둥할 때 같이 간 유게弓削황자가 이세궁伊勢宮의 메카타노오호키미額田王에게 보낸 노래이다. 그네는 젊어서 덴무天武천황(673~686)과 혼인해 딸十市皇女을 낳고서도 남편의 아버지 덴지天智천황(661~671)의 총애를 받은 로맨티스트의 주인공이기도 하다. 이 무렵 나이 60여 세였다.

그리움을 상징하는 새가 우물 위로 울며 날아갔다고 한 까닭이 궁금하다.

'유쓰루'는 고대에 궁현엽弓絃葉이라 불린 상록의 고목高木이다. 봄에 새로 나온 잎이 자라나면 먼저 나온 잎이 모두 떨어져서 신구교대의 특색이 두드러진다고 하여, 양엽讓葉(ゆずりは)을 '대를 잇는다'는 뜻으로 쓴다. 자손의 영구한 번영을 바라는 뜻에서 섣달그믐날 생화生花를 마련하며, 설에도 이것으로 꾸미거나 거울처럼 빚은 떡鏡餠에 넣어 연기물縁起物로 삼는다.

(4) 산청수山淸水

山振の 立ち儀ひたる 山淸水	황매화黃梅花로 꾸민 산 곁의 맑은 물
酌みに行かめど 道の知らなく	긷고 싶지만 길을 모르오이다

(권제2 158)

황매화가 피어서 산의 맑은 샘물로 그대를 되살릴 수 있다면 좋으련만, 그 물이 있는 곳을 몰라 안타깝다는 것이다. 샘물은 곧 생명수였던 것이다.

(6) 천리泉里

「이시카하노 아소미 히로나리의 노래 한 수 뒤에 고원조신의 씨를 받음
　石川朝臣廣成言歌一首後賜姓高圓朝臣氏也」
　家人に 戀ひ過ぎめやも　　　집의 가족들 생각 않을 수 있나
　かはつ鳴く 泉の里に 年の歷ぬれば　개구리 우는 샘 마을에서 해를 보내려니

인근에 널리 알려진 큰 한데우물이라 마을 이름으로 삼았을 터이다.

(7) 주정走井

この小川 霧ぞ結べる 撃ちたる	이 작은 내에 안개 끼었네
走井の上に 言擧せねども	세차게 흐르는 물이 솟는 우물에 이르지 않았건만

(권제7 1113)

이연숙은 앞에서처럼 '주정'을 '세차게 흐르는 물'로 새겼으나, '힘차게 솟는 물'이라고 해야 자연스럽다(이연숙 2012 ; 권제7 55). '세차게 흐르는 물이 솟는 우물에 말하지 않았건만'이라는 뜻을 알 수 없는 시구詩句가 나온 까닭이 이것이다. 따라서 '힘차게 솟는 물에 말하지 않았건만'이라고 해야 옳다. 다음의 노래 7에서도 '힘차게 솟는 물'이라고 하지 않았던가?

이연숙이 소개한 일본학자들의 견해이다.

이 노래는 내용이 분명치 않은 것 가운데 하나이다. '言擧せねども'에 대해 나카니시 스스무中西進는 '탄식을 하지 않았음에도'라고 새겼으나, 다른 사주私注·주석注釋·전주全注 따위에서는 '코코아게言擧를 하지 않았음에도'라고 풀었다. 앞 사람의 해석을 따르면 안개는 자신의 마음 상태가 탄식으로 가득 찬 것을 나타낸다. 한편, 와타세 마사타다渡瀨昌忠는 '그렇게 바랐지만 입 밖으로 내어 말하지 않았는데 작은 내에 안개가 낀 것을 기뻐하고 있다'고 하여 안개 낀 것을 좋게 보았다. 또 '이 작은 내의 소원대로 안개가 낀 덕분에 올 풍년이 들 것이니 기쁘다'는 대목은 풍작을 예축하는 농경의례를 나타내는 노래라고도 하였다(이연숙 2012 ; 권제7 55).

(8) 영정詠井

落ち激つ 走井水の 清くあれば	세찬 급류의 힘차게 솟는 물 아주 맑아서
借きてはめわれば 去・きかてぬかも	그대로 두고 떠나지 못하네

(권제7 1127)

힘차게 솟는 맑은 샘물을 그대로 두고 떠나는 아쉬움을 나타냈다.

(9) 석정石井

馬醉木なす 榮えし君の 掘りし井の　　마취목처럼 번성했던 그대가 마련한 우물

石井の水は 飲めば 飽かぬかも　　　　돌로 쌓은 우물물 마셔도 싫증나지 않네

(권제7 1128)

마취목은 가지 끝에 항아리꼴의 희고 작은 꽃이 포도송이처럼 맺히는 나무이다. 말이 잎을 먹으면 취하고 사람도 숨이 멈추는 중독성 식물이다. '돌로 쌓은 우물'은 벽을 돌로 쌓았다는 뜻인지, 전을 돌로 쌓았다는 말인지 알 수 없다.

(11) 폭정曝井

三栗の中に向へる曝井の絶えず　　나가那賀로 끊임없이 흐르는 폭정처럼 늘 가고 싶네

通はむ彼所に妻もが　　　　　　　그곳에 언제나처럼 그리는 님 계시면 좋으련만

(권제9 1745) (☞ 사진 130)

'쉬지 않고 흐른다'는 말대로 폭정은 우물이 아니라 냇물이라야 어울린다. 내에서 세탁한 천이나 옷을 그 옆 풀밭에서 말리려고 젊은 여인들이 모여들었을 터이다.

(12) 진간정眞間の井

勝鹿(かつしか)の　真間(まま)の井(ゐ)を見れば

　　　시모우사노쿠니下総國 갈삭군葛飾郡 치바현千葉県 이치가와시市川市에 있는 우물 보면

立(た)ち平(なら)し　水汲(く)ましけむ　手児奈(てこな)し思はゆ

　　　자주 오가며 물 긷던 아름다운 님 생각나네

(권제9 1808)

사진 148이 치바현의 진간정이다.

(14) 해자류시정海柘榴市井

海柘榴市の八十の衢に立ち平し
　　쓰바이치시의 번화한 네거리에서
結びし紐を 解かまく惜しも
　　우다가키로 맺은 끈 다른 남자에게 풀어달라고 할까

사진 148(ⓒ 야후)

(권제12 2963)

사람 많은 번화가에 서 있노라니 눈에 띠는 남자들이 적지 않아 노래로 맺은 옛 님을 버리고 새로운 남자를 사귀고 싶다는 뜻이다.

팔십구는 많은 길이 만나는 지점이다. 팔십구를 이룬 쓰바이치시에 물품을 사고파는 장이 서고, 남녀가 만나서 사랑을 나누는 노래 경쟁을 벌였으며, 더러 형장刑場이 되기도 하였다(『일본서기』 권 20 敏達천황 14년[572]).

또 역침驛家 따위의 관청이 들어선 관청거리이자, 외국사절을 맞이하는 공공장소였고, 언령言靈이나 정령精靈이 오가는 비일상적 구간으로 여겨서 제사도 지냈다. 이곳은 『일본서기』에 세 번이나 등장한다.

간추린 부레쓰武烈천황(498~506)의 즉위년 기사이다.

부레쓰의 황태자 시절, 모노노베노 아라카히物部麁鹿火의 딸影媛을 연모한 나머지 사람을 보내 구혼하자 쓰바이치의 항구에서 기다리겠다는 대답이 왔다. 태자가 노래 부르는 곳歌場에서 그네를 만나 소매를 잡고 돌아다니는 중에, 헤구리노시비平群鮪가 끼어들었다. 이 때문에 여자의 소매를 놓치자 헤구리노시비 앞에서 노래를 불렀다. 그와 노래를 주고받는 사이, 태자는 여자가 이미 상대를 좋아하고 있음을 알았다.

남녀가 모여 노래 부르는 가운데 사랑을 맺는 풍속을 우다가키歌垣라고 한다. 이로써 5세기 말에 사람이 많이 모여드는 번화가로 떠오른 것을 알 수 있다. (☞ 89)

이곳은 나라현 산변도山邊道와 장곡사長谷寺로 통하는 교통의 요지로, 우물 덕분에 번영을 누린 셈이다. 이밖에 아스카시飛鳥市에 '아스카시 우물'이, 타쓰이치辰市에 '매간청수賣間淸水'가 있었으며, 이곳이 이름 높은 '다카이치高市'이다. 다카이치라는 지명은 야마토大和 외에 상륙常陸·이여伊予·비후備後 등지에도 분포하였고, 각기 중심에 용천涌泉이나 정수井水가 있었다(山本 博 1970 ; 34).

(16) 역마역 쓰쓰미정驛馬驛のつつみ井

────

鈴が音の早馬驛家の提井の水を 방울소리 들리는 역참의 귀틀우물
たまえな妹が直手よ   당신이 두 손으로 떠주는 물賣間淸水마시고 싶소

(권제14 3439)

────

'방울'은 역마驛馬타고 출장길에 나선 관리가 역에서 받아 말에 걸어서 신분증명으로 삼았다. '조마'는 빨리 달리는 말, '제정'은 귀틀우물이다. 말을 타고 지나다가 우물가의 여인을 본 관리가 일부러 다가가서 '당신이 두 손으로 떠주는 물을 마시고 싶다'며 수작을 거는 내용이다. 시골처녀에게 '역마 타고 다니는 관리'는 선망의 대상이었을 것이다. 따라서 '방울소리'는 신분 과시를 나타내기도 한다.

'이모妹'는 아내나 연인의 다른 이름이다(梶川信行 2012 ; 195).

5. 『교토풍속지京都風俗志』

이노우에 요리토시井上賴壽(1900~1979)가 교토의 습속·우물·돌·식물·동물 따위를 실제로 찾아보고 남긴 기록이다. 특히 190여 개소에 이르는 우물은 이곳뿐 아니라 일본 우물 문화 전체를 살피는 데 더할 수 없이 귀중한 자료이다.

다음은 이름·효능·시설유무·특기사항을 간추린 것이다.

번호	이름	효험	시설	
1	圓山の若水		위에 弁才天堂	吉光이 칼을 벼림. 섣달그믐에 물 길음.
2	田原の若水			毘沙門天 나타남, 뒤에 若水라 부름.
3	布留井神社		위에 당집	布留神이 일본사람들이 옷을 입게 함.
4	滋野井		위에 당집	蹴鞠 기원지임.
5	福長神社			일본 최초의 水神임.
6	岩井神社			伏見燒의 인형을 바침.
7	石淸水神社		위에 당집	天御中主神을 받들며, 샘(泉) 자체를 지기로 섬김.
8	山崎の石淸水		위에 社壇	宇座八幡 최초로 모시며, 淸水를 신체로 삼음.
9	少將井社	돌림병에 효험	귀틀우물	돌림병이 돌 때, 八王子의 가마를 우물 귀틀에 놓은 뒤 해마다 거듭함.
10	祇園御輿洗の水井	재계함		기원제 전날 밤, 신의 가마를 씻음.
11	祇園祭の神水	6월 7일~14일에 마시면 빙 나음	돌귀틀	神이 나타남. 기원제 중 울 두르고 같은 씨족신을 모시는 사람(氏子)이 물을 뜸.
12	占出山の井	병 고치고 안산에 도움		神功王后의 인형으로 꾸밈.
13	行役者山の井		사다리꼴 전	祇園祭에 향수로 바침.
14	室町の菊水		돌귀틀	찻물로 씀.
15	東山の菊水		네모 우물	淸水寺 중들이 山井의 사다리로 적을 막음.
16	北野神用水		돌들 귀틀 위에 당집	神事에 씀. 天萬宮이라 부름.
17	稻荷神用水		위에 당집	물을 신에게 바침.
18	稻荷御旅神水			천황 거둥 때 이용함.
19	八幡御禊水	後村上천황 齋戒	전 없고 위에 당집	空海의 獨鈷水라고도 함.
20	上賀茂神井		나무귀틀 위에 당집	신사에 물을 바침.
21	出雲井於神社			井泉에 제사지냄.
22	下加茂御水洗	6월 20일~30일, 몸 적시면 건강	돌 울 두름.	神泉으로 이름 남. 살 뺏기(矢取り) 신사 때 벗은 남자들 힘겨루기 벌임.
23	蟬丸手洗水			足摺水로도 불림.
24	石占井		위에 당집	현지에서 부뚜막지기(竈神)로 삼음.
25	醍醐水			후추 냄새 남.
26	護法善神堂			'阿伽井 護法善神' 현판 있음. 의례 때 물을 바침. 뱀이 지기가 됨.
27	御室閼伽井		나무귀틀 위에 당집	

번호	이름	효험	시설	
28	東寺 弁才天 閼伽井			항아리 안에 물 고임. '閼伽井' 현판 있으며, 물을 천황에게 바침.
29	毘沙門堂 閼伽井		네모 우물 위에 당집	
30	高山寺 閼伽井			절벽에서 솟음.
31	横川 閼伽井		네모 우물	元三대사가 맑은 샘으로 바꾸었으며 獨鈷水라고도 함.
32	善水寺 閼伽井			云敎가 지팡이로 바위를 뚫자 善水 솟음.
33	弁慶水		위에 당집	延曆寺 西塔에 살던 弁慶가 천일동안 千手堂에 참배할 때, 매일 물 바침. 千手井이라고도 함.
34	水藥師の水	藥 달이고, 병 치료		藥師井, 獨鈷水라고도 하며 平淸盛의 전설 얽힘.
35	繁昌社の水		위에 당집	三弁才天의 하나로, 혼례행렬 피해 감.
36	兒の水	눈병에 특효	돌귀틀 위에 당집 세움. 不動明王像 모심.	御苑에서 홈통으로 끌어들임.
37	不動の井	여러 병 고침	돌귀틀 위에 당집	옆에 '病氣平癒祈願'이라는 기 세움.
38	晴明の井		서쪽에 晴明神社 있음.	安倍晴明이 기도 때 씀.
39	長岡明星水			弘法대사가 마련, 참배객 몰려들어 물장수까지 등장함
40	黑谷明星水	몸에 좋음	돌귀틀 위에 당집	물고기 기름.
41	嵯峨落星井		위에 당집	물에 나타난 虛空蔵菩薩像 마련, 空海가 눈을 뜨게 함
42	吉田落星水			兼俱의 재계 때, 明星이 하늘에서 떨어짐.
43	大宮頭落星水			往吉星 떨어질 때, 마을에서 활 쏘았고 그 자손 대대로 神人 됨.
44	白菊水			'天太玉命이 좋아하는 白菊의 이슬 떨어져 淸水된다'는 계시 나타남.
45	三井の神水		위에 당집	天智·天武·持統 세 천황의 産湯으로 씀.
46	天の眞名井	안산에 효험		淸和~後鳥羽천황의 산탕으로, 足利義持이 태어나며 사당 짓고 대대로 産屋神으로 모심.
47	祐井		돌귀틀	出雲井 또는 玉井으로 불림.
48	縣井		귀틀 옆에 당집	昭憲皇太后 산탕으로, 諸國의 외교관 神水에 기도함.
49	六孫王誕生井		둥근 우물	神龍池의 水源임.
50	賴義誕生水		돌귀틀	
51	牛若丸誕生水		위에 당집	義經의 産湯으로, 그의 胞衣塚에 대나무 세우고 금줄 두름.
52	菅公初湯井		사다리꼴 우물	옆에 비 세움.

번호	이름	효험	시설	
53	菅公誕浴水		여섯모 우물	
54	親鸞産湯井		둥근 우물 전 없음	
55	蓮如産湯井			
56	奠氏初湯井		둥근 우물	
57	和泉式部 産湯井戸		네모 우물	和泉式部 白菊 · 紫式部의 산탕이라고 함.
58	軒端の井			和泉式部가 달을 비쳐봄. 일명 雲水井이라 함.
59	小野小町姿見井			☞ 거울우물 (4) ①
60	小町化粧水			☞ 거울우물
61	小町寺の姿見の井		전 없음	☞ 거울우물
62	小町水			小野小町이 비를 빌어 솟음. 그를 연모한 이가 몸을 던진 뒤부터 혼례 가마 다리 건너지 않음.
63	草紙洗の水	얼굴에 말라 미인됨		
64	常磐井		자연석 전 있음	常磐御前이 平治亂 때 목을 축임.
65	義經姿見の井戸			源義經이 제 모습 비춰봄. ☞ 거울우물
66	深草少將 姿見の井		둥근 우물	深草少將의 눈물 솟음. 墨染井 비 있음. ☞ 거울우물
67	景淸姿見の井			옥에 갇힌 藤原景淸이 자신 비춰봄.
68	業平姿見の井			☞ 거울우물
69	寄邊水			三世의 모습 비쳐서 사람들 모임.
70	おぼろの淸水			門院이 오지 해 지는 모습 비침.
71	山科の鏡池			天智천황이 대궐 비춰봄. 뒷산을 鏡山이라 부름.
72	東山の鏡池			91세의 開基國阿가 우물에 비친 자신 모습 조각함.
73	岡崎の鏡池		팔모 전	승 親鸞이 모습을 비춰봄.
74	吉祥院の鑑井		돌귀틀	鑑井銘 있음.
75	太子の水			聖德太子에게 白鬚明神이 觀音像 안치장소 일러줌.
76	諸兄公の井		육각 돌귀틀	설에 노부부 떡국 바치고 행운 빔.
77	蛙冢の水		전 없는 둥근 우물	橘 諸兄이 다리 셋 개구리 묻음. 예부터 名水로 불림.
78	神人泉			
79	螢の泉		네모 우물	
80	修學院延命水			
81	山科延命水			형장 터에 있음.

번호	이름	효험	시설	
82	潦井		귀틀 위에 당집	
83	觀世井		전 없이 철책 두름	늘 움직이는 수면 '관세수의 무늬'라 부름.
84	梅若井			丹波猿樂, 梅若流의 발상지임.
85	露井		네모우물, 위에 당집	傳教대사가 액막이 주문 읊조림.
86	和泉井			後水尾천황 때, 모든 우물 말랐음에도 물 솟아 천황0 이름 내림.
87	菅公硯水		'菅丞相硯之水'비	글씨를 못 쓴 그가 벼루 갈아 達筆이 되자, 초보자들 둘 길어감.
88	小野道風硯の水			서예가 벼루 갈음. 靈元천황 이후 천황들 글씨 익힘
89	日蓮硯の水			日蓮이 붓 씻은 물임. 奈良 등지에도 같은 이름 우물 많음
90	宗近の井		시루 모양의 특이한 전	
91	小鍛冶の井			宗近이 吉水로 이용함.
92	小鍛冶の水			정초 옆 나무에 금줄 두름. 宗近이 齋藤實盛의 칼을 벼림.
93	朝日泉	백성에게 나누어 주어 돌림병 고침	둥근 돌 전 위에 당집	정월 초하루 아침 若水 떠서 神饌 짓고 사흘까지 若水努 지냄. 논의 해충 퇴치 풍년 거둠. 877~884년 事大主 像 떠올리 악수제 지냄. 최초의 惠比須神社 있음.
94	關ノ清水			
95	走井			
96	量救水			나그네 구한 우물로 유명함.
97	瀨和井	임산부 빌면 젖 나옴		
98	御池の水	임산부 빌면 젖 나옴		製藥, 産前産後 産婦에 특효함.
99	井出の玉水			
100	杉谷の井		전 없음	부근 농민들이 섬김.
101	增井の清水			'眞澄水'로 잘못 알려짐.
102	櫻井			
103	金明水			
104	鷹の水羽着			惟喬親王이 이 물로 매 씻김.
105	柳の水			織田信雄 우물가에 버들 심음. 서예가 이 물로 벼루 갈음.
106	利休井			利休가 茶 달임.
107	梅の井		네모 우물	도르래 있음.

번호	이름	효험	시설	
108	左女牛井			源義經이 堀川御所에서 썼다고 함.
109	古醒井			酒醒泉이라고도 함.
110	宗鑑井			
111	北野細川の井			細川三齋가 차 달임.
112	富小路細川の井			우물 위에 비 세움.
113	豊明水		사다리꼴 우물	豊臣秀吉이 茶 달임.
114	龜の井			豊臣秀吉이 茶 달임.
115	鶴井		네모 우물	織田有樂齋가 茶 달임.
116	銀河泉			足利義滿이 茶 달임.
117	臼井			
118	如水井			黑田如水가 씀.
119	金涌水			차 달임.
120	威德水		돌귀틀	空海가 팠다고 함. 물통에 담으면 옅은 황색빛이 남. 密敎에서 閼伽水로 바침.
121	風呂溪の水			鞍馬寺에서 茶 달임. 茶人과 서민 聖水로 여김.
122	桑の井			차 달임. 촌민들 재계함.
123	中堂寺七ツ井戸		전 없음	청수 일곱 곳에서 솟음.
124	西陳の五水(染殿井)	염색에 효과		
	西陳の五水(櫻井)		네모 우물	牛右丸 金貴吉人과 힘께 奧川로 씀.
	西陳の五水(千代井)		돌귀틀	天明의 화재 때, 異風의 여자가 이 물 뿌린 덕분에 이 건물만 남음.
125	都七名水			차 달임.
126	七名水			대 자루 끝에 국자 7개를 放射形으로 달고 퍼서 八幡神에게 바침.
127	八幡の五井			
128	御杖水			彈誓가 쇠 지팡이로 바위 치자 물 솟음.
129	杖衝井			空海가 지팡이로 찌르자 물 솟음.
130	金井戸			空海가 지팡이(笏杖)로 쑤시자 물 솟음.
131	弘法水			空海가 은혜 갚음으로 물 나오게 함. 노파 생선 씻자 막힘.
132	岩倉 獨鈷水			독고수라는 이름 교토에 많음.

번호	이름	효험	시설	
133	北山 獨鈷水			香水라고도 부름.
134	般若井			
135	東寺 神井		위에 당집	開祖 空海 이래 神井이라 부름. '善女龍王' 현판. 말 그림으로 농사 점침.
136	龍宮水			용궁으로 통함.
137	龍奇水	衆生 구제		龍女水라고도 부름.
138	龍闕水			幕府에서 보호 위해 쌀 내림.
139	跋難陀龍の水	걱정 없어짐	돌귀틀 위에 당집	智弁僧正 靈泉 구하려 閼加井에 勤行하여 智弁水라고도 함. 십일면관세음상 세움.
140	弘法 加持水		위에 당집	물 안의 不動明王像에 제사 지냄.
141	泉涌水	눈병 고침	위에 큰 당집	천장에 용 그림. 空海의 獨鈷水 있음.
142	五智水		위에 당집	不動尊 안치. 空海의 獨鈷水 있음.
143	耳垂不動の水			수량 일정, 聖泉으로 섬김.
144	雷の井戸			泰澄이 절에 불 지른 雷神 물리침.
145	柳谷の香水	안질에 효과	위에 당집	눈병환자 위한 공회당 건립. 물 靑竹에 받아 감. 空海像 있음. 元鎭이 세운 신시에 흰여우 전설 읽힘.
146	赤山の香水		돌 울 두름	
147	大原の香水	여러 병 고침		6월 16일 단 하루만 새벽 2시부터 물 솟다가 오후에 멈춤. 藥師如來 섬김.
148	卽成就願の香水	치료 점치려고 마심		那須与市宗高가 절 세움. 武士의 살 적중하면 명에, 빗나가면 치욕 누림.
149	岩屋の香水	정신병 고침		不動奠의 향수로 垢離灌頂의 공덕 쌓으면 물 얻음. 飛龍權現 瀧水 있음. 明治 전까지 천황에게 바침.
150	龍淵水			
151	善氣水			忍澂이 錫杖으로 뚫어서 솟음.
152	眞如水			옆에 弁財天祠 있음.
153	紫雲水			賀茂神 나타남.
154	桐井			
155	夜泣泉	아기 밤 울음 치료	위에 石佛	夜泣地藏尊 섬김. 오른손에 錫杖, 왼손에 寶珠 든 夜泣地藏像에 모심.
156	鋤上水		못이 둥근 우물로 바뀜	못에 빠뜨린 괭이 날 찾는 것 본 어린 僧 源泉이 자루 넣자 달려 나옴.

번호	이름	효험	시설	
157	清正井		자연석 둘림	
158	文覺井		둥근 우물 위에 당집	우물 위 방에서 잠들면 시끄러워 천장 한쪽의 뱀사당에 제사 지내자 조용해짐. 文覺의 産湯 또는 修行井이라 함.
159	久世板井の淸水			俊惠法師 거주함.
160	水尾板井の淸水			淸和천황(858~876)이 서쪽 圓覺寺에 살 때 씀.
161	花の井			空海의 功德水라고도 함.
162	石山寺の井			옆 작은 당집에 水神 모심.
163	法然水	전 없음		法然이 이 물로 齋戒함.
164	兼好の井		둥근 우물, 전 없음	兼好法師가 씀.
165	俊寬の井		石柵에 쇠 그물 덮음	俊寬法師와 연관, '閼伽井天' 현판 있음.
166	自然居士の井			
167	鐵輪井		귀틀	옆에 鐵輪塚 怨女 등장, 혼례행렬 피해 감.
168	一竹塚の井	병 고침		平淸盛이 南殿에 나온 鵺 삽아 竹桶에 넣어 東山 淸水에 묻음.
169	鳴鏑の水			源賴正이 鵺를 물리치고 화살 씻음.
170	蹴上水			
171	義經刀洗の水			右若丸이 關原与市 일행 죽이고 칼의 피 씻음.
172	山吹の井			山吹빛 물 솟음
173	肉桂水		둥근 귀틀	계수나무 향기 남. 織田信長의 목을 벤 明智光秀가 이 물로 씻음.
174	龍池			織田信長의 장남 信忠의 목을 베어 씻은 못임.
175	重衡首洗井			平重衡의 목 씻음. 이 원한으로 옆 감나무 열매 맺지 않음.
176	信西首洗水			굴에 숨어 죽통으로 숨 쉬던 信西(藤原通憲)을 原光泰가 찾아 목 베고 이 물에 씻음.
177	首斬井			사람의 목 잘라 던짐.
178	袈裟首洗井			밤에 목을 벤 遠藤盛遠이 새벽에 袈裟(左衛門尉源渡의 아내)의 목인 것 알고 놀라 머리털 베어서 文覺이라 이름.
179	長者水			生水로 알려짐. 물고기 기름.
180	塩汲井			在原業平이 難波의 물 가져다가 소금 구움.
181	塩竃井			源融이 三津浦에서 가져다가 소금 구움. 塩井 지키는 塩井社 및 塩井神社 있음.

번호	이름	효험	시설	
182	鐘鑄の井戸			鑄物師가 大佛鐘 주조함.
183	茶屋の井			利休 제자들 차 달임.
184	半井			우물 널로 반 나눔. 藥 약 달이고 음료로 마심.
185	金色の水			여름과 가을, 화려한 빛 비침.
186	金生水		위에 당집	智証이 그린 紺紙金泥의 曼荼羅 있음.
187	念佛井	병 치료	위에 당집	天智천황 楊柳의 感應 얻음.
188	念佛池			옆에서 염불하면 곧 맑은 물 솟음.
189	龜井戸		위에 지붕	空海가 지팡이로 물 솟게 함. 여자 들어오면 물 흐림. 승이 범처(梵妻) 얻자 마름.
190	壺井		위에 우물에서 나온 石佛 안치	벽 항아리로 쌓음 '二條의 名水' 또는 '니팔꽃 우물'이라 부름. 한 해의 수량 일정함.

다음은 우물 설명이다.

'궁서' 글자체는 간추린 본문이고 '명조' 글자체는 내가 붙인 것이다.

(1) 원산약수圓山の若水

———

에도江戸시대(1600~1867) 어느 해 섣달 그믐날, 기원祇園 삭괘신사削掛神事에 왔던 사람들이 물을 떠갔다. 지금도 물이 조금씩 흐르지만 본디 맑은 물淸泉이 솟았다고 한다. 요시미쓰吉光가 칼 씻은 물이라는 설도 있다.

———

약수는 설이나 입춘 날 새벽에 샘이나 우물에서 긷는 정화수井華水이며, 물을 뜨는 행사를 이르기도 한다. (☞ 1360~1363)

삭괘신사에서 정월 초하루에 참배객들이 백출白朮을 섞은 횃불에서 길조줄吉兆繩에 불을 옮겨 붙이고 꺼지지 않도록 빙빙 돌리면서 집으로 가져가 선반神棚의 등잔에 붙이거나 명절 음식 끓이는 씨 불로 삼는다. 오늘날에도 이어지는 이 풍속은 불이 집의 운을 키워준다는 데서 왔다. 중국이나 우리가 새봄마다 불씨를 바꾸어서 한 해의 행운을 비는 민속과 연관이 깊다.

요시미쓰는 아와타구치 요시미쓰粟田口吉光(?~?)로, 가마쿠라鎌倉시대(1192~1333) 중기

의 칼 장인刀鍛冶이다. 마사무네正宗(?~?)와 맞먹는 명장이었으며, 특히 단도短刀의 명
인으로 알려졌다.

(2) 전원약수田原の若水

스자쿠朱雀천황(930~946) 때 철희군綴喜郡 우치원촌宇治原村 대복산大福山에 비사문천毘
沙門天이 나타나 물을 내렸다고 하여 약수라 부른다. 지금도 산 위 밭 가운데에 약수
라는 우물이 있다.

스자쿠천황 대에는 간토關東에서 반란이 일어나는 외에 후지산富士山에서 불길이
솟고 지진과 홍수 따위의 재난과 이변이 잇달았다. 아들을 낳지 못한 그는 형제(成明
親王 뒤의 村上天皇)에게 자리를 내주고 인화사仁和寺로 물러났다.

불교 사천왕四天王의 하나인 비사문천은 재보財寶의 신으로 불린다. 철희군은 교토
후京都府와 야마시로쿠니山城國에 딸렸다.

우물과 불교의 연관을 알리는 보기이다.

(3) 포류성신사布留井神社

① 하경구下京區에 있던 작은 신사이다. 포류신사 또는 포류정신사라는 이름 외에 포
류님이라고도 부른다. 우물 위에 당집社을 세웠다.

냇가 바위에서 쉬던 포류신布留神이 상류에서 떠내려 온 베布를 건져서 사람들에게 나
누어주고 옷 입기를 가르쳤으며, 이로써 옷을 처음 입게 되었다고 한다.

삼농사가 외부에서 들어온 것을 이르는 듯하다. 포류신사는 나라현 덴리시天理市에
있는 이소노카미신궁石上神宮의 별명이다.

② 와타나베 다케시渡邊綱가 나생문羅生門의 요괴妖怪를 치려고 남으로 내려와 팔조대
궁八条大宮 우물 옆 나무에 말을 매고 쉬었다. 말이 우물을 향해 계속 울었다고 하여

지명을 '운 곳ふるい'이라 짓고, 우물 이름을 '운 우물ふるい井'로 바꾸었다. 뒤에 사당을 세우고 제사를 받들었다.

―――――

우물이 신령스러운 존재임을 알려준다.

와타나베 다케시(953~1025)는 미나모토노 요리미쓰源頼光(948~1021)의 부하이자 사천왕이라고 한다. 라쿠호쿠시洛北市 원아原野의 귀동환鬼同丸, 나생문의 귀신, 대강산大江山의 주탄동자酒呑童子를 쫓은 용맹스런 무장이다. 팔조대궁은 평안경平安京 좌경左京의 팔조대로八条大路에 있던 궁이다.

―――――

③ 한 남자가 주지가 없는 틈에 본국사本國社에 몰래 들어와 니치렌日蓮의 좌상(높이 25센티미터)을 훔쳤다. 한 참 달아나는 중에, 본국사라고 적힌 등을 들고 오는 주지가 보였다. 부처의 벌을 받을지도 모른다는 생각이 들어 옆 우물 속에 숨어서 떨었다. 지나던 주지가 우물의 인기척을 듣고 누가 뛰어들었나 싶어 드려다 보는 순간, 놀란 도둑이 일어나 죄를 털어놓았다. 이 뒤부터 '떠는 우물顫井戸'이라 부른다.

―――――

니치렌(1222~1282)은 가마쿠라鎌倉불교 13종宗의 하나인 일련종日蓮宗(法華宗)을 창시하였다.

도둑이 우물 속에 숨었다니 마른 우물이었을 터이다. 중국이나 우리도 다급한 때 우물에 몸을 숨겼다.

―――――

④ 영록永祿 때(1558~1569), 니치죠日乘가 팔조대궁쪽으로 걷자니까 법화경 읊조리는 소리가 들렸다. 사社 부근의 우물에서 난 까닭에 안을 살폈더니 니치렌상日蓮像이 있었다. 고정도하사古井稲荷社 주변에서 찾았다고 하여 이를 고정존상古井尊像이라 부르며 절의 보물로 삼았다.

―――――

앞에서처럼 종조宗祖를 드높이려고 꾸민 이야기일 터이다.

니치죠(?~?)는 일련정종日蓮正定 총본산総本山 대석사大石寺의 10세 법주法主이다.

사진 149는 덴리시의 포류정으로, 구기를 가지런히 늘어놓았다.

사진 149(ⓒ 야후)

(4) 자야정滋野井

상경구上京區 시게노노 사다메시滋野貞井 주경主卿 집터에 남아 있다. 돌귀틀 위에 대발을 덮었으며 옆에 희미한 글자만 보이는 표지석이 있다. 이곳은 축국蹴鞠놀이의 본거지이다.

축국의 신이 잔나비 해申年・잔나비 달申月・잔나비 날申日・잔나비 시申時에 서너 마리의 잔나비 모습으로 우물에 잠시 나타나 축국 방법을 가르쳤다고 한다.

또 고토바인後鳥羽院이 우물 위에 축국신을 위한 당집小祠을 지어 제사를 받들고 정대명신精大明神이라 불렀다는 말도 있다.

이 물은 산조 사네토미三條實美의 산탕産湯으로 썼다.

시게노노 사다메시(785~852)는 헤이안시대 전기의 한시인漢詩人이다. 축국은 농주弄珠 또는 기구氣毬라고도 한다. 겨糠・털毛髮・공기 따위를 넣은 가죽 공을 여럿이 둘러서서 바로 차고 받는 놀이로, 일정한 높이까지 많이 차는 쪽이 이긴다.

『왜명유취초倭名類聚抄』에 '국鞠의 소리 값은 국菊이다. 구毬의 이름은 '마리'로, 가죽 주머니에 겨糠를 채우고 찬다'고 적혔다.

고토바인은 첫손에 꼽히는 중세의 가인歌人이며, 그의 작품은 후세에도 큰 영향을 끼쳤다. 산조 사네토미(1837~1891)는 정치가이다.

『일본서기』 기사이다.

나카도미노 가마코中臣鎌子連(?~?)는 (…) 나카노 오오에中大兄(뒤의 덴지天智천황[668~672])가 법흥사法興寺 홰나무槻木 아래에서 무리와 함께 축국을 할 때, 공을 차는 순간 가죽신이 벗겨지자 두 손으로 받은 뒤 무릎을 꿇고 바쳤다. 이에 상대도 같은 모습으로 받았다(권 24 「皇極천황」 3년[644] 정월).

'법흥사 홰나무 아래'는 축국이 궁중의식의 하나였던 것을 알려준다. 미나모토노 다카아키라源高明(914~983)의 『서궁기西宮記』에 '다이고醍醐천황(897~930)이 신하의 묘기를 구경하였다'는 기사가 전하며, 953년 무라카미村上천황(946~967)이 공을 520번 이상 차는 동안 땅에 떨어뜨리지 않은 자에게 녹祿을 주었다는 기록도 있다. 12세기에는 점점 의례화하여 경기 자체보다 차는 법을 손꼽았으며, 기예를 중심으로 하는 독점적 가업家業으로 이어 내렸다.

13세기에 나온 『내외삼시초內外三時抄』에 따르면, 구장은 가로 17미터, 세로 27미터의 긴네모꼴 평지였다. 가운데에 가로 6.6미터, 세로 6.9미터의 정방형 정점이 되도록 동남쪽에 버드나무, 동북에 벚나무, 서북에 소나무, 서남에 단풍나무를 심어서 네 계절을 나타냈다.

이것은 경기 기술상 매우 중요한 구실을 하였다. 공을 일부러 나무 위로 차 올려서 가지에 걸린 공이 어디로 떨어질지 모르게 하는 재간을 펼친 것이다. 한 동아리는 4~6명이며, 경기장 크기에 따라 8명도 놀았다. 큰 수사슴 가죽으로 꾸민 공(지름 24센티미터)을 가죽 구두를 신고 찼으며, 관이나 모자를 쓰는 따위의 복장도 따로 갖추었다.

사진 150이 축국놀이 장면이다.

우리도 일찍부터 즐겼다. 『구당서』의 '고구려 사람들이 축국을 잘한다人能蹴鞠'는 기사가 그것이다(「동이전」). 신라도 마찬가지이다. 『삼국유사』에 '김유신金庾信

사진 150

(595~673)이 정초, 집 앞에서 춘추공春秋公과 축국을 하다가 일부러 옷끈을 밟아 떨어뜨렸다'는 대목이 보인다(권제1 기이1 「태종 춘추공」). 나카지마 가이中島海가 축국이 중국에서 한국을 거쳐 들어왔다고 한 까닭이 이것이다.

(5) 복장신사福長神社

————

복장정福長町 동쪽에 있다. 『사기社記』의 내용이다.

도요토미 히데요시豊臣秀吉(1536~1598)가 취락제聚樂第를 지을 때, 일조저웅一條猪熊에 진좌한 생정신生井神·복정신福井神·강장정신綱長井神·아수파신阿須菠神·비기신比伎神 따위의 이카스리노 카미座摩巫祭神 가운데, 복정 및 강장 두 신을 이곳으로 옮겼다. 복장대명신福長大明神이라는 이름은 이에서 왔다. 일본 최초의 수신水神이라고 한다.

————

생정·복정·강장 따위는 길상을 나타낸 이름이다. 일본 최초의 수신이 우물과 연관된 것은 우물이 지닌 비중이 얼마나 큰가를 알려주는 좋은 보기이다.

(6) 암정신사岩井神社

————

좌경구左京區 금장사金藏寺 경내에 있다.

————

(7) 석청수신사石淸水神社

————

철희군綴喜郡 팔번정八幡町 석청수 팔번궁石淸水八幡宮에 딸린 신사이다. 팔번산八幡山에 적지 않은 정천井泉이 있지만, 이것이 가장 유명하며 샘 자체가 신이다. 우물 위에 사방 한 칸의 맞배 형식의 당집을 세웠다.

————

석청수는 바위틈에서 솟는 샘이나 우물이다. 사진 151이 석청수신사이다.

이 궁에서 해마다 9월 15일에 벌이는 석청수 방생회石淸水放生會는 하무제賀茂祭 및 춘일제春日祭와 함께 3대 의례로 꼽힌다. 8월 초부터 잡은 물고기나 새를 산이나 강에 놓아 주며 태평을 기원하는

사진 151(ⓒ 야후)

제사이다.

샘 자체를 지기로 받드는 것도 새겨둘 일이지만, 그 위에 당을 지은 것 또한 뜻이 깊다. 이 건물이 뒤에 설명하는 알가정옥闕伽井屋인 까닭이다. 김대성金大城(770~774)이 경주 토함산에 석굴사를 요내정遙乃井 위에 새운 것과도 연관이 아주 깊다. (☞ 133~140)

(8) 산기석청수山崎の石清水

철희군 이궁팔번사離宮八幡社에 있다.

신사의 굴나무 밑에서 맑은 물이 솟는다. 교교行敎에게 알려져 청수清水를 신체로 삼아 신전을 세웠다고 한다.

———

교교(?~?)는 백제계 기씨紀氏가문에서 태어난 고승 전등대법사傳燈大法師이다. 그는 기타규슈北九州 우사宇佐신궁에 있던 오진應神천황(270~310)의 하치만신 신주를 하치만시八幡市 오도코노야마男山의 이와시미즈 하치만궁石清水八幡宮으로 옮겨왔다.

이로써 일본의 우물이 우리 불교와 연관성이 깊은 것을 알 수 있다.

(9) 소장정사少將井社

상경구 종상신사宗像神社 경내에 있던 것을 1870년, 지금의 자리(中京區 車屋町)로 옮겼다. 7월 17일의 기원제祇園祭 때, 신을 모신 가마神輿 셋 가운데 하나는 반드시 이곳에 들린다. 또 돌림병이 돌아서 팔왕자八王子 신을 모신 가마를 이 우물 귀틀에 놓은 적이 있은 뒤부터 해마다 거듭한다.

———

소장정은 11세기의 대표적 문학작품인 『침초자枕草子』에도 실렸으며, 이 자

사진 152(ⓒ 야후)

리에 있던 집터少將院도 소장정전少將井殿이라 불렀다. 9세기 말, 널리 알려짐에 따라 근처 사람들이 물을 떠갔으며, 당집을 세우고 소장정사라 일렀다.

사진 152가 교토의 소장정신사이다.

(10) 기원 어여세정祇園御輿洗の井

기원제 전인 7월 10일 밤, 기원사八坂神社에서 신의 가마御輿를 사조하원四条河原으로
가져가서 씻는 의례를 치른다. 이때 물을 비쭈기나무木神 가지에 찍어서 뿌린다.
한 때 가모가와加茂川의 물을 썼더니 가마의 쇠 장식에 녹이 슬어서 동산구東山區 냇가
에 있는 민가의 우물로 바꾸었다.

7월 17일의 기원제는 5월 보름의 아오이제葵祭와 10월 22일의 지다이제時代祭와 더
불어 교토 3대 축제의 하나로 꼽는다.

863년 교토에서 돌림병으로 많은 사람이 죽자 조정에서 그 까닭이 역신疫神의 노여
움에 있다고 여긴 끝에, 전국 66개 행정구역을 상징하는 가마 66개를 만들어 '어령회
御靈會'를 벌여서 달랜 것이 시초이다. 주신主神이 신라에서 온 우두천왕牛頭天王인 점
은 우리와 넌관이 깊은 시 벌을 알려준다.

(11) 기원제신수祇園祭の神水

중경구 세수수정洗手水町 동쪽에 있다. 기원제 때는 울을 들러서 잡인雜人을 막고 신자
가 손을 씻는다. 『도화월명소都花月名所』에 '6월 7일부터 14일까지 개방하며 물을 마시
면 병에 걸리지 않는다'고 적혔다.

기원의 수신으로 유명한 우물이 하경구에 있었다. 옛적의 기원제 때 오사카에서 가마
를 메고 온 젊은이는 반드시 이 우물을 썼다. 『습유 도명소도회拾遺都名所圖會』에 우물
에서 신이 나타난 까닭에 수갑질水閘蛭이라 불렀다는 기사도 보인다.

기원신수는 야사카신사八坂神社 본전 동쪽에서 솟는다. 역수力水라고도 불리는 이
물을 마시고 나서, 이웃의 미어신사美御神社에 참배하면 미인이 된다고도 이른다. 기원

사진 153(ⓒ 야후)

일대의 기생妓生을 비롯하여, 연예인과 화장품 업계에서 예부터 열심히 신앙하는 명수名水인 까닭을 알만하다.

본전 아래에 있는 깊은 우물인 용혈龍穴은 신천원神泉苑으로 연결된다. 야사카신사가 위치한 동산東山은 네 신四神이 상응하는 지역으로, 동의 청룡青龍이 용혈을 지킨다는 말이 있다.

사진 153이 기원의 어신수御神水이다.

(12) 점출산 우물占出山の井

증경구 점출산정占出山町에 있다. 기원제 소산宵山 때, 진구神功황후(170?~269?)의 인형으로 꾸미는 입구 서쪽이 그 자리이다. 소산 참배객은 반드시 이 물로 손을 씻는다. 여름에 청렬옥清洌玉처럼 차가우며 액막이와 안산安産에 효험이 높다.

———

소산은 본제 전날 밤 올리는 제례이다. 진구왕후는 주아이仲哀천황(192~200)의 아내로, 삼한三韓을 정벌하였다지만 실존 인물은 아니다. 무엇보다 생몰년 자체가 그렇지 않은가?

(13) 엔노교자산 우물役行者山の井

증경구 실정室井 엔노교자役行者 회소會所 마당에 있는 신변대보살神變大菩薩의 인형 보관 창고 옆에 있다. 엔노교자가 현신現身한 물이라고 하여 기원제 때 향수로 바친다.

———

엔노교자役行者(?~?)는 7세기 말, 야마토국大和國 갈성산葛城山을 중심으로 활동한 주술자이다. 『속일본기続日本紀』에 '699년 조정에서 엔노 오츠노役君小角(634?~701?)를 이즈쿠니伊豆國로 귀양 보낸 것은, 그가 귀신을 부려 물을 뜨는 외에 땔감도 거두고 명령을 어기면 주술로 꼼짝 못하게 만드는 따위의 신통력을 부리자 이를 시샘한 제자 韓國連廣足(?~?)가 요술로 세상을 속였다고 조정에 모함한 탓이라'는 기사가 있다.

사진 154의 우물이 그것으로 위에 건물을 세웠다.

사진 154(ⓒ 야후)

(14) 질정의 국수窒町の菊水

―――――

중경구에 있으며 차茶 끓이기에 알맞아 옛적에 슈코珠光가 부근에 살았고, 죠오우紹鷗도 근처에 대흑암大黑庵을 지었다.

―――――

무라타 슈코村田珠光(?~1502)는 무로마치室町시대(1392~1573) 중기의, 다케노 죠오우武野紹鷗는 말기의 차인茶人이다. 죠오우의 제자가 간소하고도 아취 높은 차도茶道를 이르는 와비차わひ茶의 대성자大成者 또는 차성茶聖이라 일컫는 센리큐千利休(1522~1591)이다.

국수는 '불로장수에 효과가 높다'고 하여 궁중에서 국화 띄운 술 마시기 의례가 퍼졌으며, 겐쇼元正천황(715~742) 거둥 때, 샘에서 국화 향기가 퍼진 것이 계기였다.

(15) 동산의 국수東山の菊水

―――――

국정菊井으로도 불리며 동산구東山區 下河原 한 살림집에 있다. 여섯모 돌 전을 갖추었으며 서벽에 '하하원 국수下河原菊水', 북벽에 '정보원갑 갑력正保元甲甲歷'이라는 정명井銘을 새겼다. 『도명소도회都名所圖會』에 '영천澤泉으로 차 맛이 좋다'는 기사가 보인다(권3). '국계로 통한다'는 『산성지山城誌』의 기사처럼 국계菊溪 안에 있다.
『원평성쇠기源平盛衰記』나 『고금저문집古今著聞集』에 비예산比叡山의 중이 쳐들어왔을 때, 청수사清水寺쪽에서 산정山井의 잔도棧道를 뜯어 던져서 막았다는 기사가 있는 것을 보면 전쟁 때 방어지대로도 삼은 듯하다.

―――――

(16) 북야신용수北野神用水

―――――

상경구 마식정馬喰町 북야신사 본전 서쪽에 있으며, 신사神事 때 신에게 바친다. 돌

전 주위에 울을 둘렀으며 위에 당집覆屋을 올렸다. 이 신사를 지금은 천만궁天滿宮이라 부른다.

———

(17) 도하신용수稻荷神用水

———

복견구伏見區 심초深草에 있으며 날마다 신에게 바친다. 위에 당집을 지었다.

———

이나리신稻河神은 예부터 신분의 높고 낮음을 떠나 모든 계층이 받들어온 농경신이며, 전국에 4만 개소 이상의 신사가 있다. 신이 여우 형상인 것은 여우가 산신이나 산신의 심부름꾼이라는 생각에서 왔다. 교토의 후시미伏見신사가 본사이다.

(18) 도하어려신수稻荷御旅神水

———

남구南區 구조九条 어려소御旅所 북쪽에 있다. 이름은 동사東寺의 구조 주민들이 마련한 데서 왔다. 『굴하지수권掘河之水卷』에 '6월이 되어 부근에 들마루凉床를 내놓으면 물이 풍부하게 솟는다'는 기사가 보인다(상).

———

(19) 팔번어계수八幡御禊水

———

남산칠명수男山七名水의 하나이다. 철희군 팔번정八幡町에 있으며 옆에 '천황어계수天皇御禊水'라고 새긴 정명을 세웠다. 고무라카미後村上천황(1331~1333)이 야마토大和에서 거둥할 때, 이 물로 부정을 가셨다고 한다. 구카이空海의 독고수獨鈷水라는 별명도 지녔으며, 신불神佛 혼합시대에는 법회 때마다 썼다. 전이 없는 암청수岩清水로, 위에 덮개를 겸한 작은 건물을 얹었다.

———

남산은 교토 남부군 하치만시에 있는 작은 언덕(143미터)이며, 구카이(774~835)는 헤이안平安시대(8~12세기)의 중으로 진언종真言宗을 열었다. 서민들은 흔히 코보弘法라는 시호諡號로 부른다.

신불혼합은 나라奈良시대(710~794)에 융성했던 불교가 일본의 전통적인 신도神道에 끼친 큰 영향을 가리킨다. 이를테면 신도의 신이 불법을 수호한다는 종래의 신앙이, 불법의 도움 없이는 해탈할 수 없다고 바뀐 것이 대표적이다. 양부신도兩部神道라고도 한다.

사진 155(ⓒ 야후)

독고는 승려들이 도를 닦을 때 쓰는, 양 끝을 철이나 구리로 뾰족하게 만든 금강저金剛杵이며, 독고수는 이것으로 뚫은 곳에서 솟는 물을 가리킨다.

사진 155는 어계수에서 부정을 가시는 모습이다.

(20) 상하무신정上賀茂神井

━━━━━

북구 상하무신사 경내에 있다. 나무귀틀은 한 변 길이 1.5미터에 높이 60센티미터쯤이며, 사방 두 칸의 멋진 당집을 지었다. 옛적의 신사神事 때는 좌경구 안마鞍馬의 귀선貴船에서 물을 길어 왔으나, 다툼이 일어나 물을 내주지 않은 탓에 이 물을 쓴다고 한다. 아주 얕으며 지금은 버려졌다.

쇼와대전昭和大典 때, 근양소謹讓所(동서 50미터 남북 28미터)를 짓고 어주전御酒殿·어증미장御蒸米場·어국실御麴室·탕전湯殿 따위를 갖추었다.

━━━━━

쇼와대전은 쇼와(1926~1988)가 천황이 된 10주기(1938)를 경축한 행사이고, 안마 귀선은 안마산(584미터)에 있는 귀선신사이다. 두 신사 사이에 물 다툼이 일어난 것은 이를 부처의 신성한 몸으로 여긴 까닭이다.

사진 156은 샘 위에 세운 당집이다.

사진 156(ⓒ 야후)

(21) 출운정어신사出雲井於神社

좌경구 하압下鴨 하무어조신사賀茂御祖神社의 말사末社이며, 흔히 비량목사比良木社라고 부른다. 천정신사泉井神社 따위와 함께 정천井泉을 받든 옛 신사로 알려졌지만 지금 우물은 없다.

———

우물이나 그 안의 물을 가리키는 낱말 '정천'은 중국에서 왔다.

(22) 하가무어수세下加茂御手洗

좌경구 하압下鴨신사 본사 동쪽의 하압 신천神泉은 돌담을 두른 매우 큰 샘으로 옆에 어수세사御手洗社가 있다. 여름에 이곳에서 벌이는 야도리신사矢取神事는 벌거벗은 남자가 뛰어들어 겨루는 용감무쌍한 의례이다.

『직류織留』에 '해마다 10월 10일의 예산법화팔강叡山法華八講 의식 때, 산문山門의 중도衆徒들이 이 물을 쇄수灑水로 쓴다'고 적었다. 이에 따라 에도江戶시대(1600~1867)에는 '가무加茂의 더위 식히기納凉'라 하여 사람들이 물가에서 더위를 쫓았다. 『경우이중京羽二重』에 '6월 20일부터 그믐 사이에 몸을 적시면 더위에 야위지 않으며, 지금도 토용土用의 소날표日 경락京洛의 여자들이 발을 담가서 병귀를 쫓는 신앙이 있다'고 적었다. 그리고 태진太秦에 있는 식내목도좌 천조어혼신사式內木島坐天照御魂神社 도리이鳥居가 셋 있는 곳의 청천淸泉도 발을 담그면 여름에 야위거나 겨울 감기에 걸리지 않는다고 한다.

———

야도리신사는 이곳에서 받드는 신玉依媛命이 작은 내로 떠내려 온 살矢을 건져 들고 돌아갔다가 아기를 뱄고, 뒤에 상하무신사의 지기가 된 하하무별뢰신下賀茂別雷神을 낳았다는 고사에서 나왔다. 여름 끝날(입추 전날), 오후 30분부터 벌이는 본

사진 157(ⓒ 야후)

전제本殿祭를 시작으로 신주神主가 7시쯤에 어수세지御手洗池로 가서 악귀를 쫓는 제물인 재곶齋串을 한 가운데 꽂는 의례이다. 예부터 손에 넣으면 운이 틀뿐 아니라 불로장생을 누린다고 하여, 벌거벗은 남자들이(2002년까지는 들보를 찼다) 뛰어들어 맹렬하게 다투었다. 사진 157은 야도리신사의 한 장면이다.

쇄수는 쇄수관음灑水觀音의 준말로, 관음상에 중생을 보호하는 신비한 힘을 지닌 감로수甘露水를 뿌려서 번뇌를 물리치는 의례이다. 쇄수보살은 거센 파도에 표류하는 배를 구제하는 구제자로도 받들었다.

토용은 토왕土旺 곧, 입하·입추·입동·입춘 전의 18일간으로, 흔히 여름 토왕인 삼복 무렵을 가리킨다. 토용의 축일은 토용 가운데 12간지가 축일丑日이 되는 날이며, 여름의 토용 축일을 이렇게 부른다. 경락은 교토의 다른 이름이고, 태진은 우경구右京区에 있는 한 지명이다.

어수세사소는 신사 앞에 마련한 샘으로, 손을 씻거나 입을 헹구어서 몸에 지닌 부정을 가시는 것으로 여겼다.

사진 158은 하하무어수세에 모여들어 재계하는 모습이다.

사진 158(ⓒ 야후)

(23) 선환수세수蟬丸手洗水

―――

동산구 사궁제엽산四宮諸葉山 귀퉁이에 있다. 발 씻는 못足濯池이라고도 한다.

―――

참배객 가운데 손을 씻거나 입을 헹구는 외에 발을 씻기도 하였던 모양이다.

(24) 석점정石占井

―――

오츠시大津市 일길신사日吉神社 부근에 있다. 우물 위에 작은 당집小社을 세웠으며 부뚜막지기竈神라고도 한다.

돌石로 점占을 쳤다는 뜻인가?

우물과 부엌은 실제로 한 몸과 같은 까닭에 같이 부를 터이다.

(25) 제호수醍醐水

리겐대사理源大師가 처음 제호산에 오를 때 나타난 노인이 '아, 후추 냄새가 나는구나'
찬탄하였다는 물이다. 상제호上醍醐 준제관음당準提観音堂 옆에 있다. 산 아래의 독침
수獨銛水 및 적간수赤間水와 함께
제호삼수醍醐三水로 불린다.

리겐(832~909)은 헤이안시대 초기
에 활약한 쇼보聖宝대사 시호이다.
수험도修験道를 크게 일으킨 외에
호제사醍醐寺와 동대사東大寺 동남원
東南院 따위를 세웠다.

당초제사唐招提寺의 제호정醍醐井
물은 부처에게 바치며, 일상의 생활
용수는 다른 우물에서 긷는다.

사진 159(ⓒ 야후)

우리는 이와 달리 '후추냄새 나는 샘'을 초정椒井이
라고 따로 불렀으며 여러 가지 병에 효과가 있다고 믿
었다.

아키다 히로키秋田裕毅는 동대사東大寺 이월당二月堂
동쪽의 작은 것(동서 1.8미터)과 서쪽의 큰 것(동서 2.8미터)
을 모두 알가정閼伽井이라 부르지만, 당초제사처럼 한
곳은 부처에게, 다른 쪽은 생활용수로 썼을 것이라 하였
다(2010 ; 142~143).

사진 159가 당초제사의 제호수 당집이고, 사진 160
이 안의 수도꼭지에서 흐르는 제호수이다.

사진 160(ⓒ 야후)

(26) 호법선신당護法善神堂

신당의 본디 자리는 낙북洛北 안마사鞍馬寺 본당 오른쪽, 서너 칸 뒤에 위치한 우물 위였다. '아가정阿伽井 호법선신'이라고 적은 현판도 있었으며, 언제나 작은 물통을 바쳤다.

우물은 산의 '대나무 베기竹伐 의례'와 연관이 깊다.

그 유래담이다.

카이산상인開山上人이 안마산에 법당을 지을 때, 앞산에 뱀 두 마리가 나타나자 주문으로 수컷을 죽였더니 암컷이 영원히 법을 지키겠다고 맹세하여 호법선신으로 삼았다. 행사는 본당 앞에 나란히 놓은 대나무로 꾸민 암수 뱀 가운데, 암대를 먼저 베어 본디 자리에 심고, 수대를 안마법사가 베는 과정으로 이루어진다. 이때 우물의 물을 반드시 알가수閼伽水로 쓰며, 당 앞에 세운 대나무에 주련注連을 걸고 환희歡喜라는 이름의 경단과 팥밥 따위로 제례를 올린다.

카이산상인(1162~1238)은 정토종 제2조 쇼코 쇼벤쵸聖光房弁長의 다른 이름이다.

교토시 북쪽의 안마사는 나라奈良 당초제사의 개조開祖 칸진鑑真(688~763) 화상和尙의 으뜸가는 제자鑑禎上人가 770년에 비사문천왕毘沙門天王을 받든 것을 실마리로 삼아 세웠다.

관평寬平 때(889~897), 부엔상인峯延上人이 자신에게 달려드는 큰 뱀을 진언真言으로 항복시켰으며, 또 다른 큰 뱀이 안마의 향수御香水를 지키겠다고 맹세하여 마을에서 신으로 받들게 되었다고도 한다. 앞의 뱀이 수컷, 뒤의 것이 암컷이다.

본전 앞에 대나무 네 그루를 마련하며 뿌리가 잘린 큰대太竹를 수, 뿌리 달린 것을 암으로 여긴다. 에도시대 중기 무렵부터 법사들이 근강좌近江座와 단파좌丹波座로 나뉘어 승부를 지었으며, 이긴 쪽에 풍년이 든다고 믿었다. 지금은 벤케이弁慶로 꾸민 두 패의 승병僧兵들이 도사導師의 신호에 따라 칼山刀을 휘두르며

사진 161(ⓒ 야후)

대를 다섯 마디로 벤 다음, 본전으로 뛰어드는 다툼으로 바뀌었다(사진 161).

　무사 미나모토노 요시쓰네源義經(1159~1189)를 주군으로 섬긴 스사시보우 벤케이武藏坊弁慶(?~?)는 역사상 가장 높은 인기를 누린 인물로 전설 · 연극 · 영화의 주인공으로 자주 나타난다. 교토 고조五条의 다리에서 밤마다 행인과 싸움을 벌여서 1,000개의 칼을 모으던 중, 마지막 하나를 빼앗으려다가 요시쓰네에게 잡혀 손을 들고 따르게 되었다고 한다. 많은 전투에서 주군을 헌신적으로 돕다가 선 채로 화살을 맞았으며 숨이 끊어진 뒤에도 그대로 있었다는 말이 있다.

　아가정은 알가정과 같은 말로 '가치를 지닌 것'이라는 산스크리트 말 'argha'를 소리 값에 따라 적은 것이다. 본디 손님에게 드리는 물을 가리키다가 신에게 바치는 물이나 그릇을 이르게 되었다. 불교에서는 흔히 불보살에게 올리는 성수聖水의 뜻으로 쓰며, 특히 밀교密教에서는 부처나 여러 존자에게 올리는 여섯 가지 공양의 하나로 삼아 이로써 번뇌의 때를 씻는다고 한다.

　그러나 일반인들은 불전이나 무덤에 올리는 신성한 물을 알가라 부른다. 이 정수淨水를 긷는 우물을 알가정, 물 담는 나무통을 알가통閼伽桶, 금속용기를 알가기閼伽器라 하여 밀교 수법修法에 쓰는 여섯 가지 기구의 하나로 꼽았다.

　우물을 보호와 잡물이 섞이는 것을 막기 위해 흔히 우물 위에 작은 당집을 짓는다.

(27) 어실 알가정御室閼伽井

———

　좌경구 궁궐의 대내大內, 곧 인화사仁和寺 동쪽에 있다. 나무귀틀과 우물 위에 덮개를 겸한 당집을 올렸다.

———

(28) 동사 변재천 알가정東寺弁才天閼伽井

———

　건물은 남구南區 동사 변천당弁天堂 남쪽에 있으며, 알가정이라는 현판을 달았다. 동이 안에 물이 고이며 이를 천황에게 바친다.

———

(29) 비사문당 알가정毘沙門堂閼伽井

동산구에 있는 비사문당의 우물이다. 네모꼴이며 맷집 신당에 기와를 올렸다.

(30) 고산사 알가정高山寺閼伽井

좌경구 고산사 여러 당집 뒤에 있는 굴에 물이 고인다. 이 형식의 알가정은 서부에 많으며, 앞에서 든 암정巖井신사나 대원야촌大原野村의 대세大歲신사 따위도 마찬가지 이다. 팔번八幡과 근강近江의 상실사桑實寺 본당 옆에도 같은 꼴의 샘이 있다.

(31) 횡천 알가정橫川閼伽井

비예산比叡山 원삼대사당元三大師堂 아래 골짜기에 있다. 네모꼴(한 변 50센티미터)로 바닥 은 얕다. 본디 물이 아주 흐렸으나 원삼대사가 부처에게 빌자 맑고 맛좋은 물로 바뀌 었디고 한다. 독고수獨鈷水 로도 불린다.

원삼(912~985)은 헤이안시대 천태종天台宗의 중이다.

(32) 선수사 알가정善水寺閼伽井

근강近江 선수사에 유명한 알가정이 있다. 덴교傳敎가 지팡이筇杖로 바위를 쑤셨더니 물仙水이 솟았다고 한다.

이밖에 알가정은 어디나 있으며 특히 교토에는 아주 많으므로 더 설명하지 않는다. 동산구 안상사安祥寺의 알가정은 절을 처음 지은 싱가眞雅가 도를 닦을 때 쓴 청룡수 靑龍水라고 한다. 같은 곳의 권수사勸修寺 팔번궁八幡宮 경내의 알가정은 다이호醍醐천 황(897~930) 관정灌頂 때, 원산圓山의 길수吉水는 청련원靑蓮院의 원주院主 관정 때 알가 수로 썼다. 물을 마신 사람은 갑주甲冑를 입었다는 기록이 있다. 위치는『화락명소도회華洛名所圖會』에 보인다.

───────

덴교는 헤이안시대 중으로 천태종을 열었으며, 싱가(801~879)는 같은 시대 전기의 진언종 중이다. 관정은 진언종에서 수계受戒 따위의 의례 때, 정수리에 향수香水를 붓는 절차를 가리킨다.

(33) 변경수弁慶水

───────

비예산 연력사延曆寺 부근에 있다. 우물 위에 뱃집 건물을 세웠다. 서탑西塔에 살던 벤케이弁慶가 천일 동안 천수당千手堂에 머물며 기도할 때, 날마다 알가로 삼았다고 한다. 천수정千手井 이라는 별명도 지녔다.

───────

사진 162의 왼쪽 건물 안에 변경수가 있다.

(34) 수약사물水藥師の水

───────

하경구 송미대사松尾大社 어려소御旅所 남쪽, 진 언종 수약사水藥寺 뒤쪽에서 솟는 맑은 샘이다.

사진 162(ⓒ 야후)

예부터 맑고 찬 샘이 곳곳에서 솟았고 지금도 미나리 밭에 댄다.

에도시대에는 교토사람들이 물맞이水浴를 하였으며, 약을 달이는 외에 여러 가지 병도 고쳤다.

『사전寺傳』의 기사이다.

연희延喜 때(901~923), 서칠조西七条에 갑자기 바닷물이 솟아서 물이 들고 날 때마다 수위가 바뀌었다. 그 안에서 빛이 뿜어 나오는 것을 본 사람들이 들어가 약사상藥師像을 건졌다. 이를 성보聖寶로 삼아 본전으로 받드는 곳이 지금의 염통산수塩通山水 약사사藥師寺이다.

지금은 말랐지만 옛적에는 석정수石井水였다. (…) 높은 열에 시달리던 타이라노 기요모리平清盛(1118~1181)가 물을 뒤집어쓰자 곧 갈아 앉았다는 전설도 있다. 이와 달리 『도회명소』에는 그가 목욕을 하였더니 곧 끓어올랐다고 적혔다. (…)

그가 몸을 씻었다는 우물은 육바라六波羅 옛터에도 있다. (…) 크고 작은 두 곳으로, 물건을 던지면 이튿날 반드시 떠오른다고 한다.

───────

타이라노 기요모리는 12세 때 사효에노스게左兵衛佐가 된 뒤, 호겐保元의 난과 헤이지平治 난을 평정하는 따위의 공을 세운 끝에 정적 겐지源氏 일문을 몰아냈으며, 1167년에 다이조대신太政大臣에 올랐다. 1179년, 고시라카와後白河천황(1155~1158)을 내쫓고 이듬해 자기 딸이 낳은 인물을 안토쿠安德천황(1180~1185)으로 삼는 외에, 후쿠하라福原로 천도하는 따위의 권력을 휘둘렀다.

(35) 번창사물繁昌社の水

───────

하경구 실정室町에 있다. 본디 지금보다 서쪽에 위치한 우물 위에 돌을 얹고 당집을 세웠다. 신사에서는 돌 아래에서 물이 솟는다고 한다. (…) 반녀사班女社의 옛 터로, 추녀醜女 한죠班女의 남편이 허무를 느껴 뛰어든 자취가 남았다. 이 때문에 예부터 혼례행렬은 반드시 멀리 돌아간다

동산東山에 오슌 데베에御俊伝兵衛 비를 세웠으며, 지금도 아래에서 물이 솟는다. 하경구 서옥수정西玉水町의 조안총朝顔塚도 그 우물 위에 있다.

───────

한죠는 노能에 등장하는 유녀遊女 하나코花子이고, 오슌 덴베에는 상대역이다. 요시다 소장吉田少將과 부부의 인연을 맺은 그네는 재회의 약속으로 부채를 주고받았으며, 평생 부채를 바라보며 산 까닭에 반녀라는 별명을 얻었다. 상대를 기다리다가 정신병자가 되어 교토에서 헤맨 끝에 다시 만나 온전한 상태로 돌아갔다.

(36) 아수兒の水

───────

하경구 로쿠손노신사六孫王神社 근처에 있는 이 샘은 눈병에 효과가 높다. 옆에 부동명왕상不動明王像을 모셨다. 샘 위의 당집覆屋 지붕에 '아수부동명왕兒水不動明王' 또는

'수신궁水神宮'이라는 손전등을 걸어두었다.

부동존不動尊·무동존武動尊·부동사자不動使者 따위로 불리는 부동명왕은 화생삼매
火生三昧에 살면서 부정을 없애고 중생의 득도를 돕는 공덕이 큰 명왕이다.

아수부동명왕은 그의 곁에서 솟는 맑은 물이다. 미나모토노 사네토모源実朝(1192~
1219)의 아내本覚尼가 남편의 극락왕생을 위해 세운 편조심원遍照心院 대통사大通寺 문
앞에 있었다. 이를 '비구니절 물尼寺の水'이라고도 부른다.

(37) 부동정不動の井

좌경구 안마사 부근에 있다. 부동당不動堂 앞 돌귀틀 안에서 물이 솟는다. 세 방향에
돌담을 두르고 위에 당집을 얹었다. 여러 병 치료에 효과가 높다.

------

(38) 하루아키 우물晴明の井

상경구 굴천堀川 동북쪽 살림집 안에 있으며, 아베 하루아키安倍晴明가 기도를 올릴 때
솟았다고 한다. 서쪽에 하루아키晴明신사가 있다.

헤이안시대 중기의 음양가인 아베 하루아키(921~1005)는 신의 영험을 받아 이변을
미리 알았다. 물은 그가 애써서 나오게 한 덕분에 병이 낫는다며 지금도 마신다. 물
이 그 해의 혜惠 방향으로 나오면 길상수吉祥水라
하여 해마다 입춘 날 방향을 바꾼다.

또 토요토미 히데요시豊臣秀吉(1536~1598)가 하루
아키신사 남쪽에 취락제聚楽第를 지을 무렵, 센리
큐千利休가 이 물로 달인 마지막 차를 마시고 스스
로 목숨을 끊었다고 한다.

하루아키를 받드는 이 신사가 악귀를 막고 병
을 고치는 영험을 지녔다고 알려진 것은 경내에

사진 163(ⓒ 야후)

있는 하루아키우물과 관계가 깊다.

사진 163이 청명정이다.

(39) 장강명성수長岡明星水

────────

낙서洛西 을훈군乙訓郡 을훈사乙訓寺 부근에 있다. 코보弘法대사가 마련한 우물로 유명하다.

1925년에 갑자기 작은 신당을 세우는 따위의 돌풍이 일어났으며, 물을 떠가려는 사람들이 들끓었다. 이듬해 여름에는 새벽부터 밤 11시까지 늘어섰고 하루 8천 명이 모여들기도 하였다. 경찰 조사결과 못 마시는 물로 판정이 났음에도 그치지 않았고, 잠깐 사이에 만원萬圓이 넘는 새전賽錢이 쌓였다. 약삭빠른 사람들은 동사東寺의 재일齋日인 9월 25일 '명성수로 끓인 우동으로 무슨 병이든지 고치며, 값은 한 그릇에 칠전七錢'이라는 광고까지 지어냈다. 그러나 얼마 뒤 사람들의 관심은 거품처럼 꺼졌다.

────────

평양의 대동강 물을 팔았다는 우리네 봉이 김선달의 뺨을 칠 만한 사람들이다.

(40) 흑곡명성수黑谷明星水

────────

동산구 하경구 영섭원榮攝院 경내에 있다. 깊이 1.6미터로 위에 당집을 세웠다. 건강에 좋다고 한다.

────────

사진 164가 흑곡명성정이다.

사진 164(ⓒ 야후)

(41) 차아락성정嵯峨落星井

────────

우경구 차아嵯峨의 법륜사法輪寺 경내에 있다. 『낙양명소집洛陽名所集』에 '위에 당집社을 세웠으며, 도쇼우道昌가 목욕재계할 때, 별이 떨어졌다'고 적혔다(권11).

천장天長 6년(829), 그가 백일 동안 구문특법求聞特法을 닦던 마지막 날, 알가정 물에 허공장보살虛空藏菩薩이 나타나더니 며칠 동안 그대로 있었다. 이로써 신상을 마련하고 구카이空海가 개안식開眼式을 올린 것이 지금의 본전이다. 성락정星落井 또는 명성정明星井이라고도 한다.

———

도쇼우(798~875)는 헤이안시대 전기의 승려이다. 828년, 구카이에게 관정灌頂 의례를 받았으며, 873년에는 차아嵯峨의 갈정사葛井寺를 수축, 법륜사로 재흥시켰다.

(42) 길전낙성수吉田落星水

———

좌경구 길전신사 부근에 있으며 명성수明星水라고도 한다. 가네토모兼俱의 목욕재계 때 명성이 내려왔다고 일러온다.

———

성이 요시다吉田인 가네모토(1435~1511)는 무로마치室町시대(1392~1573)의 신관神官이다.

(43) 대궁두낙성수大宮頭落星水

———

상경구 금궁今宮신사 부근에 있다. 우물에 왕길성往吉星이 떨어져 사람들이 살을 쏘았다고 한다. 별의 자손 성야星野가 대를 이어 신인神人 구실을 하였다.

———

(44) 백국수白菊水

———

고켄孝謙천황(749~758) 4년(752), 길이 6미터쯤의 별이 궁중에 떨어졌다. 사람들이 놀라워하는 가운데 (…) 한 노인이 '나는 천태왕명天太王命이다. 흰 국화를 좋아하는 나를 위해 가물었을 때 그 이슬을 땅에 뿌리면 곧 맑은 물이 솟으리라' 하였다. (…) 이를 들은 천황은 '금찰백국 대명신金札白菊大明神'이라는 이름을 내렸고 이 뒤부터 천하가 태평을 누렸다.

노인이 백국 이슬을 떨어뜨린 곳에서 솟은 물이 백국정
이다. 이를 중심으로 사지社地를 운영하고 해마다 올벼
와 함께 물도 바쳤다.

———

천태왕명은 고대에 제사를 받든 씨족이다.

사진 165가 꼭지에서 흐르는 백국수를 받는 절구모양
의 돌그릇이다.

사진 165(ⓒ 야후)

(45) 삼정신수三井の神水

———

오츠시大津市 삼정사三井寺 금당 왼쪽의 어정御井에 있다.
장등長等의 산에서 솟는 진청수眞淸水로 덴지天智(661~
671) · 덴무天武(673~686) · 지토持統(686~697) 세 천황의 산
탕産湯으로 썼다. (…) 처음에 어정御井이라 부르다가 치
쇼우智証(圓珍)가 삼부관정三部灌頂을 하고 나서 지금의 이름으로 바뀌었다.

지금도 맑은 물이 작은 소리를 내면서 솟으며, 옆에 주련注連을 걸어놓은 돌 세 개가
있다. 위의 건물은 본디 이소御所이 어차기御車寄였던 것으로 (…) 모모야마桃山시대(16
세기 후반)의 뛰어난 건축물이다. (…) 사방의 비룡飛龍 그림은 카노우 모토노부狩野元
信(1467~1559)의, 조각은 히다리 진고로左甚五郎의 작품이라고 한다.

———

삼정사 북쪽에 있는 신라명신新羅明神을 모신 신라선신당新羅善神堂도 빼놓을 수 없
다. 당唐에서 공부를 마친 엔칭圓珍(814~891)이 신라 장보고張保皐(?~846)가 세운 산동성
山東省 적산원赤山院에 머문 뒤 신라 배를 타고 귀국길에 올랐다. 항해 도중 풍랑으로
어려움을 겪을 때, 신라명신이라는 백발노인이 뱃머리에 나타나 구해 주었다. 뒤에
엔칭이 삼정사를 창건하자 다시 나와서 불법 수호를 위해 신사를 마련하라는 명을
내렸고 이에 따라 세웠다고 한다.

특히 신라선신을 깊이 믿었던 미나모토노 요리토모源賴義(985~1078)는 셋째아들 요
시미쓰義光의 성인식을 이곳에서 올리고, 그를 시라기사부로 요시미쓰新羅三郎義光라
불렀다.

금당 서쪽 귀퉁이에 세운 알가정은 정면 세 칸에 측면 두 칸 규모이며 노송나무 너와로 덮었다. 삼정이라는 이름은 앞에서 든 대로 이 물을 세 천황의 산탕으로 쓴 데서 왔다. 건물은 1600년, 토요토미 히데요시의 아내 기타노 만도코로北政所의 뜻에 따라 지었다. 정면 위의 용 조각이 매일 밤 비와코琵琶湖로 가서 횡포를 부리는 것을 막기 위해 눈에 길이 5촌의 못을 박았다는 말도 있다. 그만큼 신령스럽다는 뜻일 터이다. 건물은 1906년에 국가중요문화재로 지정되었다.

사진 166

사진 166이 알가정 위에 세운 당집이고, 사진 167은 안에서 솟는 알가정, 사진 168이 신라 선신당이다.

사진 167

(46) 하늘의 진명정天の眞名井

————
하경구 이치히메市比賣신사에 있다.

(…) 이 물은 『도명소회권都名所會圈』에 낙양의 명수로 올랐다(권2). 세이와淸和천황(858~876)대부터 고토바後鳥羽천황(1183~1198)대에 이르기까지 27세 천황의 산탕으로 썼다.

또 아시카가 요리모치足利義持(1386~1428)가 태어날 때도 쓴 까닭에 사당을 기증하였으며 그 뒤 대대로 산옥신産屋神으로 받들었다.

신사에서 안산을 위한 부적을 판다.
————

사진 168

산옥은 외딴 곳에 짓는 임시 거처로 출산을 앞둔 산모가 아기를 낳을 때까지 지내며, 곳에 따라 집안의 창고도 이용한다. 고기를 잡으러 떠나거나 동제를 지낼 때 몸 중의 여자도 거처하였다. 불을 따로 써서 부정을 막는다는 것이다.

우리는 이를 해막解幕이라 불렀으며 전라북도 어청도와 충청남도 외연도·원산도·장고도·안면도 및 서산군 부석면 식리 등지에서 1940년대 무렵까지 산모가 머물렀다. 규모는 방 두 칸에 정지 한 칸이며 막지기가 해산을 도왔고, 아기 낳은 집에서 쌀 한 말, 마을에서 해마다 보리 한 말을 주었다(김광언 1976 ; 83).

이것이 일본에서 건너왔는지 우리 쪽에서 갔는지 알 수 없지만, 일부 지역에 한정되는 것으로 미루어 일본의 영향을 받은 듯하다.

사진 169가 신사의 천진명정이고, 사진 170은 신사에서 파는 플라스틱 인형에 저마다의 소원을 적어서 바친 부적이다.

사진 169(ⓒ 야후)

사진 170(ⓒ 야후)

(47) 우정祐井

———

궁월御苑에 있다. 1854년의 큰 가뭄 때, 좋은 물을 얻으려고 팠으며 지금도 일정한 양이 솟는다. 옆에 1877년에 세운 락정비가 있다.

———

교토시 상경구의 어원은 국민공원으로 바뀌었다.

(48) 현정縣井

———

어원에 있는 네모 돌귀를 우물이다. 쇼겐昭憲
황태후皇太后의 산탕으로 썼다.

———

쇼겐(1850~1914)은 메이지明治천황(1867~1912)
의 비이다.
사진 171이 현정이다.

(49) 로쿠손노六孫王 탄생정誕生井

———

서西 8조条 대통사大通寺 경내에 있다. 세이
와겐지清和源氏가문 발생지의 명수名水이자,
신룡지神龍池의 원천이기도 하다. 로쿠손노
의 산탕으로도 썼다.

사진 171(ⓒ 야후)

———

로쿠손노는 미나모토노 쓰네모토源経基(?~961)의 다른 이름이며, 세이와겐지(858~
876)는 56대 세이와清和천황(858~876)의 아들 및 제왕諸王을 할아비로 삼는 미나모토
노 씨족이다.
우물이 새 생명의 탄생지임을 알리는 좋은 보기이다.

(50) 요리토모 탄생수賴義誕生水

———

하경구 용천사涌泉寺 있던 것을 근처 살림집으로 옮겼다. 못처럼 넓으며 깊이 2.7미터
이다.

———

미나모토노 요리토모源賴義(1147~1199)는 가마쿠라鎌倉막부를 세우고 초대 정이대장
군征夷大將軍에 올랐다.

(51) 우시와카마루 탄생수牛若丸誕生水

———

낙북洛北 북구의 대궁두자죽大宮頭紫竹에 위치한다. '우시와카마루 탄생정을 응영應永

2년(1395)에 팠다'고 새긴 비가 있었

으며 에도시대에 위에 당집을 세웠

다.

부근에 같은 이름의 우물이 있다.

———

우시와카마루는 미나모토 요시쓰네

源義経(1159~1189)의 아명이다.

사진 172가 우물이다.

사진 172(ⓒ 야후)

(52) 간코 초탕정菅公初湯井

———

상경구 관원원菅原院 천만궁天満宮 경내에 있는 사다리꼴로 다듬은 화강암우물이다.

이밖에 간코자견의 거울우물菅公姿見井도 있었다.

———

간코는 스가와라노 미치자네菅原道

眞(845~903)를 높여 부르는 이름이다.

학자이자 정치가로 흔히 간코菅公 또는

간쇼죠菅丞相라고도 한다. 한시漢詩・와

카和歌・서법書法에 밝았으며, 죽은 뒤

학문의 신天満天神으로 불렸다.

초탕은 태어나자마자 씻긴 물이라는

뜻이며 흔히 산탕産湯이라 부른다. 이

는 물이 갓 태어난 생명에게 신비한 힘

을 실어주는 것을 나타낸다.

자견정은 자신의 모습을 비춰보는

우물이라는 뜻이다. (☞ 1325~1328)

사진 173이 칸코 산탕이다.

사진 173(ⓒ 야후)

(53) 간코 탄욕수菅公誕浴水

―――――

하경구 관대신사菅大臣社에 있다. 여섯모꼴 우물 통 옆에 비문이 있다.

―――――

(54) 신란 산탕정親鸞産湯井

―――――

복견구伏見區 법계사法界寺에 있다.

―――――

신란(1173~1262)은 정토진종淨土眞宗의 창
시자이다.
사진 174가 탄생정이다.

사진 174(ⓒ 야후)

(55) 렌뇨 산탕정蓮如産湯井

―――――

동산구 지은원知恩院에 있다.

―――――

렌뇨(1415~1499)는 정토진을 중흥시킨 고승이다.

(56) 아시카가 초탕정尊氏初湯井

―――――

부하府下 하록군何鹿郡에 살던 아시카가 사다우지足利貞氏가 아들이 없어 고야스지조
子安地藏에게 빈 뒤, 아내가 별을 삼키는 꿈을 꾸었고 그 결과 다카우지奠氏를 낳았
다고 한다. 마을 안국사安國寺 문 앞에 초탕정이 있다. 깊이 2.4미터의 둥근 우물이
다.

―――――

아시카가 사다우지(1358~1305)는 무로마치막부室町幕府의 초대 정이대장군征夷大將軍
을 지낸 아시카가 장군네 시조이다.

(57) 이즈미 시키부 산탕우물和泉式部産湯井戸

———

북구 대덕사大德寺 진주암眞珠庵 북쪽에 있는 네모꼴 우물이다.

———

이즈미 시키부(978~?)는 헤이안시대 중기의 가인歌人이다.

(58) 헌단정軒端の井

———

낙동 좌경구 동북원東北院 마당에 있다. 앞의 이즈미 시키부가 달빛을 읊조렸다고 하여 운수정雲水井이라고도 한다.

———

(59) 오노노 코마치 거울우물小野小町姿見井

———

동산구東山區 소야정小野町에 있다.

———

오노노 코마치小野小町(?·?)는 9세기 무렵의 여류 가인이다.
사진 175가 그네의 백세정百歲井이다. (☞ 1325~1326)

사진 175(ⓒ 야후)

(60) 코마치 화장수小町化粧水

———

동산구 소야수심원小野隨心院 대숲에 있었다.

———

코마치는 앞에서 든 오노노 코마치를 가리킨다.

(61) 소정사 거울우물小町寺の姿見の井

———

좌경구 시원정市原町 보타락사普陀落寺 경내에 있다. 지름 1미터쯤의 얕은 우물로 지금은 말랐다.

———

(62) 소정수小町水

———

오노노 코마치小野小町가 가뭄이 들었을 때 노래和歌를 읊조리며 비를 빌었다는 우물이 하경구 서동원西洞院 부근에 있었으나 지금은 메워졌다. 코마치 화장수化粧水라고도 한다. 그네가 마음에 두었던 남자가 말을 들어주지 않아 이곳에 몸을 던진 탓에 혼례의 가마는 다리를 건너지 않는다.

부근에 같은 이름의 우물 셋이 있었다.

———

혼례행렬이 부정한 곳을 피해 멀리 돌아가는 풍습은 중국에도 있다. (☞ 1074)

(63) 초지 씻은물草紙洗の水

———

오노노 코마치가 『만엽집万葉集』을 넣었더니 글자가 모두 사라졌다는 우물이다. 상경구에 있으며 청화수淸和水라고도 한다. 물을 마시면 미인이 된다고 하여 모두 길어갔다.

———

『만엽집』은 고대의 시가 4,500여 편을 담은 일본의 가장 오랜 문학유산이다. (☞ 1234)

(64) 상반정常磐井

———

북구 선강산船岡山 동쪽에 있다.

———

상반은 이바라키현茨城県 대부분과 후쿠시마현福島県 일부를 포함하는 옛 지명이다.

(65) 요시쓰네 거울우물義經姿見の井戶

─────

우경구에 있다. 미나모토노 요시쓰네源義經(1159~1189)가 자신을 비춰보았다고 한다.

─────

(66) 후카쿠사노 쇼쇼 거울우물深草少將姿見の井

─────

복견구 흔정사欣淨寺에 있다. 후카쿠사노 쇼쇼의 눈물이 솟아나온다는 우물로, 지금은
말랐다. 묵염정墨染井이라고 새긴 비가 있으며 그 뒤 언덕에 코마치와 쇼쇼의 탑이라
고 전하는 것이 보인다.

─────

후카쿠사노 쇼쇼는 무로마치室町시대 노작
가能作者의 창작품이다.

사진 176이 흔정사의 묵염정이다.

사진 176(ⓒ 야후)

(67) 가게교 거울우물景清姿見の井

─────

후지와라노 가게교藤原景清가 감옥에 갇혔을
때 자신을 비추어 보았다는 우물이 동산구 서대곡西大谷에 있다. 같은 이름의 우물이
동복사東福寺 문 앞에도 남았다.

─────

후이와라노 가게교(?~1196)는 헤이안平安시대 말기에 활약한 무장이다.

(68) 나리히라 거울우물業平姿見の井

─────

낙서洛西 을훈군乙訓郡 대원야촌大原野村 대숲 안에 아리하라노 나리히라在原業平 일족
의 무덤이라는 오륜탑五輪塔이 보인다. 그 아래에 19세기 말까지 나리히라 거울우물이
있었다.

─────

아리하라노 나리히라(825~880)는 헤이안시대 초기의 귀족이자 가인이다.

사진 177이 우물의 정명井銘이다.

(69) 기변수寄邊水

──────

좌경구 상하무上賀茂 근처의 우물로 삼세三世가 다 비친다고 하여 사람들이 몰려들었다.

──────

삼세는 과거·현재·미래를 이르는 말이며, 전 우주를 나타내기도 한다.

(70) 오보로청수おぼろの淸水

──────

앞과 같은 곳 부근에 있다.

어느 날 이 우물을 지나던 겐레이 몽인建礼門院(1155~1213)이 그 안에서 이름답게 활짝 핀 꽃에 자신을 비춰보다가 늙고 볼품없는 모습에 놀라 비탄에 잠겼다고 한다. 그네는 다카쿠라高倉천황(1168~1180)의 중궁中宮이자 안토쿠安德천황(1180~1198)의 어머니이며, 타이라노 기요모리平清盛(1118~1181)의 둘째 딸이다. 1185년의 전쟁壇ノ浦の合戦에 패하여 쫓기다가 안토쿠천황과 함께 우물에 뛰어들었으나, 구조되어 교토 대원적광원大原寂光院의 비구니로 여생을 보냈다. 예부터 이 우물을 읊조린 노래가 많다.

──────

천황내외가 우물에 뛰어들었다니 놀라운 일이다.

(71) 산과 거울못山科の鏡池

──────

낙동 묘심사妙心寺 동쪽에 있다. 덴지天智천황(661~671)이 대궐宸影을 비추었다고 한다. 가뭄에도 물이 줄지 않는다.

──────

(72) 동산 거울못東山の鏡池

동산구 정법사正法寺에 있다. 『옹주부지雍州府志』에 '절을 세운 고쿠아國阿가 91세 때, 이 물에 비친 자신의 모습을 조각하였다'는 기사가 보인다(권8).

중 고쿠아(1314~1405)는 지슈時宗 고쿠아파國阿派의 시조이다.

(73) 오카자키 거울못岡崎の鏡池

좌경구 강기별원岡崎別院 본당 서쪽에 있다. 팔각 돌담 안에서 푸른 빛 물이 솟는다. 중 신란親鸞이 북월北越로 쫓겨났을 때, 자신을 비춰 보았다고 한다.

'거울물鏡水'에 귀족·미인·승려가 제 모습을 비추었다는 곳은 이밖에도 적지 않으며 노래和歌에도 자주 등장한다.

사진 1/8이 오카사키 거울못이다.

사진 178(ⓒ 야후)

(74) 길상원 거울못吉祥院の鑑井

스가와라노 미치사네菅原道真의 탄생지라는 남구 길상원 정소정政所町에 있으며 석원정石原井이라고도 한다. '감정명비鑑井銘碑' 내용이다.

石原之井	석원의 이 우물
徹底而清	바닥이 보일만큼 맑구나
菅神写影	스가와라님 거울로 삼으니
千歳留名	그 이름 영원하리
涌出弗渇	물 끊임없이 솟아
四時盈盈	언제나 넘쳐흘러

鑑焉永嘆　　언제나 감동을 주나니

厥德維明　　명수名水임을 스스로 밝히네

이 비는 서예가 마쓰시다 우세키松
下烏石(1698~1779)가 1754년에 세웠다.
「감정」이라는 이름은 스가와라노 미치
사네(845~903)가 어린 적에 거울로 삼
아 자신의 모습 비추어보기를 즐긴
데서 왔다. 물은 그가 천신天神으로
받든 뒤에도 끊이지 않아 모두 그의
신덕神德으로 여긴다.

사진 179가 감정이다.

사진 179(ⓒ 야후)

(75) 태자의 물太子の水

증경구 정법사頂法寺 태자당 뒤에 있으며 태자가 목욕한 못이라고도 한다.

쇼도쿠聖德(574~622)태자가 관음상 봉안 자리를 찾으려고 지금의 육각당六角堂에 이르
렀다. 너무 더운 탓에 상을 옆 나무에 걸어두고 목욕한 뒤 돌아왔더니 상이 움직이지
않는 것을 보고 진좌鎮坐의 성지임을 알았다. 이에 시라히게묘진白鬚明神의 지시에 따
라 나무를 구해서 당집을 세웠다.

시라히게묘진을 모시는 시라히게신사는 전국에 190개소쯤 되지만, 그 가운데 주목
되는 곳이 사이타마현埼玉県 입간군入間郡 日高町에 있는 고려신사高麗神社이다.

『신사사전神社事典』 기사이다.

고려왕 쟈코우若光(?~?)·사루타히코노 카미猿田彦命·다케우치노 스쿠네武內宿禰
세 신을 받든다. 조선계 귀화인의 왕을 신으로 모신 아주 드문 신사로, 지금도
일본에 있는 조선인들의 씨신氏神적 존재로 존숭받는다. (…) 영구靈龜 2년(716),

이곳高麗鄉으로 온 귀화인들의 수장首長은 『속일본기續日本記』에 등장하는 쟈코우이며, 자신들의 번영을 빌기 위해 사루타히코노 카미와 다케우치노 스쿠네를 모시고 시라히게묘진이라 부른 것이 신사의 시초이다. 그리고 그의 덕을 기리는 영묘靈廟를 세우고 고마묘진高麗明神이라 이르다가 이들을 하나로 합친 고마다이묘진高麗大明神을 탄생시켰다. (…) 역사적 사실인지 알 수 없지만, 적어도 13세기 이전에 옛 고려군 일대의 귀화인계 주민이 쟈코우왕을 시조신으로 삼은 것은 틀림없다(白井永二·土岐昌訓 1999 ; 174).

또 715년 5월, 간토關東지역에 흩어져 있던 고구려계 이주민 1,799명을 무사시노武藏野로 옮기고 고려군高麗郡을 설치하였다는 『속일본기』의 기록을 보더라도 신사를 고구려계 이주민들이 세운 것이 분명하다. 고구려 중 혜자慧慈(?~?) 및 백제 승 혜총惠聰(?~?)에게 불교를 배운 쇼도쿠태자가 등장한 점도 이러한 사실과 연관이 있을 터이다.

사진 180의 오른쪽이 신사의 비이고, 사진 181은 근래 입구에 세운 장승이다.

사진 180(ⓒ 야후)   사진 181(ⓒ 야후)

(76) 다치바나공 우물諸兄公の井

낙남洛南 상악군相樂郡 다치바나노 모로에공橘諸兄公 집터에 있다. 여섯모꼴의 큰 우물로 석대식石台式의 돌 여섯 장(너비 각 1미터·1.2미터·1미터·88센티미터·1.2센티미터·88센티미터)으로 이루어졌다.

———

다치바나 모로에(684~757)는 조정대신이며 가쓰라기왕葛城王이라고도 한다. 『만엽집』에 그의 단가短歌 여덟 수가 실렸다.

(77) 개구리무덤물蛙冢の水

———

앞과 같은 곳에 있다. 지름 110센티미터로 돌전이 있는 둥근 우물圓井戶이다. 다치바나 모로에가 발 셋 달린 개구리를 물은 곳이라 한다. 물이 맑아서 바닥까지 보인다. 1925년 초등학교를 세울 때, 옆으로 옮겼다.

———

개구리가 물에 사는 동물이라 연관 지은 것인가? '발 셋 달린 개구리'는 신령스럽다는 뜻일 터이다.

(78) 신인천神人泉

———

낙남 상악군에 있다.

———

(79) 반딧불이샘螢の泉

———

낙북 좌경구 수학원이궁修學院離宮 입구 부근에 있으며 네모 귀틀을 세웠다.

———

(80) 수학원 연명수修學院延命水

———

앞과 같은 수학원 운천장雲泉莊에 있다.

———

명을 이어주는 신령스런 물이라는 뜻이다.

(81) 산과연명수山科延命水

───────

산과 북화산北花山 부근에 있다. 옛 형장刑場 자리에서 솟는다.

───────

죽음을 앞두었던 죄인을 살려낸 우물이라는 뜻인가?

(82) 요정潦井

───────

우경구 광륭사廣隆寺 서문 옆에 있으며 위에 당집을 올렸다. 『부상경화지扶桑京華志』에
는 이사라정伊佐良井이라고 적혔다. 그 기사이다.
"유대식으로 팠다. 유대인들은 반드시 사는 곳에 먼저 우물을 판다. 이 절에 있는 하
타노 가와가쓰秦河勝 상像은 유대풍속을 알려준다. 그는 유대인이었던 까닭에 이곳에
살면서 가장 먼저 우물을 파고 고향의 이름을 따서 '이스라엘 우물'이라고 지었다. 이
것이 후세에 와전된 것이다."

───────

가와가쓰는 4세기에 여러 기술자들과 함께 건너간 신라 사람의 후손이다. 아스카
飛鳥시대(592~710)에 백제계 인물이 쇼토쿠태자를 모시고 불법을 일으켰으며 그를 위
해 세운 절이 광륭사廣隆寺이다. 이들이 누에를 기르고 비단을 짜서 천황에 바친 견
포와 직물이 산처럼 쌓이자 천황이
기뻐하여 '우쓰마사太秦'라는 칭호를
내렸다. 오늘날의 지명은 이에서 왔
다. '유대인' 운운한 대목은 근거 없
는 헛말이다. '이사라'는 '이스라엘'
의 소리 값이다.

사진 182는 광륭사 영보전永寶殿에
모신 하타노 가와가쓰 부부의 목상
이다. (☞ 1342~1343)

사진 182(ⓒ 야후)

(83) 관세정觀世井

상경구 도원桃園초등학교에 있다. 귀틀은 없고 주위에 돌을 둘렀을 뿐이다. 늘 움직이는 물결을 관세음무늬라 부른다.

(84) 매약정梅若井

부하府下 선정군船井郡에 있다. 지름 1미터에 깊이 5.5미터이다.

(85) 노정露井

상경구 상장자정上長者町에 있으며 매우정梅雨井이라고도 한다. 『도명소도회都名所圖會』 따위에 이렇게 적혔다.

"사람으로 변한 미조로みぞろ못의 큰 뱀이 덕선사德禪寺에 들어가 데토우徹翁 화상의 법문을 들었다. 그가 지나간 길의 물을 '장마梅雨의 물'이라고 한다. 장마 때는 물이 더러 넘쳐흐른다."

노정은 덮개 없는 우물이라는 뜻이다.
데토우 기코우徹翁義亨(1295~1369)는 임제종臨済宗의 승려이다.

(86) 화천정和泉井

상경구 장자정長者町 민가에 있다. 붉은 색 물감들이기에 좋은 물로 하야미速水라는 성씨의 염색업자가 살았다. 고미즈노오後水尾천황(1611~1619) 때, 가뭄으로 모든 우물이 말라버렸지만 이곳만은 여전해서 천황이 지금의 이름을 내렸다고 한다.

(87) 간코 벼룻물菅公硯水

낙남 길상원吉祥院 천망궁天萬宮 부근에 있다.
옆에 '간죠우 연지수管丞相硯之水'라고 새긴 비가
있다. 그가 어린 적에 글씨연습을 열심히 했음
에도 늘지 않아 애타던 가운데, 이 물을 벼루에
붓자 갑자기 명필이 되었다는 고사가 있다. 에
도시대에는 글씨를 배우기 시작한 초보자들이
물을 길어갔다고 한다.

사진 183(ⓒ 야후)

사진 183은 길상원의 벼룻물이다. (☞ 1329)

(88) 오노노 토후 벼룻물小野道風硯の水

상경구 천본환태정千本丸太町과 소야향촌자삼판小野鄕村字杉坂에 있다. 필법 연구자들
이 벼루에 붓는다.
궁중에서도 글씨 연습에도 썼으며 레이젠靈元천황(1663~1687) 이후의 역대 황실에서는
처음 글씨를 배울 때도 따랐다고 한다.
이밖에 벼루에 연관된 우물이 적지 않다.

오노노 토후(894~964)는 중국 서법을 바탕삼아 일본 특유의 화양和樣서체를 마련한
인물이다. 뒤에 그를 존숭하는 뜻에서 본명 미치가세道風를 토후로 바꾸어 불렀다.

(89) 니치렌 벼룻물日蓮硯の水

하경구 일련종日蓮宗 법화사法華寺에 있으며 니치렌이 붓을 씻은 우물日蓮筆洗の井戸이
라고도 한다. 그가 스무 살 되던 해, 이곳에 와서 진언종에 관련된 많은 책을 읽고
뜻의 대강을 깨달았을 때 쓴 우물이라는 말도 있다.
같은 이름의 우물은 나라奈良 등지에도 남았다.

(90) 무네치카 우물宗近の井

동산구 속전粟田신사 부근에 산죠 무네치카三条宗近 우물이 있으며, 그가 부근에 살았다고 한다. 시루처럼 생긴 전이 있는 특이한 모습이다.

산죠 무네치카는 헤이안平安시대의 도공刀工으로, 이름은 산성국경山城國京의 삼조三条에 살았던 데서 왔다.

(91) 고가지 우물小鍛冶の井

동산구 지은원知恩院 부근에 있다.

고가지는 헤이안시대 교토의 도장刀匠 산조고가지 무네치카三条小鍛冶宗近가 벼른 칼이나 그의 솜씨를 이은 도장을 가리킨다.

(92) 고가지 물小鍛冶の水

낙북 대원촌大原村 반도자사飯道子社 부근에 있으며 지름 1.8미터쯤이다. 앞에서 든 무네치카가 칼을 벼른 물이라고 하여 정월에 옆 나무에 금줄을 두른다.

(93) 조일천朝日泉

낙동 동산구 축상대신궁蹴上大神宮 경내에 있다. 둥근 돌을 두르고, 위에 당집을 세웠다. 우물이름은 겐조顯宗천황(485~487)이 아침 해가 바로 비치고 석양이 머무는 땅에서 솟는 샘에 신사를 지으라고 이른데서 왔다.
세이와淸和천황 때(876), 천하에 돌림병이 돌아 그가 기도를 올리러 왔더니 '샘물을 백성들에게 나누어 주라'는 신탁이 있어 그대로 따르자 병이 사라졌다고 한다. 이 뒤부터 신사에서 설 아침 정화수若水를 길어 제물 조리에 썼으며, 정초 사흘 동안 정화수 제사를 올린 뒤에야 물을 사람들에게 나누어 주었다. 또 논에 해충이 생겼을 때, 물을 대면 곧 없어지기도 하였다.

원경元慶 때(877~884), 물에서 고시로누시事代主의 신상이 떠올라 오른손에 상을 받들고 제례를 올렸다는 일본 최초의 에비스惠比須신사도 있다.

―――――

고시로누시는 신탁을 주관하는 신화의 주인공으로 야에고토누시八重事代主神라고도 한다.

(94) 관청수關ノ淸水

―――――

교토에서 오츠大津으로 넘어가는 길가에 있었다.

―――――

(95) 주정走井

―――――

봉판산逢坂山 주정리走井里에 있다.

―――――

봉판산(325미터)은 시가현滋賀県 오츠시大津市 서쪽에 있으며, 관산關山이라고도 한다.

『만엽집』에도 같은 이름의 노래가 있다. (☞ 1239)

사진 184가 오츠시의 주정이다.

사진 184(ⓒ 야후)

(96) 양구수量救水

―――――

낙동洛東 매향암梅香庵 부근에 있으며 에도시대에 통행인들이 목을 축였다.

(97) 뇌화정瀬和井

같은 이름의 우물이 여러 곳에 남았으며, 젖이 모자라는 아낙이 절을 올리면 잘 나온다는 곳도 있다.

사진 185가 대원신사大原神社에 있는 세이와清和천황(858~876) 때 산탕으로 쓴 뇌화정이다.

사진 185(ⓒ 야후)

(98) 어지수御池の水

중경구中京区의 이 못가에 살던 기타고미치 다이젠노스케 미나모토노 모리사다北小路大膳亮源守貞라는 사람이 병에 걸린 소녀에게 침을 놓자 곧 나았다. 그네가 보답으로 주고 간 많은 책 가운데 『선산안영탕 흑약仙散安榮湯黑藥』이 들어 있어, 이상히 여기고 뒤를 밟았더니 못 가로 사라졌다.

그네가 앉았던 자리에 남은 용 비늘 세 쪽을 보물로 간수하는 한편, 벤자이덴弁財天의 화신임을 깨달은 나머지 못가에 사당을 지었다. 이를 어지御池의 지기로 받들며 산모가 젖을 비는 신앙이 생겼고, 앞에서 든 약은 임산부병에 잘 들었다. 다이젠노스케大膳亮는 뒤에 오로치노스케大蛇亮로도 불렸다.

벤자이덴은 불교의 수호신인 천부天部의 하나이다. 힌두교의 여신 사라스바티 Sarasvatī가 불교 및 신도神道에 들어와서 이름이 바뀌었다.

이와 달리 인도 출신의 예능·학예·지혜의 신이자, 미인의 신이라는 설도 있다.

(99) 정출옥수井出の玉水

낙남洛南 철희군綴喜郡의 옥수도 유명하지만, 낙북 좌경구 정법암正法庵에도 있다.

---

(100) 삼곡정杉谷の井

낙서洛西 우경구 금장사金蔵寺 부근에 있다. 전은 없으며 지름 90센티미터이다. 산으로 오가는 농민들이 성스럽게 여긴다.

---

(101) 증정청수増井の清水

단파丹波와 산성山城국경 부근에 있다.

---

(102) 앵정欅井

좌경구에 있는 우물로 높이 1미터쯤 되는 곳에서 힘차게 쏟아진다. 노래和歌에도 자주 등장한다.

---

(103) 금명수金明水

낙북洛北에 있다.

---

(104) 매 씻긴 물鷹の水羽着

낙북에 있으며, 고레다카신노惟喬親王가 언제나 매를 이 물로 씻겼다.

———

고레다카(844~897)는 몬도쿠文德천황(850~859)의 맏아들이다. 옛적에는 귀족들이 매 사냥을 즐겼다.

(105) 버들물柳の水

———

중경구 서동원西洞院 부근에 있다. 오다 노부가쓰織田信雄 가 우물 옆에 버드나무를 심었으며, 리큐利休도 차를 달 였다.

관영寬永 때(1624~1643), 천하 세 명필의 한 사람인 팔번八 幡의 쇼카도 쇼조우松花堂昭乘가 도쿠가와 이에야스의 부름을 받아 갔을 때, 글씨를 부탁하자 이 우물의 물이 있어야 붓이 돌아간다고 하였다. 장군이 몰래 사람을 보 내 길어다가 주었더니, 바로 그것이라고 알아차리는 바 람에 모두 놀랐다고 한다.

같은 이름의 우물이 몇 군데 더 있다.

———

오다 노부가쓰(1558~1630)는 유명한 무장 오다 노부나 가織田信長의 둘째 아들이고, 도쿠가와 이에야스는 전국 시대를 마감한 에도막부의 초대 장군이다. 쇼카도는 진 언종眞言宗의 중이자 서도·그림·차의 명인인 쇼카도 쇼조우(1582~1639)가 1637년에 마련한 방장方丈이다.

사진 186이 리큐가 차를 달였다는 버들 물이다.

사진 186(ⓒ 야후)

(106) 리큐우물利休井

———

상경구 서방사西方寺에, 리큐가 길었다는 우물이 있다.

———

(107) 매정梅の井

―――――

상경구 본법사本法寺 부근에 있다.

―――――

(108) 좌녀우정左女牛井

―――――

하경구 좌녀우정정左女牛井町 서쪽에 있다. 귀틀에 '원화元和 2년(1616) 5월'이라는 명銘
이 보인다. 안지름 73센티미터의 둥근 우물로 좌녀우 명성수左女牛明星水라고도 한다.

―――――

교토 명수의 하나로 꼽히는 곳으로, 미나모토노 요리요시源賴義(988~1075)가 마련
하였다. 무라타 쥬코村田珠光(1423~1502)가 장군 아시카가 요시마사(1436~1490)에게 차
를 달여 바쳤으며 리큐도 즐겨 마셨다. 지금은 비石標만 남았다.

(109) 고성정古醒井

―――――

하경구 본원사本願寺에 있으며 소성정小醒井으로도 적는다.

―――――

(110) 종감정宗鑑井

―――――

산기山崎산성 근처에 있으며, 야마사키 소칸山崎宗鑑이 길었다고 한다.

―――――

연가사連歌師이자 배우인 야마사키 소칸(1460?~1540?)은 아시카가 요시히사足利義尚
(1465~1489)를 따르다가 출가해서 교토 산기에 은거하였다.

(111) 북야 세천정北野細川の井

―――――

상경구 북야北野신사 부근에 있다. 북야대차탕北野大茶湯 때, 호소가와 산사이細川三齋

가 이 물을 썼다고 하며 차실도 남아 있다.

————

호소가와 산사이(?~1645)는 에도시대 전기의 다이묘大名이다. 토요토미 히데요시豊臣秀吉의 부하였다가 도쿠가와 이에야스를 따랐으며 세키노하라關ヶ原 전투에서 큰 공을 세워 소창번주小倉藩主가 되었다. 예술에도 재주가 뛰어난데다가 리큐에게 다도茶道를 배운 일곱 철인七哲의 한 사람으로 꼽힌다.

북야대차탕은 1587년 11월 1일 토요토미 히데요시 등이 교토京都 北野天滿宮에서 벌인 대규모 차회 때 마셨다.

(112) 부소로 세천정富小路細川の井

————

하경구 덕정사德正寺에 있다.

————

(113) 풍명수豊明水

————

하경구 풍원豊園초등학교에 있으며 도요토미 히데요시가 차회 때 차를 달였다.

————

(114) 구정龜の井

————

중경구 죽옥정竹屋町 살림집에 있다. 도요토미 히데요시가 차를 달였다.

————

(115) 학정鶴井

————

하경구 다문원多門院에 있다. 인조석人造石을 두른 네모 우물로, 높이 60센티미터에 너비 84센티미터이다.

————

(116) 은하천銀河泉

———

북구 녹원사鹿苑寺 정원에 있다. 아시카가 요시미쓰足利義滿가 차를 달였다.

———

아시카가 요시미쓰(1392~1573)는 무로마치室町막부의 제3대 장군이다.

(117) 구정臼井

———

을훈군의 이름난 우물로 연원延元 원년(1336), 장군 아시카가 다카우지足利尊氏가 이 물로 끓인 차를 마시고 나서 맛이 좋다며 지금의 이름을 내렸다.

———

샘이 절구 확을 닮은 데서 온 이름인가?
아시카가 다카우지(1305~1358)는 무로마치막부의 초대 정이대장군征夷大將軍이다.

(118) 여수정如水井

———

삼경구 여수정如水亭 살림집에 있다.

(119) 금용수金涌水

———

낙남 불국사佛國寺 경내에 있다.

(120) 위덕수威德水

———

중경구 서대로西大路 서쪽에 있다. 오래된 참죽나무 뿌리에서 솟는다고 하여 참죽물이라고도 한다. 구카이空海(774~835)가 팠다는 설도 있으며, 수통에 담으면 엷은 황색이 돈다.

대덕사大德寺문 앞에도 같은 이름의 우물이 있다.

———

(121) 풍려계곡물風呂溪の水

———

좌경구 안마사鞍馬寺 문앞 부근에 있으며, 에도시대에 절집 차회茶會에 썼다.

———

(122) 뽕물桑の水

———

낙서 을훈군에 명수名水 일곱 군데가 있었으나 지금은 세 곳만 남았다. 차를 달인다는 이 우물도 그 가운데 하나이다.

———

(123) 중당사 일곱우물中堂寺七ツ井戶

———

19세기 중반에 하경구 중당사와 7조条 사이에 일곱우물이라는 것이 있었다.

———

(124) 서진오수西陳の五水

———

① 염전정染殿井

우보원雨實院 부근에 있으며 염색이 잘 된다.

② 앵정櫻井

앵정정櫻井町 서쪽 살림집에 있다. 높이 60센티미터에 위 너비 87센티미터, 아래 너비 85센티미터의 돌 귀틀 우물로 아주 크다. 근처에 같은 이름의 우물이 있다.

③ 안거정安居井

대궁사大宮寺의 나무귀틀(가로 90센티미터에 세로 64센티미터) 우물이다.

④ 천대정千代乃井

본륭사本隆寺에 있으며 높이 63센티미터의 돌귀틀을 놓았다. 1788년의 화재 때, 주위가 모두 불에 탔지만 갑자기 특이한 모습의 여자가 나서서 이 물을 사당에 뿌리자 꺼졌다.

⑤ 녹자정鹿子井

지혜광원智惠光院 서쪽에 있다.

─────

교토시 상경구上京区 지혜광원智惠光院 서진西陣에 있는 본륭사는 법화종法華宗의 본산이다. 1730년과 1788년에 일어난 큰 불에도 기적적으로 화를 면한 덕분에 불소사不燒寺라고도 한다.

본당 앞의 천대정은 1788년의 대화재 때, 본당을 지키는 데 큰 도움이 되었다. 천대정이라는 이름은 무외여대니無外如大尼 千代野姫가 보름날 밤 물을 긷다가 두레박을 떨어뜨리자 수면 위의 달그림자가 없어진 것을 보고 깨달음을 얻어 불교도가 되었다는 일화가 전한다.

아다치 치요노安達千代野(?~?)는 가마쿠라鎌倉 시대(1192~1333) 중기의 아다치 일족一族의 여성이다. 법명은 무여대선사如大禪師이며 치요노千代能로도 불린다.

사진 187이 염전정, 사진 188이 치요정이다.

사진 187(ⓒ 야후)

사진 188(ⓒ 야후)

(125) 도칠명수都七名水

─────

시대에 따라 바뀌고 사람에 따라 다르다.

① 중천정中川井

중경구 묘만사妙滿寺에 있다.

② 미나리물芹根の水

하경구 지수정志水町에 있다.

③ 자야정滋野井, ④ 좌여우정左女牛井, ⑤ 고성정古醒井은 앞에서 들었다.

⑥ 음우롱音羽瀧

　　우물은 아니지만 명수에 들었다. 위에 세운 당집社殿이 석사石祠로 바뀌었다.

⑦ 노아미能阿彌가 뽑은 차와 연관된 칠명수는 어수세정御手洗井·수약사水藥寺물·대통사우물大通寺井·상반정常磐井·성정醒ヶ井·중하정中河の井·미나리물이지만, 도칠명수에는 현정縣井·화천정和泉井·소장정小將井·상반정·압정鴨井·비조정飛鳥井·석정石井 따위가 올랐다.

———

　노아미(1397~1471)는 수묵화가水墨画家·차인茶人·연가사連歌師·감정가鑑定家·표구사 등으로 활약한 중이다.

(126) 칠명수七名水

———

　우치宇治의 칠명수가 가장 유명하다.

　우치대폐신사宇治大幣神事 때, 표모杓鉾라는 국자를 일곱 가닥으로 찢어 벌인 다음, 대나무 끝에 붙여서 팔번八幡의 신에게 바치는 뜻으로 삼는다. 『옹주부지雍州府志』는 상반정·현정·석정·소장정·압정·송정松井·자야정·비조정 따위를 꼽았다.

———

(127) 팔번오정八幡の五井

———

① 석청수石清水

　　앞에서 들었다.

② 어계수御禊水

　　일명 독고수로, 앞에서 들었다.

③ 적정赤井

　　알가정이라고도 한다. 귀틀을 놓았으며 옆의 도하사稻荷社에서 제례를 올린다. 송화당사松花堂寺 부근에 있다.

④ 등정藤井

돌귀틀이 있다. 고량高良신사 부근이다.

⑤ 통정筒井

도리이鳥居 옆에 아름다운 당집覆屋을 세웠다.

———

(128) 어장수御杖水

———

낙북 대원촌大原村 고지곡古知谷 산 위에 있다. 절을 지을 때, 단세이彈誓가 지팡이로
바위를 두드리자 물이 솟았다.

———

단세이(?~?)는 1551년부터 1613년 사이에 활동한 근세 초기의 민중종교 운동가이다.

(129) 장충정杖衝井

———

남구 동사東寺 경하문慶賀門 앞에 있다. 부근에 위치한 같은 이름의 우물은 구카이대
사가 지팡이로 치자 물이 솟았다.

———

(130) 금정金井戶

———

우치정宇治町에 있다. 구카이가 지팡이筇杖로 쑤셨더니 물이 솟았다. 위에 당집을 지
었다.

그가 다시 아이치현愛知県 다하라시田原市 남쪽으로 가다가 목이 말라 한 집에 들어가
물을 청하자 남루한 옷차림을 본 여주인이 거절하였다. 이 때문에 복타정伏打川 상류
의 물이 그 마을 앞에서 끊겼다.

대사가 다카오高尾쪽으로 가서 물을 달라는 말에 물이 아주 귀한 고장임에도 기쁜 마
음으로 주었다. 그 응답으로 물이 솟게 하였다.

———

(131) 코보 물弘法水

―――

근강近江 율태군栗太郡 대석촌大石村은 물이 귀한 곳이지만, 어느 때 길을 떠난 구카이가 물을 청했더니 먼 곳에서 길어다 주었다. 그 보답으로 물이 나오는 곳을 일러주었다. 그러나 생선 집 아낙네가 문어를 씻자 곧 말라붙었다.

―――

신성한 물에 비린 생선을 씻는 부정을 저지른 탓이다.

군마현郡馬県 감악군甘樂郡 甘樂町 秋畑에도 같은 민담을 지닌 우물이 있다.

사진 189가 코보의 물로, 도리와 도리 사이에 금줄을 걸었다.

사진 189(ⓒ 都丸十九一)

(132) 암창 독고수岩倉獨鈷水

―――

낙북 암창촌岩倉村에 있으며 같은 이름의 우물은 교토에 많다.

―――

(133) 북산독고수北山獨鈷水

―――

북구 금각사金閣寺에 있다. 늘지도 줄지도 않으며 향수香水라고도 불린다. 자연석을 두른 깊이 150센티미터쯤에서 솟는다.

―――

(134) 반야정般若井

―――

철희군綴喜郡 팔번八幡 원복사圓福寺에 있다.

―――

(135) 동사신정東寺神井

———

남구 동사 서남쪽 맞배지붕 건물 아래에 있다. 개조開祖 구카이 때부터 신정이라 부른다. 안에 선녀용왕善女龍王이라고 적은 현판을 걸었다. 정월 어수법御修法 때와 4월 어영공御影供 날에만 문을 연다.

이날 물을 대중에게 나누어 주고 우물 위 당집에 말 그림繪馬 셋을 걸어둔다. 가운데 것은 금년, 양쪽은 지난해와 이듬해를 나타내며, 그 모습에 따라 농사의 흉풍을 가린다. 이는 용신龍神이 그린 것으로, 해마다 그날 우물에서 용이 올라온다고 한다. 동사 7대 불가사의不可思議의 하나로 꼽힌다.

———

어수법은 1월 8일부터 이레 동안, 국가의 평안과 번영을 비는 밀교密敎의 법회이다. 어영공은 조사祖師가 죽은 날 그의 상을 걸어놓고 공양하는 법회로, 진언종의 종사宗師 코보대사 어영공이 대표적이다. 달마다 21일에 여는 것을 「월병어영공月並御影供」, 3월 21일의 것을 「정어영공正御影供」이라 한다.

사진 190(ⓒ 야후)

사진 190이 우물 위의 당집으로 세 바리의 말 그림을 걸었다.

(136) 용궁물龍宮水

———

동산구 야사카八坂신사 사전社殿 아래 있으며 용궁으로 통하는 외에, 신천원神泉苑과 관정원灌頂院의 우물과도 이어진다는 설이 있다.

———

중국이나 우리에게 같은 설화가 있다.

(137) 용기수龍奇水

낙서 월륜사月輪寺 부근
에 있다. 절의 구카이가
경축經軸으로 봉안한 광
명혁변光明奕變의 사리불
舍利佛을 바치자 청룡천淸
瀧川의 용신龍神이 감격
한 나머지 중생을 구제
하려고 물이 솟게 하였
다고 이른다. 용녀수龍女
水로도 불린다.

사진 191(ⓒ 야후)

사진 191이 용녀수로 세 마리의 두꺼비가 보인다.

(138) 용알수龍閼水

동산구 암옥岩屋신사 옆에 있다. 에도막부에서 물 보호를 위해 쌀을 시주하였다.

용알수는 알가수와 같은 뜻이 터이다.

(139) 발난타용수跋難陀龍の水

낙북 암창촌岩蒼村 대운사大雲寺 경내 팔작집 아래에 있다. 대울을 두르고 뒤에 11면
관음석상을 모셨다. 영천靈泉을 얻으려는 치벤智弁 승정僧正이 알가정에서 수도한 데
서 치벤수라고도 부른다.

삼정사三井寺에서 알가수를 길어오기도 한 까닭에 알가정이라고도 한다. 물이 금당수
金堂水에 연결되어 염주를 던지면 그 쪽에서 떠오른다는 말도 있다. 우물 이름은 몽교
文慶법사의 꿈에 나타난 발란타용수의 옥룡玉龍이 '이곳에 성수聖水가 있다. 네게 주려

하니 기억했다가 파면 맑은 샘清泉이 솟으리라' 이른 데서 왔다.

고산조後三條천황(1068~1072) 때, 29세의 어떤 이가 참배하며 물을 마시자 근심걱정이 사라졌으며, 에도시대에도 정신을 진정시키려고 찾는 사람이 줄을 이었다.

―――――

난타難陀용왕의 형제인 발난타Upananda는 '즐겁다歡喜'는 뜻이다. 경전에 머리에 일곱 마리의 용이 깃들고 오른손에 칼을 들었으며, 왼손은 하늘을 향해 뻗혔다고 적혔지만 열반도涅槃図에서는 난타용왕과 같거나, 옷자락 아래로 비늘이 보이는 형상으로 등장한다. 그는 난타용왕과 함께 마가다국摩竭陀國을 지키면서 굶주림을 없앴다. 또 석가모니탄생 때, 비를 내리게 한데서 관불회灌佛會가 이에서 시작되었다고도 이른다.

치벤(918~991) 승정은 밀교의 비법을 수행한 중이고, 몽교(966~1046)법사는 헤이안시대 중기의 중이다.

(140) 코보 가지수弘法加持水

―――――

낙서 우경구 인화사仁和寺에 있다. 물 안 바위 위에 부동명왕不動明王상을 세웠다.

가지수는 부처가 가호加護를 더한 신령스런 물이라는 뜻이다. 특히 밀교에서는 부처의 자비가 중생에게 끼치고, 중생이 이를 신심信心으로 받아들임으로써 부처와 중생이 상응한다고 가르친다. 일반에서는 불로장생수로 불린다.

(141) 용천수涌泉水

―――――

낙서 동산구 용천사涌泉寺 오른쪽 산기슭에 집水屋이 있다. 관문寬文 8년(1668)에 다시 세운 것으로, 너비 3.6미터에 깊이 2.7미터이다. 안쪽 천장에 벳쇼 뉴칸別所如閑(?~?)이 그린 반룡도蟠龍圖가 보인다.

산 안쪽 삼보대황신사三寶大荒神祠 돌계단 아래의 석굴(깊이 1.8미터)에 구카이 독고수獨鈷水가 있다. 눈병에 효과가 높다.

―――――

사진 192가 용천사 위에 세운 건물이고, 사진 193은 물이 흘러나가는 도랑으로 2012년에는 말라붙었다.

| 사진 192 | 사진 193 |

(142) 오지수五智水

동산구 웅야관음熊野觀音에 있으며 구카이가 독고로 바위를 두드리자 맑은 물이 솟았다.
같은 절 고려문高麗門 근처의 오지수라는 현판이 달린 작은 건물 안에 모신 부동명왕 석상 아래에서도 물이 솟는다.

사진 194가 오지수이다. 현판 옆에 '코보弘法대사 영수靈水'라고 적었다.

(143) 이수부동수耳垂不動の水

근강近江 대석촌大石村 이수부동존상 앞에서 솟는다.

사진 194(ⓒ 야후)

(144) 벼락우물雷の井戶

○ ㉠ 오츠시大津市 석산石山 바위 사이에 타이쵸泰澄대사가 관세음을 모신 절을 지었더니 높은 곳이라 두 번이나 벼락이 떨어져 타버렸다. 본전本奠에 기도한 그는 세 번째 뇌신雷神을 잡아 묶어놓고 절대로 다시 벽락을 떨어뜨리지 않다는 다짐을 받았다. 그리고 부처에게 바칠 물을 마련하라면서 그의 손바닥에 가지수加持水를 붓고 세게 찌르자 맑은 샘이 솟았다.

높은 곳에 지은 절에 물이 귀한 탓에, 부처의 위력을 빌려서 샘을 마련하였다는 말이다. 또 벼락은 높은 곳에 떨어지므로 이상할 것이 없다.

타이쵸(682~767)는 나라奈良시대 수험도의 승려로 월越의 대덕大德이라 불린다.

○ ㉡ 옛 무사시노구니武蔵國(東京都・埼玉県・神奈川県 동북부)의 원야原野지역은 벼락이 자주 떨어져서 주민들이 공포에 떨었다. 때때로 미시마三島신사 경내에도 떨어지자 신주神主가 우물에 가두었더니 제발 꺼내 달라고 애원하였다. 이에 두 번 다시 떨어지지 않는다는 약속을 받고 풀어주었다. 우물을 언제 팠는지 알 수 없지만, 위험 방지를 위해 덮어놓은 덮개 사이로 지금도 물이 흘러넘친다.

벼락을 우물에 가두고 항복을 받은 것은 그만큼 신령스럽다는 뜻이지만, 좁고 깊어서 항복을 받기도 알맞은 곳이다.

사진 195는 오사카 서복사西福寺의 번개우물이다. 같은 이름을 지닌 우물이 여러 곳에 있다.

사진 195(ⓒ 야후)

(145) 유곡향수柳谷の香水

구카이가 낙서洛西 을훈사乙訓寺에 있을 때, 유곡산柳谷山에 올라 17일 동안 기도한 뒤, 독고로 바위를 쳤더니 샘이 솟았다. 그것이 지금의 향수이며, 독고수라고도 한다. 위에 맞배지붕에 겹처마를 갖춘 당집을 세우고 옆 건물에 구카이상을 모셨다.

유곡암은 선봉사善峯寺 및 광명사光明寺와 함께 서산西山 세 절 가운데 하나로 꼽는다. 경내의 독고수를 마시면 눈이 밝아진다.

───

나가오카교시長岡京市 정토곡浄土谷에 위치한 이 절은 예부터 눈병에 효과가 높다고 알려져 천황 및 귀족들이 자주 찾았다.

806년에 창건된 고찰로, 청수사清水寺를 세운 엔친延鎭(?~?) 꿈에 보인 계시를 따라 버드나무숲에서 관음을 만난 것이 계기가 되었다. 811년, 을훈사에 온 구카이가 어미 원숭이가 자식의 눈을 씻긴 뒤 눈이 뜨이는 것을 보고 기도를 올렸더니 영수靈水로 바뀌었다고 한다.

사진 196이 유곡암의 유곡향수다.

사진 196(ⓒ 야후)

(146) 적산향수赤山の香水

───

낙북 좌경구 수학원修學院에 있지만, 지금은 물이 말랐다.

───

(147) 대원향수大原の香水

───

낙북 대원촌大原村 살림집 우물에서 향수가 솟는다. 오전 2시부터 나오다가 오후에는 그치는 까닭에 사람들은 이 사이에 물을 뜨려고 몰려간다. 아랫배 병疝氣과 위경련癇氣에 효과가 높은 까닭이다. 이밖에 여러 병에 좋다고 한다.

본디 이 일대는 여우 사냥터였다. 어느 날, 한 할멈 집에 흰 여우가 도망쳐오자 가엾게 여겨 부뚜막에 숨겨 주었다가 뒤따라온 사람들을 따돌린 다음 놓아주었다. 그날이

6월 12일이었다. 이튿날 꿈에 나타난 여우가 집 동쪽의 못을 파면 한 해 한 번 물神水이 솟으리라 하였다. 보통 때도 적은 양의 물이 고이며, 이곳에 비치는 별을 여우 눈동자로 여긴다.

---

(148) 즉성취원향수即成就院の香水

동산구 용천사涌泉寺 입구에 위치한다. 오랜 병을 앓는 환자에게 효과가 나는지 알리고 마시게 하는 풍습이 있다. 나스요이치 무네다카那須與市宗高가 출전에 앞서 참배한 뒤 맹세하고 활을 쏘았더니 부채에 끼워 놓은 대쪽 끝에 꽂혀서 뒤에 이를 절 이름으로 삼았다고 한다.

나스요이치 무네다카(?~?)는 가마쿠라시대 초기의 무장이다.

(149) 암옥향수岩屋の香水

낙북 암옥산岩屋山 시명원志明院에 있다. 1867년의 메이지明治 유신維新 전까지, 한 해 세 번 대나무 통에 받아 황실과 귀족에게 보냈다. 점시병에 좋다며 사람들이 몰려든다.

---

(150) 용연수龍淵水

우경구 차아嵯峨 서쪽에 있다.

---

(151) 선기수善氣水

좌경구 법연원法然院 객전客殿에 있다. 닌쵸忍澂가 석장錫杖으로 쑤셨더니 솟았다고 한다.

닌쿄(1645~1711)는 1681년에 교토에 법연원을 세우고 염불도장念佛道場으로 삼았다.

(152) 진여수眞如水

———

하경구 진여원에 있다. 지름 90센티미터의 둥근 우물로, 옆에 변재천사弁財天祠를 세
웠다.

———

(153) 자운수紫雲水

———

동산구 지은원知恩院 마당에 있다. 가모신賀茂神이 잠시 나타난 곳이라 한다.

———

(154) 동정桐井

———

동산구 법주사法住寺에 있었다.

———

(155) 야읍천夜泣泉

———

동산구 삼십삼찬당三十三間堂 입구 앞에 있다. 야읍천이라고 새긴 상인방이 보이며, 덮
개 위에 석불을 올려놓았다. 지금은 물이 말랐지만 밤에 우는 아이 병에 효과가 있다
며 사람들이 기도문을 옆에 걸어둔다. 왼쪽의 대일여래大日如來 자리에 본디는 야읍지
장夜泣地藏을 받들었다.

———

사진 197이 야읍천이다. 사람 몸을 닮은 돌에 소원을 적은 붉은 헝겊을 걸어놓았다
(사진 198).

사진 197(© 야후)　　　　　　　사진 198(© 야후)

(156) 서상수鋤上水

———

좌경구 석좌石座신사에 있다. 본디 우물이 아니라 못이었다. 수행에 정진하던 중 겐센源泉이 못 주위를 지날 때, 농부 여럿이 괭이 날을 빠뜨렸다며 물속을 뒤졌다. 어린 그가 자신의 도를 시험할 생각으로 자루를 못에 넣자 바로 달려 올라왔다고 한다.

———

농기구와 연관된 점이 흥미롭다. 괭이가 그만큼 귀했던 데서 나온 이야기이다. 겐센(977~1055)은 헤이안시대 중기의 중이다.

(157) 청정수淸正水

———

하경구 본국사本圀寺에 있으나 지금은 말랐다.

———

(158) 문각수文覺水

———

하경구 살림집에 있으며, 몽가쿠상인文覺上人의 우물이라고도 한다. 우물 위가 마루인지라 이곳에서 잠들면 웅웅 소리가 나는 탓에 천장 구석에 미이님ㄹㅎ人의 감실을 차리고 받들자 조용해졌다는 말이 있다. 그의 산탕 우물, 또는 수행修行 우물이라고도 이른다.

———

몽가쿠(1139~1203)는 무사이자 진언종의 중이다.

(159) 구세판정 청수久世板井の清水

낙서 을훈군 살림집에 있다. 물이 거의 나오지 않지만 이곳에 살던 슌에俊惠법사가
다시 돌아와 노래를 읊조렸다고 하여 널리 알려졌다.

슌에(1113~1191)는 헤이안시대 중기의 중이자 가인歌人이다. 일찍부터 동대사東大寺
에 머문 그를 슌에법사라 불렀다. 그가 지었다는 노래는 천 수백 수에 이른다.

(160) 수미판정 청수水尾板井の清水

낙서 세이와淸和천황(858~876) 신사 부근에 있다. 그가 근처 원각사圓覺寺에 머물던 때
의 것이라고 한다.

(161) 화정花の井

낙서에 있으며 구카이가 팠다고 한다.

(162) 석산사우물石山寺の井

오츠시大津市 석산사에 있다. 옆에 붙인 맞배형식의 작은 당집에 수신水神을 받든다.

(163) 법연수法然水

상경구 상국사相國寺 부근에 있으며, 지름 97센티미터에 깊이 460센티미터이다.

(164) 겐코 우물兼好の井

낙서에 있으며 겐코법사가 쓴 우물이라고 한다. 부근의 장천사長泉寺에도 같은 이름의
우물이 남았다.

요시다 겐코吉田兼好(1283~1350)는 관인·은둔가·가인·수필가·법사로 알려졌으
며, 그의 『도연초徒然草』는 삼대 수필집의 하나로 꼽힌다.

(165) 슌간 우물俊寬の井

좌경구 일련종日蓮宗 만원사滿願寺 경내에 있으며, 옆에 '슌간俊寬의 우물'이라고 새긴
비를 세웠다. 돌 울을 두르고 금빛 그물을 덮었으며, 뒤의 작은 당에 알가정閼伽井이라
고 적은 현판을 걸었다.

슌간(1143~1179)은 헤이안시대 후기 진언종의 중이다.

(166) 자연거사 우물自然居士の井

낙동 동복사 즉종원卽宗院에 있다. 요곡謠曲에 등장하는 자연거사 오륜탑五輪塔도 보인다.

자연거사는 칸아미観阿弥(1333~1384)가 지은 노能의 한 곡이다.

(167) 철륜정鐵輪井

하경구에 있다.

한을 품은 한 여자가 축시丑時(새벽 1~3시)에 귀선貴船신사에 참배하였을 때, 냇물에 들
어가라는 계시를 받고 물을 뒤집어썼더니 뱀이 되었다고 한다. (…) 이 우물은 예부터
공포를 일으키는 곳으로 알려졌다. 다른 고장 사람이 와 살면 가족이 모두 죽거나 장
사가 안 된다고 하며, 혼례 행렬도 다른 곳으로 돌아간다.

이밖에 우치宇治에 사는 그네가 매일 밤 귀선신사를 찾는다는 말도 있다. 마을 이름 철륜정鐵輪町도 경안慶安 때(1648~1651), 단야옥정鍛冶屋井으로 바꾸었다.

철륜은 화덕이나 화로에 냄비 따위를 올려놓는 삼발이이다. 자신을 버리고 첩을 둔 것에 앙심을 품은 여자가 축시에 귀선신사에 참배하였더니, 신이 머리에 삼발이를 얹고 그 다리에 불을 붙인 뒤 분을 돋우면 귀신이 된다고 일렀다.

악몽에 시달리던 그네 남편이 아베 하루아키安倍晴明에게 점을 치자, 오늘 밤 목숨을 잃는다고 하였다. 귀신에게 끌려가던 그는 삼십빈신三十番神이 나타난 덕분에 살아났지만, 여자는 하루아키의 벌을 받아 삼발이 옆에서 숨을 끊었다.

이로써 인연 끊는 우물로 유명해졌고, 물을 마시고 악연을 떨치려고 멀리서 찾아오기도 하였다. 지하철 공사로 물이 말랐음에도 페트병에 담아온 물을 바치며 기도를 올리는 사람도 있다.

그네가 우물에 뛰어들어 죽었다거나 '삼발이 여자'가 지금도 우물에 산다고도 한다.

귀선은 교토시 좌경구左京区의 지명이다. 귀선산과 안마산鞍馬山을 낀 좁고 긴 계곡으로, 여름이면 더위를 식히려는 사람들이 몰려든다.

사진 199가 철륜정이다. (☞ 1370)

사진 199(ⓒ 야후)

(168) 대무덤우물—竹塚の井

타이라노 기요모리平淸盛가 남전南殿에서 나온 이상한 새鵺를 잡아 대나무 통에 넣고 동산구 청수사淸水寺에 묻었으며, 이를 모주일죽총毛朱—竹塚이라 한다. 지금은 아무 자취도 없다. (☞ 1268~1269)

---

(169) 명적수鳴鏑の水

———

상경구에 있다. 미나모토노 요리마사源賴政가 야鵺라는 새를 쫓을 때, 명적을 씻었다고 한다.

———

미나모토노 요리마사(1104~1180)는 헤이안시대 말기의 무사이자 가인歌人이다. 명적은 쏘았을 때 한 끝에 붙인 기구에서 나는 소리를 군호로 삼는 전투용 화살이다.

(170) 축상수蹴上水

———

동산구 일향대신궁日向大神宮 부근에 있다.

———

(171) 요시쓰네 칼씻은 물義經刀洗の水

———

낙동 동산구에 있다. 우시와카마루牛若丸가 세키하라 요이치關原與市 일행을 벤 피 묻은 칼을 씻었다고 한다. 비가 내리지 않는 날은 지름 90센티미터의 물이 고인다.

———

미나모토노 요시쓰네源義經(1159~1189)는 헤이안시대 말기의 무장이며, 우시와카마루는 그의 어린 적 이름이다. 세키하라 요이치는 누구인지 모른다.

(172) 산취정山吹の井

———

남구南區 동사東寺에 있다. 이름 산취정은 물빛이 산취색인 데서 왔다.

———

(173) 육계수肉桂水

———

중경구 살림집의 둥근 우물로 지름 55센티미터에 깊이 30센티미터이다. 옛적에는 계피肉桂 맛이 났다. 아케치 미쓰히데明智光秀가 오다 노부나가織田信長의 목을 벤 칼을 이 물에 씻었다고 한다.

오다 노부나가(1534~1582)는 전국 제패의 꿈을 이루기 직전, 부하 아케치 미쓰히데 (1526~1582)에게 목숨을 빼앗긴 근대의 용맹스런 무장이다.

(174) 용지龍池

오다노부나가 아들信忠의 목을 벤 다음 이 물에 씻었다고 한다. 지금은 없어졌다.

---

(175) 시게하라 머리씻은 우물重衡首洗井

나라선奈良線 전철 목진역木津驛 부근에 있으며 타이라노 시게하라平重衡의 머리를 베어 씻은 물이라고 한다. 옆의 감나무에 열매가 열리지 않는 것은 이때의 한이 맺힌 탓이라는 말이 있다.

타이라노 시게하라(1158~1185)는 헤이안시대 말기의 무장이자 공경公卿이다.

(176) 신제이 머리씻은 물信西首洗水

철희군綴喜郡 금래사金胎寺 부근에 있다. 신제이信西가 구멍을 뚫고 그 안에 숨어서 대나무로 숨 쉬다가 발각되어 목이 잘린 곳이다. 하라 미쓰야스原光泰는 그의 목을 이 물에 씻어서 교토에 가져다가 매달았다고 한다.

신제이(1106~1160)는 헤이안시대 말기의 귀족·학자·승려이다. 신제이는 출가 후의 법명이고, 속명은 후지와라노 미치노리藤原通憲이다. 하라 미쓰야스는 누구인지 모른다.

(177) 수참정首斬井

———

동산구 육바라六波羅초등학교 부근에 있었으나 지금은 자취만 남았다. 사람 목을 벤 데라고 한다.

———

(178) 가사수세수袈裟首洗水

———

낙남 추산秋山 서쪽에 있다. 엔도 모리토오遠藤盛遠가 밤에 벤 사람의 목을 씻은 물이다. 바로 그 뒤 날이 밝은 까닭에 적지赤池라고도 부른다.

———

엔도 모리토오(1139~1203)는 몽가쿠文覺의 법명으로, 헤이안시대 말기의 무사이자 진언종의 중이다.

(179) 장자수長者水

———

동산구에 있으며, 생 수生水라고 불린다.

(180) 소금우물鹽汲井

———

낙서 소염산小鹽山 기슭에 위치한 긴 네모꼴의 큰 웅덩이이다. 아리와라노 나리히라在原業平가 난파難波의 바닷물을 길어서 십륜사十輪寺 뒷산에서 소금을 구웠다고 한다. 이 물을 졸여서 소금을 낸다.

———

(181) 소금부뚜막 우물鹽竈井

———

하경구에 미나모토노 도오루源融가 삼진포三津浦 바닷물을 끓여서 소금을 냈다는 우물이다. 부근에 염조鹽竈신사도 곁들였다. 같은 이름의 우물이 여러 곳에 남았다.

———

미나모토노 도오루(822~895)는 사가嵯峨천황(786~842)의 열두째 아들이다.

(182) 종주우물鐘鑄の井戸

———

동산구 종주정鐘鑄町은 경장慶長 19년(1614)에 대불大佛을 구운 곳으로, 이때 물을 대려고 마련하였다.

———

(183) 차우물茶屋の井

———

차야 시로지로茶屋四郎次郎가 썼다는 우물이 그 집터에 남았다. 도쿠가와 이에야스德川家康가 이곳에 숨었었다는 말도 전한다.

———

차야 시로지로(1585~1622)는 모모야마桃山시대(1573~1603)부터 에도시대 초기에 걸쳐 공의오복사公儀呉服師를 세습한 교토의 거상豪商이다. 이들은 봉건영주의 비호 아래 각종 물품을 비롯한 소모품을 대면서 적지 않은 특혜를 누렸다.

(184) 반정半井

———

우물을 널로 반 나누고 한쪽은 약 짓는 데, 다른 쪽은 가정의 음료로 삼은 우물이다. 상경구 어소御所 서쪽 지사知事 관사에 있다.

———

(185) 금빛물金色の水

———

동산구에 있으며 여름과 가을에 화려한 빛이 난다.

———

(186) 금생수金生水

———

동산구 법엄사法嚴寺 본당에 있는 긴 네모꼴우물이다. 위에 세운 당집의 마름모꼴 구
멍으로 물을 긷는다.

———

(187) 염불정念佛井

———

호동湖東 장명사長命寺에 있다. 위에 세운 당집에 천수관음千手觀音을 모셨으며 알가정
이라 부른다. 덴지天智천황(661~671)이 양류楊柳의 감응을 얻었다고 한다. 불경을 열심
히 읊조리면 거품이 생기며 이 물로 약을 먹으면 병이 낫는다.

———

'양류의 감응'은 청운의 꿈 곧, 장차 귀한 인물이 되리라는 예시를 가리킨다.

(188) 염불지念佛池

———

낙서 을흥군 삼림집에 있는 못이다. 곁에서 염불을 읊조리면 곧 맑은 물이 솟는다.

———

(189) 구정호龜井戸

———

철희군 구정산龜井山 진언원眞言院 본당에 있다. 둘레 76센티미터쯤에 깊이 90센티미
터쯤이며 돌로 울을 둘렀다. 구카이가 석장錫杖으로 뚫었다고도 한다.
경내에 여자를 들이면 반드시 물이 흐려진다. 어느 때 논밭에 댔더니 곧 말랐다는 말
도 있다. 에도시대에 중이 범처梵妻를 얻자, 돌담이 무너지기도 하였다. 위에 맞배 건
물을 세웠다.

———

범처는 중의 아내이다.

(190) 호정壺井

중경구에 있으며 한 해 내내 물이 늘거나 줄지 않는다. 2조二条의 명수名水 또는 나팔꽃朝顔이라고 불린다. 물 위의 석불은 우물에서 나왔다고 한다.

---

6. 교토 우물의 성격

앞에서 든 190개 우물을 통해 이 지역의 우물 문화를 살펴본다.

1) 이름

이름 끝에 '수水'가 붙은 것이 87개, '정井'은 77개이다. 그러나 '정'에 '정호井戶' 일곱을 더하면 큰 차이가 없는 셈이다. 재래의 '정호'가 '정'의 9퍼센트에 머무는 것은 시대의 변화에 따라 '정'이 '정호'를 대신한 결과일 터이다.

'천泉'은 다섯뿐이지만 '수水'의 대부분이 규모가 작은 '천'급이므로 하나로 묶으면 '정'보다 많아진다.

이밖에 '신사神社'가 일곱, '못池'이 다섯, '당堂'이 하나이다. '신사'나 '당'은 우물을 신체로 삼은 곳이다.

'수' 가운데 '청수淸水' 일곱(하나씩의 석청수石淸水와 옥수玉水 포함)에 '향수香水'가 다섯인 것은 물의 상태에 관심이 높은 것을 나타낸다.

사람을 우물 이름으로 삼은 것이 40여 개로 전체의 21퍼센트가 넘는다. 이는 우리나 중국에는 좀체 없는 일이다. 더구나 무사가 여덟이나 들어 있는 것도 유별나다.

신앙에 연관된 것은 '신수神水' 다섯(신용수神用水 둘 포함), '세수洗水' 및 '계수禊水' 하나, '약수若水' 둘, '신정神井' 셋(진명정眞名井과 신인천神人泉 하나씩 포함)이다. 이에 알가정을 비롯한 불교 계통의 것 11개를 더하면 23개로 12.1퍼센트를 차지한다. 이로써 우물을 신령스럽게 여기는 생각이 깊은 것을 알 수 있다.

차와 연관된 '국수菊水'가 셋인 것은 그럴 듯하지만, '벼룻물硯水'의 수가 같은 것은 뜻밖이다. 이 물을 벼루에 붓고 먹을 갈면 글씨가 잘 써진다니 말이다.

용에 관련된 여섯 가운데 '용궁龍宮'이 하나이며, 용녀수龍女水라는 별명을 지닌 것도 있다 용궁과 용녀 전설은 우리와 중국에도 퍼졌으며, 별이 떨어졌다는 우물(넷)도 마찬가지이다. 용이 여성인 것은 음陰, 곧 물을 나타낸다.

그러나 갓 태어난 유명 인물을 씻겼다는 '산탕産湯(탄생수誕生水)'이 열이나 되는 것도 우리나 중국과 다르며, 이는 우물의 신통력을 빌기 위한 주술의 하나인 셈이다.

사람의 목을 자른 칼이나 그 목을 씻었다는 우물이 다섯이나 되는 것도 다른 나라에 없는 현상이다. 이 우물들을 메웠다는 말이 없는 것을 보면 뒤에도 썼을 터이다. 칼 장인匠人이 칼을 벼렸다는 우물도 같은 계열이다. 이는 벤케이弁慶·후지와라노 가게키요藤原景淸·타이라노 키요모리平淸盛·미나모토노 요시토모源義朝·미나모토노 요시쓰네源義經·오다 노부나가織田信長·토요토미 히네효시豊臣秀吉처럼 역사상 뛰어난 명장들과 연관된 까닭도 있다.

우물을 거울삼아 들여다보거나 화장을 하였다는 우물이 여덟이며, 이에 '감정鑑井' 하나와 '경지鏡池' 셋을 더하면 12개에 이른다. 중국에는 거의 없으며 우리도 마찬가지이다. 그리고 여성이 아닌 장군이 우물에 자신을 비추었다는 우물도 둘이나 된다. 일본인들의 성품에 나르시스적 요소가 깃든 것을 알려준다.

동물 이름은 여덟이다. 이 가운데 '반딧불이 우물螢の泉'이나, 우물곁에 개구리를 묻었다는 '개구리무덤우물蛙塚水'은 특이하다.

우물곁의 식물, 이를테면 버들柳·앵두櫻·매화梅花·오동桐·대竹·꽃花 따위를 이름으로 삼은 것은 아홉이다.

풍류를 나타내는 이름紫雲水은 단 하나이다.

2) 크기와 형태

우물이나 전의 크기를 알 수 있는 것은 다섯에 지나지 않는다.

가장 큰 우물은 지름 1.8미터에 깊이 5.5미터이며, 버금은 깊이 1.6미터에 깊이 1.8

미터이다. 작은 것은 지름 0.97센티미터에 깊이 4.6미터이다.

나무귀틀 가운데 큰 것은 한 변 1.5미터에 높이 0.6미터이며, 작은 것은 0.9미터에 높이 0.6미터이다. 돌(화강석)귀틀은 셋이며, 한 변의 평균 길이 0.86미터에 높이 0.6미터이다.

우물 형태는 둥근 것이 많으며 여섯모꼴도 하나 있다.

3) 민속

병을 고치는 영험이 있다는 곳은 다섯으로, 돌림병·감기·열병·눈병 따위에 효험이 높고, 안산安産을 돕기도 한다. 연명수延命水도 같은 종류이다. 우물에 무병장수를 바라는 인형을 바치기도 한다.

불교에 연관된 우물 25개소에 알가정을 더하면 35개소에 이른다. 이는 신사神社와 관련된 것의 배이고, 민간 신앙의 세 배가 넘는다. 우물문화에 불교적 요소가 절대적인 비중을 차지하는 것이다.

불교도는 구카이空海대사를 비롯하여 니치렌日蓮·교교行敎·간잔元三·니치죠日乘·지죠地藏·비샤몬텐毘沙門天·리겐理源 따위처럼 다양하다. 이들 가운데 구카이대사는 주로 지팡이 따위로 우물을 파는 신통력을 발휘한다.

사진 200은 아이치현愛知県 금강사金剛寺의 구카이상이다.

일본 재래의 신은 아메노미나카누시노 카미天御中主神·우사하치만宇佐八幡·이카스리노 카미座摩神巫·쿠시다나히메櫛稲田命姫들이다. 앞의 신은 천지개벽과 연관된 다섯 신五柱の別天津神의 하나이며, 『고사기』에 '천지가 처음 생겼을 때 천상계天上界에 나타났다'고 적혔다. 이름의 '아메'는 천신들이 사는 천상계, '미나카'는 신들이 사는 중심부, '누시'는 주인을 가리킨다.

이들은 구체적인 능력을 보이는 실제의 존재가

사진 200(ⓒ 야후)

아니라 관념이 낳은 추상적 신에 가깝다. 이카스리노카미는 신기관서원神祇官西院에서 받드는 다섯 신 곧, 이쿠루노카미生井神·사쿠루노카미福井神·쓰나가루노카미綱長井神·하히키노카미波比祇神·아스하노카미阿須波神 따위를 아우른 이름이다. 쿠시나다히메는 '신령스런 논의 여신'이라는 뜻이다.

8장

기이한 우물

1. 거울우물

거울삼아 자신의 모습을 비추어보았다는 우물姿見井은 전국각지에 있다. '자견'은 본디 전신을 비추는 큰 거울을 가리킨다. 여러 곳의 우물이다.

1) 교토京都

(1) 오노노 코마치 거울우물小野小町姿見井

동산구東山區 청한사淸閑寺 부근에 있었으며, 동복사東福寺 퇴경원退耕院에 표석을 세웠다. 이 밖에 봉판逢坂의 관청수선환궁關淸水蟬丸宮 옆에 코마치小町 자견석姿見石도 있다.

좌경구左京區 시원정市原町 보타락사普陀落寺의 코마치 거울우물은 후카쿠사노 쇼쇼深草少將의 전설도 전한다. 입 지름 1미터쯤으로, 전은 없으며 에이Λ자꼴 덮개를 얹었다(사진 201). (☞ 1326~1327)

사진 201(ⓒ 야후)

8~9세기의 가인歌人 오노노 코마치는 육가선六歌仙 및 삼십육가선三十六歌仙의 명인으로 꼽혔다. 그네는 이 우물에 모습을 비추면서 화장하는 외에 앞일도 알아보았다. 뛰어난 미인으로 여러 일화를 남겼고 뒤에 노能나 정유리淨瑠璃 따위의 주인공으로 떠올랐지만, 늙어서는 비구니로 밥을 빌며 떠돌다가 백 살 넘어 길에서 죽었다고 한다. 동산구 청한사 부근을 비롯한 여러 곳에 '오노노 코마치 백세우물小野小町百歲井'이 있다(사진 202).

사진 202(ⓒ 야후)

이밖에 사조실정四条室町, 하경구下京區 동동원릉東洞院綾 서쪽, 동산구 정법사正法寺 앞, 동산구 산과山科 남쪽의 오야수심원小野隨心院 경내 대나무 숲 등지에도 남았다.

(2) 요시쓰네 거울우물義經姿見井

좌경구 화원花園 식목옥植木屋 안에 있다. 무장 요시쓰네(1159~1189)가 키쓰지吉次와 함께 오주奧州 암수현岩手県로 내려갈 때 자신의 모습을 비추었다고 한다.

그는 요시토모源義朝의 구남九男이자, 요리토시源賴朝의 동생이다. 평치平治난 때, 아버지가 죽고 어머니가 재혼하면서 강제로 안마산鞍馬山의 중이 되었음에도 수행 대신 원수를 갚으려고 무술을 닦다가 달아났다. 그 뒤 백성들과 섞여 살며 여러 곳을 떠돈 끝에 평천平泉에 이르러 후지와라 히데히라藤原秀衡(1122?~1287)의 보호를 받았으며 1180년, 형賴朝의 거병 소식을 듣고 적平家을 치는데 힘썼다.

(3) 후카쿠사노 쇼쇼 거울우물深草少將姿見井

복견구伏見區 심초묵염정深草墨染町 흔정사欣淨寺 자리는 코마치를 찾아다닌 후카쿠사노 쇼쇼의 집 터라고 하며 밭 안에 우물이 있다(사진 203).

사진 203(ⓒ 야후)

그가 가인歌人 오노노 코마치에게 결혼을 청하자, 백 일 동안 밤에 찾아오라는 조건을 달았고, 99일째 되는 날 밤에 가다가 눈에 파묻혀 얼어 죽었다고 한다. 세상에서는 이 물이 그의 눈물이라 일컫는다. 옆에 묵염정墨染井이라고 새긴 표석이 있으며, 그 뒤로 두 사람의 탑이라는 돌도 보인다.

(4) 가게교 거울우물景淸姿見井

후지와라노 가게교藤原景淸(?~1196)가 갇혔을 때 모습을 비춰보았다는 우물이 동산구 서대곡西大谷에 있었다. 이밖에 동산구 동복사東福寺 문 앞에도 남았고 옆에 탑도 세웠다.

타다교忠淸의 아들인 그는 1180년, 호쿠리쿠도北陸道 전투에 헤이케平家군으로 나섰다가 졌지만, 이듬해 야시마屋島전투에서 상대 무장들의 투구를 빼앗은 덕분에 카즈사 아쿠시치뵤上総悪七兵衛景淸라는 별명을 얻었다. 그는 숙부大日能忍를 지레짐작으로 죽인 탓에 아쿠시치뵤悪七兵衛로도 불렸다. 헤이케 재흥再興에 가담했다가 동대사東大寺 공양을 위해 교토에 온 요리모토源頼朝(1147~1199)에 잡힌 끝에 음식을 입에 대지 않고 목숨을 끊었다.

(5) 아리와라노 나리히라 거울우물在原業平姿見井

우경구 대원야 상우정大原野上羽町 대숲 안에 아리와라노 나리히라(825~880)의 무덤이라는 오륜탑이 있었다. 그리고 남쪽 가까이에 19세기말까지 거울우물이 남았었다.

나리히라는 가인歌人이자 헤이제이平城천황(806~809)의 황자 아보阿保 친왕親王의 다섯째 아들이었으며, 어머니는 칸무桓武천황(781~806)의 황녀 이토伊登의 내친왕內親王이다.

사진 204는 우물이 있던 자리에 세운 표석이다.

사진 204(ⓒ 야후)

(6) 이나리신사 거울우물稻荷神社姿見井

복견구 이나리신사에 있다. 이나리다이묘진稻荷大明神 제일의 어명부백호御命婦白狐가 아름다운 부인葛の葉姬으로 바뀌었을 때, 자신의 모습을 거울삼아 비추어 보았다고 한다. 그네가 숲으로 무사히 돌아갔다고 하여 교통의 안전을 비는 신으로 모신다.

우물 옆의 백호 화신목白狐化身木은 2천여 년이 된 녹나무楠로, 아랫도리가 갈라져서 부부나무라고도 한다. 가잔花山천황(984~986)은 사방으로 벋은 가지에 '지혜의 가지'라는 이름을 붙였다. 이곳에 빌면 부부 사이가 좋아지고 좋은 인연도 맺는다.

사진 205는 우물 옆에 새로 심은 백호 화신목이다.

이나리신사의 총본사이기도 한 이곳의 신은 일본에서 첫 손에 꼽힌다. 화동和銅 4년(711) 2월 초의 소 날午日 진좌鎭座하였다는 주신主神은 신라에서 건너간 하타씨秦氏 일족인 이로코伊呂巨이다.

사진 205(ⓒ 야후)

『일본서기』의 간추린 기사이다.

___

긴메이欽明천황(539~571)이 어린 적, 장차 하타노 오호쓰치秦大津父라는 자를 등용하면 반드시 천하를 잘 다스린다는 꿈을 꾸었다. 사람을 급히 사방에 놓은 끝에 야마시로노쿠니山背國 기이군紀伊郡 심초리深草里에서 같은 이름의 주인공을 찾았다. 너무나 신기한 나머지 '그대에게도 무슨 일이 있었느냐?' 묻자 이렇게 대답하였다.

"이세伊勢에서 장사를 마치고 돌아오는 길에 피투성이가 된 이리 두 마리를 보았습니다. 곧 말에서 내려 입과 손을 씻은 뒤 기도를 올리고 '귀한 신인 너희가 거칠게 행동하면 반드시 사냥꾼에게 잡힌다'고 타이른 다음, 피 묻은 털을 씻어 주고 놓아 보냈습니다."

천황은 반드시 그 보답이라며 가까이 두고 보살펴주었다. 큰 부자가 된 그는 뒤에 대장성장大藏省長을 맡았다(권19 「즉위년」).

─────

기이군은 지금의 복견구 및 남구南區이고, 심초리는 복견구 심초 도하정稻荷町에서 대구곡정大龜谷町에 걸쳐 있다. 대장성은 고대 8성省 가운데 하나로 재정, 그 중에도 출납을 맡은 부서이다.

(7) 길상원 거울우물吉祥院鑑井

사진 206이 길상원의 거울우물이다.

사진 206(ⓒ 야후)

2) 나라현奈良県

(1) 아리와라노 나리히라 거울우물在原業平姿見井

덴리시天理市의 아리와라노 나리히라가 카와치히메河内の姫를 찾아갔다가 밥통의 밥을 주걱으로 퍼서 그대로 입에 넣는 것을 보고, 백 년 동안 간직했던 정이 떨어져 돌아섰다는 우물이 있다. 이를 눈치 챈 그네가 뒤좇자 나무 위로 올라가 숨었지만 우물에 비친 모습을 보고 우물로 뛰어들었다고 한다.

이와 달리 그가 덴리시 재원사在原寺에서 오사카 야오시八尾市의 애인을 만나러 다닐 때, 자신의 모습을 비추어 보았다고 한다. 같은 이름을 지닌 우물은 서너 군데 더 있다. 사진 207이 그 가운데 하나이다.

품위 없는 여성은 만정이 떨어지게 마련이다.

사진 207(ⓒ 야후)

3) 카가와현香川縣

(1) 이즈카 고젠 거울우물靜御前姿見井

히가시 카가와시東香川市 小磯에 있다. 이곳 출신 이소노 젠니磯野禪尼의 딸이자 요 시쓰네義經의 애첩인 절세의 미녀 이즈카 고젠(?~?)이 얼굴을 비쳐서 화장을 고쳤다고 한다.

4) 오카야마현岡山縣

(1) 오노노 코마치 거울우물小野小町姿見井

구라시키시倉敷市 일간산日間山 법륜사法輪寺 본당 뒷산 오노노 코마치 집터 왼쪽의 자연석으로 쌓은 오노노 코마치 거울우물과 비서이 있다.

그네에 대한 전설이다.

———

갑자기 난 종기惡瘡로 얼굴이 보기 싫게 되자 갖은 방법을 다 썼지만 낫지 않았 다. 병을 잘 고친다는 법륜사 약사藥師님도 마찬가지였다. 그네가 노래和歌를 부 르며 기도를 올리던 이레째 되는 날 아침, 어느 곳에서 아름다운 답가答歌가 들려 왔다. 꿈속에서처럼 귀를 기울이다가 우물을 들여다보았더니 종기가 씻은 듯 없 어졌다. 그네는 보답으로 절에 소나무 열 그루를 심었으며, 인왕문仁王門 양쪽의 사괘송簑掛松과 입괘송笠掛松은 그네가 도롱이와 삿갓을 걸었던 나무라고 한다.

———

이와 달리 보기 싫게 된 얼굴을 한탄하며 비춰본 우물이 절 산중에 있는 거울우물 이라는 설도 있다. 그네가 죽은 뒤 소정산 꼭대기에 마련한 오륜묘五輪墓를 가고시마 현 천성天城사람이 몰래 파려고 덮은 돌을 들어내자 무덤이 순식간에 고향으로 날아 갔다는 말도 있다. (☞ 1279~1280)

5) 도쿄東京

(1) 장명사長命寺 우물

연마구練馬区 장명사에 있다. 얼굴을 비추었을 때, 확실하게 떠오르면 장생을 누리지만 흐릿하면 곧 죽는다고 한다. 낮에도 우물에 별이 비치고 지옥의 광경이 뜬다지만 우물에 씌운 철망 틈사이로 들여다보는 것이어서 분명치 않다.

사진 208(ⓒ 야후)

2001년에 나온 『관동원념지도關東怨念地圖』에 자신의 얼굴을 보았다는 여성의 체험담이 실렸으며, 도적의 습격을 받은 주지를 구했다는 염마상閻魔像도 있다.

사진 208이 우물이다.

6) 와가야마현和歌山県

(1) 고야산高野山 지장당 우물地藏堂井

고야산 오지원奥之院 지장당 옆에 있다. 지금 이름은 뒤에 붙인 것으로 본디는 약정藥井이었다. 지장당은 세상 사람들의 고통을 자신의 몸으로 대신한다는 '땀 흘리는 지장汗かき地藏'을 받든다.

사진 209(ⓒ 야후)

사진 209가 거울우물이다.

당집 오른쪽 거울우물에 얼굴을 내밀어서 모습이 떠오르지 않으면 3년 안에 죽으며, 이 물로 눈을 씻으면 어떤 눈병도

다 낫는다.

고야산에 오르던 구카이空海(774~835)가 팠다고도 한다.

약정의 유래담이다.

―――

921년 10월, 구카이에게 작위法印大和尚位를 주려고 고야산으로 가려던 조정의 칙
사扶閑中納言가 병들어 물러나려 하였다. 이날 꿈에 나타난 그가 '네 병은 생전에
저지른 악행의 결과이므로 세상에서는 고치지 못하니 곧 오사카에 있는 영수靈水
를 마시라' 일러주었고, 이로써 병이 나아 약정으로 이름을 삼았다.

―――

7) 군마현群馬県

(1) 쌍림사 거울우물雙林寺鏡の井戸

시부가와시渋川市 쌍림사 선당禪堂 옆 거울우물鏡の井戸(입 지름 2미터쯤)에 모습이 또
렷하게 비치지 않으면 곧 죽는다. 이 절은 칠불가사의七不可思議의 하나로 알려졌다.

8) 야마구치현山口県

(1) 묘의신사妙義神社 우물

묘의산妙義山 묘의신사 앞의 아주 얕은 우물이다. 제 모습을 비추되 모습이 떠오르
지 않으면 3년 안에 죽는다.

『원씨물어집原氏物語集』에도 '요루베 물よるべ 水'이라 하여, 물을 병에 담아 신전에
놓고 물그림자로 점을 쳤다는 기사가 있다(山中太郎 1915 ; 332).

9) 기타

미인으로 널리 알려진 교토 한 대납언大納言의 딸이 남자에게 유괴되어 무쓰노쿠니 陸奧國 안적산安積山에서 살 때 거울 없이 지냈다. 어느 날 남자가 없는 사이 심심풀이로 산의 샘에 자신의 모습을 비추었더니 너무나 볼품없이 변한 것에 실망한 나머지 곧 목숨을 끊었다는 말이 전한다.

대납언은 오늘날의 차관이며, 무쓰노쿠니는 후쿠시마福島·미야기宮城·이와테岩手·아오모리青森 및 아키타현秋田県 동북쪽 일대이다.

사진 210은 이 물로 화장을 하면 미인이 된다는 교토 야사카八坂신사의 미용수美容水이다.

사진 210

거울우물에 대한 가쓰마타 덴코勝俣天隆의 설명이다.

―――

고귀한 인물이 자신의 모습을 물에 비쳐보았다는 전설은 여러 곳에 퍼졌으며 흔히 거울 못姿見の池이라 부른다. 거울이 나오기 전에는 실제로 온 모습을 보기 어려웠던 것이 사실이지만, 물을 신성하게 여긴 나머지 이를 통해 신의 뜻을 알려는 목적도 있었다.

나라현에서는 모습이 떠오르지 않으면 죽는다며 참배자들이 모두 시험하였고高野郡 常覺寺, 고야산高野山에 있는 같은 이름의 우물도 그렇게 되면 3년 안에 죽는다고 여겼다. (…)

기후현岐阜県 오가키시大垣市에는 데루테히메照手姫가 매일 자신의 모습을 비춘 거울 못이 있다. 역시 전설의 인물인 그녀가 예의범절을 배우러갔다가 오구리 한간小栗判官과 사랑에 빠지자 아비가 상대를 죽였고, 집에서 뛰쳐나온 그녀는 악한에게 끌려가서 몸을 팔다가 관음觀音의 도움으로 영천靈泉에서 되살아난 애인과 재회한다.

니가타현新潟県 佐渡郡 相川町에는 즈시오廚子王를 다시 본 눈 먼 어머니가 코보弘法 우물에 얼굴을 씻자 자신의 모습이 분명히 떠올랐다는 못이 있다. 즈시오 또한 전설의 인물로, 누이安壽와 함께 인신매매단에 빠져서 갖은 고통을 겪다가 행복을 찾는다.

이처럼 물에 자신을 비춰본 사람은 여인·고승·귀인 등 다양하지만 여성이 가장 많다. 마쓰라 사요히메와 데루테가 무당이었던 점에서 이들이 전파의 주역이었을 가능성이 있다.

한편, 오카야마현岡山県 쓰야마시津山市에는 장자長者의 딸 가메치요龜千代가 거북 연못龜淵의 다리 위에서 모습을 비춰보다가 뛰어들어 큰 뱀이 되었다는 자견교姿見橋가 있다. 이밖에 여러 곳의 '모습이 보이지 않는 다리姿不見橋'나 '모습이 비치는 다리面影橋'들도 다리에 하시라히메橋姫라는 여신이 깃들었다는 생각에서 왔다. 질투심이 강한 그네의 화를 면하려고 혼례 행렬이 다리를 건너지 않는 곳도 적지 않다. 1677년에 나온 『출래재경토산出來齋京土産』에 시집가는 색시는 야마시로쿠니山城國 우치교宇治橋를 건너지 않았으며, 우치宇治 및 구세久世의 군민들도 새로운 인연을 맺을 때 반드시 배를 타고 오르내렸다는 기사가 있다.

이러한 관습은 내川 위의 다리는 이쪽과 저쪽을 잇는 통로이므로, 밖에서 들어오는 악귀를 막아야 한다는 생각에서 왔다.

우물에 비치는 사람의 얼굴은 모양에 따라 차이가 있지만 이로써 장래를 점치기도 한다. (…) 역사나 이름의 대부분이 나라나 교토를 잇는 루트에 집중되는 것은 수험도修験道나 음양도陰陽道와 연관이 있는 듯하다. 이른바 대야 따위에 담긴 물을 통해서 장래를 점치는 수경水鏡술법이나 수반水盤술법을 연상시킨다.

또 유명한 여성이 화장을 했다는 우물은 화장정化粧井, 화장을 한 샘은 화장수化粧水라 한다. 후쿠시마현福島県의 화장정은 시키부성式部省의 관리가 고향으로 가던 중에 도적을 만나 오래 머물며 얼굴을 다듬었고, 미에현三重県 해안의 화장수는 옛적에 고귀한 처녀가 떠내려 와서 치장하였다고 이른다.

혼이나 정기가 빠져나가 몸을 구성하는 요소가 줄어들면 그림자가 엷어져 빛이 통과하는 상태가 된다는 것이 이러한 민속의 바탕에 서려있다. 우물의 구조상 야외에 많다. (…) 신사 우물에 물건을 던져서 특정인을 저주하는 것도 마찬가지이다. 프랑스의 점성가 노스트라다무스Michel De Nostredame(1503~1566)도 밤중에 이 방법을 썼다고 한다(勝俣天隆 1984d).

———

2. 암우물 · 수우물

이바라키현茨城県에 암음우물과 수양우물이 있다.

『삼대실록三代實錄』에 '이키스시神栖市 상륙이근천常陸利根川의 이키스神栖신사는 885년 3월 10일 종오위하從五位下의 작위를 받은 고사古社이며, 가고시마鹿兒島신궁 및 가토리香取신궁과 더불어 동국삼사東國三社로 꼽혔다'는 기사가 있다.

신사 본전에서 200여 미터 떨어진 곳에 있는 우물바닥에 진좌한 통筒꼴 옹기瓶 둘 가운데 하나가 암컷雌瓶(사진 211), 다른 하나는 수컷雄瓶이다(사진 212). 조금 작은 암컷(높이 56센티미터에 지름 33센티미터)은 겉이 반들거리는 조자석銚子石이며, 수컷(높이 120센티미터에 지름 110센티미터)은 까슬까슬한 어영석御影石으로 빚었다. 이들의 역사는 2천 년 가깝다.

사진 211(ⓒ 야후) 사진 212(ⓒ 야후)

아기를 밴 진구神功황후(170?~269?)가 조선반도로 출병할 때, 신이 출산을 늦춰준 덕분에 규슈九州로 돌아와 낳았고, 태어난 황자가 팔대용왕八大龍王이라는 오진應神천황(270~310)이며, 신체인 옹기 둘은 그가 바쳤다고 한다.

남자가 암컷의 물을, 여자가 수컷의 물을 마시면 반드시 사랑을 맺으며, 안산安産과 교통안전을 누리는 외에, 눈병에도 효험이 크다고 일러온다.

9세기 초 이키스신사를 10킬로미터 떨어진 이키스정神栖町 일천日川에서 이곳으로 옮길 때, 그대로 두었던 두 옹기가 신을 사모한 나머지 사흘낮밤을 울며 스스로 거슬러 올라왔다는 전설이 있다.

진구황후 3년에 팠다고도 하는 이 우물은 이세伊勢의 명성정明星井, 교토伏見의 직정
直井과 함께 세 영천靈泉의 하나로 꼽힌다. 바다 가까운 곳에서 담수淡水의 물길을 찾
은 주민들이 바닷물 대신 생활용수로 쓰게 된 덕분에 오시오이忍潮井라는 이름이 붙
었다. 옹기 둘은 1973년까지 도리이와 함께 내 가운데 있었으며, 바다쪽으로 놓였을
때, 호수에서 맑은 물이 솟아서 그렇게 불렀다고 한다.

3. 염정染井

1) 나라현奈良県 법륜사法輪寺 적염정赤染井

① 간추린 「사적기史跡記」이다.

쇼두쿠聖徳(574~622)태자가 팠다는 우물 셋 가운데 남은 하나로, 고대조선의 형식
이다. 깊이 4.24미터에 바닥 지름 112센티미터이며, 입 지름 97센티미터로 배가
부르다. 바닥에서 1.15미터까지는 막돌로, 그 위 3미터는 7백여 장의 벽돌塼을
써서 부채꼴로 쌓아올렸다. 법륜사의 별명인 '삼정사三井寺'나 '어정사御井寺'는 이
에서 왔으며 '왕정王井'이라고 새긴 기와도 나왔다.

'고대조선의 형식'은 고구려 등지에서 발굴된 우물, 곧 벽의 중간 부위가 좌우양쪽
으로 벌어진 형식을 가리킨다. (☞ 59~70)
이 우물은 19세기 말에 메웠다가 1932년에 복원하였다.

② 야마모토 히로시山本博의 간추린 설명이다.

돌과 벽돌을 한 켜씩 번갈아가며 쌓은 기술의 주인공은 귀화인歸化人이고, 물이
많이 솟기를 바라는 뜻에서 우물지기井神에게 바친 마나이マナイ는 우물관리 담당
자가 넣었을 것이다. (…) 우물의 특징은 '배가 부르며, 돌과 벽돌을 섞어 쌓고

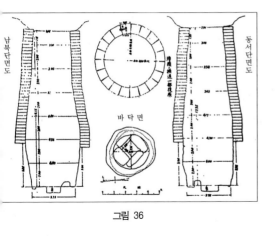

그림 36

벽이 둥근' 점으로 (…) 내가 아는 유일한 보기이다. 아마도 스이코推古천황(592~628)대의 산물일 터이다. 공사에 귀화인이 기술을 보탰을 것이다. 수부水部의 기술자라면 당시의 귀틀우물처럼 벽을 수직으로 쌓았을 것이기 때문이다(1970 ; 248~254).

———

그림 36은 19세기 말의 발굴실측도이다. 앞의 말대로 배가 부르다.

③ 앞 사람의 설명이다.

———

아스카飛鳥(593~686)시대의 두드러진 특징은 수당隋唐에서 들어온 지대한 영향이 영구히 후세의 규범을 이룬 점이다. 직접적인 연관이 있는 것은 (조선) 반도를 거쳐 들어온 불교와 이에 따른 사원 건축기술이다. (…) 고식古式의 신사건물 따위에 없는 새로운 방법으로, 미리 판 홈에 사패를 맞추어 상하좌우를 붙박는 목구조법木構組法이 그것이다. 우물에도 이 새로운 공법을 응용하였다. 577년에 백제에서 불상 및 사원 건축기술자가, 588년에도 완성된 대륙문화와 기술을 지닌 사공寺工·기와박사瓦博士·노반박사鑪盤博士들이 건너왔다. 593년에 지은 사천왕사四天王寺나 596년의 법흥사法興寺 위용을 보고(…) 당시 사람들은 분명히 놀랐을 것이다.

당당한 사원건축이 시작된 것은 6세기말부터이다. 이 목구조법에 따른 신식 귀틀우물板井은 당시 사원건축 기술에 견주어 볼 때, 7세기 중반 이후에 나왔을 것이다.

또 절을 지으면 장엄구莊嚴具로 꾸며야 한다. 금은구金銀具 뿐만 아니라 화려한 색채의 직물류도 필요하다. 처음에는 수입하였지만 관료제도가 정착되는 따위의 정치적 수요가 점점 늘어남에 따라 스스로 마련할 수밖에 없었다. 따라서 직물생산과 염색 공예는 필수적이었다.

불교가 들어오기 전에는(…) 키나이畿內에서 필요한 고급직물의 대부분을 5세기의 오진應神조(270~310)에서 유랴쿠雄略조(456~479) 사이에 들어온 귀화인들이 생산하였다. 오진조의 궁월군弓月君이나 한인漢人 아지사주阿知使主·도가사신都加使臣을 비롯해서 오吳에서 직녀織女를 데려왔으며, 금부錦部 조안나곤定安那錦의 귀화에 따라 고급직물 생산과 염색 공예의 꽃이 피었다. (…) 5세기에 건너온 기술자들이나 그들의 자손, 그리고 뒤에 건너온 기술자들은 각지에 퍼져 살면서 새 기술을 퍼뜨리는 공을 세웠다. (…) 그 결과 염색기술이 퍼져나가고 이와 함께 직물 생산기술도 아주 빨리 전파되었을 것이다.

법륜사에 우물 셋을 판 것도 이러한 사정에서 나왔다. 「태자전太子傳」에 '쇼토쿠태자가 우물 셋을 팠다. 야마시로노 오에노오山背大兄王子(?~643)·유게오由義王子·미시마오죠三島王女가 태어났을 때, 산탕産湯으로 쓴 동정東井·전재前栽·적염赤染이 그것'이라고 적혔다.

왜 셋이나 팠을까? (…)

요메이用明천황(585~587)의 이궁離宮이자 쇼토쿠태자의 탄생지라는 귤사橘寺에도 본디 태자의 산탕수라는 삼정三井 곧, 동에 춘정春井·남에 천세정千歲井·서에 적염정赤染井이 있었으며 (…) 지금은 본당 동북쪽에 천세정이라는 헌판이 달린 것만 남았다. (…) 스이코推古천황(592~628) 때는 셋이 다 있었다.

이는 절 동쪽의 남에서 북으로 흐르는 비조천飛鳥川과 연관이 깊다. 물을 당시 염색 공예에 썼으며 (…) 법륜사에서도 이를 위해 우물 셋을 마련하였을 것이다. (…)

앞과 같은 이름의 우물 셋이 있는 오사카南阿內郡 太子井의 서방니원西方尼院도 두 절과 연관이 있을 터이다. 서방니원은 쇼토쿠태자·모후母后·태자비를 받드는 예복사叡福寺 부근에 있다. (…) 절은 쇼무聖武천황(724~749) 원년에 세웠으며 (…) 산문山門 남쪽에 위치한 이원尼院 경내에 춘정·천세정·적염정이 남아있다. (…) 따라서 예복사 창건 이전, 지금의 이원 근처에 있던 여러 암자의 비구니들이 염색을 맡았을 것이다. (…) 이 부근에 쇼토쿠태자의 묘가 있는 점은 일대가 그의 영지였을 가능성을 나타낸다. 따라서 이원의 염색은 태자와 깊은 연관이 있었을 터이다(1970 : 230~240 · 248~261).

이 글의 '오吳'는 앞에서 든 대로, 중국 오나라(222~280)가 아니라 '고구려'의 '구려句

麗'를 한자의 소리 값(구레)에 따라는 적은 것이다. 연대가 맞지 않는 것이 가장 큰 증거이다.

④ 앞글에 대한 아키타 히로키秋田裕毅의 반론이다.

———

적염정에서 붉은 색茜 물감을 들였다지만 이를 위해 우물을 팠다고 보기는 어렵다. 같은 이름의 우물이 쇼토쿠태자 일화가 전하는 절에만 있는 것도 이유의 하나이다. (…)
법륜사도 태자의 비妃와 아들 야마시로노 오에노우山背大兄王(?~?)가 살던 궁터로 이 때문에 태자를 받들 뿐 아니라, 그가 판 우물이라고 하여 뒤에 삼정사라고 불렀을 것이다. 귤사橘寺 또한 태자가 태어난 곳으로 알려졌으며, 서방니사도 태자 무덤 근처에 자리한 점과 연관이 있을 것이다. 태자신앙이 퍼짐에 따라 삼정三井의 전승이 생기고 이를 증명하려고 셋이나 판 듯하다. 다만 이러한 전승이 없는 원성사圓城社는 본디 삼정이 어정御井이었기 때문이다(2010 ; 150).

———

사진 213(ⓒ 야후)

사진 214(ⓒ ?)

사진 213이 적염정이고,
사진 214는 돌귀틀이다.

2) 나라현 석광사石光寺

덴지天智천황(661~671) 때 밤이 되면 불이 비쳐서 땅을 팠더니 불상을 닮은 세 개의 돌이었다. 이에 미륵彌勒 삼존三尊을 새기고 그 자리에 집을 지어 모신 것이 절의 시작이다.

또 763년 당마사當麻寺에 있던 추죠히메中將姬(?~?)가 여러 곳에서 모은 줄기로 꼰 실蓮糸을 이 우물에서 썻었더니 저절로 오색의 물이 들어 만다라曼茶羅를 짰다고 한다. 절의 별명 '염사染寺'는 이에서 왔다. 우물은 입 지름 50센티미터에, 깊이 1.28미터, 수심水深 36센티미터이며, 바닥지름은 63센티미터이다.

『우물연구井戶の硏究』 기사이다.

절 부근의 지명이 염야染野인 점은 앞의 만다라 뿐 아니라, 아마도 당마사를 포함해서 나라시대 후기(8세기 말)에 이 일대가 염색공예의 큰 중심지였음을 알려준다. 따라서 절에 염정 외에 여러 개의 우물石井이 더 있었을 것이다.

앞에서 든 대로 아스카飛鳥시대의 염색 공예는 야마토大和(나라현), 특히 그 남쪽 일대에서 꽃 피었고 이는 정치 중심지였던 데서 왔다. 귤사의 세 우물도 마찬가지이다. 이밖에 반구리斑鳩里에 법륜사 우물 셋이 있으며 (…) 아주 뚜렷한 섯은 법륭사法隆寺 부근이고, 그 중에도 눈을 끄는 것은 절 남쪽에 오백정五百井이라는 이름을 지닌 마을이 있는 점이다. 이 일대에 없어진 우물이 적지 않은 것을 떠올리면 오백정은 우물 한 개의 이름이 아닌 것이 분명하다. 당마사나 석광사의 염색 관련 전승은 이 뒤에 이루어진 발전을 말한다(山本 博 1970 ; 259~260).

츄쵸히메는 당마사에 전하는 당마만다라当麻曼茶羅를 짰다는 전설의 인물이다. 사진 215가 염정이다.

3) 교토 이목신사梨木神社

신사의 간추린 안내문이다.

사진 215(ⓒ 야후)

19세기 말의 정치가 증석대신정일위贈石大臣正一位 산죠 사네쓰무三条實萬(1802~
1859)공과 내대신 정일위 대훈위공작內大臣正一位大勳位公爵 산죠 사네토미三条實美
(1837~1891)공 부자를 받든다.

이곳의 염정은 교토 삼명수醒ヶ井·県井·染井 가운데 남은 단 하나이다. 예부터
차를 끓이는 물로 알려져 왔으며, 지금도 차동인회茶同人會에서 애용한다.

경내는 9세기 후반에 이름을 날린 후지와라노 요시후사藤原良房인 낭명자娘明子(세
이와清和천황[858~876]의 어머니 染殿皇后)의 본가 자리로 염전染殿이라고 불렀다. 궁중
의 염소染所에서 이 물을 쓰면서 교토 중요 산업의 하나인 염색업계에 알려졌다.

산죠 사네쓰무는 메이지明治
(1868~1911)시대의 공신元勳이고,
아들 산죠 사네토미는 공경公
卿이자 정치가로 내각총리대신
內閣総理大臣을 지냈다.

사진 216이 염정으로 오늘
날에도 많은 사람들이 물을 받
아가다

사진 210

4. 주정酒井

① 『일본서기』에 오진應神천황(270~310)이 길야궁吉野宮에 거둥하였을 때(19년[219] 10
월), 국소인國樔人이 감주禮酒를 바치며 '떡갈나무櫨 숲에서 깎은 절구에 어주御酒를 빚
었으니 맛있게 드십시오 / 우리의 아버님이여' 읊조렸다는 기사가 있다(권10).

길야궁은 나라현吉野郡 吉野町에 있었을 터이다. 국소인은 지방 토착민으로 국서인
國栖人이라고도 한다. 감주는 지게미를 거르지 않은 막걸리이다. '절구를 깎은 것'은
천황에게 바칠 술을 빚기 위해 새로 마련하였다는 뜻일 터이다.

② 그러나 『고사기』에는 술 빚은 이가 백제에서 왔다고 적혔다.

———

하타노 미야츠코秦造의 선조와 아야노아타히漢直의 선조 및 술 빚을 줄 아는 니호仁番(그는 수수코리須須許理라고도 한다)가 건너왔다. 그가 술을 빚어 천황에게 바쳤더니 마신 뒤 이렇게 노래 불렀다.

> 수수코리가 빚은 술에
> 나는 기쁘게 취했네
> 재앙을 물리치는 술
> 웃음을 자아내는 술에
> 나는 기쁘게 취했네

이에 바깥으로 나가서 지팡이로 오사카의 길 한 가운데 있는 큰 돌을 쳤으나 돌은 바로 피했다. '딱딱한 돌도 술 취한 사람은 피한다'는 속담은 이에서 왔다(중).

———

이 글의 '맛 좋은 술'은 누룩으로 빚은 것이다. 이전까지는 처녀들이 고두밥을 잘 씹어 뱉은 것을 모아서 빚었다. 침 속의 아밀라아제가 쌀의 전분을 달게 만들고, 이를 모아두면 효모균의 작용으로 자연 발효를 거쳐 당이 알코올로 바뀌었던 것이다. 지금도 술 빚는 일을 '씹는다釀す'고 이르는 까닭이 이것이다. 오진천황은 양조장을 지으면서 전용 우물을 마련하였을 터이다.

하타노 미야츠코는 한반도 남부에서 건너간 것으로 보이는 씨족이다.

③ '하타秦'의 어원에 대한 네 가지 설이다.

———

① 배를 가리키는 일본 말 '하타'에서 왔다.
② 비단을 가리키는 산스크리트 말 '파타pata'가 뿌리이다.
③ 한국어 '바다'가 바탕이다.
④ 『삼국사기』 따위에 나타나는 '파단波旦'에서 왔다.

———

이 가운데 ③이 가장 그럴듯하다. (☞ 1286~1287)

'미야쯔코'는 주거지나 생업에 따른 백성의 무리, 곧 부민部民을 거느린 씨족이다.

아야노아타히는 아라가야安羅·安耶·阿尸良·安那加倻 사람이거나, 6세기에 백제에서 건너간 중국계 주민을 통솔한 씨족이라는 설이 있다.

④ **노성환의 설명이다.**

'니호'라는 이름은 다른 문헌에 없지만 '수수코리'는 더러 나타난다. 이를테면 10세기쯤에 나온 『일본결석日本決釋』에 '오진천황 때 백제사람 수소코리須曾己利가 와서 처음으로 술을 빚었다'는 기사와, 『주길대사 신대기住吉大社神代記』의 '카라지마辛島 에가惠我의 수수코리'가 그것이다.

그러나 카라지마는 가야伽倻이고, 에가는 오사카부 후지이데라시藤井寺市로 추정되어 혼동을 일으키는데다가, 『석일본기釋日本記』는 '고려인이 에가의 시장에서 맛좋은 술을 팔아서 사람들이 비싼 값에 다투어 사 마셨다'며 고구려 사람으로 다루었다. 그것은 어떻든지 수수코리가 고대의 한국계 이주민인 점만은 틀림없다(2009 ; 232).

효고현兵庫県 읍보군揖保郡에 있는 주정야酒井野의 '주정'도 대택리大宅里에 궁궐을 새로 지은 오진천황이 주전酒殿에서 쓸 물을 마련하려고 들에 우물을 판 것이라고 한다. 앞에서 든대로 그가 백제계 인물인 까닭에 수수코리가 등장하였을 터이다.

사진 217은 아오모리현青森県 미사와시三澤市에 있는 호시노星野 리조트 아오모리야青森屋의 현관에 놓인 선전용 술독들이다. 12개 가운데 구천駒泉·선구천善久泉·관내정關乃井·영내정營乃井 따위의 이름이 보인다. 그만큼 좋은 물로 빚은 맛좋은 술이라는 뜻이다.

사진 217

⑤ 『비전국풍토기肥前國風土記』 기사이다.

———

이 샘은 9월에 처음으로 흰색으로 바뀌면서 신 맛이 돌아 마시지 못하지만, 정월로 접어들면 맑고 차져서 맛이 좋아진다. 주정천酒井泉이라는 이름은 이에서 왔으며, 뒤의 사람들이 주전천酒殿泉으로 고쳤다(「基肄郡」 주전천).

———

⑥ 야마토大和 奈良県 분지 동쪽의 주석장자정住昔長者井 민담이다.

———

신앙심 깊은 모리스케盛助는 몹시 가난했지만 순례자들을 언제나 잘 대접하려고 애썼다. 이곳에 온 코보弘法대사(774~835)가 그에 대한 말을 듣고 감동하여 대흑천상大黑天像을 깎아준 덕분에 부자가 되었고 우물에서 술이 솟아 억만금을 모았다.

———

대흑천은 전쟁과 재복財福을 관장하는 불교의 신으로, 산스크리트 말 마하칼라 Mahakala의 소리 값을 빌려서 마하가라摩訶迦羅 또는 막하가라莫訶哥羅로 적는다. 가람 뿐 아니라 민간의 식당에서도 먹거리 호법신으로 섬겼으며, 일반에서는 재보를 얻는다며 다투어 받들었다.

5. 번개우물雷井戸

오사카 이즈미시和泉市 서복사西福寺에 있다.

어느 해 여름, 땅을 울리는 뇌우雷雨가 몰아친 뒤 천지를 밝히는 번개가 절을 감싸고 돌았다. 사람들이 달려가자 우물(입 지름 50센티미터)에서 한 줄기 빛이 뻗쳐 나왔다. 안에서 무엇인가 움직이는 것이 보이자 '번개님이 떨어졌다' 외치며 우물을 돌로 덮었다. 이 뒤부터 '내보내 달라'는 간절한 소리가 끊이지 않아, 다시 안 떨어진다는 다짐을 받고 열어 주었다.

비바람이 칠 때 사람들이 마을 이름 '구와바라桑原'를 거듭 외치면, 번개가 '또 떨어지면 안 된다'며 달아난다고 한다. 서북사는 본디 구와바라에 있었다.

나라현에서는 벼락이 우물에 떨어진 데가 신사이면 신관이, 절이면 중이 뚜껑을 덮어서 가둔다. 벼락이 다시 찾아오지 않겠다고 맹세한 뒤에야 풀어주며 이로써 다시 벼락이 치지 않는다.

사진 218은 도쿄 대동구台東區 삼도三島신사의 번개우물이다. 같은 이름을 지닌 우물은 여러 곳에 있다. (☞ 1307)

사진 218(ⓒ 야후)

6. 족세정足洗井

신이나 위인이 발을 씻었다는 우물足洗井도 적지 않으며 갓난아기를 씻기면 무병장수한다고 이른다. 이는 절이나 신사 따위의 성역에 들어갈 때 발을 씻음으로써 부정을 물리치는 데서 왔다. 갓난아기가 처음 밖으로 나올 때도 우물지기·부뚜막지기·뒷간지기들에게 인사를 올려서 부정을 막으며, 특히 우물과 뒷간지기에게는 빠지지 않게 해 달라고 빈다.

7. 소금우물鹽井

고켄孝謙천황(749~758)이 솟게 한 야마나시현山科県의 소금우물鹽井 물은 오늘날에도 장을 담그며, 코보弘法대사가 나오게 한 아키다현秋田県의 소금 우물물도 야채나 물고기를 절인다.

치바현千葉県에는 떠돌이 중에게 맨 팥죽을 주었더니, 지팡이를 꽂고 주문을 외워서 소금물이 나오게 하였다는 샘이 있다. 그가 코보대사임을 안 주민들이 내영사來迎

寺를 짓고 해마다 그 날(11월 24일), 그 물로 팥죽을 쑤어 바친다(小島瓔禮 1971 ; 301).

시마네현島根県 이즈모시出雲市에 있는 스사노오須佐신사에 7대 불가사의의 하나로 꼽는 소금우물이 있다.

현판 내용이다.

———

스사노오노 미고토須佐の男命가 이 물潮로, 인근지역의 부정을 가셨다.

이 우물은 출운대사出雲大社에서 가까운 해변에 있으며, 이따금 물이 흐려지는 것은 밀물과 썰물 탓이라고 한다. 밀물 때는 인근의 땅에서 소금 꽃이 핀다. 물을 마시면 여러 가지 병이 없어지고 산탕에 조금 넣으면 아기가 탈 없이 자란다. 실제로 물에서 짠 맛이 조금 돈다.

———

사진 219가 그곳이다. 우물이라기보다 바닷물이 솟는 웅덩이에 가깝다. '짠 맛이 조금 도는' 것은 신사가 바다에서 가까운 덕분이다. 소금이 귀했던 시절에 퍼진 민담이다.

사진 219(ⓒ 야후)

8. 오랑캐 우물南蠻井戸

나가사키시長崎市 본련사本蓮寺는 1620년, 주지 니치에日惠가 세웠으며, 가쓰 카이슈勝海舟(1823~1899)가 4년 동안 머물며 해군전습소海軍傳習所를 마련하고 항해술을 가르친 장소로 유명하다.

절을 지은 뒤 우물 옆방에서 밤이 되면 꺼이꺼이 우는 소리가 난다는 말이 돌자, 젊은 중日親이 칼을 품고 그 방에서 잤다. 삼杉나무로 짠 창에 기독교切利支丹를 믿는 노인의 그림이 걸려 있었다. 한 밤중에 들리는 발자국 소리에 눈을 떴더니 그림 속의 노인이 나와 걸어 다녔다. 놀란 그는 간신히 칼로 상대의 눈을 찔렀다.

이튿날 아침부터 고열에 시달리던 중은 며칠 뒤 숨을 거두었으며, 1945년 8월에 원자폭탄이 떨어진 뒤부터 물이 말랐다고 한다.

우물 이름 앞의 '남만'이 기독교도들을 가리키는 점을 생각하면 '남만우물'은 그들이 마련한 우물이라는 뜻일 터이다.

중이 그의 눈을 찌른 것도 기독교에 대한 불교의 달갑지 않은 시선을 상징한다. 사진 220이 문제의 우물이다.

사진 220(ⓒ 야후)

9. 기독교우물切利支丹井戸

나가사키시 춘덕사春德寺 자리에 토도스 오스 산토스Todos os Santos라는 교회가 있었다. 포츄기 말로 '여러 성인'이라는 뜻으로, 1569년에 건립된 시市 최초의 교회이다. 절 부근의 산 이름 '당도산唐渡山'도 이에서 왔다.

우물(지름 80센디미터) 옆에 '기리시단 우물'이라고 새긴 비와 20세기 초~중반에 발견된 제단용 상석(대리석)이 있다. 우물은 기독교도들이 평소에 쓰다가 관리들이 잡으러 오면 달아나는 비상구로 마련하였다는 설이 있다. 탈출구는 나가사키 항구까지 이어진다고 한다.

사진 221이 우물이고, 사진 222는 그 안이다.

사진 221(ⓒ 야후)

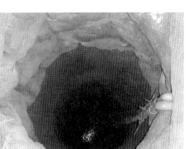

사진 222(ⓒ 야후)

10. 덴리시天理市 장사우물長寺井

　나라현 덴리시 약본정藥本町 야요이시대(전 3~3세기)의 장사우물에서 거의 온전한 상태의 여성 유골이 나왔다. 이는 당시 사람의 모습이나 형태 복원은 물론이고 습관이나 식생활 따위의 생활양식을 아는데 큰 도움을 주는 귀중한 역사적 자료이다.

　다음은 1996년의 보고서(『長寺遺跡の弥生人骨─第10次調査に伴う中間報告書─』, 天理市敎育委員會)와 가타미치 카즈미치片山一道의 글(「弥生時代のミステリ─」, 『繩文人と弥生人』, 昭和堂, 2000)을 간추린 것이다.

　　─────

　우물은 가운데가 남북 2~2.2미터, 동서 1.2~1.6미터의 타원형이며, 아래쪽은 남북 0.75~1미터에 동서 0.75~1.1미터의 원형에 가까운 통형筒形이다. 이는 통꼴의 북·동·서벽에 대해 중간 남쪽에 테라스를 붙였기 때문이다. 깊이는 북쪽이 3.4미터이다.

　우물바닥의 진흙 속에서 한 여성의 뼈가 나왔다. 출토 상황은 분명치 않은 점이 적지 않다. 두개골이 맨 아래에 엎어진 채 놓이고, 그 위에 척추·늑골·팔뼈 따위가 쌓여 있었다. 그리고 옆에서 야요이시대 중기의 옹기 한 개가 선보였지만 인골과는 연관 없는 듯하다. 주인공은 머리를 아래로 한 채 우물에 빠졌을 가능성이 높으며, 매장되었다고 생각되지는 않는다. 뼈를 방사선연대 측정법에 따라 검사한 결과 2천여 년 전의 것으로 밝혀졌다. 지금까지 긴끼近畿 지방, 특히 나라·오사카·교토 등지의 키나이近畿 지역에서 야요이시대 인골이 나온 일은 없다.

　사진 223은 두개골 드러난 순간의 모습이고, 사진 224는 해부한 순서에 따라 늘어놓은 것이다.

　이상한 것은 두골頭骨·추골椎骨·늑골肋骨·흉골胸骨 양쪽 팔뼈 따위의 상반신을 구성하는 부위가 일부 훼손되기는 하였지만 전반적으로 완전함에도, 하반신이 아예 보이지 않는 점이다. 옛 유적에서 사람 뼈가 온전히 나온 경우가 매우 드문 것이 사실이지만 일부가 썩어 없어진 일은 거의 없다. 또 이것은 살아 있을 때와 같은 상태로 우물에 들어갔으며 백골만 골라서 넣지는 않았다. 나아가

사진 223

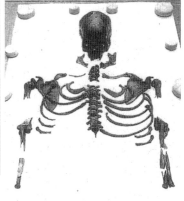

사진 224

하반신의 뼈만 썩어 없어지고 상반신만
남았다고 생각하기도 어렵다. 늑골이나
척추까지 온전한 상태로 나왔음에도 엉덩이나 허리뼈가 없어지는 것은 불가능한
까닭이다.

이 유골은 틀림없는 여자이다. 이를 알 수 있는 여러 가지 특징 가운데 하나는
빗장뼈鎖骨 · 상완골上腕骨 · 팔뼈橈骨 · 팔뚝뼈尺骨와 함께 골단부骨端部도 아주 작은
점이다. 또 골조는 단아하고 우아하며 고상하고 아름다워서 부드럽게 느껴진다.
흉골병胸骨柄은 크지만 아주 얇고 평탄하며, 늑골과 손가락뼈도 가늘고 섬세하다.
이러한 점들 모두는 여성의 뼈에만 나타나는 것으로, 남성 뼈일 가능성은 아예
없는 전형적인 여성의 뼈이다.

사진 225의 왼쪽은 두개골의 앞, 오른쪽
은 옆모습이다. 오랜 동안 물에 잠겼던
탓에 철분을 머금어서 검은 빛이 돈다.
뼈의 각 부위를 잰 결과, 키는 150센티
미터로 메이지明治 무렵(1867~1912)의 근
대 여성 평균치 보다 1밀리미터쯤 크다.
따라서 150센티미터를 넘으며, 155센티
미터쯤 될 가능성도 없지 않다.

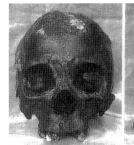
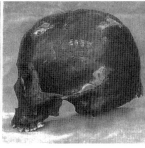

사진 225(ⓒ 야후)

안면 두개골 측정치에 따르면 얼굴은 길고 볼은 좁다. 이는 주인공이 죠몬繩文시
대(1만 년 전~전 3세기) 사람이라기보다 야요이시대 사람에 가까운 것을 알려준다.

사진 226은 여자의 뼈가 지닌 특징을 참고로 하여 화가 나카무라 히토시中村 仁 씨가 재현한 모습이다. 또 동경화학주식회사에서 두개골의 플라스틱 모형을 뜨고 이에 복안술復顔術을 이용, 진흙 따위로 살을 붙인 것이 사진 227의 흉상이다.

사진 226

팔뼈를 살펴보면 생전에 곡물 따위를 절구에 찧거나 빻는 일을 많이 한 것으로 보인다. 사망 당시 앞니도 모두 갖추었으며 충치도 없었다. 뼈가 부러지거나 병에 걸리지도 않았고 개 따위의 동물에 물린 자취도 찾지 못하였다.

여인은 장례 절차를 거치지 않고 우물에 넣었으며, 바닥에서 상반신만 나온 까닭이 이것이다. 마야유적 따위에서 샘 바닥에 주검을 넣은 일은 있지만, 옛적의 일본에 이러한 풍속이 있었다고는 생각되지 않는다. 더구나 상반신만 넣는

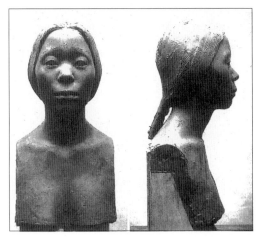

사진 227

일은 상상조차 불가능하다. 그리고 살이 다 빠진 뒤, 백골만 골라 넣은 것도 아닌 것이 분명하다.

골격에 살이 아직 붙어 있었을 때, 무슨 까닭인지 하반신을 떼 낸 다음 잘라서 넣었다. 왼쪽 팔뼈가 드러나지 않은 것도 의문이다. 우물에 넣기 전에 없어졌는지, 우물에서 썩어 없어졌는지, 발굴 때 흘려버렸는지 궁금하다.

야요이시대의 것이 분명한 이 뼈가 긴끼지방에서 나온 점에서 매우 귀중하다. 보존 상태가 좋은 것은 장기간 물에 잠겨 있었던 데다가, 그 뒤 진흙에 파묻혔던 덕분일 터이다. 장년기 후반, 곧 30~40세에 죽은듯하다.

하반신이 없는 까닭을 알 수 없지만 아마도 매장된 것이 아니라 갑작스런 사건에 휘말려서 우물에 묻혔을 것이다. 아직 연부軟部조직이 남은 상태에서 하반신

만, 그것도 머리를 거꾸로 우물에 넣었을 가능성이 크다. 무슨 일로 이러한 상황이 벌어졌는지는 영원한 수수께끼로 남을 것이다.

———

우물에서 사람 뼈가 나온 일은 아주 드물다. 중국은 신석기시대 유적인 산서성 동관東關에서, (☞ 819~820) 한국은 통일신라시대의 경주박물관 유적에서 열 살쯤 되는 아이의 것이 온전한 상태로 나왔을 뿐이다. (☞ 155~156)

9장

민속

1. 상징

(1) 신령스러운 우물

① 『고사기』 기사이다.

> 신무神武천황(전 660~전 585)이 길을 가다가 신비토운 빛이 비치는 우물에서 나온 꼬리 달린 사람을 만났다. '네가 누구냐?' 묻자 '이곳의 신 이하카井氷鹿입니다' 하였다. 그는 요시노吉野 오비토首의 선조이다(중).

이하카의 이井는 '우물', 하카氷鹿은 '빛난다'는 말로 '신비로운 빛이 나는 우물'이라는 뜻이다.

② 『일본서기』의 닮은 기사이다.

> 진무천황이 요시노 일대를 돌아보려고 토전菟田 천읍穿邑에서 가볍게 무장한 병사를 거느리고 순행에 나섰다. 요시노에 이르자, 몸에서 광채가 나고 꼬리가 달린 사람이 우물에서 나왔다. '너는 누구냐?'는 천황의 물음에 '저는 국신國神으로 이름은 위히카井光입니다' 하였다.

그는 요시노노오비토라吉野首部의 시조이다(권3 「神武天皇 즉위전기」 무오년 8월).

―――――

『고사기』의 '이하카'가 '위히카'로 바뀌었다.

③ 『일본서기』 기사이다.

―――――

게이코景行천황이 18년[88] 4월 11일에 바닷길로 가서 아시키타葦北의 작은 섬에서 음식을 먹을 때, 야마베노 아비코山部阿弭古의 선조 위히다리小左를 불러 찬 물을 떠오라고 일렀다. 그러나 때마침 섬에 물이 없어 어찌할 바를 몰랐다. 이에 하늘을 우러러 천신지기天神地祇에 빌자, 갑자기 맑은 물이 바닷가에서 솟은 덕분에 바쳤다.

이 섬을 미즈시마水嶋라 이름 지었다. 샘泉은 지금도 미즈시마 해안에 있다(18년 [88] 4월 11일).

―――――

아시키타는 구마모토현熊本県 위북군葦北郡 니즈마타시水俣市 일내이며, 산부는 산림 관리와 생산 따위에 종사하는 사람들이다. 미즈시마는 같은 현 야타이시八代市 일내 구정日奈久町 부근이라고 한다.

④ 이에 대한 『일본상대 우물연구日本上代井の研究』의 기사이다.

신이 우물에 깃들였다고 믿는 나머지 일반은 물론, 궁중에서도 제물을 바쳤다. 「연희식」에 따르면, 궁중에서 받드는 신 36좌座 가운데 내생정신內生井神・복정신사福井神社・강장정신綱長井神을 비롯하여 주수사主水司에서도 어정신과 어생기어정신御生氣御井神에게 제례를 올렸다.

또 「연희식」에 등장한 전국 3,132개 신사 가운데 정井자가 들어간 것은 70개소에 이르며 대정大井신사나 어정御井신사는 7개소가 넘고, 석정石井・천정淺井・정상井上이 붙은 신사도 많다(日色四郞 1967 ; 11).

⑤ 『일본서기』 기사이다.

―――――

지토持統천황 8년[694] 3월 16일, 오우미노쿠니近江國 益須郡 都賀山에서 예천醴泉이 솟은 덕분에 여러 병자들이 익수사益須寺에 머물며 고쳤다. (천황은) 논 4정, 삼 베 60단을 주며 '익수군의 올 조역助役과 잡요雜徭를 면제하고, 국사國司의 장관부 터 주전主典까지 벼슬을 한 급씩을 올리며, 처음 이곳을 찾은 카도노노 하츠키葛 野羽衝와 쿠다라노 츠라라메百濟土羅羅女에게도 거친 비단 두 필, 삼베 열 단, 괭이 鍬 열 자루씩 주라'고 일렀다(8년[694] 3월 16일).

───────

쿠타라노 츠라라메는 백제계 사람일 터이다.

'괭이'가 등장한 것은 그만큼 귀했기 때 문이다. 『역주 일본서기』에서 초鍬를 '가래' 로 옮겼으나 '괭이'가 더 그럴 듯하다.

사진 228은 이 우물 위에 올려놓은 '유구 한 예천悠久の醴泉'이라고 새긴 돌이다.

기후현岐阜県 양로군養老郡 養老町에도 같 은 이름의 샘이 있다. 겐쇼元正천황(715~742) 이 양로의 땅을 찾아왔다가 물滝 맛이 좋고 건강에도 이로워 종구의 이름을 본떠서 예천 이라 지었다고 한다.

사진 228(ⓒ 야후)

⑥ 1254년에 나온 『고금저문집古今著聞集』 기사이다.

───────

겐쇼元正천황 때 미노노쿠니美濃國(기후현)의 한 아들이 늙은 아버지를 정성껏 받들 었다. 매일 산에서 거둔 나무를 팔아 겨우 살아가는 터라 아비가 즐기는 술을 넉넉히 살 수 없었다. 그가 산의 이끼 낀 바위에서 미끄러졌을 때, 향기 좋은 술 냄새가 끼쳐왔다. 바위 사이에서 솟는 황금색 물이었다. 허리에 찬 뒤웅박에 담아 드렸더니 날로 젊어졌다. 이를 들은 천황은 효행을 하늘이 갚았다며 곧 가 서 마셨다. 과연 피부가 매끄러워지면서 병도 사라졌다. 그는 '노인이 젊어지는 물'이라며 연호年号마저 양로養老로 고쳤다.

───────

⑦ 『속일본기續日本記』 기사는 조금 다르다.

————

겐쇼천황이 717년, 미노노쿠니의 불파不破행궁에 갔을 때, 다도산多度山 미천수美泉水에 손을 씻자 피부가 부드러워지고 통증이 사라졌다. 또 마시거나 몸을 씻으면 흰머리가 검어지고 머리털이 새로 나며, 눈병을 비롯한 여러 병에 효과가 있었다. 감격한 천황은 연호를 바꾸라고 일렀다(2권).

————

⑧ 『일본기략日本記略』에도 교토의 작은 우물左京 三条 南油小路 물을 마시면 병에 걸리지 않는다는 주술사의 말에 따라 남녀노소가 몰려들었다는 기사가 실렸다(994년 5월 16일).

⑨ 『출운국풍토기出雲國風土記』에 칠인천련漆仁川連의 약수藥湯로 목욕하면 몸이 부드러워지고, 여러 가지 병에 효과가 뛰어나서 많은 사람들이 몰려들었다고 적혔다.

⑩ 『풍토기일문 이예국풍토기風土記逸文 伊豫國風土記』에 595년, 쇼도쿠聖德(574~622)태자가 고구려 귀화 승 혜자慧慈(?~623) 및 백제 귀화승 혜총惠聰(?~?)들과 홍고노쿠니豊後國 오이타大分 束見 온탕에 가서 탕강비湯岡碑를 세우고 신정神井의 영험을 찬미하였다는 기록도 있다(『風土記逸文 伊豫國風土記』).

⑪ 음양가陰陽家 아베 세이메이安倍晴明(921~1005)가 판 이바라키현茨城県의 우물은 천연두에 효과가 있고, 세이메이 우물晴明井이라는 후쿠시마현福島県의 것은 안산安産을 돕는다고 한다. (☞ 1270)

⑫ 나고야시名古屋市 열전熱田에서 7월 1일, 어린이를 고장高蔵신사에 데려가 우물을 보이고 물을 마시게 하면 여름에 병이 나지 않는다고 여긴다.

⑬ 『산과 마을의 신앙사山と里の信仰史』 기사이다.

————

하늘의 성지로 여기는 후지산富士山(3,776미터) 꼭대기에서 솟는 샘을 금명수金明[名]水 또는 은명수銀明[名]水라고 한다.

에도江戸시대(1600~1867)에 산을 받드는 신도들이 병 고치는 영수靈水라고 하여 사람들에게 나누어 주면서, 이를 '도조쿠 가지스이土俗加持水라 불렀다(1993 ; 183).

―――――

가지수의 '가지'는 소지所持 또는 호념護念을 이르는 산스크리트 말로, 신불神佛의 가호加護를 받아 악귀를 물리친다는 뜻이다.

⑭ 『일본서기』와 『고사기』의 간추린 기사이다.

―――――

아마테라스天照大神와 스사노오須佐之男가 하늘의 천진명정天眞名井을 사이에 두고 '흰 마음'과 '검은 마음'을 가리기로 하였다.

곧, 아마테라스는 스사노오의 곡옥曲玉을, 스사노오는 아마테라스의 칼을 우물물에 흔들고 나서 씹어 뱉은 다음, 아들이 태어나면 스사노오의 말이 옳고 딸이면 거짓의 증거로 삼기로 하였다.

―――――

이는 우물이 두 신보다 더 높은 존재임을 니티낸다. (☞ 1201~1203)

야마모토 히로시山本博는 고대의 우물에서 활석滑石으로 깎은 곡옥이나 칼을 닮은 유물이 나온 점을 들어 이러한 관습이 야요이시대(전 3세기~3세기)에 형성되었다고 하였다(1970 ; 38).

⑮ 『일본서기』의 간추린 기사이다.

―――――

싸움에 진 미마노오우지御馬皇子가 죽기 전, 미와三輪의 이하루磐井 우물을 두고 '오래도록 백성만 마시고 천황은 마시면 안 된다'고 저주하였다(권40 「雄略天皇」 3년 10월).

―――――

⑯ 앞 책의 간추린 기사이다.

———

덴지天智천황이 670년 3월에 산어정山御井 곁에 여러 신을 모시고 폐백을 바친
뒤 신하에게, 국가의 안정을 위한 축사를 읊조리게 하였다(권27 「天智天皇」 9년 정월).

———

오카다 세이지岡田精司는 '이 신사神事는 율령제律令制 때, 풍년을 바라는 신년제를
올린 첫 기록이다. "우물 곁"이 전국의 신들을 맞아 제사 지내는 장소로서 알맞은 곳
임을 나타낸 것은 율령제 이전의 궁정 제의에서 우물이 차지했던 전통적인 비중을
잘 보여주는 보기'라고 적었다(1980 : 194).

⑰ 사이타마현埼玉県 천월시립박물
관川越市立博物館 앞의 오래된 우물
을 '안개우물'이라 부른다. 예부터
천월성川越城에서 전투가 자주 벌
어졌고, 적의 침입으로 성이 위급
해졌을 때 덮개를 치우면 우물에
서 안개가 피어올라 성을 가려준
까닭이다.

사진 229(ⓒ 야후)

'안개성霧隱城'이라는 별명은 이에서 왔다(사진 229).

⑱ 간토關東의 대표적 무장 오타 도신太田道真(?~1492) 및 도칸道灌(1432~1486) 부자가 천월
성을 쌓을 때 물이 없었다. 매일 물길을 찾아 헤매던 끝에 샘에서 발 씻는 노인을
만났다. 사정을 들은 상대가 물 자리를 일러준 덕분에 난공불락의 성을 완성하였다.
　노인이 삼방야천신三芳野天神의 화신임을 안 두 사람은 '천신이 발 씻은 샘天神洗足
の井水'이라는 이름을 붙여서 기렸다. 그 자리가 성안 청수어문清水御門 근처라는 설
과 삼방야三芳野신사 부근이라는 설이 있다. (☞ 1368~1369)

⑲ 『일본 연중행사사전日本年中行事辭典』 기사이다.

———

교토 임생사任生寺에서 2월 2일부터 이틀 동안 베푸는 법회星祭에 참석하고 부적을 받으면 온갖 액운이 비껴간다.

또 자신의 이름과 나이를 써서 바친 흙으로 빚은 냄비炮烙를 4월 하순의 임생대염불任生大念佛 때 깨뜨려서 그 해의 악운을 쫓는다. 조각이 멀리 날아갈수록 좋으며, 우물에 넣으면 물이 맑고 지붕에 얹으면 불이 나지 않는다고 한다 (1978 ; 316).

———

부처의 힘이 우물에도 끼친다는 뜻이다.

⑳ **예부터** 신사 우물에서 길은 물을 담은 병에 신령이 깃든 까닭에, 자신의 모습이 비친다고 믿은 나머지 물병 점수병点水瓶을 쳤다. 『오의초奧儀抄』에 '억울한 죄를 진 사람이 물을 마시면 밝혀지고 악귀를 물리치는 효과도 있다'는 기사가 그것이다. 신수神水를 담은 병에 신이 머문다는 신앙이 고대부터 이어 내려온 것이다.

이에 대해 나카야마 타로中山太郎는 '신 앞에 놓은 재옹齋甕의 빗물天水을 마시면 수명이 늘어난다는 신앙의 원류로, 더 나아가 신의 이름으로 맹세하고 물을 마시면 자신의 모습이 비쳐서 길흉을 알게 된다'고 하였다.

물병은 불교에서 알기水閼伽水를 담는 그릇으로 비구比丘가 반드시 기녀아 히는 18가지 물건 중에 하나이다. 산스크리트 말「군디」의 소리 값을 빌려서 군지軍持라고 적는다. 불상 가운데 관음보살 따위가 손에 든 물병도 마찬가지이다.

㉑ **고치현高知県에서는** 일식日蝕 때 해가 독을 품는다며 우물을 덮는다. 또 우물에 쇠붙이金物를 떨어뜨리면 눈이 멀고, 옹기를 빠뜨리면 해를 입으며, 여자가 밤중에 머리털을 흐트러뜨린 채 엿보면 뱀이 비친다는 말도 있다(高木啓夫 1984 ; 317~320).

㉒ **가나가와현神奈川県 미우라시三浦市 미사끼三崎에서는** 새벽에 뜬 샘물을 제물로 삼는다.

배에서 쓰는 여러 종류의 깃발, 이를테면 대어기大魚旗 따위에 염색을 하는 삼부염물점三富染物店의 미요미 미히토三富實仁는 우물 옆 돌벽에 모신 지기에게 매일 아침 정화수를 올린다. 이로써 물이 끊임없이 솟아서 사업이 번창한다고 믿는 까닭이다.

사진 230(ⓒ 정연학) 　　　　　　　　사진 231(ⓒ 정연학)

　사진 230의 나무 감실龕室은 높이 20센티미터쯤이며, 눈썹 채양과 두짝열개의 여닫
이를 달았다. 시진 231의 오른쪽이 물을 담은 병이다.

(2) 복과 우물

① 『츄고쿠와 시고쿠지방의 주거민속中國・四國地方の住い習俗』 기사이다.

　　————

　　정월 초하루 새벽, 집주인은 횃불을 들고 금줄 두른 통・구기・제물 따위를 가져
　간다. 신발도 특별한 짚신이나 나막신을 신고(☞ 그림 37) 신 코에 종이를 감는다.
　제물을 바치고 박수치며 기도한 다음, 물을 길어서 전 가족이 얼굴을 씻고 차와
　떡국을 끓여서 불단에도 바친다.
　　물은 집의 우물과 남의 우물 두 곳에서 뜨며 '복을 긷고 덕을 떠서 행운을 건진
　다'고 읊조린다. 우물 자리는 잘 마른 찻잔을 안 여러 곳에 엎어놓았다가 이튿날
　새벽 살펴서 물기가 많이 맺힌 데를 고른다(1984 ; 219~224).

　　————

　사진 232는 물통을 지게에 얹어 나르는 모습으로 이를 신의 물御神水이라 부른다.

물통은 집안 부뚜막에 옆에 놓는다(사진 233). 오른쪽의 곡식가마니는 농사의 풍년을, 왼쪽 기둥에 걸어놓은 물고기는 풍어를 기원하는 뜻이다. 부정을 가시려고 소나무를 함께 묶어놓았다.

사진 232(ⓒ『日本の歷史』 2)　　　　　　　　　사진 233(ⓒ ?)

② **전국에서** 설날 새벽에 뜬 물을 약수若水・복수福水・초수初水・보수寶水・약정若井 따위로 부르며, 마시면 점점 젊어진다고 여긴다.

그림 37이 옷을 차려입은 남자가 도르래우물에서 약수若水를 긷는 모습이다. 우물 전에 금줄을 두르고 비쭈기나무잎을 끼워 넣었을 뿐 아니라, 새로 마련한 물통도 마찬가지로 꾸몄다.

사진 234에서는 복장을 갖춘 신직神職이 긴 대나무구기로 약수를 뜬다.

사진 235는 엎어놓은 절구와 물통이다. 절구 주위에 금줄을 두르고 물통 손잡이에도 부정을 가시는 천을 올려놓았다. 곡식을 찧거나 빻는 절구는 농사의 풍년을 상징한다.

이 물을 신에게 바치는 외에 복차福茶(다시마・검은 콩・산초・작은 매실 따위를 넣은 전차煎茶)나 설의 떡국雜煮을 끓인다.

그림 37(ⓒ『江戸事情』)　　　　사진 234(ⓒ『日本の歴史』2)　　　　사진 235(ⓒ?)

③ 나라현奈良県 동대사東大寺 이월당二月堂

이곳의 알가정閼伽井에서 물을 7일·12일·14일에 뜨지만, 일반에서는 12일의 물 뜨기와 횃불籠松明행사를 첫 손에 꼽는다. 길이 30센티미터쯤의 횃불 12개를 동자童子들이 신사神社의 복도에서 밖으로 내가면서 휘두를 때, 그 재를 뒤집어쓰면 악운이 달아난다고 한다. 끝에 둥근 관솔을 붙인 홰는 긴끼近畿 각지의 신도들이 바친 것으로 엮는다.

이 행사若狹井는 당唐의 시스츄實忠화상이 752년, 도솔都率 40원院의 상념관음常念観音에서 본 보살성중菩薩聖衆의 십일면관음이 과거를 회개하는 행법行法을 본 뜬 것이라고 한다. 이 동안 중들은 목욕재개 하고 엄격한 수행을 벌인다.

사진 236이 이월당의 알가정이다.

사진 236

④ **동일본에서는** 나이 든 남자가 물을 뜨지만, 서일본에서는 여자가 맡는다. 초사흘 날 뜨기도 하며 더러 제물도 바친다.

아키타현秋田県에서는 반으로 쪼갠 떡의 한쪽은 우물에, 다른 한쪽은 먼저 뜬 물에 넣고 집으로 온다. 이 물떡水餅을 6월 초하루에 건져 먹으면 이가 단단해지고, 가루를 내어 얼굴이나 손에 바르면 벌레에 물리지 않는다고 한다.

후쿠시마현福島県 암목시岩木市에서는 정월 열나흘 날 저녁의 새 쫓기 행사를 마친 뒤, 16세 소년이 물을 떠서 몸을 씻고 '소로엔또야시そろえんとやし 소로엔또야시' 소리 치며 뛴다. 이는 복을 많이 받기 바란다는 뜻이다.

⑤ 『**부뚜막カマト**』의 **기사이다.**

나가노현長野県 소현군小県郡에서 섣달 그믐날 저녁, 어느 가난한 집 할아범에게 어린 장님이 와서 하룻밤 재워달라고 떼를 썼음에도 내쳐버렸다. 소년은 설날 아침 마을 한데우물에서 물若水을 긷다가 우물에 빠졌다. 놀란 할아범이 그를 끌 어올리는 중에 '올라간다, 올라간다, 복신福神이 올라간다'고 외쳤다.

그를 데려다가 재웠더니 이튿날 아침, 간밤에 덮고 잤던 거적이 금화로 바뀌어 있었다(2004 ; 242).

---

⑥ **교토 백천白川 부근에서는** 물을 뜰 때, 주인이 광솔 불을 들고 샘으로 가서 수신에 게 쌀을 뿌리고 '복을 뜨고 덕을 뜨고 많은 보물을 떠갑니다'고 외친다.

집으로 오갈 때 사람을 만나면 좋지 않으며 이때 말을 나누어도 나쁘다. 길어온 물은 떡국을 끓이거나 얼굴을 씻는다.

⑦ **토쿠시마현德島県에서는** 설 새벽에 쌀·콩·토란·감 따위를 우물에 던지면서 '복 을 뜬다, 덕德을 건진다, 행운을 긷는다' 이르거나 '황금을 뜬다'고 읊조리며 국자로 퍼 담는다.

(3) 풍년과 우물

① **토쿠시마현**德島県 **삼호군**三好郡**에서는** 주인年男이 설날, 절에서 받아온 부적水札·감·쌀 따위를 새 주걱에 담아 우물에 넣은 뒤, 새 물통에 농사 풍년을 기원하면서 국자로 세 번 뜬다. 이 떡은 우물지기에게 바치는 제물이며 떡 대신 씻은 쌀을 넣기도 한다.

② **아이치현**愛知県 **북설낙군**北設樂郡**에서는** 광솔 불과 함께 쌀을 담은 되를 우물에 가지고 가서 날이 밝는 쪽에 절을 한 번 올리고 '묵은해를 보내고 새해를 맞아 제가 많은 물을 구기로 떠갑니다'고 세 번 읊조린다. 또 우물에서 작은 돌 두 개를 집어서 하나는 물두멍에, 하나는 차 주전자에 넣기도 한다. 이로써 풍년을 거둔다고 한다.

③ **나가사키현**長崎県 **쓰시마**對馬島**에서는** 섣달 그믐날 물통을 미리 마련했다가 정월 초하루 꼭두새벽에 물을 떠서 불단과 신단에 올리며 가정의 무사태평과 풍년을 바란다. 샘에는 남보다 일찍 가아 좋으며, 오가는 길에 사람을 만나도 말을 나누지 않는다.

신단에 바치고 남은 물로 밥을 짓고 음식과 함께 불단·신단·터주·배서낭船靈에도 바친다(강남주 1996 ; 295). 이때 사람을 만나면 물이 없어진다고 하여 아무도 없는 새벽에 몰래 가거나, 아예 멀리 떨어진 곳을 찾기도 한다.

④ 『**츄고쿠지방의 살림집**中国地方の民家』 **기사이다.**

———

규슈九州 남부에서는 '이가 단단해지는齒固 떡' 두 개를 통에 넣되, 모두 위로 향하면 가물고 반대가 되면 비가 넉넉히 내린다고 여긴다.

오키나와제도에서는 오유월이나 팔구월에 행사를 벌인다. 오래되어 쓰지 않는 우물일지라도 정월, 7월 보름, 마을 제사 때 향을 사르고 돈을 상징하는 종이 오래기를 붙인다.

평소에도 여행을 떠나기 전, 청소를 하고 쌀을 바치며 안전을 빈다(鶴藤鹿忠 1971 ; 285~286).

———

같은 곳의 미야코지마宮古島에서도 해산을 관장하는 우물産井戸 물을 정초에 마시면 다시 젊어진다고 한다(萩原秀三郎 1996 ; 181). 물을 신에게 바치고 나서 입을 헹구고 끓여 마시는 차를 복차福茶 또는 대복차大福茶라 부른다.

⑤ 오늘날과 달리 12세기에는 그 해 천황의 생기가 있는 방향의 우물을 미리 봉해 두었다가 입춘 날, 전담 관리主水司가 천황에게 떠서 바쳤다.

⑥ 이에 대한 『벼와 새와 태양의 길稲と鳥と太陽の道』 기사이다.

이를 흔히 남자들의 중요 행사로 여기지만 옛적에는 여자들이 길었을 가능성 이 높다. 고치현高知県 실호室戸·나가사키현長崎県 서피저西彼杵·같은 현의 쓰시 마 남부에서는 여성이 맡는다.

쿠마모토현熊本県 아소阿蘇 산간지대의 여자마을과 남자마을 가운데 남자쪽 사 람들은 '물 뜨는 수건'이라며 일부러 여자들처럼 수건을 머리에 쓴다. 한국과 중국 호남성 호서湖西의 먀오족苗族이나 광서성 창족壮族자치구 대묘산大苗山의 먀오족은 여성이 긷는다(萩原秀三郎 1996 ; 180~181).

우리·중국남부·일본은 대체로 정월에 물을 뜨지만, 유월 유두나 칠월 칠석에 벌 이는 지역도 적지 않다. 중국과 일본도 지역에 따라 다르다. 일본의 오키나와제도에 서는 5월에서 8월 사이에, 중국에서도 화북이나 강남은 유월 유두, 화남에서는 칠월 칠석에 뜬다.

이를테면 광동성廣東省에서는 유월 유두를 용 어머니龍母娘 탄생일 또는 천녀天女가 하늘에서 내려와 목욕하는 날로 여기며, 6월 18일을 용왕 탄생일로 쇤다. 우리 충청 도와 전라도에서도 유월 유두나 칠월 칠석에 우물지기에게 제례를 올리지만, 특히 유월 유두 민속은 물과 연관이 깊다. 한편, 정월 용날이나 대보름에 물을 긷는 풍속 은 우리에게만 있다.

⑦ 『징월이 온 길正月が来た道』의 설명이다.

중국 화북지방에서 유월 유두에, 화남에서 칠월 칠석에 뜨는 것은 이 무렵에 밭 농사(화북)와 논농사(화남)의 열매가 여물어, 새해 첫 달인 정월처럼 신성하게 여기는 까닭이다. 그리고 일본의 시기가 이와 일치하는 원인은 농사의 마루턱을 이루는 6월을 준정월準正月로 삼는 데 있다. 한국의 유월 유두 풍속이 물과 연관된 데다가 남부지역에 분포하는 것은 중국의 유월 유두 행사와 관계가 없지 않을 것이다(大林太良 1992 ; 98~101).

──────

⑧ 한편, 우리네 충청남도 해안지방에서는 유월 유두에 제사를 올리고 물이 잘 나오기를 축원하지만, 영호남지방에서는 칠월 칠석에 용신을 섬기면서 풍년을 읊조린다. 농사력으로 보아도 이 무렵이 농사의 절정기이다. 밭곡식이 여물고 논매기도 끝나는 백중을 큰 명절로 여긴 까닭도 이에 있다. 술과 안주를 들며 풍물을 치고 머슴도 놀리는 외에 들돌로 애머슴을 어른머슴으로 승격시키기는 행사도 벌였다. 말 그대로 '머슴 생일'로 삼은 것이다.

이는 일본과 닮았다. 천손天孫이 땅에 내려온 뒤 아베노오시구보네 미코토天忍雲根命가 고천원高天原의 물을 가져다 바치고, 바리공주가 서천 서역국에서 생명수를 얻어와 죽은 부모를 살려내는 내용 따위가 그것이다.

이에 대해 오바야시 타료는 '일본 오키나와제도에서 하늘을, 중국 운남성 와족佤族이 하늘의 용을 받들고, 한국에서 하늘의 용이 내려와 알을 낳는다는 점 따위에 나타난 대로 물은 하늘과 연관된다. 이 풍속은 중국 장강유역 및 남부의 벼 재배 지역에서 생겨서 한국을 거쳐 일본에 들어왔다'고 하였다(1992 ; 101~114).

샘이나 우물에 새 생명력이 깃든다는 관념과 물을 뜨는 경쟁은 세 나라에 고루 퍼져 있다. 용신이 이들을 관장하며 풍요를 가져다준다는 점도 마찬가지이다. 그러나 우물에서 위대한 인물이 태어나는 모티브를 지닌 설화는 일본에 보이지 않는다. 중국에도 단지 생명 탄생의 설화가 전할뿐이다. 우물을 좁은 식견에 빗대며, 땅 밑의 샘이 저승과 통한다는 생각은 중국에서 나온 듯하다.

(4) 용과 우물

① **나가사키현 쓰시마에서** 정월 초하루에 체를 가지고 우물에 가서 '용왕님 아무개 자손이 젖이 모자라 젖을 얻으러 왔습니다. 쳇불에 물새 듯, 먹고 남도록 도와주소서' 빈다.

이어 집으로 돌아와 '용왕님께서 젖을 주셨으니 삼신님이 합심하여 우리 아기 젖 많이 먹게 해 주소서' 읊조린다. 그리고 초이렛날 새벽 우물물 두 병을 삼신상 앞에 놓고 다시 축원을 올린다(강남주 1996 ; 400).

② **목숨을 구해준 은혜 갚음으로,** 갓빠河童가 매일 아침 우물 옆 대발竹棚에 산 물고기 를 놓고 간다는 민담이 퍼져있다. 이때의 우물은 용궁으로 드나드는 문이다.

갓빠는 물속에서 사는 상상의 동물로, 사람을 닮았으며 어린아이의 울음소리를 낸 다고 한다.

③ **부자네 남자가** 길에서 인연을 맺은 여인이 아이를 낳은 뒤, 집의 우물로 뛰어 들 어가 바다로 돌아갔다는 이야기도 들린다. 이 여인은 갓빠의 화신으로, 우물 바닥이 수계水界로 통하는 사실을 알려준다.

우리네 『고려사』에도 닮은 기사가 보인다.

④ **교토 야사카**八坂**신사 사전**社殿 **아래에도** 용궁으로 통한다는 용궁수龍宮水가 있다. 이 밖에 삼륜산三輪山 협정狹井이나 원택지猿澤池처럼 용궁으로 이어진다는 우물이나 못 도 적지 않다.

⑤ **가고시마현**鹿兒島県 **이부스키시**指宿市 山川町**에** 용궁신사가 있다.(사진 237·238) 간추린 안내판 설명이다.

이 신사는 『고사기』와 『일본서기』에 등장하는 토요타마히메豊玉姫(타마히메사마乙姫 樣라고도 한다)를 섬긴다. 나가사키현長崎県에는 예부터 우라시마 타로浦島太郎와 타 마히메사마乙姫樣전설이 전하며 그 발상지라고도 한다.

사진 237   사진 238

이곳은 앞의 두 사람이 인연을 맺은 곳으로, 가정 평안, 사업 번창, 어업 안전을
지켜주는 신으로 알려져서 많은 사람이 찾는다.

————

우라시마 타로 민담은 일본 각지에 퍼져있다. 간추린 내용이다.

————

어부 우라시마가 어린이들에게 잡힌 거북을 놓아주었다. 상대가 은혜를 갚는다
며 용궁으로 데려간 덕분에 타마히메乙姬(동해용왕의 딸이라고도 한다)의 환대를 받다
가 돌아왔다.

헤어질 때, 그네는 절대로 열지 말라며 옥으로 꾸민 상자를 주었다. 그러나 세상
으로 돌아온 뒤, 옛적에 알던 사람들이 모두 죽어서 쓸쓸하였던 까닭에, 상자를
열었더니 안에서 피어 오른 연기가 그를 늙은이로 만들었다.

————

용궁에서 지낸 며칠이 실제로 오랜 세월이었다는 용궁신화이다.

⑥ **사이타마현 천월성**川月城은 주위가 늪지대인 탓에 일곱 가마(「七ッ釜」)라 부른다. 이
때문에 흙이 부드러워서 간토關東의 오타 도신太田道真과 도칸道灌 부자가 성 쌓기에
많은 애를 먹었다. 어느 날 밤 도칸의 꿈에 늪의 지기인 용신이 나타나서 '내일 아침
제일 먼저 찾아오는 사람을 제물로 바치면 도와주겠다' 하였다.

그러나 가장 먼저 나타난 사람은 다름 아닌 자신의 딸이었다. 놀란 그가 간밤의

꿈 이야기를 들려주었더니 '저도 아버지와 같은 꿈을 꾸었습니다. 용신님의 분부를 거역할 수 없으니 제가 제물이 되겠습니다' 하더니 말릴 사이도 없이 늪으로 몸을 던졌다. 이 덕분에 1457년 공사가 마무리 되었다고 한다.

사진 239

사진 240

전형적인 인간희생 민담이다.

사진 239는 펌프로 자아낸 물을 용의 입으로 흘러나오게 한 아마미시奄美市역사민속자료관 전시품이다. 입으로 물을 뿜는 용머리 석상은 다른 곳에도 많고 중국과 우리나라에도 흔하지만, 이처럼 용의 몸을 통째로 조각하고 아래 입술을 길게 뺀 것은 드물다(사진 240). 이곳에는 같은 형상의 것이 한 벌 더 있다.

(5) 저승과 우물

① 『부뚜막カマド』 기사이다.

———

우물은 이승에서 보면 수계水系의 출입구이지만, 반대로 수계에서 보면 이승의 문이기도 하다. 『일본서기』에도 야마사치히코山幸彦가 마나시가타마無目龍의 작은 배를 타고 가다가 바다에 빠져서 먼저 도착한 곳이 해신궁海神宮 문 앞의 우물이라고 적혔다(狩野敏次 2004 ; 242). (☞ 1221-1222)

———

사람이 기절하였을 때 우물에 대고 이름을 부르고(小川 徹·西垣晴次 1971 ; 44), 태어나다가 죽거나, 젊어서 죽은 사람의 혼을 우물이나 지붕 위 또는 저승이 있다는 쪽으로 가서 부르는 것도 마찬가지이다(井之口 章次 1971 ; 437). 이밖에 죽은 이의 옷을 흔들어서 넋이 들러붙게도 한다.

해마다 7월 보름에 벌이는 우물 청소도 죽은 사람의 혼이 가는 길을 틔우는 것으로 여기며, 죽어서 가는 세계를 '샘 아래의 저승'이라 일컫는다. 헤이안시대(8~12세기)에는 오노노 다카무라小野篁(802~853)가 우물을 통해서 지옥으로 갔다는 전설이 널리 퍼졌다.

② 이처럼 우물을 귀신과 혼령의 통로로 여기는 나머지 쓰지 않더라도 바로 메우지 않고 그대로 두어야 해롭지 않다고 믿는다. 오키나와제도의 한 섬에서 수도를 오래 전에 놓았음에도 사진 241처럼 그물을 덮고 동여매 둔 것이 좋은 보기이다. 또 집을 헐거나 하여 우물을 메우지 않을 수 없을 때는 반드시 악귀 쫓는 의례를 베푼다.

우물을 곧 메워야할 때는 마디를 뗀 긴 청죽靑竹을 우물 바닥에 세우고 위가 밖으로 15센티미터쯤 나오게 해서 지기의 숨통을 틔운다. 이를 지키지 않으면 눈이 빠지거나 장님이 태어난다고 한다.

사진 241

실제로 나라시대 궁궐에서平城京 右京 二条에서 수키와丸瓦로 만든 숨통이 나왔으며, 이름 그대로 바닥까지 이어지지 않고 땅 거죽에 박혀 있었다. 하나의 크기는 바깥지름 15센티미터, 입 지름 12센티미터, 복원이 가능한 남은 부위의 길이는 94.5센티미터이다(그림 38). 다른 하나는 바깥지름 13.5센티미터, 안지름 10.5센티미터에 남은 길이 13센티미터이다. 앞 우물은 8세기 말에, 뒤의 것은 8세기 중반에 버려졌다. 이밖에 바닥까지 내려간 쪽 널縱板 숨통도 같은 곳에서 선보였다.

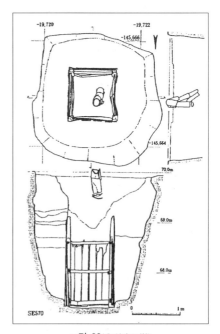

그림 38(ⓒ 鐘方正樹)

③ **지금도 마찬가지이다.** 시가현滋賀県에서 우물을 메울 때 귀틀을 뜯고 나서 부정을 가시는 소금을 뿌리고 제주祭酒를 부으며, 이어 대나무를 세우고 가는 모래를 채우는 것이 좋은 보기이다(鐘方正樹 2003 ; 165~170).

이바라키현茨城県에는 7월 1일 아침, 우물에 귀를 대고 지옥의 뚜껑을 여는 소리를 들으면 운이 좋아진다고 여긴다.

(6) 저주와 우물

고닌光仁천황(770~778)의 황후 이노우에井上 내 친왕內親王이 772년, 남편의 수명을 줄이려고 저 주를 위한 물품을 우물에 넣었으며, 이 사실이 밝혀진 뒤에 꺼내고 나서도 처리에 골머리를 앓 았다고 한다.

저주 기구로 인형을 많이 쓴다.

사진 242가 그것으로, 왼쪽은 상대의 이름을 쓰고 구멍을 뚫었으며 오른쪽은 구멍만 냈다.

사진 242(ⓒ?)

(7) 샘과 그리움

① 『**고금화가집**古今和歌集』의 노래(「쓰구시에 있을 때 늘 찾아가 바둑 두던 사람에게, 교토로 돌아와 지어 보냄」)이다.

───

いにしへの 野中の清水 ぬるけれど   　오래된 들녘의 맑은 샘물 미지근하지만

元の心を 知る人ぞくむ　　　　　　　　　본디 마음 아는 이는 이 물 찾네

　　　　　　　　　　　　　　　　　　　　　　　　　　　　(제17권 887)

───

겉으로 드러내지 못하는 깊은 사랑을 알아주지 않는 상대에 대한 원망과, 언제인가 나의 참사랑을 알게 되리라는 기대가 얽혀 있다.

② 앞 책의 노래(「신 놀음 노래神遊びの歌」)이다.

_____

わが門の 板井の清水 里とをみ　　내 집 문 앞의 귀틀샘물

人し汲まねば 水草おひにけり　　인가에서 멀어 뜨러오지 않아 풀 무성하구나

(제20권 1079)

_____

찾는 사람 없는 우물가에 잡풀만 무성하듯, 님에게 잊혀진 내 가슴 수심만 가득하다는 뜻이다.

③ 『고금화가집』의 노래(「사랑가戀歌」)이다.

_____

山の井の あさき心も おもはめを　　산 속 샘처럼 얕은 마음으로 생각지 않거늘

影許のみ 人の見ゆ覽　　내 님은 샘물 위에 그림자만 비추나

(제15권 764)

_____

마음속에서 끓는 사랑을 알지 못하고 겉으로만 도는 상대에 대한 원망이다.

(8) 샘과 이별

앞 책의 노래(「시가산 고개의 돌귀틀 샘 곁에서 이야기 하던 이와 헤어질 때 지음滋賀の山越えにて, 石井のもとにて もの言ひける人の別れる折に, よめる」)이다.

_____

むすぶ手の 滴ににごる 山の井の　　손으로 뜰 제 물 떨어져 흐려진 산속의 샘물

あかても人に わかれねる哉　　아쉽게 그냥 두고 떠나야하나

(제8권 404)

_____

산속의 샘은 작고 얕은 까닭에 손에서 흘러 떨어지는 물로도 흐려지므로 물을 제대로 마시지 못하는 것이 아쉽듯이, 그대와 헤어지는 것도 마찬가지라는 뜻이다.

(9) 샘과 거울

『만엽집萬葉集』의 노래(「안적향산 노래安積香山歌」)이다.

———

安積香山影さへ見ゆる山の井の 　아사카산 그림자마저 비치는 산속 샘처럼

淺き心をわが思はなくに 　나 얕은 마음으로 생각 않건만

(제16권 3807)

———

산속의 샘에도 먼 산 그림자 비치거늘, 내 웅
숭깊은 마음을 모르는 그대가 원망스럽다는 푸
념이다.

사진 243은 노래를 기념하는 공원으로 안에
비가 있다.

사진 243(ⓒ 야후)

(10) 우물가의 소문

『만엽집』의 노래(「안개 끼는 봄春立 ぅ霞」)이다.

———

春霞井の上へよ直ただに道はあれど君に逢はむと

　그대를 더 빨리 만나고 싶어 우물 옆으로 난 가까운 길로 가고 싶지만

廻たもとほり來くも

　사람들 눈에 띌 터이라 돌아가네

(제7권 1256)

———

우리처럼 우물가의 여자들이 자신을 보고 소문
낼 것이 두려운 나머지 일부러 돌아간다고 한다.

그림 39처럼 아낙네들이 한데우물에서 물을 뜨
거나 빨래를 하면서 세상 이야기나 소문 따위를
주고받는 것을 '우물가 회의井戶端会議'라고 부른다.

그림 39(ⓒ ?)

(11) 우물과 인연

① 시집 온 색시가 그 집 물을 마심으로써 한 식구가 된 것으로 삼는다. 간토關東지방에서는 시어머니가 부엌 입구에서 자기네 샘에서 뜬 물이나 술 한 잔을 건넨다.

군마현群馬県에서는 시어머니가 문 안쪽에서 얼굴을 바깥으로 내밀고, 앞에 서 있는 며느리에게 물 잔을 주고 나서 손을 잡고 안으로 들어간다.

이시카와현石川県과 도야마현富山県에서는 신부가 집에서 가져온 물을 시집의 물에 타서 마신 다음, 잔을 땅에 메쳐서 깨뜨린다. 이는 '시집의 물을 마셨으므로 시집 사람이 되었다'는 뜻이다.

이밖에 색시가 시집의 물로 발을 씻은 다음, 죽더라도 시집을 떠나지 않는다는 뜻으로 버선코 끝을 가위로 자르기도 한다(宮田 登·馬興國 1998 ; 315).

② 교토의 카나와우물鐵輪井은 남편에게 버림받은 한 여인이 키부네묘진貴船命神의 도움으로 도깨비가 되어 남편과 시앗을 죽이려다가 음양사陰陽師(安倍晴明)의 방해로 뜻을 못 이루자, 뛰어들어 스스로 목숨을 끊은 곳이라고 한다.

이 뒤부터 헤어지고 싶은 상대에게 이 물을 먹이면 악연이 끊어진다고 믿는다. (☞ 1313~1315)

(12) 우물과 꿈

우에다 아키나리上田秋成(1734~1809)가 1807년에 남긴 글이다.

———

무익한 글들을 세상에 남기지 않으려고 이것저것 모았더니 80부쯤 되었다. 이것을 정원에 있는 오래된 우물에 가라앉힌 지금, 기분이 매우 편하다. 오래 추구해 온 꿈을 이루지 못하여 나의 혼과 함께 옛 우물 속에 넣은 만큼 마음은 쓸쓸하다. 곁의 사람들이 재미있다며 우물 이름을 꿈의 우물이라 짓고 표석을 세운다고 한다(『水と祭禮の考古學』 2005 ; 17~18).

———

(13) 우물과 죽음

① 1741년에 나온 『파주명옥부播州皿屋敷』의 간추린 기사이다.

———

어느 귀족의 집에서 대를 이어 보물처럼 여겨온 그릇皿이 있었다. 실수로 이것을 깬 하녀는 괴로운 나머지 우물에 몸을 던졌고, 그 뒤부터 우물에서 매일 밤 그릇 세는 소리가 들렸다.

———

② 에치고越後 삼도군三島郡 연화사蓮華寺 마을 입구의 할멈우물姥が井 옆에서 큰 소리로 '할멈' 하고 부르면, 바닥에서 끊임없이 거품이 떠올라서 대답하는 것 같다. 그러나 믿지 않는 사람이 형이나 누이를 대면 그대로 있다.

이는 옛적 한 토호네 하녀가 돌보던 주인집 아이가 우물곁에서 놀다가 빠져 죽자 자신도 몸을 던졌으며, 거품은 가여운 그네의 혼이라고 한다.

③ 시즈오카현靜岡県 시즈오카시靜岡市 부근에도 주인의 아들을 우물에 빠뜨린 유모가 스스로 몸을 던졌다는 민담이 전한다.

히이로 시로우日色四郎가 '같은 전설이 전국에 분포한다'고 적은 것을 보면 이러한 일이 드물지 않았던 것을 알 수 있다(1976 ; 48).

④ 19세기 말에 나온 『파주명옥부실록播州皿屋敷実録』의 간추린 기사이다.

———

1519년, 충신 기누가사 모토노부衣笠元信(?~?)는 히메지성姫路城의 제9대 성주 고데라 노리모토小寺則職(1495~1576)를 한 가신家臣이 죽이려는 것을 알고 자신의 첩 기쿠お菊를 하녀로 들여보냈다. 이를 눈치 챈 가신은 뒤를 캔 끝에 그네를 찾아 죽이라고 하였다. 그러나 그네를 좋아한 부하가 애인으로 삼으려다가 듣지 않자, 열 개 한 묶음인 보물 그릇こもがえの具足皿 가운데 하나를 감추고 누명을 씌워 죽인 뒤 오래된 우물에 던졌다.

이 뒤부터 매일 밤 우물에서 그네의 그릇 헤아리는 소리가 들렸고, 반역자를 죽인 성주는 무사히 성으로 돌아왔다. 그녀의 가여운 죽음을 안 성주는 12신사 가운데 한 곳에서 대명신大明神으로 받들게 하였다. 300년이 지난 뒤, 성 아래에서 이상한 형태의 벌레가 들끓자 사람들은 기쿠가 돌아왔다고 수군거렸다.

사진 244(ⓒ 야후)

―――――

이 내용은 가부키歌舞伎를 비롯해서(「浄瑠璃」), 연극과 만담으로 꾸며졌으며 '그릇집皿屋敷' 민담도 전국 각지에 퍼졌다.

사진 244는 히메지성의 기쿠우물お菊井이다.

(14) 끊임없이 솟는 우물

미나모토노 요리요시源賴義(988~1075)가 하치만신八幡神의 가호로 얻은 물을 병에 담아서 새로 마련한 우물 바닥에 묻었다. 이는 우물의 물이 끊이지 않고 넉넉하게 솟기를 바라는 뜻이다.

현지 안내판의 내용은 조금 다르다.

―――――

헤이안시대의 9년 전쟁(1051~1063) 때, 미나모토노 요리요시의 병사들이 마실 물이 모자라 큰 고통을 겪던 중, 그가 활 끝으로 절벽을 무너뜨리자 찬 물이 솟아 사기가 치솟았다고 한다. 싸움 뒤 개선할 즈음, 물을 병에 담아 본거지인 향로봉香爐峯 남쪽 기슭에 우물을 파고 부어서 어려움을 겪은 기념으로 삼았다. '호정壺井'이라는 지명은 이에서 왔다.

―――――

우물에 다른 곳의 물을 붓는 것은 물이 끊임없이 솟기를 바라는 뜻이다. 우리에게도 같은 민속이 있다. (☞ 458)

(15) 기타

① 『고금화가집』의 노래(「여러 노래雜體」)이다.

———

君が世に 相坂山の 岩清水　　　　당신 치세에 만난 오사카 산 샘물처럼
木がくれたりと 思ける哉　　　　　감추어져 있었다고 생각했었네

(제19권 1004)

———

오사카 산의 샘이 나무에 가려 보이지 않듯이 당신의 치세를 만난 나도 드러나지 않으리라 생각했지만, 다행히 여러 사람들에게 알려지는 영광을 얻었다는 뜻이다.

② 앞 책의 노래(「입춘에 노래함春たちける日, よめる」)이다.

———

袖ひちてむすびし水のこほれるを　　소매적시며 떠 마시던 그 샘물 얼더니
春立つけふの風やとくらむ　　　　　오늘 부는 입춘 바람이 녹이려나

(제1권 2)

———

얼었던 샘이 봄을 맞아 녹듯이, 잊혀진 사랑이 돌아오기를 바란다는 말이다.

2. 제사

1) 변천

앞에서 든 대로 우물을 팔 때, 우물을 쓸 때, 메울 때 제사를 세 번 지낸다.
　야마모토 히로시山本博는 『기기記紀』나 『풍토기』에 우물 제사에 관한 기록이 적지 않은 점을 들어 3세기쯤에 제사 방식의 틀이 잡혔다면서, 가시하라橿原의 우물 유적 21개소 가운데 반 이상에서 나온 여러 가지 유물을 증거로 들었다.

① 그의 설명이다.

가장 많은 것은 토기이며 곳에 따라 '눈眼'이라 부른다. 우물을 메울 때 반드시 이것을 꺼내는 전승도 함께 고려할 필요가 있다. (…) 특히 6세기의 가시하라 11호와 12호 우물에서는 야요이시대(전 3세기~3세기) 토기도 나왔다. (…) 이들 가운데 6~8세기에 판 6호 우물은 주먹 크기의 돌을 두께 15~18센티미터로 깔고 그 위에 사람 머리만한 돌을 둥글게 놓았다. (…) 이곳의 우물 제사는 3세기에 시작된 것으로 보인다. (…)

『연희식延喜式』에 제기 및 제물 26종이 들어 있다. 직물·무명·삼·쌀·술·벼·어물 따위를 비롯해서 기와와 옹기 잔 두 점씩이다(「御井祭」). 이들은 과일 따위를 올려놓은 그릇인 듯하다(1970 ; 215~218).

———

고가미 가즈오駒見和夫는 니가타현新潟県의 40개 유적에서 드러난 고훈古墳시대(3~6세기)부터 중세(12세기말~16세기)에 이르는 우물 600개에 관한 자료를 바탕으로 제사의 변천을 다섯 단계로 나누었다(1992 ; 478~509).

(1) 농경사회 제사성격을 지닌 야요이시대부터 고훈시대

(2) 율령적 제사형태를 지닌 아스카飛鳥·나라奈良시대부터 헤이안시대 전기(7세기 후반~10세기 전반)

(3) 음양도陰陽道에 따른 주술적 제사가 나타난 헤이안시대 후기부터 가마쿠라鎌倉·무로마치室町시대(10세기 후반~15세기 전반)

(4) 주술적 제사가 사라지는 전국시대 이후 근세부터 근대 초기

(5) 근대 초기

② 이제까지의 학설을 간추린 앞 사람의 글이다(1992 ; 478~480).

———

(1) 나라현 가시하라유적 우물에서 나온 곡물曲物·도기陶器·흙말土馬 따위는 일부러 넣은 것이다. 이들은 지기에게 바친 공물供物이거나 물이 많이 나오기를 바라는 뜻에서 올린 제물이다(大場磐雄 1950 ; 「水靈信仰考の古學的考察」『本流』 1).

(2) 우물제사에 연관된 『축사祝詞』나 『연희식』에 보이는 폐백과 제물祭料을 출토유

물과 견주어 본 결과, 『연희식』에 적힌 여섯 제사 때 바친 것의 일부가 일반적
인 우물에서도 나온 것이 확인되었다. 이로써 조정朝廷 외에 일반인들도 닮은
제사를 지내면서 제물을 바친 것을 알 수 있다(山本 博 1970 ; 『井戸の硏究』).

(3) 히로시마현廣島県 초호천헌草戸千軒 유적 등지에서 마디를 뺀 죽통竹筒을 바닥
가운데 박고 우물을 메운 자취가 나왔다. 이러한 정진井鎭 관습은 음양사들
이 의식화한 것으로, 고대부터 근래까지 우물을 메울 때 주술을 베풀고 제사
를 지낸 것이 분명하다(守野正好 1976 ; 「竹筒をのこした井とその秘祝」 『草戸千軒』 36 ·
1978 ; 「金貴大德呪口里井祝儀」 『草戸千軒』 58).

(4) 지방의 우두머리首長들이 우물곁에서 제사를 지낸 관습은 전국 각지로 퍼졌다.
『일본서기』의 덴지天智천황 기사처럼(9년[670] 3월), 궁정 제사는 각지의 수장이
벌인 수신水神제사의 본보기로 정치 및 종교적 의미를 지녔다(岡田精司 1980 ;
「大王と井水の祭儀」 『講座 日本古代信仰 3 呪いと祭り』).

(5) 우물에서 나온 토기는 그 곁에서 제사 지낸 뒤 주술적 의미로 넣은 것과,
일상의 제사 때 쓰던 것을 우물을 메울 때 넣은 두 종류가 있다. 이들은 새
것이 아니라 헌 것으로 야요이시대에 퍼진 일반적 현상이다(森貞次郎 1981 ;「
弥生時代の遺物にあらわれた信仰の形態」 『神道考古學講座』 第1卷).

(6) 작은 빙울小鐸이나 새꼴鳥形을 비롯한 목제품, 복숭아 따위의 씨앗, 짐승 뼈들
은 신에게 바친 제물이며, 함께 나온 부싯돌火燧臼은 제사 때 불을 피운 것을
나타낸다(宇野隆夫 1982 ; 「井戸考」 『史林』 65~5).

(7) 야요이시대 중기와 후기의 토기 및 그릇 종류의 수에 차이가 있는 것은 제사
방식에도 변화가 나타난 것을 알려준다(藤田三郎 1988 ; 「弥生時代の井戸ー奈良・大
坂の井戸を中心にー」 『考古學と技術』).

———

우리네 청동기시대 우물에서도 나무로 깎은 새 모양의 제물이 나왔다. (☞ 90)

③ 『연희식』에 실린 우물제사 관련 기사에 대한 야마나카 타로山中太郎의 설명이다.

———

사시제四時祭로　압천합사鴨川合社・출운정상사出雲井上社・수주사水主社・협정사狹井
社를, 임시제로 어정제御井祭・산정제産井祭・육사사六師社・좌마무제신座摩巫祭神을

들었다. 그리고 다섯 신의 이름으로 생정生井·영정榮井·강장정綱長井·파비기波比祇·아수파阿須波 따위를 덧붙였다.

또 신명장神名帳에 실린 정井자가 든 신사는 모두 40개이며 키나이畿內·츄고쿠中國·오사카 등지에 분포하는 반면, 간토關東·도호쿠東北·시고쿠四國·규슈九州 등지에는 한 곳도 없어 대조를 보인다(1915 ; 334).

────────

사진 245는 평성경平城京 궁궐우물에 넣은 토기를 비롯한 제물이다.

기타다 유키히로北田裕行는 고대도성의 율령적律令的 우물제사는 7세기 말에서 8세기 초에 이루어졌으며, 9세기 초에 이르러 점점 줄어들다가 10세기 초에 자취를 감추었다고 하였다. 그는 각 도성의 우물에서 나온 제물과 우물 수를 집계하고 설명을 붙였다.

제물 13가지 가운데 우리와 연관이 있는 것 일곱 가지만 뽑으면 다음과 같다.

사진 245(ⓒ 『平城宮跡資料館圖錄』)

	藤原京	平城京 前期	平城京 後期	長京宮	平安京 前期	합계
재곶	5	18	65	4	11	103
흙말	1	3	14	9	12	39
나무인형	0	3	9	3	3	18
자지	0	2	2	0	2	6
복숭아씨	1	3	14	1	3	27
거울	0	0	3	0	0	3
동전	0	2	22	5	11	40
합계	7	31	129	22	42	236

재곶은 등원경에서 적게 나왔지만 다른 것에 견주면 가장 많은 셈이다. 그리고 나라시대(710~784)의 전반기에 비율이 가장 높아진다. 이것이 우물의 각 층위에서 선보인 것은 팔 때와 쓸 때 그리고 메울 때 바친 것을 알려준다.

흙말은 평성경에서 갑자기 늘어나며 장경궁에 이은 평안궁의 재곶보다 많다. 이러한 경향은 평성궁 말기인 고닌光仁조 보구寶龜 때(770~780)부터 뚜렷하게 나타난다. 그 까닭은 무엇인가?

『속일본기續日本記』에 앞의 시기에 비를 빌거나 그치게 하려고 흙말을 바쳤다는 기사가 11회나 보인다. 비를 빌 때는 검은 말을, 그치기를 빌 때는 흰말을 바쳤다. 말이 지닌 수령水靈신앙적 성격이 뚜렷해져서 수신에게 바쳤을 터이다. 이것이 주로 우물 가운데와 위층에서 나온 것으로 미루어 메울 때 넣은 것을 알 수 있다. 그리고 대부분이 부서진 상태인 것은 희생물로 쓴 까닭이다.

인형은 재곳과 짝을 이루는 경우가 많으며 주로 나무로 깎지만, 궁중에서 해마다 유월과 12월에 베푸는 푸닥거리 때는 철인상鐵人像을 썼다.

복숭아씨는 주력呪力을 빌리려고 넣었다.

동전은 나라시대 전반기에 두 곳에서 나왔으며 중반기를 합쳐도 세 곳에 지나지 않다가, 후기에 이르러 많아진다. 이는 발행량이 늘어나면서 가치가 떨어져서 우물에 넣어도 그다지 아깝지 않았던 탓이다. 중세(12세기 말~16세기)에는 돈이 대나무竹筒와 함께 제물의 주류를 이루었다.

이것이 주로 바닥에서 나온 것으로 미루어 처음 팔 때와 메울 때에 바친 것으로 생각된다(2000 ; 53~69).

2) 우물지기

① 『고사기』에 우물신이 오호쿠니누시大國主神와 야카미히메八上比賣 사이에서 태어났다고 적혔다.

———

야카미히메는 오호쿠니누시와 혼인하고 아내를 이즈모出雲로 데려왔지만 본처 스세리히메須勢理比賣를 두려워한 나머지 아들比の神을 벌어진 나뭇가지 사이에 끼워서 이나바因幡로 돌려보냈다. 이로써 아이 이름을 키노마타신木俣天神이라 지었다. 그를 미이신御井神이라 부르기도 한다(상).

———

예부터 Y자 또는 T자꼴로 갈라진 틈에 신이 깃든다는 믿음이 널리 퍼졌다. 미이신은 우물지기의 이름이다.

사진 246은 시즈오카현靜岡県 하마마쓰시浜松市 한 신사에 아기의 무병장수를 빌기 위해 바친 나무들이다.

우물지기로 미쓰하노메노 카미弥都波能賣神 따위를 섬기며, 깨끗한 정도를 알려고 잉어 따위의 물고기를 기른다. 이를 우물지기로 삼는 고장도 있다. 도롱뇽도 우물을 지키는 정수井守에서 왔다고 한다.

도쿄 교외에서는 우물곁에 마련한 작은 당집에 수신水神을 섬긴다.

사진 247은 비스듬히 세운 우물 덮개이며 그 안쪽이 당집이다. 치바현千葉県에서는 돌로 지은 당집에 넣은 물병과 물 잔을 신체로 받들며 (사진 248), 츄고쿠와 시코쿠 일대의 유형도 닮았다.

사진 246(ⓒ 야후)

사진 247(ⓒ 『日本民俗資料事典』)

사진 248(ⓒ 『日本民俗資料事典』)

이와 달리 후쿠이현福井県과 나가노현長野県 일대에서는 한데우물 곁에 마련한 수신사水神祠에 모신 돌을 지기로 삼는다. 오랜 가뭄으로 농작물에 피해가 커지면 '미나카미님水上さま'이라고 부르며 돌에 소금을 바치고 비를 내려달라는 축원을 읊조린다(사진 249).

『고사기』와 『일본서기』는 우물지기를 '어정의 신御井の神'이라 부르고, 수신水神을 '마쓰하노메罔象女'라 하여 따로 다루었다.

우물지기御井神를 흔히 (1)생정신生井神, (2)복정신福井神, (3)강장정신綱長井神의 셋으로 나눈다.

이들을 궁궐지기에 한정하면

(1)은 천황至尊의 생기生氣와 관련되고

(2)는 성수만세聖壽萬歲와 국가번영을 맡으며

(3)은 깊어서 긴 두레박줄이 필요한 우물을 나타낸다(山本 博 1970 ; 49).

이와 달리 가네카다 마사키鐘方正樹는

(1)은 물을 맑게 하며

(2)는 만물의 성쇠와 연관되고

(3)은 용수湧水를 안정시킨다면서 평범한 우물까지 포함시켰다(2003 ; 155).

이어 『연희식』에 이들과 함께 아스하노카미阿須波神, 하히키노카미波比祇神, 이카스리노카미座摩神의 다섯이 꼽힌 겹五座을 들고, (1)이 대地를 편겅히고 (2)가 궁길의 수제水祭 때 받드는 신이며, 나머지가 마당庭과 집戶口을 다스리는 점을 들어 궁주 우물지기로 다루는 것은 부자연스럽다면서 중국의 오행五行사상에서 온듯하다고 덧붙였다.

사진 249(ⓒ 都丸十九一)

② **고치현高知県의 수신水神 유래담이다.**

───────

(1) 천신天神 7대, 땅지기地神 5대를 이은 미륵彌勒시대에 카노우곤겐かのう權現(사람을 구제하려고 변장하고 나타난 부처)이 태어났다. 이들 가운데 둘이 일본에 물이 있어야 한다며 이레 동안 밤낮을 이어 기도하였다. 21미터 높이의 선반을 매고 올렸지만 물이 있는 곳을 못 찾자 돌 깨는 쇠망치玄翁·못 박는 쇠망치·혼즈키ほんづき를 가지고(이 셋을 해산解産의 기구라고 한다) 산천세계의 산으로 가서 하나는 도랑으로, 또 하나는 골짜기로 들어갔다.

높은 도랑의 카노우권현이 아래의 권현에게 '찾았느냐?' 묻자, '못 찾았다'며 '너는 어떠냐?' 되물었다. 그가 일본 북소北沼에서 샘을 발견하였다고 말했지만 골짜기에 없는 물이 높은 도랑에 있을 리가 없다며 믿지 않았다. 그러나 상대는 물은 높은 도랑에서 아래로 흘러가기 때문이라고 하였다. 둘이 용궁님에게 기도를 올렸더니 '독주독수毒酒毒水를 파헤쳐서 복덕이 많은 물을 아래로 흘려보내주마'고 하였다.

앞의 세 연장으로 오방五方에 우물을 판 둘은 동방의 것은 신불, 남방의 것은 인간 중생, 서방의 것은 우마牛馬, 북방의 것은 버루, 가운데 것은 집짐승과 새를 위한 것으로 삼았다. 이어 천 장씩의 돼지가죽·범가죽·노루가죽을 스물다섯 발을 지닌 암룡雌龍과 서른다섯 발의 수룡雄龍에게 바쳤다(高木啓夫 1984 ; 327~328).

북소에서 샘을 찾았다는 대목은 음양도에서 나왔으며, 오방의 오행 가운데 물은 북쪽에 위치한다.

천신 7대, 땅지기 5대를 거친 것은 좋은 물 찾기가 그만큼 어려운 것을 나타낸다. 우물 피는 연장이 등장한 것이 눈을 끈다. 용궁님에게 빈 것은 용이 곧 우물을 상징하는 데서 왔으며, 용이 독주독수를 파헤치고 복덕이 많은 물을 주마고 한 것은 마시기 부적절한 물이 적지 않았음을 알려준다. 우물 다섯 가운데 북방의 것이 벼루에 연관된 것은 특별하며 『교토민속지』에도 이에 연관된 기사가 보인다. (☞ 1288) 짐승 가죽을 바친 것은 용궁에 그만큼 귀한 물건이었던 까닭일 터이다.

─────

(2) 지기는 우이지泥土본존本尊을 아버지, 팔대용왕을 어머니로 삼아 13개월 반만에 태어났다. 이날이 임진년 정월 여드레로, 열 명이 한꺼번에 나온 탓에 이름 짓기가 어렵다고 여긴 부모는 천지왕과 의논한 끝에 돌림을 '수신'으로 삼았다.

　ⓐ 천축진천天竺辰天 왕수신王水神
　ⓑ 당토국 어수세천唐土國御手洗川 왕수신
　ⓒ 오기내오국五畿內五國 대천왕大川王수신
　ⓓ 동해도東海道 대천수신大川水神

ⓜ 동산도東山道 대천수신

　　ⓑ 북륙도北陸道 대천수신

　　ⓢ 산음도山陰道 대천수신

　　ⓞ 산양도山陽道 대천수신

　　ⓩ 남해도 대천대수신

　　ⓒ 서해도 대천대수신

　　그 뒤 후손이 대천 가운데의 대수신大水神, 소천小泉 밭 가운데의 소수신小水神, 지엽
천枝葉川의 대수신, 탕천湯泉지기, 정천井泉지기, 못池지기, 못空澤지기, 땅空地지기,
늪空沼지기, 칠뇌칠천七瀬七川지기, 낙합落合지기, 폭포 및 천둥지기로 늘어났다.
늘 쓰는 물은 반덕수신님半德水神樣의 물로, 물 서 홉이 있는 곳에 계시다(高木啓夫
1984 ; 327).

―――――

　　아비가 우이지본존이고 어미가 팔대용왕인 것은 하늘과 땅이 낳은 신선한 존재임
을 나타내고, 13개월 반 만에 캐어난 것도 인간과 다르다는 뜻이다. 샘·내·우물·
못·폭포 따위를 읊조린 것은 지기가 어디나 깃들었음을 알려준다.

　　(3) 천신 7대, 땅지기 5대를 이은 미륵인황彌勒人皇 시절, 해亥 방향의 내 가운데
에서 정천井川지기가 나타나 뱀의 뿔을 타고 움직이며, 첫째太郎지기는 야마시로
노쿠니大和國山城國대천에, 둘째次郎는 이와미노쿠니岩見國대천 바닥에, 셋째는 토
사노쿠니土佐國대천 만 길 깊이에 내려와 살았다.
　　그 뒤 자손이 늘어나 대천·소천·대곡大谷 소곡에 이르기까지 정천井川지기, 출천
出川지기, 소천沼川지기, 못澤지기, 우물지기, 물飮水지기, 비雨지기, 늪空沼지기, 크
고 작은 가마大釜小釜지기가 되었다(高木啓夫 1984 ; 326).

―――――

　　정천지기가 타고 다닌 뱀은 용을 가리킨다. 내와 우물지기가 내려와서 머문 여러
곳은 우물이 국가 건설에도 연관이 깊은 것을 나타낸다. 그리고 늘어난 자손이 지기
가 된 것은 국가의 정치가 안정기에 접어들었음을 알리는 듯하다. 한편, 크고 작은

솥지기는 음식 마련에 물이 반드시 필요한 것을 강조한 것일
터이다.

오키나와제도에서 우물지기를 중국처럼 수신水神이라 부르
며 가족의 건강을 북돋아준다고 믿는다. 지기에게 제사를 올
릴 때는 사진 250처럼 향에 불을 붙이고 상 위의 컵에 지기의
신체로 여기는 물을 채운 다음 축원을 올린다. 뒤로 보이는 병
에 꽂은 종이오래기는 신에게 바치는 폐백이다.

세사는 여성이 지내며 집밖에서는 사진 251처럼 깨끗한 시
내 한쪽에 쌓아놓은 돌 위에 제물을
차리고 빈다.

사진 250

3) 제물

앞에서 든 대로 제물은 우물을 팔
때, 쓸 때, 메울 때 바쳤으며, 메우면
서 바치고 정성껏 제사를 지낸 것은
저승으로 드나드는 영혼의 통로로 여

사진 251(ⓒ 奄美市歷史民俗資料館)

긴 까닭이다. 이에 따라 길이 막히더라도 영혼이 방황하지 않도록 단지나 뒤웅박 따
위를 함께 넣었다.

제물은 구리방울·나무 새·토기·복숭아
씨·동물 뼈를 비롯해서 조리용 부싯돌火鑽
臼·단지·식기·쌀·술·조개류·과일 따위
이다. 날개가 없고 배가 평평한 새는 우물의
정령을 맞거나 보내기 위한 것으로 보인다. 또
악귀의 침입을 막기 위해 주문呪文을 적은 그
릇이나, 나무쪽, 복숭아씨 따위도 곁들였다.

이밖에 재곶齋串·젓가락꼴·새꼴鳥形·불상
·구기·용기류 따위의 목제품과, 금속제품류

사진 252(ⓒ 『平城宮跡資料館圖錄』)

사진 253(ⓒ『飛鳥·藤原京展』)

외에 자갈도 바쳤다.

사진 252는 평성경 우물에서 나온 재곳으로 신에게 제사를 올리는 성역이나 신을 맞이하는 표지로도 삼았다. 길이 20센티미터에 너비 2센티미터, 두께 0.3센티미터쯤 되는 나무쪽이다. 위는 산처럼 모나고 아래는 뾰족하며, 양쪽에 홈을 판 것이 흔하다.

사진 253은 등원경藤原京 출토품으로 오른쪽이 재곳, 왼쪽이 인형이다. 가운데 것은 지금도 나라현 아스카飛鳥신사에서 해마다 6월 12일, 악귀를 쫓는데 이용하는 현대의 인형이다.

이밖에 땅에 지팡이를 꽂았더니 물이 솟았다는 전설 따위도 재곳을 신목神木으로 쓴 보기의 하나일 터이다. 6세기의 시가현滋賀県 大津우물 유적에서 십여 점이 첫 선을 보인 뒤, 7세기 말 등원궁과, 8세기 초 평성경(10여 점)에서 나왔으며, 9세기에는 인형이나 흙으로 빚은 말과 함께 여러 곳에서 출토되었다. 이것은 우물 팔 때, 쓸 때, 메울 때 넣었다(黒崎 直 1077 ; 23 37).

젓가락꼴 목제품은 성스러운 공간을 나타낸다. 실제로 젓가락으로 쓰지 않은 점에서 재곳과 같은 성격을 지녔을 터이다. 새는 신의 나라와 인간세상을 잇는 사자使者로 여기며, 이에 관한 목제품에는 신령을 맞거나 보내는 뜻이 담겼으며 목제류 불상도 마찬가지이다. 복숭아·뒤웅박·호두·오이 따위의 씨앗류로는 모든 악귀를 쫓으며 대나무, 불에 탄 자갈, 부싯돌 따위는 제사 용구이다. 완형 토기는 3세기~10세기 전반기의 우물 열 개에서 나왔다.

기우제 때 무엇인가를 청하는 뜻으로 구기를 쓰는 것과 달리, 우물을 메울 때 구기나 자루 달린 구기를 넣는 것은 더 이상 물을 바라지 않는다는 뜻일 터이다(久世康博 2002 ; 408).

다음 표는 『연희식』에 실린 여섯 제사에 바친 제물이다.

	제사 이름	제물
1	御川水祭	돈 80文, 鍬(괭이) 5자루, 잔(杯) 50개, 뒤웅박(匏) 5개
2	御川水祭	괭이 2자루, 기와 2장, 옹기(瓮) 2개, 질그릇(坏) 2개, 뒤웅박 2개
3	産井祭	괭이 2 자루, 기와 2장, 옹기 2개
4	御川水祭	돈 800문, 괭이 5자루, 잔 50개, 뒤웅박 5개
5	御井神一座祭	괭이 2자루, 삼상자(麻筥) 1개, 구기(杓) 1개
6	御生氣 御井神一座祭	괭이 1자루, 깁체(絹篩) 1개, 장군(缶) 1개, 주발(碗) 1개, 소반 5개

　야마모토 히로시山本博는 돈과 깁체 따위는 물 값이고, 괭이는 우물 바닥에서 나온 적이 없는 점으로 미루어 제물이며, 바닥의 뒤웅박・삼상자・깁체・구기・여러 가지 토기들은 제사 뒤에 바쳤다고 하였다(1970 ; 86).

　깁체는 비단으로 바닥을 삼은 체로, 불이 가장 좁아서 고운 가루나 술을 거를 때나 쓰는 고급품이다. 불을 '눈絹目'이라 부르는 것은 밝은 눈으로 잡귀를 쫓거나, 깨끗한 물이 솟기를 바라는 뜻일 터이다.

　우리도 마찬가지이다. 섣달 그믐날 저녁, 자신의 발에 맞는 어린이 신을 가져가려고 하늘에서 내려온 야광귀夜光鬼가 부엌문에 걸린 체의 눈(불)을 헤아리다가 날이 밝는 바람에 그냥 돌아간다는 민담이 그것이다.

　일본에서는 체를 신령한 기물로 여기는 나머지 머리에 쓰면 저승을 한 눈에 꿰뚫어 보는 신통력을 지니는 동시에, 이승에서 사라진다고 하며 이를 어기면 키가 자라지 않는다고 믿는다. 또 숨바꼭질 때, 술래가 체를 머리에 쓰고 숨은 아이의 이름을 부르면 반드시 나와야 하고, 체를 쓰고 돌아다니는 술래는 아이가 보인다고도 한다. 요괴나 잡귀를 만났을 때 체를 뒤집어쓰면, 쳇불이 많은 것을 보고 놀라 달아난다는 믿음도 있다. 잠수潛嫂가 수건에 그물눈 꼴의 수를 놓는 것도, 바다 귀신에게 눈이 많음을 알리기 위한 것이다.

　체는 풍년도 상징한다. 긴끼近畿지방에서 마을 입구에 가로 거는 새끼줄勸請弔에 체와 키를 잡아맨 다음, 오곡의 풍양을 비는 노래를 합창한다. 이로써 풍년이 들뿐 아니라, 잡귀와 병마도 들어오지 않는다는 것이다. 가나가와현神奈川県과 도쿄 일대에서는 2월과 12월 8일, 바구니와 체를 처마 높이 걸고 교맥蕎麥・소금에 절인 새우魚旨・오목반五目飯(닭고기・표고버섯・튀긴 두부・채소 따위를 섞어서 볶은 밥) 따위를 차려서 바친다.

2월 8일은 자식이 부모에게, 12월은 부모가 자식에게 음식을 대접하는 날로 삼는다(鈴木棠三 1978 ; 335~336).

우물이나 내에 물 값을 낸 것은 참으로 일본사람다운 바른 셈법이다. 중국에서도 더러 우물에 돈을 넣지만 이는 복을 받기 위한 것일 뿐이다. 앞에서 든 다섯 종류의 제사에 모두 등장한 괭이에는 농사의 풍년을 바라는 뜻이 들어 있으며, 이러한 점에서 삼 상자 또한 삼농사의 풍작을 기원하는 제물이다. 이밖에 소반은 제상祭床, 잔은 신주神酒, 주발과 장군 따위는 제기祭器로 삼았으며, 뒤웅박은 우물지기의 숨통을 틔우기 위한 것이다.

미에현三重県 이세伊勢지역에서는 최근까지 물이 마르지 않기를 바라는 제사 때 '마나코まなこ'라는 단지를 넣었다가 메울 때 다시 꺼냈다. '마나'가 '천지진명정天之眞明井' 또는 '진명록眞名鹿'처럼 정령精靈의 미칭이듯이 '마나코'도 정령의 이름으로 붙인 듯하다.

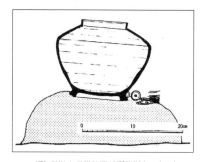

그림 40(ⓒ 滋賀県埋蔵文化財センター)

평성경 우물右京 바닥에 깔린 자갈 네 귀에서 항아리須惠器와 함께 동남쪽에서 융평영보隆平永寶 한 닢과 질그릇土師器皿, 서북쪽에서 같은 엽전이 나있다. 이것은 우물을 밀 때 제사를 지내고 바친 제물이다. 이로써 9세기에 우물을 팔 때, 건축공사처럼 제사를 올린 것을 알 수 있다.

또 그림 40은 시가현 오츠시草津市 한 유적矢倉口에서 나온 질그릇으로 안에 여러 개의 동전이 들어 있었다(화동개보和銅開寶 한 닢, 만년통보萬年通寶 여섯 닢, 신공개보神功開寶 14닢). 이들은 우물지기에게 환심을 사기 위한 뇌물로 바쳤을 터이다.

평성경의 다른 우물에서는 두 개의 토사기 그릇의 입을 마주 붙이고 안에 재곶齋串 다섯 개와 식물ウラジロ 잎 둘을 넣은 것이 나왔다(그림 41). 재곶 다섯 개는 오방오제五方五帝신에게 바친 것으로 보인다.

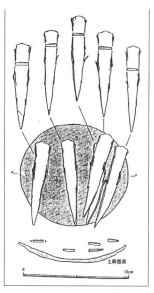

그림 41(ⓒ 鐘方正樹)

나라현 최승원最勝院에 있는 에도시대 우물의 각재角材 밑에서도 1918년의 일전짜리 동전硬貨이 선보였다. 바닥에서 나오는 완형 토기들이 두레박이라고도 하지만, 지나치게 큰 항아리나 병을 비롯해서 접시·사발·잔 따위는 제사기구로 보는 것이 타당하다. 하치만신八幡神의 도움으로 물을 얻은 무장 미나모토노 요리요시源賴義(988~1075)가 항아리에 담아 가지고 가서, 우물을 새로 파고 묻었다는 전설이 좋은 보기이다. 넉넉한 물을 비는 제사에 영험 높은 물을 담은 제구로 쓴 것이다. (☞ 1377)

이밖에 야요이시대 후기부터 고훈시대 사이의 유적에서 나온 작은 방울銅鐸도 중요한 제물의 하나이다. 오카야마현岡山県 下市瀬유적 우물 가운데에 세운 네모기둥에 매단 높이 6.6센티미터에 긴 방울이 그것이다. 다른 지역의 것들도 방울을 지닌 것을 보면 물을 뜰 때마다 울려서 수신과의 교감, 곧 물이 그치지 않게 해달라는 뜻을 나타낸 것으로 보인다. 오사카 한 유적龜井에서는 방울꼴 토제품도土製品도 선보였다. 예부터 방울을 주술적 성격이 강한 주구呪具로 써온 사실은 널리 알려졌다(辰巳和弘 2008 ; 15~31).

물동을 신에게 바치는 제물 그릇으로 삼기도 하였다.

효고兵庫·오카야마岡山·돗토리取鳥·나가노현長野県 등지에서는 새해 정월에 신불에게 바치는 제물을 신통神桶에 차린다. 이를 대년통大年桶이라 부르는 효고현美囊郡에서는 쌀 한 되 두 홉, 작은 떡 12개(윤년에는 쌀 한 되 서 홉에 떡 13개)를 넣고 위에 거울떡鏡餠과 정월의 별식을 얹어서 신의 선반神棚이나 새해 신맞이 장소에 놓는다.

가고시마현鹿兒島県에서는 약수통若水桶에 쌀·보리·조·메밀 따위의 곡식을 알 한 씩 떨어뜨린 뒤, 그 모습을 살펴서 농사의 흉풍을 가린다(鈴木棠三 1978 ; 78).

거울도 뺄 수 없다.

효고현兵庫県 아카이시시明石市 한 유적藤江別所의 우물(지름 3.3미터에 깊이 5.5미터)에서 4~5세기의 거울 아홉 개가 나왔다(그림 42). 이 맨우물은 야요이시대 후기부터 16세기 초까지 장기간에 걸쳐 사용되었다. 거울무늬는 민무늬 둘, 둥근 두 줄무늬 둘, 빗살櫛齒무늬 셋, 구슬무늬 둘이며 모두 꼭지鈕 구멍이 있다. 크기는 지름 2.9~6.5센티미터에 두께 0.14~0.2센티미터이며 무게는 5.8~43.6그램으로 아주 작다.

이들은 함께 나온 수레바퀴車輪石·굽은 옥勾玉·구리 촉·질그릇土師器皿 따위처럼 수장급의 유력한 호족이 풍부한 농업용수를 비는 제사에 바친 제물로 추정된다. 거울

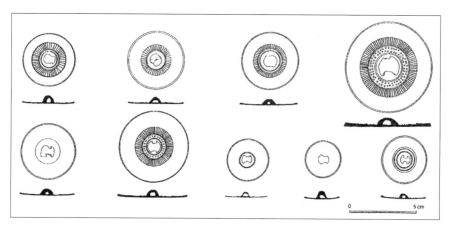

그림 42(ⓒ 稻原昭嘉)

이 매우 작은 것도 이와 연관이 깊다(稻原昭嘉 1999 ; 17~20).

한편, 니가타新潟·후쿠시마福島·이와테현岩手県 등지에서는 우물을 메울 때 매화나무 작은 가지와 소량의 갈대葦를 넣어서 그 안에 깃든 신의 허락을 얻는 것으로 여긴다.

사이타마현埼玉県에서는 정월에 폐백이나 소나무를 세우고 떡을 바치며, 메울 때는 지기가 숨을 쉬도록 마디를 뗀 대나무를 꽂아둔다(大館勝治·宮本八惠子 2004 ; 296).

시마네현鳥根県에서는 젖이 잘 나오기를 바라는 뜻에서 한 천으로 젖꼴 주머니를 만들어 신사의 우물에 바친다. 주머니가 젖을 불러오기를 기대하는 유감주술類感呪術이다.

오키나와제도에서는 임산부가 아기 씻기는 물産湯을 긷는 우물이나, 조상이 물을 뜬 내에 마을이나 친족 단위로 제사를 올린다. 그리고 우물을 메울 때는 앞에서 든 대로 지킴이가 숨을 쉬도록 줄기의 마디를 뗀 대나무를 세워둔다.

고대 우물에서는 삼이나 무명을 감아 신에게 바친 대 막대기나 흙말 따위의 제사구祭祀具가, 중세 우물에서는 음양도의 주문을 쓴 나무쪽이 나왔다. 우물에 사발이나 거울을 넣는 풍속은 근래에도 있었다.

3. 우물파기

① 『일본서기』일서—書의 '진명정眞名井을 세 곳에 팠다'는 기사에 대한 나카야마 타로中山
太郎의 설명이다.

이들이 저축杵築신사의 계란정鷄卵井·천진명정天眞名井·어수세정御手洗井의 셋이라
는 설이 있다. 그러나 이 시대까지도 우물과 못池을 같은 것으로 여겨서 못·샘
·음료수가 흐르는 내를 찾을 만한 장소를 모두 이렇게 불렀다. 닌토쿠仁德천황
(313~399)이 한인韓人의 힘을 빌려 마련한 백제지百濟池도 논밭에 물만을 대기 위한
시설이 아니라, 지금의 수도용 저수지나 정수지 같은 것으로 보아야 한다.
또 옛적에 우물을 한 곳에 셋씩 팠다는 이야기가 많다. 앞에서 든 저축사杵築寺의
삼정, 쇼도쿠聖德태자의 산탕으로 썼다는 다무봉多武峰 서쪽 기슭의 동정東井·천
세정千歲井·적염정赤染井의 삼정, 원성사園城寺의 삼정, 앞에서 든 천왕사 삼정 따
위가 그것이다. 이들은 과연 우물이 셋이라는 말인지, 아니면 하나를 셋이라 부
른 것인지는 알 수 없다(1915 ; 323~324, 341~342).

이 기사는 우물 뿐 아니라 저수지를 쌓는 기술도 백제에서 들어간 것을 알려준다.
저축신사는 나라현 덴리시天理市에 있다.

우물을 파기 전에 점을 쳤다.

『상륙국풍토기常陸國風土記』의 '부도浮島 장궁帳宮에 간 게이코景行천황(71~130)이 마
실 물水供御이 없자 점부占部에 점을 치라고 일러서 우물을 팠으며 오늘날의 웅속雄栗
마을에 남아 있다'는 기사가 좋은 보기이다. (☞ 1196)

이 풍속은 백제에서 들어갔다. 513년에 건너간 오경五經박사 단양이段楊爾가 516년
에 오경박사 고안무高安茂와 교대한 것이 역易전파의 실마리였으며 이 뒤에 점점 퍼져
서 점筮 풍속이 퍼진 것이다. 「대보령大寶令」에 신기관神祇官이 보이고, 중무성中務省에
음양사에 대한 규정이 제정되며, 숙요사宿曜師도 있어서 28수宿에 따른 구요점九曜占
을 관장하였다. 복卜은 신기관이, 점은 음양사가 맡아왔다.

사이타마현에서는 특별한 방법으로 우물 자리를 찾았다. 맑게 갠 날 밤, 물을 가득
채운 주발茶碗을 여러 곳에 놓고 삼성三星이나 만월滿月이 비치는 곳을 물길로 잡은

것이다. 이밖에 까마귀 깃털 두 개를 땅에 T자 꼴로 세우고 밤이슬이 많이 붙은 쪽에 물이 모인다고도 여겼다.

또 '술해戌亥에 뒷간, 신이辰巳에 우물'이라는 말대로, 몸채 동남쪽에 해당하는 신이 방향에 파는 것을 원칙으로 삼았다(大館勝治·宮本八惠子 2004 ; 294~295). 그러나 치바현千葉県에서는 동남巽 외에 북서乾쪽도 선호한다.

츄고쿠中國 일대에서는 잘 마른 찻잔을 집안 여러 곳에 엎어놓았다가 이튿날 새벽 살펴서 물기가 많이 맺힌 데를 고른다(高木啓夫 1984 ; 219~224).

기계로 관정管井을 팔 때도 우물을 주문한 시주施主가 작업의 안전과 좋은 물이 나오기를 바라는 진혼제鎭魂祭를 올렸으며, 그가 원하지 않으면 기술자들끼리 지냈다.

② 『관동지방의 주거민속關東地方の住い習俗』 기사이다.

———

우물 자리에 그날 아침 근처 냇가에서 사람 발자국이 없는 모래를 퍼 날라서 쌓고, 신관神官이 자른 종이오라기를 두른 비쭈기나무榊를 꽂는다. 이어 앞에 종이오라기 세 개를 붙인 여죽女竹을, 제단 주위 사방에 가지 달린 남죽男竹 네 개를 세우고 금줄로 연결한다. 이들은 모두 아침 일찍 시주가 산에서 베어온다. 제물로 무·고구마·사과·물고기鯉·비쭈기나무·제주를 비롯해서 한 그릇씩의 산미散米와 소금을 바친다. 의례는 신관이 주관한다(大島曉雄 1881 ; 231).

———

③ 『민속문화民俗文化』 기사이다.

———

우물을 파기 전, 그 자리에 종이오라기幣帛을 늘인 비쭈기나무 네 개를 세우고 '지의례ジマツリ'를 베푼다. 이것은 우물을 파는 집에서 맡았으며, 신직神職과는 연관이 없다. 19세기 말에서 20세기 초에는 바닥이 없는 너 말 들이 통을 마련하였다. 먼저 땅을 조금 파내고 고정시킨 다음, 사람이 그 안에 들어가서 흙을 떠올리면서 점점 아래로 내려간 것이다. 지반이 습지인 까닭에 흙이 부드러워서 파기 쉬웠다. 깊이는 1.2~1.5미터이다.

장애가 되는 것이 바닥에서 솟는 물이다. 양이 많으면 파내려가기 어렵거니와 흙을 들어내기도 쉽지 않은 탓이다. 이때는 벽이 무너지거나 물이 차는 것을 막기 위해 시판矢板(흙이나 물을 막을 목적으로 공사에 앞서 땅에 박는 좁고 긴 널 모양의 말뚝)을 양쪽에 박고 구멍을 깊이 파서 물이 흘러들게 하면 도움이 된다. 그리고 바닥에 고인 물은 용미차龍尾車나 통으로 길어 올리며 완성된 다음에 메운다.

이어 하루 이틀 물이 솟는 모양을 보되, 양이 적으면 물길에 닿기까지 더 파내려 간다. 먼저 우물바닥에 세워두었던 대나무를 물길까지 박고 나서 물이 솟아오르기를 기다린다.

마지막으로 통 바닥과 우물바닥 사이에 잔돌을 깔아서 바탕을 다지고, 한 동안 물이 솟는 상태를 살핀다. 물이 맑기를 기다렸다가 10센티미터쯤의 모래를 깔면 끝난다. 모래는 공사 시작 전에 바닷가에서 한 수레 실어온다. 대나무는 뽑거나 그대로 둔다.

이 뒤, 안에 들어가서 제사 지낸다. 바닥 가운데에 부채 한 개를 펴놓고 파기 전에 세웠던 비쭈기나무 네 개를 옆에 둔다. 이어 종이에 싼 소금 한 움큼을 바치고 부정을 가신 다음, 속이 뚫린 길이 60센티미터쯤의 굵은 대나무를 세운다. 이것은 바닥에 깊이 박지 않고 세우기만 하며, 뒤에 잔돌이나 모래를 부으므로 자연히 고정된다(兼康保明 1979년 4월 6일자 「民俗文化」).

———

시판은 지주支柱·말뚝·목제·철강제·철근鐵筋·콘크리트로 만든 것 따위가 있다. 용미차는 논에 물을 대는 기구이다. 그림 43처럼 길이 2~3미터의 둥근 나무통 안에 나선형螺旋形 스쿠류를 설치, 통 밖에 달린 손잡이를 돌려서 물을 길어 올린다.

도쿄 주변에서는 석신정石神井 일대의 풍부한 용수지湧水池와 다마천多摩川의 맑은 물을 쓰는 외에 지하수를 일찍부터 이용한 탓에 우물 파는 기술이 뒤떨어졌다. 그러나 오사카에서 아호리あほり 라는 기구로 우물을 깊게 파는 기술이 전해지면서 덴메이天明(1781~1788) 때 금 2백 냥이던 비용이 석 냥 두 푼쯤으로 떨어졌다. 이 결과 목욕탕과 두부공장 등에서 다투어 파면서 널리 퍼져나갔다(朝倉治彦 外 2001 ; 22~24).

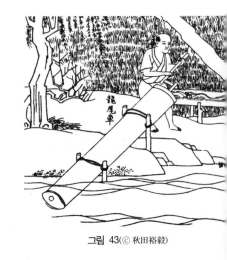

그림 43(ⓒ 秋田裕毅)

나라현에서도 파고 나서 점을 치고 땅의 부정을 가셨다. 흔히 대신신사大神神社에 가서 점을 치며, 우물 자리 네 귀퉁이에 청죽靑竹을 세우고 금줄을 두른 다음 신관의 축복을 받는다. 이때 소금을 뿌려서 부정을 물리친다.

그러나 우물 파는 일이 쉽지만은 않다.

교토 좌경구左京区 吉田下에 종충宗忠신사를 짓고 나서 우물을 마련할 때이다. 산 위에 위치한 탓에 인부들이 울창한 나무를 베는 등 갖은 애를 겪으며 3.5미터쯤 팠음에도 물은 한 방울도 나오지 않았다. 아카기 타다하루赤木忠春(?~1865)가 인부들에게 이튿날 아침에 일찍 오라고 이른 그날 밤, 신불에게 바쳤던 물御神水을 빈 우물에 붓고 열심히 기도하였다. 이튿날 다시 온 인부들이 작은 돌을 던졌더니 풍풍하는 소리가 들리고 물이 솟기 시작하였다.

앞에서 든대로 다른 곳의 물을 붓는 것은 유감주술의 하나이다.

그 뒤 신사에 좋지 않은 일이 생기면 물이 흐려지는 기적이 일어나자, 이를 '신악강神樂岡의 영수靈水'라고 하였다. 이밖에 흑주교黑住教의 교주 구로즈미 무네타다黑住宗忠(1850~1856)를 받드는 사람들은 오카야마현岡山県에 있는 본부와 구별하려고 지명을 따서 신악강종충神樂岡宗忠신사라고 부른다. 아카기 타다하루는 교주의 문인으로 1862년, 요시다吉田신사의 땅을 나누어 받아 신사를 지었다.

4. 물 사정

에도江戸에는 일찍이 도쿠가와 이에야스德川家康(1543~1616)의 명에 따라 도쿄에 신전상수神田上水가 완성되고, 이어 옥천玉川상수가 개통됨에 따라 음료수 걱정이 사라졌지만, 오사카에서는 이 뒤에도 강물河水을 먹었다. 이를테면 오염이 심한 침옥천寢玉川 물을 다이쇼大正(1912~1926) 무렵에도 음료수로 쓴 것이다.

큰집에서는 매일 하인이 물을 긷고, 서민가정은 물장수의 물을 샀으며, 값은 거리에 따라 한 지게에 4~6문文이었다. 상수도가 시설된 메이지明治(1868~1911)시대에도 마찬가지였고, 수도가 없는 지역에서는 여전히 물을 사서 쓸 수밖에 없었다(竹田 統 1978 ; 363).

대도시에서도 1910년대 후반까지는 거의 모두 우물에 의존하였다. 더구나 저습지대에는 물이 적은데다가 수질이 나빠서 마실 수도 없었다. 이 때문에 도쿄 강동江東지구와 오사카 선장도내船場島內 등지에 물장수가 많았다.

오사카 요도가와淀川 八軒家에 물웅덩이가 있었다. 그때는 개천 물도 깨끗했던 까닭에 천을 네모로 둘러서 쓰레기가 섞이지 않도록 한 다음, 물을 퍼서 물 창고에 담았다. 물장수는 이것을 통에 나누어 수레나 배에 싣고 다니며 집집에 팔았다. 그들은 각 집의 사정을 누구보다도 잘 알아서 예식복을 빌려주는 옷가게·꽃가게·장례식장 등지에서 손을 잡고 초상집에 대한 정보를 얻었다.

1954년에는 전국 도서지역 주민의 반쯤이 우물물을 먹었으며 대부분은 한데우물이었다. 우물과 가구 비율은 곳에 따라 다르지만 나가사키현長崎県 오도열도五島列島의 한 곳福江島 長手은 130호에 셋, 다른 곳本山은 250호에 작은 우물 셋, 또 다른 곳奈留島은 한 마을에 하나, 쓰시마對馬島 峰村佐賀에는 300호에 둘, 다른 곳峰村 三根은 150호에 하나였다. 물이 워낙 모자라는 곳에서는 계契를 모아 물 뜨는 순번을 정하고 물이 차면 오밤중에라도 나서서 길었다(宮本常一 1958 ; 166~178).

또 도쿄의 이두칠도伊豆七島처럼 섬이 작고 해안이 절벽을 이룬 곳이나, 앞의 오도열도처럼 중점토重粘土와 현무암지대에서는 볏짚 묶음을 부채처럼 펴고 수냉이 위쪽을 나무 가지에 매달고 빗물을 항아리에 받았다. 이두대도伊豆大島에서는 시데シデ, 그 남쪽의 삼택도三宅島와 식물의 잎을 이용하는 오키나와제도에서는 키미즈キミズ라 불렀다. 이는 우리 제주도와 같다.

오키나와제도에서는 처음 마을의 한데우물을 쓰다가 점점 개인 집에서도 마련하였다. 석회암 지대에서는 우리카 우물ウリカ井戸이라 하여, 자연히 갈라진 틈에 고이는 물을 뜨려고 드물게는 수백 개에 이르는 긴 달팽이꼴 계단을 붙였다. 또 슈리首里(那覇市)의 주조장酒造場에서는 지붕에서 흘러내리는 물을 가두려고 너비가 너른 탱크 겸용의 우물을 팠으며 이를 완도우우물ウンドゥ井戸이라 불렀다. 한편, 집에 우물이 있어도 갓난아기나 주검을 씻기는 물産水·死水은 한데우물, 곧 조상과 연고가 있는 물을 이용하였다.

물 다툼이 자주 일었다.

8세기 후반에 나온 『일본국현보 선악영이기日本國現報善惡靈異記』 기사이다.

비다쓰敏達천황(572~585) 때, 오와리노쿠니尾張國(名古屋)의 농부가 가랑비를 맞으며 나무 아래에 '금방망이'를 쥐고 서 있었다. 마침 앞에 떨어진 번개를 방망이로 찌르려 할 때 '어린이에게 물을 줄 터이니 찌르지 마세요' 빌었다. 그가 상대를 도우려고 녹나무로 구유를 파고 댓잎으로 덮자 번개는 안개를 휘감고 하늘로 돌아갔다.

이 무렵 뱀 두 마리가 똬리를 튼 뒤, 머리와 꼬리가 뒤통수로 늘어진 아기가 태어났다. 힘이 장사여서 아무도 이기지 못하였고 용기도 뛰어나 원흥사元興寺 동자 시절에는 종각鐘閣에서 귀신도 쫓았다.

그가 앞 절의 우바새優婆塞(보살)로 지낼 때, 절과 제왕諸王 사이에 논밭에 물 대는 일로 다툼이 벌어졌다. 제왕이 절의 물길을 막자 그가 터놓고 나서 열 사람의 힘으로 괭이鋤를 박았다. 상대는 괭이를 빼고 다시 막았다. 이번에 백 명의 힘을 써서 돌로 수문을 막았더니 마침내 절쪽으로 흘렀다. 그의 힘에 겁먹은 제왕은 수문에 다시 손을 대지 못하였다.

원흥사에서 득도한 그는 도사로 이름을 날렸다(상권 3).

물싸움은 어디서나 일어나게 마련이다

5. 우물 청소

우물은 흔히 7월 7일의 칠석제七夕祭 때 친다. 이때 금박金箔을 넣으면 물이 맑게 빛나며, 금은지金銀紙로 접은 인형도 마찬가지 효과가 있다. 정월과 백중에 집집을 찾는 풍물神樂꾼이 쓴 사자 머리의 금지金紙나 머리털을 넣어도 좋다. 교토에서는 '이케 가에본池替盆'이라 부르며, 무덤에 가서 풀 따위도 뽑는다(鈴木棠三 1978 ; 477).

나라현에서는 청소에 앞서 몸을 깨끗이 씻고 금줄을 둘러서 악귀를 물리친다. 노인은 우물에 들어가기 전, 지기에게 '나처럼 늙은이가 더러운 몸으로 들어가도 탈 없도록 도우소서' 읊조려서 허락을 얻는다.

농촌에서는 칠석(현재는 8월 7일) 오전
에 집집에서 한 사람씩 나와서 청소를
한다. 바닥의 진흙·모래·쓰레기 따
위를 꺼낸 다음, 쌀(お饌米 또는 お洗米라
고 한다)과 소금을 종이에 올려놓고 우
물에 띄운다. 이후 뚜껑을 덮고 종이오
라기를 세우며, 이튿날 아침까지 물 긴
는 것을 막아서 우물이 쉬도록 한다.

그림 44

이때 임시로 도르래를 설치하고 물
을 푸기도 한다. 그림 44는 에도시대의
풍정風情을 나타낸 『회본세도지시繪本世都之時』
의 모습이다. 우물곁 나무에 의지해서 작대기
셋을 세모꼴로 세우고 위에 도르래를 붙박았다.
오른쪽의 둘은 두레박줄을 당기고 왼쪽의 둘은
물통의 물을 쏟는다.

그림 45는 우타가와 토요히로歌川豊廣(1774~1830)
의 그림이다. 앞에서처럼 나무에 임시로 걸어놓
은 도르래를 이용해서 여덟 명의 미인들이 움직
인다. 왼쪽의 셋이 줄을 당기고 있음에도 그 뒤
의 한 여인은 한가롭게 부채로 더위를 쫓는다.

그림 45

잘 보면 오른쪽에서도 둘이 줄을 당기고 한 사람은 그릇에 받아가고 있다.

6. 불교관련 우물

① 『우물연구井戸の研究』 기사이다.

———

전통적 신도神道의 제사법이 불교가 들어옴에 따라 바뀐 것 가운데 하나가 승려 자신이 서민과의 접촉을 통해 교화에 노력한 점이다. 고승들이 사회사업의 하나로 길을 넓히고 다리를 놓는 외에 길가나 마을에 우물을 파서 맑은 물을 마시게 하였다는 여러 민담이 이를 가리킨다. 교기行基(668~749)나 코보(774~835) 전설은 말할 것도 없고, 우물 옆에 불상이나 지장地藏을 위한 작은 건물을 마련한 보기는 이루 헤아리기 어려운 정도이다. 이로써 우물가에 금줄을 늘이는 일본 고유의 풍습이 불상을 받드는 형태로 바뀌었다. 다만 불교에서는 불상을 받들면서도 일반이 쓰게 한 반면, 신도에서는 금줄을 둘러서 접근을 막고 신사에서만 썼으며 때로 돌로 덮고 그 위에 건물을 지어서 근접을 막았다(山本 博 1970 ; 48).

교기는 일본에서 활동한 백제계 승려이다. 683년, 15세 때 출가하여 법흥사法興寺에서 불교의 기초를 닦았고, 약사사藥師寺로 옮긴 뒤에는 법상유식法相唯識의 교의를 익혔다.

② 『일본왕생극락기日本往生極樂記』 기사이다.

사문沙門 구우야空也는 (…) 언제나 미타불彌陀佛을 읊조리며 다녔고, 시중市中에 있을 때는 불사를 일으켜서 시성市聖으로 불렸다. 험한 길을 만나면 반드시 평탄하게 깎고, 다리가 없는 곳에 다리를 놓으며, 우물이 없는 곳에는 팠다. 이것이 아미타阿彌陀우물이다.

아미타는 극락정토에서 중생을 구제하는 부처이며 미타彌陀라고도 부른다.

구야(903?~972)는 헤이안시대 중기의 중으로 아미타성阿陀聖 · 시성市聖 · 시상인市上人이라고도 불리며, 입염불口念의 시조이자 민간 정토교의 선구자이기도 하다. 입염불은 '나무아미南無阿陀' 따위를 입으로 읊조리는 방법이다.

③ 우물과 연관된 중 가운데 첫손에 꼽히는 인물이 코보대사이다. 미야타 노보루宮田登는 그 유형을 열 가지로 나누었다(1993 ; 133~134).

---

(1) 순례 중에 물이 없어 곤란을 겪는 곳에 지팡이로 땅을 파서 가르쳐 주거나

자신이 판 샘.

(2) 물을 바라거나 물이 없어 어려움 겪는 것을 알고 석장錫杖으로 판 샘.

(3) 앞과 같은 곳에서 독고獨鈷(밀교의 불구佛具)로 판 샘.

(4) 자신이 판 우물의 물빛이 좋지 않아 다른 곳에 마련한 샘.

(5) 물을 달라는 청을 처음에 거절했다가 주었더니 지팡이를 꽂아서 솟은 샘.

(6) 베짜는 아낙에게 물을 청하자, 멀리 가서 떠오는 것을 보고 은혜 갚음으로
지팡이로 물 나오는 데를 알려준 샘.

(7) 베를 짜거나 빨래를 구실로 물을 주지 않자, 일부러 막거나 양을 줄인 샘.

(8) 물이 흐리다며 주지 않은 앙갚음으로 멀리 가서 뜨게 한 샘.

(9) 물을 준 데는 물이 솟고, 거절한 곳에는 막거나 흙탕물이 나오게 한 샘.

(10) 뜨물이나 희뿌연 물白水 따위를 준 보복으로 흐리거나 하얗게 만든 샘.

———

지팡이로 우물 자리를 알아낸 것은 고대부터 식물로 점을 친 데서 왔다. 나무 가지를 땅에 꽂아서 자라는 모양을 보고 신의 뜻을 가린 것이다. 깨끗한 샘을 좋아하는 신이 그곳으로 내려온다고 하여 곁에 냇버들 따위를 심기도 하였다. 따라서 지팡이는 신수神樹인 셈이다.

그러나 (7)~(10)처럼 자신에게 물을 주지 않았다고 보복한 것은 대사다운 처사가 아니다.

사진 254가 니가타현新潟県 죠에쓰시上越市의 홍법청수이다. 안에 갓을 쓰고 서 있는 그의 상을 세웠다.

④ 나카야마 타로中山太郎의 설명이다.

———

고대에는 첫째 통치수단, 둘째 포교 수단, 셋째 군사적 목적으로 우물을 팠다.
(1) 「풍토기」에 드러난 대로 야마토다케루日本武尊는 동정東征 중에 우물 다섯을 마련하였고, 게이코景行천황은 동국東國

사진 254(ⓒ 야후)

에 하나, 파마播磨에 셋, 비전肥前에 하나를, 오진應神(270~310)과 닌토쿠仁德(313~399) 두 천황도 파마에 한 개씩 팠다. 이것을 보면 통치자의 우물 마련은 필수적인 것으로, 역대歷代의 순수巡狩처럼 거의 모두 백성에게 도움을 주기 위해서였다.

(2) 불교도가 포교의 수단으로 우물을 판 보기는 헤아리기 어려울 정도로 많다. 여러 가지 병을 고친 천주계泉州界 향천수령向泉守領 안의 교기行基보살의 정수井水, 천왕사天王寺의 구정龜井, 천축무열지天竺無熱池에서 용궁성龍宮城 사이에 물통을 설치하고 또 용궁성에서 천왕사로 끌어온 물, 동도東都(東京) 소석천길수小石川吉水의 극락정極樂井, 전통원傳通院을 처음 세운 사람了譽上人(1341~1420)에게 귀의한 용녀龍女가 은혜 갚음으로 바친 우물 전설처럼 많은 명승名僧이 우물 파는 일에 참여하여 서민들의 신앙을 불러일으킨 것이 사실이다.

(3) 군사적 목적으로 판 것은 옛 무장의 보기에 잘 드러나 있다. 축전筑前 조문산竈門山 기슭의 익영정益影井, 오진천황이 태어났을 때 솟았다는 우물 따위가 그것이다. 하야당택산下野唐澤山의 대취정大吹井을 수향용궁秀向龍宮에서 데려온 동자가 팠다는 전설, 회진탑사會津塔寺 팔번사八幡社 정수淨水를 한 무장義家朝臣의 신탁에 따라 얻었다는 우물처럼 고사를 과장한 것도 있다(1915 ; 336~338).

「대사천大師川」·「홍법수弘法水」·「어대사御大師」 따위의 우물 가운데 「대사정大師井」은 거의 전국에 퍼져 있다. 또 나라현에서는 우물에 별이 떨어지면 불보살佛菩薩이 나타난다고 한다.

사진 255가 오사카 천왕사 구정이다. 사람들이 무사태평을 기원하여 바친 연기물緣起物이 떠 있다.

기후현岐阜縣 약사사藥師寺 경내의 용왕사龍王社에서는 비가 잘 내리고 풍년이 들기를 바라는 뜻에서 해마다 7월 26일 오후 2시부터 수리水利 담당 공무원들과 절에서 제례를 올린다.

사진 255(ⓒ 야후)

토치기현栃木県 닛코시日光市의 오룡왕신사五龍王神社와 쿠마모토현熊本県 기쿠치시菊池市 龍門의 용왕신사에서도 학업성취·결혼·상업번성·가내안전 따위를 비는 법요를 베푼다. 특히 기쿠치시 용문댐 아래의 신룡팔대용왕神龍八大龍王신사에 수룡男龍과 암룡女龍이 사는 못이 따로 있으며, 수룡쪽 언덕 위의 삼나무를 이들 부부의 상징으로 여긴다.

⑤ 유래담을 새긴 비의 간추린 내용이다.

─────

신룡 팔대용왕신은 우주 최고의 신으로 1575년 5월 6일, 세계의 평화를 이루려고 하늘에서 내려오셨습니다. 이에 앞서 약 1500년이라는 긴 세월 동안 덕을 닦고, 또 2500여 년에 걸쳐서 신의 길을 걸어오셨습니다. (…) 세상의 모든 고난·질병·원망·괴로움 따위를 없애고 모든 사람에게 행복을 가져다주십니다. 여기에 세계의 광명을 찾는 분들을 위해 새겨둡니다.

─────

사진 256은 이 신사의 용이다.

『원씨물어源氏物語』에도 바다의 용왕 둘이 등장한다(「須磨」·「明石」).

민간에도 비를 관장하며 고기를 잡게 해주는 신으로 알려졌다. 특히 어촌에서는 바다의 신을 용신 또는 용궁이라 부른다.

아이치현愛知県 知多郡에서는 음력 유월 보름의 용궁제 때, 젊은이들이 옹기냄비

사진 256(ⓒ 야후)

에 횃불을 담아서 바다에 흘려보내며, 해안에서는 어부들이 불꽃을 쏘아 올리거나 횃불을 배웅한다. 후쿠오카현福岡県 지하해신사志賀海神社에서는 6월 14일과 21일에 용신제를 지낸다.

7. 우물가의 나무

1) 계수나무

『고사기』에 야마사치코山幸彦가 와타쯔미綿津見궁궐 우물 옆의 계수나무에 올라갔다가 해신海神의 딸 토요타마히메豊玉毘賣를 아내로 맞는 내용의 기사가 있다(상). (☞ 1222-1223)

타쓰미 카즈히로辰巳和弘의 설명이다.

———

옥그릇에 구슬을 뱉은 것은 물에 대한 축복을 나타낸다. 등원궁藤原宮의 등정藤井, 대진궁大津宮의 산어정山御井, 담로궁淡路宮의 어정御井을 생각하면 해신궁 입구의 우물은 궁궐의 상징이다.

카쓰라桂의 어원은 '향출香出(かづ)'이다. 잎을 말려서 향을 빚는 까닭에 오코이노키オコイノキ 또는 카오코노키カオコノキ라 부른다. 『고사기』에는 '탕진향목湯津香木'으로 올랐다. 계수나무 아래를 파면 물이 나온다고 할 정도로 수분을 좋아한다. (…) 수신水神 미즈하노메罔象女神를 받드는 귀선신사貴船神社 앞에도 큰 계수나무가 있다(2005 ; 113~114).

———

2) 벚나무

『일본서기』 기사이다.

———

인교允恭천황(412~453)은 8년(419) 2월, 역정櫟井 우물가의 벚꽃을 보고 이렇게 노래하였다.

"벚꽃의 아름다움이여 / 어차피 사랑할 것이라면 더 일찍 사랑했더라면 좋았을 것을 / 내 사랑하는 여인이여."

───────

역정은 나라현 덴리시天理市 櫟本町 부근에 있었다. (☞ 1228-1229)

하이쿠(「秋色[가을 풍경]」)에도 '우물가 벚꽃 위태로워라 술 / 취한 사람井戶端の櫻あぶなし酒の臭'이라는 작품이 있다(류시화 2014 : 225).

10장
—
우물의 길
—

동아시아의 우물은 중국 장강하류에 위치한 신석기시대 절강성 하모도河姆渡 유적에서 시작되었고, 이것이 벼농사와 더불어 우리에게 들어 왔다가 일본으로 건너갔다는 것이 정설이다.

① **호리 다이스케**堀大介**의 설명이다.**

———

지금까지 드러난 야요이시대(전 3세기~3세기) 우물은 800개쯤이며, 이 가운데 192개(25퍼센트)가 규슈九州 후쿠오카福岡평야에서 나왔다. 그리고 두 유적那珂·比惠의 것만 135개(70퍼센트쯤)에 이르며, 알려지지 않은 것까지 넣으면 200개가 넘는다. 이는 한 유적에서 나온 가장 많은 숫자이다.

기타규슈北九州 사가佐賀평야의 여러 유적에서 야요이시대 중기 이전의 우물과 함께 적지 않은 조선계로 보이는 민무늬無紋토기가 나타났다. 이는 조선계朝鮮系 무문토기無文土器가 야요이토기로 바뀌는 과정을 나타낸 것으로, 조선반도의 민무늬토기나 선先조선계 민무늬토기의 기술적 영향을 받은 결과이다.

조선계로 보이는 민무늬토기와 우물의 분포가 일치하는 유적은 모두 선상지扇上地 끝의 충적지에 위치하며, 일치하지 않는 유적吉野ケ里·物心座의 대부분은 단구段丘(강이나 바다 또는 호숫가를 따라서 이루어진 계단모양의 언덕이나 대지) 위에 있다. 앞의 민무늬토기가 나오는 낮은 지대 마을에 우물이 많은 사실을 고려하면, 사가평야의 우물은 조선계朝鮮系 도래인渡來人들과 밀접한 관계가 있는 것으로 보인다. 그

중에도 이 평야의 우물은 형태가 다양하고 구조가 튼튼하며, 맨우물은 원통형이고 깊이는 2미터를 넘나든다. 따라서 다른 지역의 같은 시기 우물이 미발달 상태인 점을 생각하면 매우 특이한 것이 분명하다.

예부터 초기 청동기생산과 조선계로 보이는 민무늬토기와의 연관성이 인정되었고, 이를 조선계 도래인의 영향으로 보았다. 가타오카 코우지片岡宏二씨는 '조선계로 보이는 토기가 출토되는 마을이 적기는 하지만, 그 시기에 해당하는 초기 거푸집鑄型이 나오는 것은 그 지역의 도래인 마을과 청동기생산이 연관된 사실을 알리는 증거'라고 하였다. 더구나 그곳에서 많은 초기 우물이 드러난 점에서 초기 청동기생산에 조선계 도래인이 깊이 참여한 것은 말할 것도 없고, 청동기생산과 우물 자체도 유기적으로 연결되었을 가능성이 높다. 이에 따르는 공방工房의 열처리를 위해서도 우물은 필수적 시설이기 때문이다. 우물과 청동기생산의 연관성을 생각하면 적어도 사가평야에서는 청동기생산 체제가 확립되어 가는 과정에서 물의 필요성이 더 늘어나고, 이에 따라 특별한 기술을 지닌 도래계 사람들이 우물을 마련한 것으로 보인다.

기타규슈시 마쓰모토松本유적의 우물은 청동기생산을 시작한 조선계 도래인 무리가 팠을 가능성이 아주 높다. 시기는 야요이전기 말에서 중기 초까지 올라가며, 이는 조선계 민무늬토기와 초기 거푸집 그리고 초기 우물의 상관관계를 알려주는 가장 오랜 보기이다. 특히 북부 규슈에서는 초기에 음료수를 비롯한 생활용수 이외에 청동기생산에 필요한 물을 얻으려고 마련하였을 것이다. 오카야마岡山 평야지대에 후기 우물이 많음에도 중기 것이 아주 적은 점은 매우 이례적으로, 이는 마쓰모토유적처럼 수공업이 늘어난 결과이다. 후쿠이현福井県 후쿠이시福井市 今市岩畑유적에서 나온 중기 초의 우물 네 개는 모두 입 지름 1미터쯤에 깊이 1~2미터로 환호環濠 밖에 있다. 무엇보다 우물 안팎에서 옥기玉器 제작에 연관된 유물이 나온 것을 보면 수공업용으로 보인다.

후쿠오카평야에 우물이 늦게 나타난 것은 (…) 파는 기술이 전부터 없었기 때문이다. 그럼에도 우물이 나타난 요인은 저지대 마을에서 파는 기술이 발전하였거나, 일본에 없던 새 기술이 대륙(중국)이나 반도(한국)에서 들어온 덕분일 것이다.

사가평야의 유적들과 기타규슈시 마쓰모토유적의 조선·조선계로 보이는 민무늬토기와 초기 청동기생산 관계를 보면 그 기술이 조선반도에서 들어왔을 가능성이 높지만, 조선의 자료가 적어서 미루어둔다. 북부규슈의 우물을 중국 한대漢代 것에 견주면 기술적 형태적으로 차이가 크므로 야요이 우물에 영향을 끼쳤다고 보기 어렵다. 또 중국에서는 금석병용金石竝用시기에서 한대에 이르기까지 끊이지 않고 단구에 우물을 팠지만 조선반도는 그렇지 않다. 이러한 점은 일본의 야요이중기 이전 상황을 닮았으며, (야요이시대) 전기 말에 조선반도에서 청동기가 들어온 사실을 고려할 때, 조선반도의 기술 덕분이라고 보는 것이 자연스럽다(1999 ; 26~48).

———

민무늬토기는 신석기시대의 빗살무늬토기를 대신한 청동기시대의 전형적 토기이다. 바닥이 뾰족하거나 둥근 빗살무늬토기와 달리, 납작바닥에 목이 달린 것이 특징의 하나이다. 압록강 하류 유역의 미송리美松里형, 청천강 이남의 팽이형, 한강 유역의 가락可樂형, 충청남도의 송국리형 따위가 있다.

환호는 외부의 적이나 동물의 침입을 막으려고 마을 주위에 도랑을 파서 물을 채운 시설이다. 전 4500년쯤의 중국 서안西安 반포유적, 우리 청동기시대의 울산 검단리 및 부여 송국리유적, 일본은 야요이시대 규슈 사가현 요시노가리吉野ヶ里유적이 대표적이다.

② 앞글에 대한 아키타 히로키秋田裕毅의 반론이다.

———

우물이 나온 계기에 대에 초점을 좁히고 자료를 모아서 상세하게 분석한 이 논고는 '우물'이 무엇인가 다시 묻게 되는 점에서 지극히 주목할 만하다. 그러나 '우물'을 파지 않을 수 없을 만큼 청동기생산에 많은 물이 필요했던 것인가? 또 조선계 토기나 청동기 거푸집이 나오지 않은 유적의 출현기 '우물'에 대한 고찰을 충분히 검증하지 못한 문제도 많아서 그대로 받아들이기 어렵다.

현재, 사가현 야스시野洲市에서 동탁銅鐸 복원에 애쓰는 분이 있다. 그에게 드나드는 매장문화재 관계자에 따르면, 동탁제조 과정에서 물을 사용하는 것은 거푸집을 만드는 진흙을 이기거나 진토眞土를 녹일 때 정도여서 우물을 파지 않으면 안될 만큼 많은 물이 들지 않는다고 한다. 또 근세의 동탁이나 범종梵鐘 생산지로 전국에 널리 알려진 사가현 율동시십栗洞市辻의 주물사를 연구하는 학자도, 동탁처럼 특별히 많은 물이 들지 않는다고 한다. 동탁이나 범종이라는 대형 주조품도 물을 이쯤밖에 쓰지 않는 것을 생각하면, 동검이나 동모銅鉾 따위의 소형 주조품을 만들려고 일부러 우물을 파서까지 물을 확보하려 들지 않을 것이다.

더구나 조선계토기가 나오는 마을 모두에서 청동기 따위를 생산했는가 하는 의문이 남으며, 따라서 조선계토기도 청동제품 거푸집도 나오지 않은 마을의 출현기의 '우물'은 설명되지 않을뿐더러, 우물 출현의 계기를 보편화 할 수 없다는 근원적 문제점을 안고 있다. 다만 '우물'의 출현 계기를 전면적으로 파헤쳐서 문제를 제기한 점에 대해서는 크게 평가하지 않을 수 없을 것이다(2010 ; 16~18).

———

그러나 우리네 경주지역에서 청동기생산을 위해 우물 여러 개를 마련하였다는 보고도 있다.

③ **차순철의 설명이다.**

———

신라 왕경王京지구(경주시 구황동 355~4번지 일대)에서 청동기 공방지로 추정되는 유적이 각 가옥에서 일부 확인되었다. 먼저 제8가옥에서 확인된 제6 건물지는 청동과 유리제품을 생산한 공방지로 추정되며, 규모는 정면 3칸, 측면 1칸이다. 건물 내부 서쪽의 소토燒土유구, 소토와 목탄, 재, 슬래그 등이 청동도가니 편과 함께 확인되며, 건물 밖으로 연결되는 배수로에서도 동일한 현상이 확인된다. 그리고 제6 건물지 서쪽에서는 길이 2.3미터, 너비 1.7미터의 폐기장이 확인되었다. 따라서 이 건물지는 당시 청동제품을 생산하던 공방 건물로 추정할 수 있다. 특히 제8 가옥에서는 다른 건물과 달리 모두 다섯 개의 우물이 확인된 점 역시 물을 많이 사용하는 공방의 특성을 잘 보여준다고 하겠다(2005 ; 189).

———

따라서 청동기생산과 우물과의 상관관계는 앞으로 더 연구해야할 과제의 하나로 생각된다. (☞ 115~116)

한편, 다카노 야코高野陽子는 교토 시전제당방市田齊當坊 유적에서 발굴된 일본의 가장 오랜 널우물木組井戶에 대한 설명 끝에 이렇게 덧붙였다.

동아시아시아의 우물은 중국의 초기 논농사 발생지역인 신석기시대 장강하류지역에 나타난다. 지금까지 알려진 우물 가운데 시전제당방 유적의 우물과 구조적으로 닮은 것은 서기 전 4000년쯤의 중국에서 가장 오래된 우물인 절강성 하모도의 것이다. 이 우물은 말뚝木杭을 네모로 박고 안쪽에 가로대를 걸어 붙박은 것으로, 위가 크게 벌어진 구조로 복원되어 본디 모습을 알 수 있다(☞ 977~978). 시전당방유적의 우물과 시기적으로 큰 차이가 나지만, 종판틀 횡잔류縱板組橫棧留め인데다가(☞ 그림 1의 ⓓ) 위에서 아래로 내려가서 물을 뜨는 우물 종류에 속하는 점 따위는 매우 닮았다.

장강하류 지역은 상주商周시대(전 16세기~전 771)의 통나무우물이나 초목류를 그물처럼 엮어서 벽으로 삼은 울우물도 나오고, 호리 다이스케堀大介씨나 가네카타 마사키鐘方正樹씨가 지적한 대로, 야요이시대 우물 계보를 찾아가는 근원지의 하나로 손꼽히는 중요한 지역이다. 귀틀우물은 주대周代(전1046~전771)에서 전국시대(전403~전221)의 황하유역이나 산동반도 등 화북지역에서도 나타나지만 가네카타씨의 연구에 따르면, 이러한 지역은 어디나 귀틀식 건물이나 목곽묘木槨墓의 건축기술과 연관된 횡핀틀橫板組 우물(☞ 시진 114)이 대부분이며, 종판틀縱板組 우물(☞ 그림 1의 ⓒ)의 계보는 남방계문화라고 한다.

중국에서는 전국시대 말부터 한대漢代 사이에 지하수위가 낮아짐에 따라 돌積石우물·벽돌磚積우물·기와瓦積우물 등 수직으로 깊이 파내려 간 형태로 바뀌어가며, 하모도유적처럼 위에서 아래로 내려가서 물을 뜨는 종판틀 우물은 이른 단계에서 사라지는 지리적·시간적 차이를 나타낸다.

그러나 근년에 조선반도 우물의 원초적 형태로 보이는 널縱板우물이 드러났다. 대한민국 충청도 논산시 마전리麻田里유적에서 나온 우물 둘 가운데 하나가 그것이다. (☞ 88~89) 네모로 짠 횡판橫板을 기둥支持板으로 삼고 그 안쪽에 가로대를 붙박은 구조의 우물로 시전제당방유적의 것을 빼닮았다. 민무늬토기시대의 이 우물에서 '송국리松菊里 토기'가 나오고, 시기적으로도 시전제당방유적에 가까운 점에서 직접적인 계보를 찾는 실마리가 되며, 논농사와 함께 퍼진 남방계문화가 조선반도를 거쳐 일본열도에 퍼진 증거라고 하겠다.

이번에 보고한 시전제당방 유적의 우물 두 개는 국내에서 가장 오랜 것으로, 종판횡잔틀의 우물 벽을 지닌 완성품의 보기로 주목된다. 한 우물에서 나온 쇠도끼 자루인 듯한 목제품은 간접적이기는 하지만 일본 철기사용의 가장 오랜 단계를 알려주는 보기이다. (…) 그리고 우물 벽에 박은 목제 표면에 남은 날카로운 손도끼 자취는 야요이시대중기 전반기의 철기 사용 가능성을 짐작케 한다. 이러한 조선반도계의 선진적 기술을 받아들이는 것과 함께, (야요이)중기 전반기의 옥 생산 관련유물이 나온 움집 자취는 모두 한국의 송국리 유형에 딸린 것으로, 이들 또한 조선반도계 주거형태의 계보를 잇고 있다.

따라서 가장 오래된 종판널벽縱板 우물이 들어온 배경에, 환호環濠마을에서 이루어진 수공업생산의 효율화 내지 집약적 생산과 함께 조선반도계의 기술이 깊이 연관된 것으로 생각된다(2004 ; ?).

———

그림 46은 시가현 다카지마시高島市 고훈시대(3~7세기) 후기 초의 유적稻荷山인 전방후원분前方後圓墳에서 나온 귀틀 우물이다. 앞에서 든대로 이것은 우리 논산시 마전리 귀틀우물을 빼닮았다. 또 저쪽의 전방후원분이 우리쪽에서 건너간 사실은 이미 잘 알려졌으므로 덧붙이지 않는다.

시전제당방 유적은 교토 구세군久世郡 御山町에 위치한 야요이시대 중기의 큰 마을유적으로 50여 채의 움집이 발견되었다. 옥 제품 관련 유물이 많이 나와서 집중적으로 생산된 것을 알려주는 외에, 같은 시기의 다른 유적에서는 나오지 않은 귀틀우물이 드러났으며, 이것이 우리 우물을 닮아서 학계의 관심을 끌었다.

사진 257이 유적의 우물이고, 그림 47은 다카노 야코高野陽子가 곁들인 「시전

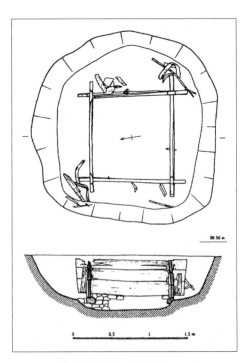

그림 46(ⓒ 滋賀県埋蔵文化財センター)

제당방 유적의 우물계보市田齊當坊遺跡の井戶の系譜」이다. 화살표는 중국 절강성 하모도와, 같은 성의 신항新港우물이 논농사기술과 함께 바다를 건너 한국 충청도의 부여로 들어왔다가, 한 줄기는 일본 남쪽 규슈의 사가현佐賀縣 사가시鍋島本村로, 다른 한 줄기는 교토(시전제당방)와 시가현滋賀縣 남서부 이휴二ノ畦·횡침橫枕으로 건너간 것을 나타낸다.

사진 257

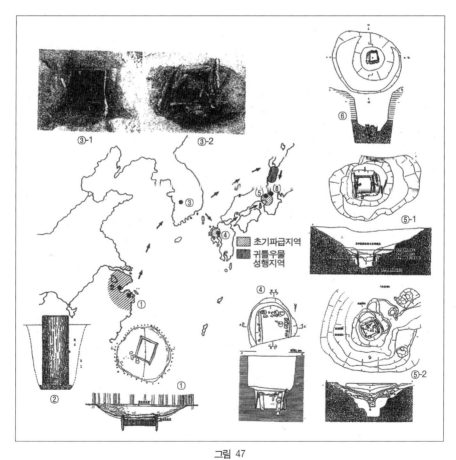

그림 47

① 하모도   ② 신항   ③ 마전리麻田里   ④ 과도본촌   ⑤ 시전제당방   ⑥ 이휴·횡침

④ 한편, 조사에 함께 참가했던 이와마쓰 다모쓰岩松保는 이 우물이 수공업 생산과 연관이 없다고 하였다.

───────

두 우물에서 나온 기생충 알·벼 화분花粉·식물유체遺體 따위는 적어도 우물을 메울 때 넣었다. 또 우물 사용 중에 똥오줌·벼·오곡 따위를 넣듯이 메울 때도 넣었을 것이다. 현대의 상식에서 벗어나지만, 이들은 농사의 풍년을 빌기 위한 제물로 생각된다. (…) 우물이 중심 마을의 수공업생산을 위한 것이라는 설이 있지만, 이와 반대로 우물은 보통의 마을 활동, 곧 생활용수를 확보하기 위해서 반드시 필요한 것은 아니라고 할 수 있다. 오로지 음용수를 위해서 우물을 파지는 않은 것이다.

옥 생산에 그렇게 많은 양의 물이 들지도 않으며 설사 그렇더라도, 그 곳에서 우물이 나오지 않은 점은 납득하기 어렵다. 야요이시대 시전제당방마을의 옥생산 관련 유물 분포를 보면, 특정한 움집 주거지나 마을 특정지구에 집중되지 않는다. 모든 움집이 관여했다고 보아도 지나치지 않을 정도이다. 따라서 수공업용 생산을 위한 물 확보를 위한 것이라면 B조사 지구에 그러한 우물이 필요할 까닭이 없다.

우물 폐기 방법도 납득하기 어렵다. (…) 지금도 메울 때 죽통竹筒을 꽂아서 우물지기와 혼이 빠져나오는 제례를 올린다. 생활용수나 공업용수를 위한 것이라도 메울 때 쓰레기를 붓거나 뒷간으로 쓰지 않았을 것이다. '깨끗한 공간'이 '더러운 공간'으로 바뀔 때는 어떤 형태로든 의례를 치렀을 터이기 때문이다(2004 ; 4~6).

───────

마전리유적은 충청남도 논산시 연무읍 마전리에서 발견된 청동기시대 유적이다. 우물 둘 가운데 하나는 널을 판자꼴로 짰으며 바닥에서 작은 송국리형 토기가 나왔다. 다른 하나는 귀틀형식이다. (☞ 88~90)

송국리 토기는 충청남도 초촌면 송국리에서 발견된 서기전 6~5세기 유적에서 선보였다. 납작 바닥에 낮은 굽이 달린 것으로, 달걀처럼 배가 부르며 짧은 입술이 밖으로 벌어진 독특한 형태를 보인다. 높이 20~40센티의 것이 많지만, 80센티미터의 것도 있다. 바닥에 구멍을 뚫고 어린이 주검을 넣은 독널甕棺을 송국리식 옹관이라 부른다.

11장

속담과 금기

1. 속담

———

① 우물 안 개구리는 바다를 모른다.

② 우물 속의 붕어이다.

③ 우물에 앉아서 하늘을 본다.

④ 우물 안 개구리 바다를 모르지만 하늘 푸른 것은 안다.

⑤ 우물가의 아이 같다.

⑥ 우물가의 찻잔이다.

⑦ 우물가에서 회의井端會議한다.

⑧ 맑은 우물도 한 마리의 미꾸라지가 흐려놓는다.

⑨ 한 우물의 물을 마신다.

⑩ 물 마실 때 우물 판 사람을 잊지 말라.

⑪ 우물에 침 뱉지 말라. 당장 마시게 될지도 모른다.

⑫ 사랑이 있다면 바늘로도 우물을 판다.

⑬ 우물 속의 혼자 말도 삼 년 지나면 퍼진다.

⑭ 우물에서 불 난 듯하다.

⑮ 우물에 빠진 뒤에 뚜껑을 덮는다.

⑯ 우물 벽 의원井塀議員이다.

⑰ 우물의 물이 차오르면 큰 바람이 분다.

─────

앞 속담에 대한 설명이다.

①~③이 좁은 소견을 나타내는 것은 우리나 중국을 닮았지만, ④처럼 긍정적 측면을 지닌 것은 일본뿐이다. ⑤~⑪은 세 나라가 같다.

⑫는 사랑의 능력을, ⑬은 세상에 비밀이 없음을, ⑭는 물과 불은 상극임을 나타낸다. ⑮는 일본에서도 사람이 우물에 자주 빠졌다는 뜻인가?

2. 금기

고치현高知県 시고쿠四國 도사土佐지역의 금기이다.

─────

① 일식日食 때는 해에서 나쁜 기운이 내려오므로 우물을 덮는다.

② 귀문鬼門 쪽에 우물을 파면 안 된다.

③ 가을에 우물을 파고, 가을에 우물 치는 것을 꺼린다.

④ 우물에 쇠붙이를 넣으면 해롭다.

⑤ 우물에 쇠붙이를 떨어뜨리면 병자가 생긴다.

⑥ 우물에 쇠붙이를 떨어뜨리면 눈이 나빠진다.

⑦ 우물에 도자기를 넣으면 해롭다.

⑧ 우물이나 못은 메우지 않는다.

⑨ 우물을 팔 때 엿보면 물이 흐려진다.

⑩ 눈병이 나면 우물에 소금을 넣는다.

⑪ 다래끼가 나면 눈에 팥을 끼우고 우물에 가서 '다래끼 빠져라' 소리치며 떨어뜨린다.

⑫ 다래끼가 나면 우물에 팥 한 알을 넣는다.

⑬ 머리를 흐트러뜨린 채 우물에 가면 나쁘다.

⑭ 여자가 밤중에 산발을 하고 우물에 가서 엿보면 뱀이 나온다.

⑮ 우물을 메울 때는 기도를 올리지 않으면 지기의 노여움을 산다.

(高木啓夫 1984 ; 317~320)

———

앞의 금기에 대한 설명이다.

①은 달이 태양을 가리는 변괴가 일어나면 해가 독기를 뿜으므로 지기가 놀라지 않게 하라는 말이며, ②처럼 집의 서북쪽을 꺼려하는 귀문 관념은 중국과 일본에만 있다. (☞ 893, 928~929)

③은 가을걷이로 바쁜 때에 다른 일을 벌이지 말라는 뜻인가?

④~⑧은 우물지기를 정성껏 그리고 오래도록 잘 받들고, ⑨는 언제나 바른 몸가짐으로 대하라는 말이다.

⑩처럼 소금으로 부정을 가시는 민속은 우리와 중국에도 있다.

⑪ 팥은 다래끼를 상징하며, 붉은 빛은 병귀를 쫓는다고 여긴다. 이는 중국이나 우리도 마찬가지이다.

⑫ 앞과 같다.

⑬~⑭는 ⑨와 같다.

⑮ 우물을 메우면 지기가 숨을 못 쉬므로 허락을 얻어야 한다는 말이다.

너도나도 다투어 퍼 마시면 바닥이 드러난다는 뜻인가?

12장

두레박 · 물통 · 구기

1. 두레박의 어원(ツルベ · 釣瓶 쓰루베)

① 『일본국어대사전日本國語大辭典』 설명이다.

———

매 단弔る 독瓮へ이라는 뜻이다.

———

최소에 실두레박으로 물을 뜬 데서 왔을 터이다.

② 『어원대사전語源大辭典』 기사이다.

———

한자 조병釣瓶은 조어造語로, 물 긷는 그릇瓶이 낚시釣줄에 걸려 올라오는 듯한 데
서 왔다. 니가타현新瀉県 사도佐渡에서는 뒤웅박을 쓰부루ツブル라 부르는데, 이는
옛적의 물 뜨는 그릇이었다. 조병을 쓰부레라고 하는 것은 음운전치音韻轉置가 아
니라, 둥근 것이라는 의미가 아닐까?

———

③ 『우물 고고학井戸の考古學』 기사이다.

———

'병瓶'은 '물 긷는 질그릇土器'이고, '조병釣瓶'은 글자 그대로 그것을 우물에서 매

달아 올리는 행위를 나타낸다. 고대 중국에서도 조병을 '부缶' 또는 '옹瓮'이라
부른 것을 보면, 흔히 옹기를 두레박으로 쓴 듯하다. 두레박줄은 '경絅'이라고
한다(鐘方正樹 2003 : 24).

─────

'두레박 쏘기釣甁打'는 나란히 서서 순서대로 철포鐵砲 따위를 쉬지 않고 쏘는 것과,
야구선수가 안타를 연달아 치는 것을 가리킨다. 또 철포에 '거짓'의 뜻이 들어 있는
데서, 잇따른 거짓말을 나타내기도 한다. 우리가 허풍이나 거짓말, 그리고 그것을 잘
하는 사람을 대포에 빗대는 것은 이에서 왔을 터이다.

'두레박 떨어지기釣甁落'는 곧게 빨리 떨어지는 모양이나 무엇이 수직을 이룬 형태
나, 쉬지 않고 떨어지는 증권 시세를 이른다.

눈·코·입이 달린 불덩어리火玉가 깊은 밤에 큰 나무로 오르내리는 것은 '두레박
내리기釣甁下', 두레박을 거꾸로 드는 듯한 재빠른 반회전은 '두레박 뒤집기釣甁覆', 두
레박처럼 귀가 달리고 가로 받침대橫棧를 붙여서 늘어진 모양은 '두레박꼴釣甁形'이다.

'두레박돈釣甁錢'은 에도江戶(1600~1867)시대의 연립주택長屋에서 주인이 두레박이나
두레박줄을 고치거나 바꾸는 데 드는 값을 세입자들에게 기둔 돈을, '두레박 서기釣甁
立'는 두레박이 거꾸로 매달린 줄처럼 바로 서거나 곧게 서 있는 모습을, '두레박줄
가게釣甁屋'는 두레박줄 꼬는 일을 업으로 삼은 가게나 사람을 가리킨다.

2. 두레박의 흐름

그림 48은 고훈古墳시대(3~6세기) 전기의 오카야마
현岡山県 백간천전百間川田 유적에서 나온 질두레박
이다. 그물처럼 짠 덩굴을 몸에 씌워서 보호하였으
며, 덩굴 외에 새끼도 둘렀다. 이것은 토사기土師器
가 사라지는 12세기 무렵까지 썼다. 형태는 목이 좁
고 배가 부르다.

그림 49는 7세기 후반기의 등원경藤原京 우물에서

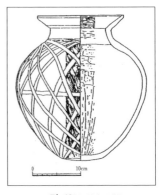

그림 48(ⓒ 鐘方正樹)

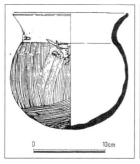

그림 49(ⓒ 池田裕英)

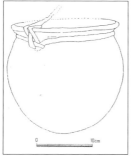

그림 50(ⓒ 池田裕英)

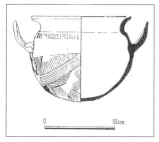

그림 51(ⓒ 池田裕英)

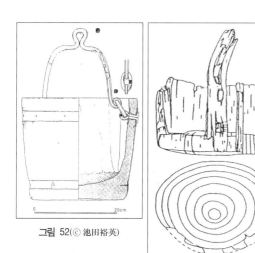

그림 52(ⓒ 池田裕英)

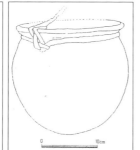

그림 53(ⓒ 鐘方正樹)

나온 질두레박이다. 입술에서 배로 이어지는 잘록한 목에 감았던 덩굴의 일부가 남았다. 이로써 처음에 덩굴을 두레박줄로 삼은 것을 알 수 있다.

평성궁平城宮에서 나온 질두레박(그림 50)은 양쪽에서 두른 덩굴을 걸어서 위쪽으로 모았다. 반대쪽에서도 똑같이 엮어서 가운데로 합쳤을 터이다. 그러나 지름 17센티미터에 높이 16센티미터쯤이라니(池田裕英 1999 ; 69) 두레박 구실을 하였을지 의문이다.

그림 51은 평성궁 서륭사西隆寺 출토품으로 입 지름 14.2센티미터에 높이 11.6센티미터이다. 양쪽에 붙인 손잡이는 뿔처럼 솟았다.

그림 52는 평성경 관공서 자리에서 나온 8세기 말의 소나무 두레박으로 안쪽을 네모꼴로 후벼 팠다. 입 지름 28센티미터에 높이 24센티미터이다 입에서 4,5센티미터와 20.5센티미터 떨어진 데에 홈을 파고 쇠테를 두른 뒤 네모꼴 못을 박았다. 쇠고리를 꿰기 위한 구멍(안쪽 1.6센티미터에 바깥쪽 1센티미터)도 보인다. 이 궁에서 나온 유일한 나무두레박이다.

그림 53은 이시가와현石川県 대우서大友西유적의 나무두레박이다. 산 벚나무山櫻를 파서 만들었으며, 길이 21.5센티미터 이상 되는 손잡이를 붙여 깎았다. 이곳에 뚫은 구멍 셋에 줄을 꿰어서 물을 길었을 터이다. 나라현 당고의 고훈시대유적에서도 닮은 것이 나왔다.

그림 54는 오사카의 12세기 후반~13세기 전반기 유적西 / 社에서 선보인 나무두레박으로 오늘날과 다르지 않다. 바닥 외에 벽을 네 쪽의 널로 짰으며 입에 쇠못을 박았다. 입은 19.7×19.3센티미터이고 바닥은 16.5×16.7센티미터이며, 높이는 21.4센티미터이다. 12세기 후반에서 13세기 초의 것으로 보인다.

고훈시대부터 나온 이 유형에 대해 우에하라 마사토上原眞人는 '중국이나 조선반도에서 새롭게 들어온 곡척曲尺을 이용한 기술이 엿보인다'고 하였다. 그러나 가네가타 마사키鐘方正樹는 '액체를 닮기에 알맞지 않을뿐더러 못을 쓰는 두레박이 나라奈良시대에 나왔다고 해도 부자연스럽지 않다'는 반론을 폈다(2003 ; 33).

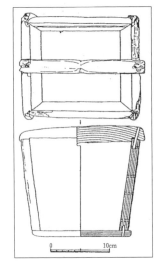

그림 54(ⓒ 鐘方正樹)

그림 55는 14세기 후반의 오사카 귀허천鬼虎川 유적의 것이다. 쪽 나무를 둥글게 세우고 테를 매운 통두레박結桶이다. 옛 그림들에 나타난 것을 보면 15세기에 널리 퍼진 듯하다.

그림 56은 1780년의 『도명소도회都名所圖繪』의 두레박과 물통이다. 맨우물 가에서 한 여인이 왼손에 두레박을 든 채 오른손에 줄을 감아쥐고 길을 묻는 사람에게 방향을 가리키는 듯하다. 왼쪽 돌에 올려놓은 물통도 두레박처럼 짰다.

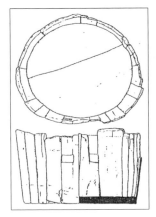

그림 55(ⓒ 鐘方正樹)

그림 57은 1712년에 나온 『화한삼재도회和漢三才圖會』의 것이다. 네 쪽의 널로 아귀를 맞추고 위에 손잡이를 걸었다. 널을 마련하는 기구나 기술이 발전됨에 따라 손쉽게 네모 두레박을 짜게 된 것이다. 전이 없는 점은 앞의 것과 같지만 널을 길이로 세워서 맞추었다.

이러한 유형은 18세기 무렵까지 적지 않게 남아 있었다. 전체의 2분의 1만 남은 이 두레박은 지름 21.4센티미터에 높이 17.2센티미터이다.

그림 56

그림 57 그림 58

그림 58도 앞 책의 것이다. 옆으로 댄 널 양쪽에 못을 길이로 박았다. 손잡이가 쉬 빠지지 않도록 양쪽을 밖으로 빼고 받침을 붙인 것이 돋보인다.

사진 258·259는 북해도北海道 개척촌의 것으로, 둥글게 세운 쪽나무 위아래에 쇠테를 메운 통나무 두레박이다. 손잡이가 빠지지 않도록 안쪽에 턱을 붙이고 걸었다. 크기도 하려니와 워낙 튼튼하게 짜서 오래갈 터이지만, 크고 무거워서 도르래우물에서나 쓸 수 있다. 근래에 전국으로 퍼졌다.

사진 260은 쿠마모토현熊本県 옥명군玉名郡 에타江田 후나야마船山고분 곁에 있던 논가이 두레박이다(1997년).

사진 258 사진 259

사진 261은 오키나와의 샘철두레박이다 근래까지 전국에서 썼으며 우리도 마찬가지였다.

일본의 두레박이 우리나 중국에서 상상하기 어려울 정도로 크고 무거운 것은 도르래에 걸어서 물을 퍼 올린 덕분이다.

사진 260 사진 261(ⓒ 上江洲 均)

3. 상징

(1) 두레박은 신령한 기물이다.

① 『일본서기』 기사이다.

호스세리노 미코토火蘭降命가 해신海神의 웅장하고 찬란한 궁에 이르렀을 때, 문
앞 우물 옆에 가지와 잎이 사방으로 뻗은 아가위나무杜樹가 있었다. 나무 아래에서
오래 서성이는 사이 한 미인이 문을 열고 나와서 두레박玉鋺으로 물을 뜨려다가
그를 보고 깜짝 놀라 안으로 들어가 부모에게 '낯선 손님이 문 앞 나무 아래에
있습니다'고 알렸다. 해신은 여러 겹으로 짠 자리를 깔고 그를 맞아들였다. (…)
다른 책一書에는 이렇게 적혔다.
토요타마히메豊玉姬의 시녀가 두레박玉瓶으로 물을 길었지만 아무리 해도 채워지
지 않았다. 우물에 사람의 웃는 얼굴이 환히 비쳐서 주위를 돌아보자 아름다운
신이 아가위나무 아래에 있었다. 돌아와 왕에게 알렸더니 도요타마히코豊玉彦가
사람을 보내 '그대는 뉘시기에 예까지 오셨습니까?' 물었다(권제2 「神代」 하 제10단).

옥완이나 옥병은 두레박이 신성한 기물이라는 뜻이며, 아가위나무는 천신이 강
림하는 신수神樹이다. 토요타마히메는 신령이 깃든 무녀巫女일 터이다.

② 비자나무나 소나무에 깃든 요괴妖怪가 아래로 지나가는 사람에게 사람의 목이나 두
레박을 던진 뒤 끌어올려서 잡아먹는다는 '두레박불釣瓶火' 민담이 있다. 나무에서 갑
자기 뛰어내려서 '밤일은 끝났나? 두레박 내려줄까?' 물은 뒤, 잡아먹고 다시 올라가
서 2~3일 동안 조용히 지낸다는 내용이다.
에도시대의 괴담집 『고금물어평판古今物語評判』에도 큰 나무의 정령이 도깨비불火의
玉이 되어 내려오는 '두레박 내리기釣瓶下ろし'가 있다. 비 오는 날水 나무에서 내려오
는木 불火로, 수→목→화의 상생相生이 빚은 고목의 정령이라는 오행설과, 요괴가
우물가에서 갑자기 모습을 드러내는 것은 그곳에 빠진 영혼이 도깨비불로 바뀐 탓이
라는 설 따위가 있다.

③ **이시카와현**石川県 **석천군**石川郡**에서는** 정월 초엿새에 두레박줄 바꾸는 일을 '우물줄 꼬기池の網打ち'라 부른다. 농사를 시작하면서 줄을 꼬는 풍속은 츄부中部 이외의 지방에도 퍼졌으며, 이것을 신의 선반神棚이나 부뚜막 지기에게 바치기도 한다(鈴木棠三 1978 ; 122).

(2) 두레박은 논밭에 물대는 신을 상징한다.

신들의 탄생에 등장하는 아메노 쿠히자모찌天之久比奢母智신과 쿠니노 쿠히자모찌國之久比奢母智신이 두레박으로 물을 떠서 나누어 주는 『고사기』의 기사는 그들이 논밭에 물대는 신임을 나타낸다(상).

(3) 밑 빠진 두레박을 수행에 견준다.

『검도와 인간의 도劍道と人間の道』 기사이다.

──────

한 수행자가 신도류神道流의 스승에게 가르침을 청하자, 밑 빠진 두레박으로 물을 길이 통에 채우라 일렀다. 물을 뜨기 시작해서 얼마 뒤 꾸벅꾸벅 조는 중에 '똑' '똑' 하는 희미한 소리가 났다. 두레박에서 떨어지는 물방울 소리였다. 이를 모으면 물통이 채워질 것이라 생각한 그는 밤새 길었다. 그 모습을 본 스승은 '수행도 이와 같아, 끊임없는 노력과 인내가 중요하다'며 제자로 받아주었다.

──────

신도류는 무로마치室町시대(1392~1333) 중기에 나온 3대 검술 유파의 하나이다.

(4) 바가지로 의붓딸을 구박한다.

나가노현長野県의 민담이다.

──────

의붓딸과 제 딸을 둔 여자가 남편이 없는 사이에 물을 떠오라며 제 딸에게는 온 바가지, 의붓딸에게는 깨진 바가지를 주었다. 둘을 본 성주城主가 언니인 의붓딸을 아내로 삼으려 들자, 어미는 제 딸을 고르라며 듣지 않았다. 하는 수 없이 성주는 동이盆·그릇·소금·소나무 네 가지로 노래 시험을 보였다.

동생은 곧 '동이 위에 그릇, 그릇 위에 소금, 소금 위에 소나무'라고 불렀다. 오래 생각한 언니는 '동이와 그릇에 눈 가득 쌓이고, 뿌리 내린 소나무 자라네'라고 읊조려서 이겼다. 화가 난 어미가 그네에게 절구를 씌워서 굴린 탓에 눈이 빠져 우렁이가 되고 말았다.

————

우리네 팥쥐 이미보다 더 잔혹하다. 절구는 양념절구일 터이다.

이 민담은 북으로 아오모리현青森県에서부터 남으로 가고시마현鹿兒島県에 이르기까지 전국에 분포한다.

4. 속담

① 가을 해는 우물에 두레박 던지기 같다.

하루가 바삐 지나간다.

② 두레박줄이 우물 전을 끊는다.

작은 힘이라도 꾸준히 노력하면 목적을 이룬다.

5. 물통

1) 물통의 흐름

그림 59는 오사카 서십西ノ辻유적에서 나온 곡물曲物 물통으로, 크기는 지름 60~70센티미터에 높이 30센티

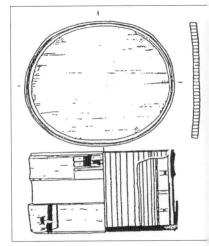

그림 59(ⓒ 鐘方正樹)

미터쯤이다.

가네가타 마사키鐘方正樹는 두레박이라고 하였다.

———

나라시대 이후에 통나무 두레박 대신으로 널리 썼을 가능성이 높은 것이 곡물曲物이다. 우물 안에서 작은 곡물이 자주 나오는 것은 이에 대한 방증으로 생각된다. 풍속화繪卷物 가운데 우물 주위에 곡물두레박曲物釣甁이 자주 보이며 실제로 쓰는 모습을 나타낸 것도 있다. 이에 따르면, 곡물에 새끼줄을 십+자꼴로 걸고, 그 위의 엇갈리는 부분을 꼭지점으로 삼아 두레박줄을 맨 것이다.

곡물은 두께 5밀리미터가 안 되는 아주 얇은 널을 둥글게 구부린 것으로, 직접 구멍을 뚫고 새끼줄을 걸면 물의 무게만으로도 부서질 염려가 있다. 무게가 바닥 전체에 걸리도록 새끼줄을 십자꼴로 거는 까닭이 이것이다.

곡물두레박을 그린 풍속화는 카마쿠라鎌倉시대(1192~1333) 말기에 나왔으며, 무로마치시대 초에 나온 『복부초지福富草紙』에는 손잡이 달린 상자꼴 두레박箱釣甁이 보인다. 이를 검토한 이와이 히로미岩井宏實씨는 '이때부터 곡물두레박에서 상자꼴 두레박 또는 통두레박桶釣甁으로 조금씩 바뀌어간 것은 아닐까?' 하였다.

앞에서 든 유적에서 나온 상자꼴 두레박은 함께 나온 토기로 미루어 12세기 후반에서 13세기 전반기의 것으로 보이므로 곡물두레박보다 조금 먼저 나온 것이 분명하다. 오사카 서십 유적의 상자꼴 두레박은 '네 쪽의 널과 바닥으로 이루어지고 가운데에 안으로 굽은⊔ 손잡이를 붙인 것'으로, 널이 만나는 모서리仕ㅁ에 쇠못을 쳤다. 입은 19.7센티미터×19.3센티미터이고, 바닥은 16.5센티미터×16.7센티미터로 정방형에 가까우며, 높이는 21.4센티미터이다. 이 같은 저울추꼴角錘台 상자 자체는 고훈古墳시대(3~6세기)부터 나왔다. 우에하라 마사토上原眞人씨는 '곡척曲尺을 이용한 지물持物기술은 중국이나 조선반도에서 새로 들어왔다'고 하였다.

그러나 고훈시대의 것은 마구리를 붙였을 뿐이어서 액체를 담기 어려운 점에서, 나라시대에 새롭게 못을 박아서 변형시킨 상자꼴 두레박이 나왔다고 보아도 이상할 것이 없다. 따라서 상자꼴 두레박은 둥근 곡물두레박이나 통두레박과 다른 계통의 것으로 다루어야 한다.

또 물을 곡물로 뜨는 경우, 두레박뿐 아니라 구기柄杓도 이용한다. 헤이안시대 말기에 나온『선면고사경扇面古寫經』에 실린 그림 60이 그것이다. 물이 넘치는 우물 곁에서 구기로 물을 떠가며 세탁하는 여인이 보인다. 이로써 수면이 아주 깊지 않은 우물에서 쓴 것을 알 수 있다. 평성경 우경右京 우물바닥의 네모꼴 물웅덩이集水施設에서 몸에 꽂은 듯한 장대가 달린 구기가 나왔다. (☞ 1145-1146) 지름 15센티미터에 높이 9.2센티미터의 곡물 옆에 붙인 장대 길이는 88.1센티미터이다. 깊이 1.3미터쯤의 비교적 얕은 우물로, 아마도 실제로 물을 펐을 것이다(2003 ; 31~32).

그림 60

「선면고사경」은 그린 때와 화가를 모르는 풍속화이다. 나막신을 신은 오른쪽 여인은 왼손으로 머리에 인 곡물 물통을 잡은 채, 오른손으로 벌거벗은 어린이 손을 이끌고 걷는다. 왼쪽의 아낙도 물이 가득찬 곡물 물통을 머리에 이려고 하며, 가운데의 뚱보는 물을 뜨고 나서 두레박을 거둔다.

그림 61

아키타 히로유키秋田裕毅도 '곡물로 물을 나르는 여인'이라는 설명을 달았다(2010 ; 163).

앞에서 든 대로 그림 60은 두레박이 아니라 물통으로 보아야 한다. 그의 말대로 두께가 5밀리미터도 안 되는 얇은 나무껍질로 만든 그릇에 물을 담기는 어렵다. 새끼줄을 십자꼴로 둘러도 위태롭기는 마찬가지이다. 더구나 한쪽을 기울여야 우물물이 담길 터인데 바닥이 둥글어서 좀체 쉽지 않다. 그뿐 아니라, 고대부터 근대에 나온 풍속화 일곱 점 가운데 실제로 물 뜨는 모습을 나타낸 것이 하나도 없는 것도 반증의 하나이다.

그림 62

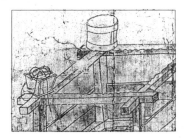

그림 63

그림 64(ⓒ『江戶事情』)

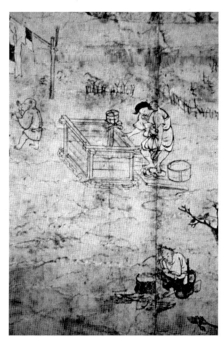

그림 65(ⓒ『日本の歷史』4)

그림 61은 12세기 말에 나온 「신귀산연기信貴山緣起」의 그림이다. 주인공이 두레박으로 뜬 물을 곡물물통에 부어서 나르려고 귀틀 왼쪽에 올려놓은 것이 분명하다.

1309년의 작품인 그림 62의 「춘일영험기회권春日靈驗記繪卷」도 마찬가지이다. 우물 귀틀 왼쪽에 두레박을 놓아둔 채, 주인공이 물 담은 곡물물통을 왼쪽 어깨로 메어 나른다. 이로써 곡물두레박과 곡물물통이 다른 것임이 분명하게 드러난다.

어찌 이 뿐인가?

그림 63은 16세기 「복부초지」의 것으로, 왼쪽 나무귀틀에 두레박, 오른쪽에 곡물 물통을 따로 그렸다. 그림 설명에서도 '귀틀井衍·두레박釣瓶·곡물曲物'이라며 별개로 다루었다.

그림 64는 근대의 그림이다. 이마 앞으로 수건을 동인 남자가 두레박줄을 잡은 채 누구와 말을 나누는 장면이다. 앞의 그림들처럼 곡물물통을 위쪽 귀틀에 올려놓았다. 따라서 물통을 올려놓으려고 귀틀 위를 너르게 잡은 듯하다. 그린이가 덧붙인 '상자꼴 귀틀과 곡물두레박箱形井戶側と釣瓶(曲物)'이라는 설명은 바르지 않다.

그림 65의 어린 아기를 등에 업은 여인이 오른손으로 우물 귀틀을 잡은 채, 왼손에 떠놓은 곡물 물통의 물을 구기로 떠서 발을 씻는다. 두레박은 옆 귀퉁이에 놓였다.

맨발의 한 어린이가 빨래를 널어놓은 왼쪽으로 발을 옮기고, 오른쪽에서는 가장家長으로 보이는 남자가 무릎을 꿇고 화톳불에 무엇인가를 끓인다.

곡물 물통의 뒤를 이어 나온 것이 사진 262의
오른쪽 여인이 머리에 인 나무통結桶이다. 쪽나무
를 둥글게 세우고 테를 메워서 붙박은 것으로 일
제강점기에 우리도 썼다. 곡물과 다른 점은 둥근
바닥과 몸체를 이루는 쪽나무를 대나무나 쇠테로
붙박는 점이다.

사진 263·264는 가고시마현의 아낙이 나무통
을 머리에 인 모습이다. 통 위와 아랫도리 두 곳에
테를 메웠다. 사진 265는 앞의 아낙이 정수리에
얹은 똬리이다. 한손으로 바닥의 턱을 쥐어서 평
형을 잡는다.

사진 262(ⓒ 奄美市歷史民俗資料館)

사진 266은 나하那覇역사박물관 진열품으로 우
리네 것과 다르지 않다. 부들로 감은 앞의 것과 달리 짚으로 감았다.

사진 263

사진 264

사진 265

사진 266

사진 267은 양쪽 기둥 사이에 끼운 가로대에 물지게 고리를 걸어서 나르는 통이다. 덮개가 있어서 조금 흔들려도 물이 넘치지 않는다.

사진 268은 1955년에 군마현郡馬県 다야군多野郡의 아낙네가 물지게로 물통을 나르는 뒷모습이다. 중국과 달리 일본에서는 물 긷는 일을 오로지 여성이 맡았다.

사진 269에서 가고시마현 대도군大島郡 瀬戸內町諸鈍의 여성이 생철물통의 물을 물지게로 나른다. 나무통보다 가벼워서 편리하며 우리도 20세기 후반에도 널리 썼다.

사진 270은 두 아낙이 우물 곁에서 생철 물통에 무엇인가를 헹구는 모습니다. 전을 귀틀로 짠 한데우물이 20세기 초까지 남아 있었던 것이 놀랍다.

사진 267

사진 268(ⓒ 都丸十九一)

사진 269(ⓒ 奄美市歷史民俗資料館)

사진 270(ⓒ ?)

2) 물통 나르기

『부엌 살림살이의 역사台所道具の歷史』 기사이다.

근세에 들어와 우물이 많아지기 전까지는 여성이 우물 있는 집에 태어나는 것이 야말로 큰 행운이었다. 예부터 물벌水罰이라 하여 물을 헤프게 쓴 처녀는 우물이 없는 집으로 시집간다고 일러왔다. 물통이 나오기 전인 중세(12세기말~16세기)에는

물동이를 머리에 이고 한 손으로 잡거나 손을 놓고 날랐다. 어린 시절부터 나른 탓에 일반 가정의 처녀는 거의 모두 머리 가운데가 벗겨졌으며, 가마쿠라鎌倉시대의 『사석집沙石集』에도 같은 기사가 보인다.

한편, 물통 운반이 쉬운 듯해도 한손에 들면 몸이 그쪽으로 기울고, 두 손을 쓰면 허리를 굽히게 되어 멀리 나르기 어려워서 가까운 거리에서나 썼다. (…) 에도시대에도 머리로 나른 것은 이 방법이 가장 합리적이었기 때문이다. 시바 코칸司馬江漢(1747~1818)은 『서유담西遊譚』에 '츄고쿠中國지방 산간 마을에 물통을 이고 3.92킬로미터를 가는 여성이 있었으며 가는 도중에 뜨개질까지 하였다'고 적었다(榮久庵憲司 1975 ; 81~83).

———

우리 여성이 머리에 물동이를 이고 나르는 것만큼이나 익숙했던 것이 분명하다.

3) 물통의 민속

(1) 물통은 신령스럽다.

예부터 빈 공간에 신령이 깃들며, 바닥을 두드리는 소리에도 주력呪力이 나타난다고 믿었다. 고대의 진혼제 때, 엎어 놓고 밟아서 쿵쿵 울리는 소리가 나게 한 것이 좋은 보기이다. 아마노이와토天岩戶신화에서도 여신 아메노우즈메天鈿女命가 통 위에서 춤을 춘다.

『고사기』의 간추린 내용이다.

———

태풍의 신 스사노오 미코토須佐之男命가 행패를 부리자 여러 신들이 따돌렸다. 화가 돋은 그는 아마테라스天照大神 사원으로 가서 기물을 부수고 여신들까지 폭행하였다. 놀란 아마테라스가 동굴 속으로 숨자 곧 세상이 암흑천지로 바뀌었다. 이때 현명한 아메노우즈메여신이 목욕통을 엎어놓고 그 위에서 춤추며 여러 신 앞에서 옷을 찢어 젖가슴을 드러내고 치마끈을 풀었다. 이것이 너무나 우스워서 천상계의 신들이 폭소를 터뜨렸다.

시끄러운 소리에 아마테라스가 밖을 내다보려고 동굴 문을 여는 순간, 우즈미가 나무에 걸어둔 거울에 비쳐보였다. 이때 그곳에 숨었던 아메노타지카라오신天手力男神이 손을 잡고 밖으로 끌어당기는 바람에 동굴 문이 닫히면서 세상이 다시 밝아졌다(상).

───────

그네는 주력을 얻으려고 엎어놓은 통 위에서 춤을 춘 것이다.

『일본서기』에는 '모닥불을 피운 가운데 통을 엎어놓고 그 위에 올라가 발로 둥둥거리면서 신들린 듯이 중얼거리며 춤추었다'고 적혔다(권1).

물통은 버릴 때 반드시 일정한 절차를 밟는다. 먼저 통 안의 오물을 들어내고 잘 씻은 다음, 바닥과 위를 부순다. 이어 히노마루日ノ丸부채와 종이에 싼 소금을 놓고 흙을 덮은 다음, 대통을 땅에서 15~30센티미터 위로 나오게 박는다. 이는 가스를 빼기 위한 것이므로 우물에 박은 것처럼 굵지 않아도 좋다.

사진 271은 교토 북야신사北野神社에 바친 물통으로 '신이 쓰는 물神用水'이라고 적었다.

사진 271(ⓒ 야후)

6. 바가지 · 구기柄杓(히샤쿠)

1) 어원

① 『일본어어원사전日本語語源辭典』 설명이다.

───────

효탄ひょうたん과 히사고夕顏 따위를 모두 아우르는 말이다. 속을 파내고 만든 그릇으로 히사고ひさご라고도 한다. 옛적의 타악기이다. 물 따위를 뜨는 용구이다.

신악가神樂歌의 조전곡竈殿曲에 하늘의 천원川原에서 히사ひさ의 소리를 내는 히사
ヒサ는 히사고ヒサゴ였다. 뒤웅박 치는 소리에서 온 것인가? (…)

———

효탄이나 히사고는 뒤웅박류의 식물을 가리킨다.

② 『어원대사전』 기사이다.

———

물 따위를 뜨는 기구이다. 히샤쿠柄杓(ヒシャク)는 소리 값을 빌려서 적은 글자로
히사고瓠에서 왔다. (…) 히샤쿠라고 하는 것은 이와 소리 값이 가까운 한어漢語
인 표杓를 뿌리로 오해한 탓에 '병柄'자를 붙였다. 또 히사고의 '고'가 '자식子'의
뜻임을 잊고 표자杓子라는 말을 만들었다.

———

③ 『사물기원사전事物起源辭典』 설명이다.

———

옛 이름 히사고ひさご의 변형으로, 오이瓜과 식물의 속을 파내고 햇볕에 말려서
물이나 술 따위를 뜨는 기구이다. 『화명유취초和名類聚抄』에서 표杓에 '히사고比佐
古'라는 토를 달고 '짐수기야斟水器也'라는 당운唐韻의 주를 붙인 다음, 표瓢의 일
본 이름이 '나리히사고奈利比佐古'라 하였다. 이를 오래 전부터 물 뜨는 기구로 써
왔으며, 시즈오카현靜岡県 유적登呂에서 대단히 많은 양의 '센나리헤우탄センナリ
ヘウタン'의 씨가 나오기도 하였다. (…) 뿐만 아니라 길이 30~40센티미터의 나무
자루가 달린 구기가 선보여서, 2천여 년 전부터 쓴 것을 알려준다.
『연희식延喜式』에서는 표杓에 '에리히사고エリヒサゴ'라는 소리 값을 달아서 외瓜를
가리키는 나리히사고ナリヒサゴ와 구분하였다. 헤이안平安시대(8~12세기)에 도읍지
都에서 멀리 떨어진 무사시노쿠니武蔵國(東京・埼玉県・神奈川県 일대)에서도 술병에
술을 담을 때 '히타에히사고直柄の瓢'를 쓴 사실은 『갱과일기更科日記』의 죽시사竹
柴寺 연기緣起에도 보인다. 무로마치시대에 퍼진 차도茶道에서는 반드시 끓인 물
을 대나무로 만든 구기에 떠서 부었다. 자루 길이 3.3미터쯤 (…) 이다.
'히사고'는 후세에 와전되어 '히사쿠ひさく'로 바뀌었다. (…) 메이지明治(1868~

1912) 중간부터 생철 제품이 나오면서 도회지에서 다이쇼大正(1912~1926) 때까지 쓰던 대나무 구기의 대부분이 사라졌다. 지금은 전통을 따르는 차 끓이는 자리나 신사에서 손 씻을 때 쓸 뿐이다.

———

④ 『일본어원대사전日本語源大辭典』 설명이다.

———

㉠ 히사고夕顔·효탄瓢箪 따위를 아우르는 이름으로 특히 이들의 과실을 가리킨다.

㉡ 속을 파내고 만든 그릇容器으로 물·술·곡물 따위를 담는다.

㉢ 흔히 '표杓·병표柄杓'라고 쓰며 물 따위 뜬다.

㉢에 대한 어원설이다.

　ⓐ 히사게코ヒサゲコ(提子)의 준말이다(『本朝辭源』＝宇田甘冥·『大言海』).
　　물 뜨는 그릇이라는 뜻이다(『和訓栞·國語の語ごサ源とその分類＝大島正健』).

　ⓑ 히사고ヒサご(瓠)의 뜻이다(『東雅』).

　ⓒ 히사는 타악기의 이름으로 바가지瓢를 두드리는 데서 온 것인가? 코コ는 용
　　기를 가리킨다(「文學以前＝高崎正秀」).

　ⓓ 미시쿠ヒサク(水杓)의 뜻이다(『言規梯』)

　ⓔ 히사케ヒサケ(水差筒)의 전전轉이다(『日本古語大辭典』＝松岡靜雄).

———

⑤ 『신비의 도구神秘の道具』 기사이다.

———

히샤쿠는 뒤웅박·표주박·바가지 따위瓢에 자루를 붙였다는 뜻이며, 이는 '히사고'의 사투리이다. 본디 반으로 자른 주발椀모양의 것을 쓰다가 뒤에 곡물이나 대竹의 마디 따위를 이용해서 만든 구기로 바꾸었다. 『연희식』에서 구기杓라고 적고 '에리히사고エリヒサご'라 읽었으며 '직병표直柄の瓢'라고도 불렀다. 무로마치 시대에 시작된 차도에서는 대나무 마디로 만든 작은 손잡이 달린 것을 차구기茶杓라 하였다. 옛적에는 집집마다 썼지만 지금은 신사神社에 있는 수수사水手舍의

구기柄杓, 차도의 구기, 씨름판의 장사가 경기 시작 전에 입을 헹구는 구기, 신불神佛에게 바치는 구기 따위가 눈에 띈다.

────

수수사는 신사에 들어가기 전, 손을 씻고 입을 헹구어서 부정을 가시는 샘 위에 세운 작은 건물이다. 사진 272 아래의 돌구유가 그것이다. 기둥과 기둥 사이에 걸어놓은 금줄에 지마다의 소원을 적은 쪽지를 잡아맸다.

사진 273에서 여러 사람이 손을 씻고 입을 헹구며, 사진 274는 돌구유에 올려놓은 구기들이다.

사진 272

사진 273

사진 274(ⓒ 야후)

자루가 달린 구기로 물 뜨는 샘을 나가사키長崎 및 야마구치현山口県 등지에서 쓰보가와ツボカワ라고 부르는 반면, 규슈九州일대에서는 단지 가와라고 한다.

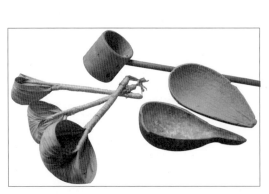
사진 275

2) 여러 가지 구기

사진 275는 오키나와 나하那

那역사박물관 진열품이다. 가운데 위의 것이 구기, 오른쪽이 쪽박, 왼쪽이 쿠바クバ잎으로 엮은 손부르ソンブル이다. 구기로 술이나 물 따위를 뜨지만, 우리 것을 닮은 쪽박은 널리 퍼지지 않았다.

『류큐제도 민구琉球諸島の民具』에 실린 간추린 손부르 설명이다.

───────

쿠바잎 한 장을 둘둘 말은 뒤 손잡이 부위에 다른 잎을 덧붙이면 두툼해져서 손에 잡기 쉽다. 이 부분을 매끈하게 마감하는 손재주를 겨루는 민속도 있었다. 깊은 우물에서 쓸 때 손잡이에 돌을 매달아서 한쪽으로 재빨리 기울어지게 하였다. 크기는 지름 37센티미터에 높이 160센티미터쯤이다. 그다지 튼튼하지 못해서 조금만 손상을 받아도 물이 다 새고 만다. 그러나 깊지 않은 샘물을 뜰 때는 바닥의 흙이 일어나지 않아서 편리하다. 쿠바지이クバジー라고 부르는 곳이 많다. 이것은 '쿠바 두레박'이라는 뜻이다.

20세기 중반부터는 미국제美國製 쇠고기 깡통이나 작은 바케쓰를 이용하였다. 크기는 가로 200센티미터에 세로 140센티미터이며, 높이는 200센티미터쯤이다

(1973 ; 22 · 上江洲 均 外, 1983 ; 203).

───────

사진 276

사진 277(ⓒ『沖縄の民具』)

사진 278(ⓒ ?)

사진 276은 쿠바의 옆모습이고, 사진 277은 안이다. 사진 278의 왼쪽 것은 손잡이가 달렸다.

3) 민속

(1) 구기는 신령스럽다.

『신비의 도구神秘の道具』 기사이다.

구기는 저승의 정령을 맞이하는 주물呪物로 썼다. 고치현高知県 무로토시室戶市 등
지에서는 옛적 7월 백중에 조상의 혼령을 맞이할 때, 붓순나무나 조화造化를 꽂
은 통花筒 둘을 좌우에 놓고 그 사이에 마중불이라고 할 광솔 불을 피운 다음,
작은 구기를 위아래로 흔들어서 정령을 맞아 집안으로 이끌었다.

이처럼 신령이나 영혼을 구기로 맞는 신앙은 그 안에 재앙을 물리치고 생명력을
북돋우는 신비한 힘이 깃들었다는 생각을 낳았다. 임신한 여성이 죽었을 때, 경
문經文이 적힌 헝겊으로 간단한 제단을 차리거나 위패를 놓은 뒤, 지나가는 사람
에게 부탁해서 구기로 뜬 물을 뿌리게 한 것이 좋은 보기이다. 이로써 죽은 사람
의 억울한 영혼이 저승으로 가서 안정을 찾는다는 것이다.

또 바다에 빠져 죽은 사람이 배의 모습으로 나
타난다는 배유령船幽靈을 만나면 '구기를 달라'거
나 '자루 긴 구기를 달라'며 부지런히 따라온다.
이때 구기의 바닥을 떼고 주지 않으면 배가 뒤
집힌다고 여긴다. 아이치현愛知県 지다군知多郡에
서는 바닥없는 구기アヤカシ 여러 개를 바다에 던
진다.

거의 전국에서 안산을 비는 제례 때 이 구기를
신불에게 바친다. 물을 담으면 곧 쏟아지듯이 아
기도 빨리 나온다고 믿는 것이다. 소원이 이루어
졌을 때 '소원성취'라고 하여, 밑을 뗀 구기를 바
침으로써 그 안에 담겼던 영혼을 해방시킨다는
생각도 마찬가지이다(戶部民夫 2001 ; 258-259).

사진 279(ⓒ『日本民俗資料事典』)

안산을 위해서 밑 없는 구기를 바
치는 것은, 우리네 경상도에서 임산
부의 시어미가 두레박에 담은 물을
한꺼번에 쏟으면서 '펄썩 순산시켜
주이소' 읊조리는 것과 닮았다.

사진 279는 토야마현富山県 다카오
카시高岡市의 한 신사에 바친 구기들
이다. 이를 신령스럽게 여기는 나머
지 정월 초, 정화수若水를 뜰 때도 이
용한다(사진 280).

그림 66은 성장한 처녀들이 구기로 물을 뜨는
모습이다.

사진 281은 일본민가원의 물두멍이다. 바닥이
좁아서 네모로 짠 낮은 틀에 앉혔다. 덮개 위에
구기가 보인다.

사진 282는 오키나와 구지천소 민속자료관具志
川燒民俗資料館 소장품이다. 잎의 깃과 달리 입끼
이에 시네를 좁치고 준은 갔았으며, 어깨에 다섯
줄의 물결무늬를 둘렀다(사진 283).

사진 280(ⓒ 야후)

그림 66(ⓒ『日本の歴史』 2)

사진 281

사진 282

사진 283

동아시아의 우물 - ㉹ 중국·일본 終

───

옮겨
실은
글

───

(가나다 순)

한국 관계 글

姜世晃 지음, 김종진 · 변영섭 외 옮김, 2010,『豹菴遺稿』, 지식산업사

강영봉 · 김동윤 · 김순자, 2010,『문학 속의 제주 방언』, 글누림

강인구 · 김두진 · 김상현 · 장충식 · 황패강, 2002,『역주 삼국유사』 Ⅰ~Ⅳ, 이회문화사

강인구, 2001,「昔脫解와 吐含山, 그리고 石窟庵」,『정신문화연구』제24권 제1호(통권 82호), 정신문화연
          구원

강인구, 2003,「三國遺事의 考古學的 硏究」,『역주 삼국유사』Ⅴ, 이회문화사

姜仁姬 · 李慶福, 1983,『韓國食生活風俗』, 삼영사

姜沆,『看羊錄』

慶南發展硏究院 歷史文化센터, 2005,『함안 태정식품공장 신축부지내 유적발굴조사 약보고』

慶南發展硏究院 歷史文化센터, 2007,『咸安 小浦里 遺蹟』Ⅱ

慶北大學校博物館, 1994,『大邱漆谷宅地開發地區內 文化遺蹟 二次發掘調査 結果報告』

慶北大學校博物館, 2000,『대구 東川洞 유적』

『慶州邑誌』, 1933, 津津堂

고광민, 2012,『섬사람들의 삶과 도구』(2), 민속원

고려대학교 고고학연구소, 2007,『牙山 葛梅里(Ⅲ地域) 遺蹟』

고창군지 편찬위원회, 1992,『고창군지』

과학백과사전출판사, 1990,『력사과학』2호

과학원고고학 및 민속학연구소 유적발굴보고, 1958,『안악 3호분 발굴보고서』

국립경주박물관, 2002,『國立慶州博物館敷地內 發掘調査報告書』-美術館敷地 및 連結通路敷地-

옮겨 실은 글 1439

국립경주박물관, 2011, 『우물에 빠진 통일신라 동물들』

국립대구박물관, 1999, 『대구 시지지구 생활유적』

국립문화재연구소, 2005, 『오구라 컬렉션 한국문화재』

국립문화재연구소, 2005, 『중국 고대도성 조사보고서』

국립문화재연구소, 2006, 『남북공동 고구려벽화고분 보존실태 조사보고서』 제1권

국립문화재연구소, 2007, 『風納土城』 Ⅷ

국립문화재연구소, 2011, 『창덕궁 우물지·빈청지 발굴조사보고서』

국립민속박물관, 2003-2007, 『조선대세시기』 Ⅰ·Ⅱ·Ⅲ

국립민속박물관, 2004, 『한국세시풍속자료집성』 조선전기 문집편

국립민속박물관, 2012, 『한국민속문학사전』 설화 1

국립민속박물관, 2013, 『옹기』

국립부여문화재연구소, 1993, 『夫餘 舊衙里 百濟遺蹟 발굴조사보고서』

국립부여문화재연구소, 1996, 『彌勒寺』 발굴보고서 Ⅱ

국립부여문화재연구소, 2003a, 『扶蘇山城 발굴조사보고서』 Ⅴ

국립부여문화재연구소, 2003b, 『年報』

국립부여문화재연구소, 2006, 『王宮里』 발굴중간보고 Ⅴ

權相老, 1939, 『朝鮮佛敎史槪說』, 불교시보사

권오영, 2012, 「백제왕성의 어정과 물의 제사」, 국립중앙박물관 박물관대학

권태효, 2005, 「우물의 민속 그 신화적 상징과 의미」, 『생활문물연구』 제16호, 국립민속박물관

권택장, 2010, 「경주 傳仁容寺祉 유적 발굴조사와 木簡 출토」, 『목간과 문자』 6호, 한국목간학회

權韠 지음, 정민 옮김, 2011, 『石洲集』, 태학사

金詮·南袞·申用漑·申用漑, 『속 동문선』, 한국고전번역원

奇大升 지음, 성백효 외 옮김, 2007, 『高峰集』, 민족문화추진회

김광언·김홍식, 2008, 『松石軒』, 민속원

김광언, 1969, 『한국의 농기구』, 문화재관리국

김광언, 1986, 『韓國農器具考』, 한국농촌경제연구원

김광언, 2008, 『百弗古宅』, 민속원

김광언, 2009, 『바람·물·땅의 이치』, 기파랑

김광언, 2009, 『朴長興宅』, 민속원

김광언, 2015, 『동아시아의 부엌』, 눌와

김기운, 2014, 『어머니, 그 고향의 실루엣』, 눈빛

金南吉, 1994, 『耽羅巡歷圖』, 제주시

김달진, 1986, 『唐詩全書』, 민음사

김도훈, 2009, 「風納土城 百濟 우물지에 관한 硏究 試論」, 『백산학보』 84

김병모, 2012, 『금관의 비밀』, 고려문화재연구원

김부식 지음, 이재호 옮김, 1971, 『삼국사기』, 양현각

김사봉, 1986, 「고산동의 고구려 우물」, 『조선고고연구』 1986년 제1호, 사회과학원 고고학연구소

金尙憲, 1976, 「南槎錄」, 『耽羅文獻集』, 제주도 교육위원회

김상현, 2003, 「삼국유사의 서지적 고찰」, 『역주 삼국유사』 V, 이회문화사

김성수, 2015, 『우리 詩로 읽는 漢詩』, 지식인

金壽恒, 2015, 『국역 文谷集』, 전주대학교 고전학연구소

김시습, 2000, 『국역 梅月堂全集』, 강원향토문화연구회

金永郎 지음, 2007, 『원본 김영랑 시집』, 깊은샘

김영욱, 2011, 「목간에 보이는 고대국어 표기법」, 『구결연구』 26집

金允植 외 지음, 2014, 『雲養集』, 혜안

金長生 지음, 2000, 『沙溪全書』, 민족문화추진회

김재홍 편저, 1997, 『詩語辭典』, 고려대학교출판부

金淨, 1976, 「濟州風土錄」, 『耽羅文獻集』, 제주도 교육위원회

김정숙 1990, 「신라문화에 나타난 동물의 상징」, 『신라문화』 7

金正喜 지음, 민족문화추진회 옮김, 1995, 『阮堂全集』, 솔

金正喜, 1999, 『추사 김정희 시 전집』, 풀빛

金宗直 지음, 점필재집 역주사업팀 역주, 2016, 『佔畢齋詩集』, 부산대학교

金俊根 그림, 조흥윤 편, 2004, 『민속에 대한 기산의 지극한 관심』, 민속원

김창억 외, 2008, 「우물 유구에 대한 분석과 조사방법」, 『야외고고학』

김창억, 1996, 「三國時代 井에 대한 檢討」, 『碩晤 尹容鎭敎授 停年退任 記念論叢』

김창억, 2004, 「우물에 대한 祭儀와 그 意味」, 『영남문화재연구』 제71호

김창억, 2009, 「고대 목조우물에 대한 연구」, 『취락연구』 1, 취락연구회

金昌業 외 지음, 권영대 옮김, 1976, 『燕行錄選集』, 한국고전번역원

金昌協 지음, 강민정 · 송기채 옮김, 2008, 『農巖集』, 한국고전번역원

김태곤, 1983, 『韓國民間信仰硏究』, 집문당

김학동 편, 2003, 『오장환 전집』, 국학자료원

金現希, 2015, 「統一新羅 王京 우물 연구」, 경북대학교대학원 석사학위청구논문

南九萬 지음, 성백효 옮김, 2004, 『국역 藥泉集』, 민족문화추진회

남시진, 2015, 「신라우물 실측을 통한 구조 분석」, 『신라우물』, 민속원

남원시, 1988, 『남원마을의 유래』

南孝溫 지음, 박대현 옮김, 2007, 『秋江集』, 민족문화추진회

노두식, 2012, 『꿈의 잠』, 월간문학

노중국, 2013, 「문헌자료로 본 한국고대의 우물과 그 상징성—신라를 중심으로—」

東亞大學校博物館, 1983, 『梁山 蓴池里土城』

藤島亥治郎, 1934, 「慶州の中心とせる新羅時代 浮屠・石井・石槽」, 『建築雜誌』585號

류연산, 2004, 『발해가는 길』, 아이필드

리광희, 1995, 「단동에서 발굴된 고구려우물 유적」, 『조선고고연구』 3호, 평양사회과학출판사

聞慶文化院, 1998, 『姑母山城』

문교부 문화재관리국, 1967, 『石窟庵 修理工事報告書』

문화부 문화재관리국, 1991, 『東闕圖』

문화재청, 2006, 『사진으로 보는 경복궁』

문화재청, 2006, 『서울문묘 실측조사보고서』 상

閔思平 지음, 유호진 옮김, 2013, 『及菴詩集』, 한국고전번역원

閔周冕・李採・金建準 지음, 조철제 옮김, 2014, 『국역 동경잡기』, 민속원

박경리, 1962, 『김약국의 딸들』, 을유문화사

박병채, 1994, 『고려가요의 어석연구』, 국학자료원

朴世堂 지음, 강여진 옮김, 2009, 『西溪集』, 한국고전번역원

박영준 편, 1972, 『한국의 전설』 7, 한국문화도서출판시

朴齊家 지음, 안대회 역주, 2013, 『北學議』, 돌베개

朴齊家 지음, 정민・이승수・박수밀 외 옮김, 2010, 『貞蕤閣集』, 돌베개

朴齊璟 지음, 이남종 옮김, 2006, 『荷江詩 譯註』, 亦樂

裵龍吉, 2015, 『琴易堂集』, 한국국학진흥원

白文寶, 2013, 『淡庵逸集』, 한국고전번역원

백문식, 2006, 『우리말의 뿌리를 찾아서』, 삼광출판사

백문식, 2014, 『우리말 어원사전』, 박이정

백석, 2003, 『백석 시전집』, 창작과 비평사

白井永二・土岐昌訓 編, 1999, 『神社辭典』, 東京堂出版

복천박물관, 2006, 『선사・고대의 제사』

三品彰英, 1975, 『三國遺事考證』 上・中, 塙書房

徐居正, 1998, 『東文選』, 민족문화추진회

徐兢 지음, 김동욱 외 옮김, 1977, 『高麗圖經』, 민족문화추진회

서대숙・김인식・이동언 외 21인, 2006, 『한국의 독립운동가들』, 역사공간

서문당, 1986, 『사진으로 보는 朝鮮時代』

徐榮輔 지음, 이상현 옮김, 2013, 『竹石館遺集』, 한국고전번역원

서울대학교출판부, 2002, 『발해의 유적과 유물』

서울역사박물관, 1996, 『경희궁 시립박물관 부지 내 지하건축구조 보존정비조사 보고서』

서울역사박물관, 2015, 『慶熙宮』

『서울지명사전』, 2009, 서울특별시사편찬위원회

서울학연구소 편, 1994, 『宮闕志』 1~2

徐有榘 지음, 임원경제연구소 옮김, 2016, 『林園經濟志』, 풍석문화재단

서정범, 2000, 『國語語源辭典』, 보고사

서정주 지음, 1983, 『미당 서정주 시전집』, 민음사

徐浩修, 1982, 『국역 燕行錄選集』, 한국고전번역원

성주군청, 1996, 『星州郡誌』

成俔 지음, 2014, 『허백당집』, 한국고전번역원

孫晙鎬, 2000, 「論山 麻田里 C 地區 發掘調査 成果」, 『제24회 韓國考古學 全國大會 發表要旨 別刷』,
          한국고고학회

宋相琦 지음, 정만호 옮김, 2013, 『玉吾齋集』, 문진

『宋詩選』, 김학주 옮김, 2003, 名文堂

宋時烈 지음, 조종업 옮김, 『완역 우암 송선생시집』, 경인문화사

송재소, 2015, 『시로 읽는 다산의 생애와 사상』, 세창출판사

宋浚吉 지음, 정태현 옮김, 1997, 『同春堂集』, 민족문화추진회

숭실대학교 기독교박물관, 2008, 『기산 김준근 조선풍속도』 스왈른 수집본

沈奉謹 · 김동호, 1983, 『梁山 篩池里土城』

심재기, 1999, 「우리말 어원(語源)(2) 추녀와 두레박」, 『한글한자문화』 2권, 전국한자교육추진총연합회

安玟英 『金玉叢部』

안옥규, 1989, 『어원사전』, 동북조선민족교육출판사

安軸 지음, 서정화 · 안득용 외 옮김, 2014, 『近齋集』, 한국고전번역원

梁柱東, 1935, 「鄕歌의 解讀 特히 願往生歌에 對하여」, 『靑丘學叢』 19

양화영, 2003, 「삼국시대 영남지방 우물의 구조에 대한 연구」, 창원대학교 석사학위청구논문

어효선, 1990, 『내가 자란 서울』, 대원사

여상현, 1947, 『칠면조』, 정음사

염중섭, 2011, 「한강의 시원으로서의 于筒水와 金剛淵의 타당성 고찰」, 『溫知論叢』 제28집, 온지학회

영남매장문화재연구원, 2000, 『大邱 時至地區 生活遺蹟』

영남문화재연구원, 2002, 『大邱 東川洞 聚落遺蹟』

오정희, 1994, 『옛 우물』, 청아출판사

울산발전연구원 문화재센터, 2009, 『울산 반구동 유적』

魏伯珪, 2013, 『存齋集』, 흐름출판사

유병록, 2000, 「대구 東川洞 마을유적 조사성과」, 영남문화재연구원

柳本藝 지음, 권태성 옮김, 2016, 『漢京識略』, 탐구당

柳重林, 2003, 『增補山林經濟』, 농촌진흥청

柳希春 지음, 박명희 · 안동교 옮김, 2013, 『眉巖集』, 경인문화사

尹愭 지음, 강민정 옮김, 2014, 『無名子集』, 성균관대학교출판부

尹斗壽, 1999, 『梧陰遺稿』, 민족문화추진회

尹善道 지음, 이형대 · 이상원 · 이성호 · 박종우 옮김, 2004, 『孤山遺稿』, 소명출판

尹拯 지음, 양홍렬 옮김, 2006, 『明齋遺稿』, 민족문화추진회

尹鑴 지음, 오규근 옮김, 1997, 『白湖全書』, 민족문화추진회

意恂 지음, 김진영 · 배규범 역주, 2004, 『초의선사 의순 시집』, 민속원

李家煥 지음, 조남권 · 박동욱 옮김, 2009, 『이가환 시전집』, 소명출판

이경섭, 2016, 「6~7세기 한국목간을 통해서 본 일본 목간문화의 기원」, 『신라사학보』 37

이경효, 2008, 「제주도 허벅에 대한 일고찰」, 『한국민속학 일본민속학』, 국립민속박물관

李穀 지음, 이상현 옮김, 2006, 『가정집(稼亭集)』, 한국고전번역원

李奎報 지음, 이우성 옮김, 1990, 『동국이상국집』, 한국고전번역원

이규태, 1983, 『민속한국사』 1·2, 현음사

李肯翊, 1968, 『練藜室記述』, 민족문화추진회

李德懋 지음, 김동주 외 옮김, 1989, 『靑莊館全書』, 민족문화추진회

이문기, 2009, 「文獻으로 본 蘿井」, 『퇴계학과 한국문화』 제44호

이민수 옮김, 1983, 『삼국유사』, 을유문화사

이병도 역, 1977, 『역주 삼국사기』, 을유문화사

李山海 지음, 조동영 옮김, 2007, 『鵝溪遺稿』, 민족문화추진회

이상호 역, 1959, 『삼국사기』, 과학원고전실

李穡 지음, 임정기 · 이상혁 옮김, 2000~2005, 『牧隱集』, 한국고전번역원

李睟光 지음, 남만성 옮김, 1975, 『芝峰類說』, 을유문화사

李崇仁 지음, 이상현 옮김, 2008, 『陶隱集』, 한국고전번역원

이승복, 2008, 「착정가의 의미와 의의」, 『선청어문』, 서울대학교 국어교육연구소

이신효, 2002, 「왕궁리 우물유적」, 湖南考古學報 15, 호남고고학회

이신효, 2004, 「백제 우물 연구」, 『호남고고학보』 제20집

李安訥, 17세기, 「迎春軒 第三首」, 『月城錄』

李用休 지음, 조남권 · 박동욱 옮김, 2013, 『혜환 이용휴 시전집』, 소명출판

李元鎭 지음, 金相助 옮김, 1991, 『耽羅志』, 제주대학교 탐라문화연구소

李裕元 지음, 성균관대학교 동아시아학술연구원 옮김, 2009, 『林下筆記』, 대동문화연구원

李應禧 지음, 이상하 옮김, 2009, 『玉潭詩集』, 소명출판

李珥 지음, 기태완 옮김, 2011, 『精言妙選』, 보고사

이이화, 2015, 『이이화의 한국사 이야기』, 한길사

李瀷 지음, 고정일 옮김, 2015, 『星湖僿說』, 동서문화사

李瀷 지음, 이상하 옮김, 2007, 『星湖全集』, 민족문화추진회

李仁老 지음, 김진영 · 차충환 역주, 1998, 『眉叟 李仁老 詩集』, 민속원

이임수, 2005, 「쪽샘지역의 언어와 문학」, 『경주 쪽샘지역 생활문화조사연구』

이재환, 2011, 「傳仁容寺址 출토 '龍王' 목간과 우물 · 연못에서의 제사 의식」, 『목간과 문자』 7호

李廷龜 지음, 이상하 옮김, 1999, 『국역 月沙集』, 민족문화추진회

이정호 지음, 1987, 『주역정의(周易正義)』, 아세아문화사

李宗城 지음, 권진옥 옮김, 2017, 『梧川集』 단국대학교출판부

李鐘燦 역주, 1998, 『韓國漢詩大觀』 1~20, 이회문화사

이찬구, 2013, 『뇌와 교육』 9월 16일자

이창식, 2001, 『제천시 오티 별신제』, 제천문화원

이필영, 2008, 「우물 신앙의 본질과 전개 양상—민속학 자료를 중심으로—」, 『역사 민속학』 제26호

이한솔, 2015, 「한성 백제기 우물제사에 대한 고찰—풍납토성 206호 유구의 고고학적 분석을 중심으로
        —」, 인하대학교대학원 석사학위 청구논문

李恒福 지음, 2007, 『신편 국역 白沙集』, 한국학술정보

李玄逸 지음, 이동환 옮김, 2006, 『葛庵集』, 한국고전번역원

이형록, 2004, 『가까운 옛날』—사진으로 기록한 민중생활—, 국립중앙박물관

李衡祥 지음, 이남규 · 오창명 옮김, 2009, 『南宦博物』, 푸른역사

李弘鐘 · 朴性姬 · 李僖珍, 2004, 『麻田里遺蹟』, 고려대학교 매장문화재연구소

李滉 지음, 이장우 · 장세후 옮김, 2013, 『陶山雜詠』, 연암서가

李滉 지음, 이장우 장세후 옮김, 2011, 『퇴계시 풀이』 제6권 별집, 영남대학교출판부

임기중, 2005, 『한국역대가사문학집성』

임동권, 1974, 「서울의 산속」, 『한국민속학논고』, 집문당

임재해, 2004, 『안동의 비보풍수 이야기』, 민속원

林椿 지음, 김진영 · 안영훈 역주, 1998, 『西河先生 임춘 시집』, 민속원

張維 지음, 이상현 옮김, 1994, 『谿谷集』, 한국고전번역원

張忠植, 2004, 「吐含山 石窟의 點定과 그 背景」, 『한국 불교미술 연구』, 시공사

齋藤 忠, 1936, 「新羅の石井」, 『考古學』 第7卷 第6號

전라북도 문화원연합회, 2014, 『전북지방의 우물(샘) 이야기』

全營來, 1973, 「井邑 佳井里 井戶遺蹟」, 『全北遺蹟報告』 제2집

鄭求福 · 盧重國 · 申東河 · 金泰植 · 權悳永, 1997, 『역주 삼국유사』, 한국정신문화연구원

鄭斗卿 지음, 전선용 옮김, 2009, 『東溟集』, 한국고전번역원

정병석 역주, 2010, 『주역』 상 · 하, 을유문화사

정병윤, 2006, 『돈황의 전설』, 문자향

鄭秉夏, 1886, 『農政撮要』

정석배 외, 2008, 『부여지역문화유적 시 · 발굴조사보고서』, 한국전통문화대학교부설 한국전통문화연구소

丁若鏞 지음, 김용국 · 남만성 · 이식 · 이을호 옮김, 1969, 『목민심서』, 한국고전번역원

丁若鏞 지음, 민족문화추진회 옮김, 1999, 『다산 시문집』, 솔

丁若鏞 지음, 송재소 역주, 2015, 『시로 읽는 다산의 생애와 사상』, 세창출판사

丁若鏞 지음, 정재소 역주, 2013, 『다산시선』, 창비

정연학, 1999, 『이천시 부발읍 문화유적민속조사보고서』, 강남대 인문과학연구소 · 이천시문화원

鄭麟趾 외 지음, 이윤석 옮김, 1997, 『용비어천가』, 솔

정호승, 1939, 『모란꽃』, 조선문학사

제주도, 1995, 『제주의 물 용천수』

제주대학교 탐라문화연구소, 1991, 『耽羅志』

조동걸, 2010, 『우사 조동걸 전집』, 역사공간

조용만, 1992, 『京城夜話』, 도서출판 窓

조용헌, 2002, 『조용헌의 사주명리학 이야기』, 생각의 나무

祖沖之 지음, 김장환 옮김, 2014, 『述異記』, 지식을만드는지식

조풍연, 1989, 『서울잡학사전』, 정동출판사

주보돈, 2015, 「신라 金入宅과 財買井宅」, 『신라문화』 46호

仲摩照久, 1929, 『圖說 朝鮮地理風俗』 上, 新光社

중앙문화재연구원, 2008, 『경주 나정』, 중앙문화재연구원 · 경주시

중원문화재연구원, 2007, 『문경 고모산성 2차 발굴조사』 현장설명회 자료집(3)

池圭植, 2009, 『국역 荷齋日記』, 서울특별시 시사편찬위원회

진인진, 2009, 『고구려의 건축』 조선고고학전서 28, 사회과학연구소

차순철, 2005, 「경주지역의 靑銅生産 工房運營에 대한 일고찰」, 『문화재』 38, 국립문화재연구소

泉 靖一, 1966, 『濟州道』, 東京大學 東洋文化研究所

村山智順, 1929, 『朝鮮の風水』, 朝鮮總督府

최강현, 1969, 「우물파기 노래 감상」, 『새국어교육』 13

최광식 · 박대재 역주, 2014, 『역주 삼국유사』 1~3, 고려대학교출판부

최동호 편, 2009, 『한용운 시전집』, 서정시학

崔岦 지음, 이상현 옮김, 1999~2000, 『簡易集』, 민족문화추진회

최민희, 2015, 「경주 선상지[扇狀地]와 산라사에서의 우물[井] 및 연못[池]에 관한 고찰」, 『신라우물』, 민
　　　속원

최승택, 1991, 「황해북도 신원군 장수산성 우물」, 『조선고고연구』 4호, 평양사회과학출판사

최재영, 2015, 「관람을 위한 신라우물 주변정리방향」, 『신라우물』, 신라문화유산연구원

崔致遠 지음, 이상현 옮김, 2009, 『孤雲集』, 한국고전번역원

崔致遠 지음, 이상현 옮김, 2010, 『桂苑筆耕集』, 한국고전번역원

崔鶴根, 1990, 『한국방언사전』, 명문당

秋葉 隆 지음, 심우성 옮김, 1993, 『朝鮮民俗誌』, 동문선

충청문화재연구원, 2003, 『夫餘 佳塔里・旺浦里・軍守里遺蹟』

평화문제연구소, 2008, 『조선향토대백과』 18 민속, 과학백과사전출판사

하범영, 2008, 「[井]字字銘과 古代社會의 儀禮」, 경북대학교 교육대학원

한강문화재연구원, 2012, 『서울 명동구역 제3지구 도시환경정비 사업부 문화재 발굴조사 1지점 부분완료
　　　약식보고서』

『한국고전용어사전』, 2001, 세종대왕기념사업회

한성백제박물관, 2012, 『백제의 맛』

한용걸, 1997, 「발해건축의 고구려적 성격에 대하여」, 『조선고고연구』 1997년 제1호

韓龍雲 지음, 2014, 『한용운 시전집』, 서정시학

한지선, 2000, 「풍납토성 경당지구 재반굴 조사 성과－206호 우물을 중심으로－」, 『양식의 고고학』, 한국
　　　고고학회

한치윤 지음, 정선용 옮김, 2003, 『海東繹史』, 민족문화추진회

許筠 지음, 2006, 『신편 국역 惺所覆瓿藁』, 한국학술정보

許穆 지음, 하현주 옮김, 2006, 『記言』, 민족문화추진회

허의행, 2004, 「土器造 우물에 대한 고찰－부여 가탑리 예를 중심으로－」, 『금강고고』 제1집

호남문화재연구원, 2005, 『光州 外村遺蹟』

洪侃 지음, 김진영・홍용희 역주, 1998, 『洪侃詩集』, 민속원

洪大容, 2008, 『湛軒書』, 한국학술정보

洪萬選, 1982, 『山林經濟』, 민족문화추진회

洪汝河 지음, 전재동 옮김, 2013, 『木齋集』, 동방출판사

洪履祥 지음, 윤호진 역주, 2014, 『慕堂先生詩文集』 追補篇, 민속원

黃景源 지음, 박재경 옮김, 2016, 『江漢集』, 학자원

황보경, 2015, 「한강유역 고대 우물에 대한 시론적 연구」, 『신라사학보』 33, 신라사학회

黃俊良 지음, 김상환 옮김, 2014, 『錦溪集』, 한국국학진흥원

黃玹 지음, 김종익 옮김, 1994, 『梧下紀聞』, 역사비평사

黃玹 지음, 임정기·박헌순·권경열·이기찬 옮김, 2010, 『梅泉集』, 한국고전번역원

休靜 지음, 배규범 옮김, 2008, 『淸虛堂集』, 지만지

S. Bergman, 1938, 『In Korean Wilds and Villages』, The Travel Book Club

중국 관계 글

加納喜光, 1998, 『漢字の成立ち辭典』, 東京堂出版

賈思勰 지음, 구자옥·홍기용·김영진·홍은희 역주, 2007, 『齊民要術』, 농촌진흥원

干寶 지음, 임동석 역주, 1997, 『搜神記』 상·하, 동문선

葛洪 지음, 이준영 옮김, 2014, 『抱朴子』, 자유문고

葛洪 지음, 임동석 옮김, 2009, 『神仙傳』, 동서문화사

姜沆 지음, 이을호 옮김, 2005, 『看羊錄』, 서해문집

孔子 지음, 이민수 옮김, 2003, 『孔子家語』, 을유문화사

管仲 지음, 김필수·고대혁·장승구·신창호 옮김, 2006, 『管子』, 소나무

瞿佑·李禎·邵景詹 지음, 박용철 옮김, 2005, 『剪燈三種』, 소명출판

丘桓興 지음, 남종진 옮김, 2002, 『中國風俗紀行』, 프리미엄북스

국립문화재연구소, 2005, 『중국 고대도성 조사보고서』

堀 大介, 1999, 「中國における井戶の成立と展開」, 『古代學研究』 第146號, 古代學研究會

權擘 지음, 習齋研究所 옮김, 2010, 『국역 習齋集』, 춘천문화원

紀昀 지음, 이민숙 옮김, 2009, 『閱微草堂筆記』, 지만지

김광언, 1915, 『동아시아의 부엌』, 눌와

金達鎭 역해, 1993, 『唐詩全書』, 민음사

김달진 지음, 2001, 『寒山詩』, 문학동네

김병모, 2008, 『허황옥 루트―인도에서 가야까지―』, 역사의아침

김선자, 2001, 『중국 변형신화의 세계』, 범우사

김선자, 2011, 『김선자의 이야기 중국신화』, 웅진지식하우스

김인옥 편저, 1996, 『중국의 생활민속』, 집문당

金長生, 2000, 『沙溪全書』, 민족문화추진회

金學主 옮김, 2003, 『唐詩選』, 明文堂

金學主 옮김, 2004, 『明代詩選』, 明文堂

金丸良子, 1991,『中國山東民俗誌』, 古今書院

羅信耀 지음, 藤井省三・宮尾正樹・坂井洋史・佐藤 豊 共譯, 1988,『北京風俗大全』, 平凡社

羅哲文, 2005,『徽州文化古村－呈坎－』, 安徽

南滿洲鐵道株式會社 弘報課, 1930,『滿洲の在來農具』, 慶友社

內田道夫, 1964,『北京風俗圖譜』, 平凡社

冷成金 편저, 장연 옮김, 2003,『지전(智典)』, 김영사

『論語』, 임동석 역주, 2004, 학고방

段成式 지음, 今村與之雄 옮김, 1980,『酉陽雜組』1~5, 平凡社

唐甄 지음, 김덕균 옮김, 2003,『潛書』, 소명출판

大林太良, 1973,『稻作の神話』, 弘文堂

大林太良, 1992,『正月が來た道』, 小學館

陶淵明 지음, 이치수 역주, 2005,『陶淵明全集』, 문학과 지성사

敦崇, 2006,「燕京歲時記」,『중국대세시기』 II, 국립민속박물관

두보 지음, 김만원 외 역해, 2007,『두보 진주동곡시기시 역해』, 서울대학교출판문화원

杜甫 지음, 김만원 외 역해, 2014,『두보 위관시기시 역해』, 서울대학교출판부

杜甫 지음, 이성호・정범진 옮김, 2007,『두보시 300수』, 문자향

杜甫 지음, 이영주・강성위・홍상운 역해, 2005,『完譯 杜甫律詩』, 명문당

링청진 편저, 장연 옮김, 2003,『智典』, 김영사

雷于新・肖克之, 2002,『館藏 中國傳統農具』, 中國農業出版社

劉安 지음, 정재서 역주, 1996,『山海經』, 민음사

류종목・송용준・이영주・이창숙 지음, 2011,『詩歌』, 명문당

李昉 지음, 이장환 옮김, 2000~2005,『太平廣記』1~21, 학고방

滿洲國實業部 臨時産業調查局, 1938,『耕種槪要篇(北滿農具之部)』

滿鐵弘報課編, 1941,『滿洲農業圖誌』, 非凡閣

梅堯臣 지음, 문명숙 옮김, 2002,『梅堯臣 詩選』, 문이재

孟元老 지음, 김민호 옮김, 2010,『東京夢華錄』, 소명출판

孟浩然 지음, 이성호 옮김, 2006,『맹호연 시전집』, 서울대학교 출판부

穆祥桐, 1989,『中國 古代 農業科技史 圖錄』, 農業出版社

潘榮陛, 2006,「帝京歲時紀勝」,『中國大歲時記』 II, 국립민속박물관

白居易 지음, 장기근 옮김, 2002,『白樂天』, 명문당

白川靜 지음, 1996,『字通』, 平凡社

范曄 지음, 이미영 옮김, 2013,『後漢書』, 팩컴북스

北京市文物管理處寫作小組, 1972,「北京地區的古瓦井」,『文物』 第2期

司馬遷 지음, 김원중 옮김, 『사기열전』 상·하, 을유문화사

謝肇淛 지음, 岩城秀夫 옮김, 1996, 『五雜俎』 1~8, 平凡社

尙秉和·秋田成明, 1969, 『中國社會風俗史』, 平凡社

徐光啓, 1639, 『農政全書』

蘇軾 지음, 류종목 역주, 2005, 『蘇軾 詩集』, 서울대학교 출판부

蘇軾 지음, 류종목 역주, 2012, 『소동파시집』, 서울대학교 출판문화원

簫通 지음, 허성도 옮김, 2010, 『文選』 1~9, 소명출판

孫立群, 이기홍 옮김, 2014, 『중국 고대 선비들의 생활사』, 인간사랑

송영주, 2009, 『중국 시와 시인』, 시간의 물레

宋應星 지음, 崔炷 주역, 1997, 『天工開物』, 전통문화사

宋兆麟·高可, 2004, 『中國民族民俗文物辭典』, 山西人民出版社

宋浚吉 지음, 정태현 옮김, 1997, 『국역 東春堂集』, 민족문화추진회

藪內 淸, 1967, 『宋元時代の科學技術史』, 京都大學人文科學硏究所

荀子 지음, 김학주 옮김, 2008, 『荀子』, 을유문화사

迅河, 1991, 『中國象正事典』, 天津敎育出版社

沈括 지음, 최병규 옮김, 2002, 『夢溪筆談』 1~2, 범우사

沈德潛 엮음, 서성 옮김, 2013, 『唐詩別裁集』 1~5, 소명출판

鄂爾泰·張廷玉, 1742, 『授時通考』

楊權喜·劉彬徽, 1982, 「楚都紀南城的勘査與發掘(下)—水井—」, 『考古學報』 4

楊衒之 지음, 서윤희 옮김, 2001, 『洛陽伽藍記』, 눌와

呂不韋 지음, 김근 옮김, 2012, 『呂氏春秋』, 글항아리

『旅遊博覽』 인터넷 百度一下

染木 照, 1941, 『北滿民具採訪手記』, 座右寶刊行會

閻勇·高大美·肖靖·孫雙岩, 2006, 「山東栖霞市寨裏鎭泊子村東周和唐代水井淸理簡報」, 『考古』 2006
　　　年 05期

葉森筠, 2003, 『徽州民俗集錦』, 黃山市地質印刷廠

永尾龍造, 1940~1941, 『支那民俗誌』 1~3, 支那民俗誌刊行委員會

吳裕成, 2002, 『中國的井文化』, 天津人民出版社

王嘉 지음, 김영지 옮김, 2007, 『拾遺記』, 한국학술정보

王維 지음, 박삼수 역주, 2008, 『왕유 詩全集』, 현암사

王禎, 1333, 『農書』, 中華書局

王弼 지음, 성백효·신상후 역주, 2014, 『周易正義』, 전통문화연구회

王紅誼 編, 2009, 『中國古代耕織圖』, 紅旗出版社

外山德治郎, 1930, 『滿洲の在來農具』, 南滿洲鐵道株式會社農事試驗場

袁珂 지음, 전인초・김선자 옮김, 1998, 『중국신화전설』 I・II, 민음사

袁宏道 지음, 심경호・박영만・유동호 옮김, 2004, 『袁中郞集』, 소명출판

劉侗 지음, 「帝京景物略」, 『중국대세시기』 II, 국립민속박물관

劉侗, 2006, 「帝京景物略」, 『중국대세시기』 II, 국립민속박물관

劉晏 지음, 이석명 옮김, 2010, 『淮南子』 1~2, 소명출판

劉義慶 지음, 안길환 옮김, 2004, 『世說新語』, 명문당

柳宗元 지음, 오수형・이석형・홍승직 옮김, 2012, 『柳宗元集』, 서명출판

柳重敎 지음, 박해당 옮김, 2013, 『性齋集』, 보고사

劉向 지음, 신동준 역주, 2005, 『戰國策』, 인간사랑

劉向 지음, 임동석 옮김, 2009, 『說苑』 1~5, 동문선

劉向 지음, 임동석 옮김, 2009, 『戰國策』, 동서문화사

劉歆 撰・葛洪 輯・林東錫 譯註, 1998, 『西京雜記』, 東文選

陸輝華・朱瑞明, 1984, 「浙江 嘉善新港發現良渚文化木筒水井」, 『文物』, 文物出版社

尹祁 지음, 강민정 옮김, 2014, 『無名子集』, 성균관대학교출판부

尹紹亭, 1996, 『雲南物質文化』 上, 雲南敎育出版社

殷偉・殷斐然, 2003, 『中國民間俗信』, 云南人民出版社

이남종 외, 2004, 『중국 시와 시인』 송대편, 如樂

李東陽 지음, 유성준 역해, 2012, 『懷麓堂詩話』, 푸른사상

李斗 지음, 홍상훈・이소영 옮김, 2010, 『揚州畵舫錄』, 소명출판

李文信, 1951, 「遼陽三道壕西漢村落遺址」, 『考古學報』 1, 東北博物館

李白 지음, 장기근 옮김, 1975, 『李太白』, 名文堂

二瓶貞一・松田良一, 1942, 『北支の農具に關する調査』, 華北産業科學硏究所・華北農事試驗場

이병한・이영주 편, 2014, 『당시선』, 서울대학교출판문화원

이병한 외, 1998, 『중국 시와 시인―당대편―』, 사람과 책

李珥 지음, 기태완 옮김, 1999, 『精言妙選』, 보고사

이이화, 2004, 『이이화의 한국사 이야기』, 한길사

이종진, 2004, 『중국 시와 시인』, 역락

李賀 지음, 송행근 옮김, 2003, 『이하 시선집』, 문자향

임동석 역주, 2004, 『孟子』, 학고방

임동석 지음, 2009, 『韓詩外傳』, 동서문화사

林巳奈夫, 1992, 『中國古代生活史』, 吉川弘文館

林巳奈夫, 1995, 『中國文明の誕生』, 吉川弘文館

張素琳, 2010, 「山西垣曲古城東關的東周水井」, 『文物春秋』 1

莊子 지음, 오강남 풀이, 1999, 『莊子』, 현암사

張征雁・王仁湘, 2004, 『昨日盛宴』, 四川人民出版社

張潮 지음, 이민숙・이주해・박계화 옮김, 2011, 『虞初新志』 1~4, 소명출판

張華 지음, 임동석 역주, 2004, 『博物志』, 고즈윈

전유연 지음, 이태형 옮김, 2009, 『宋詞 300수』, 아담북스

鄭克 지음, 김지수 옮김, 2012, 『折獄龜鑑』, 전남대학교출판부

정병석 옮김, 2010, 『周易』, 을유문화사

정병윤, 2006, 『돈황의 전설』, 문자향

程伊川 지음, 심의용 옮김, 2015, 『周易』, 글항아리

정재서 역주, 1985, 『山海經』, 민음사

조면희, 2016, 『唐詩 발췌 감상』

曹植 지음, 이치수・박세욱 옮김, 『曹子建集』, 2010, 소명출판

조용헌, 2002, 『5백년 내력의 명문가 이야기』, 푸른역사

鳥越憲三郎・若林弘子, 1998, 『弥生文化の源流考』, 大修館書店

趙翼 지음, 박한제 옮김, 2015, 『二十四箚記』, 소명출판

宗懍, 2006, 「荊楚歲時記」, 『중국대세시기』 II, 국립민속박물관

『周禮』, 이준영 해역, 2012, 자유문고

左丘明, 2013, 임동석 옮김, 『春秋左傳』, 동서문화사

周新華, 2002, 『稻米部族』, 浙江文藝出版社

竹實內・羅漾明 対談, 1984, 『中國生活誌−黃土高原の衣食住−』, 大修館書店

中國歷史博物館考古部 等編, 2001, 『垣曲古城東關−黃河小浪底水庫山西庫區考古報告之二』, 科學出
　　　版社

仲摩照人, 1930, 『圖說 支那地理風俗』 下, 新光社

中文大辭典編纂委員會, 1962, 『漢文大辭典』 1~20, 台灣省立師範大學國文研究所

中田圭治, 1942, 『現地報告・北支の農業と作業機具』, 大日本農器具協會

中川忠英 지음, 孫伯醇・村松一弥 옮김, 1966, 『清俗紀聞』, 平凡社

陳國英, 1985, 「咸陽長陵東站一帶考古調查」, 『考古文物』, 陝西考古研究所

陳盛韶 지음, 小島晉治・上田 信・栗原 純 옮김, 1988, 『問俗錄』, 平凡社

肖克之, 2009, 『中國古代耕織圖』 上・下, 紅旗出版社

崔述 지음, 이재하 외 옮김, 2009, 『洙泗考信錄』, 한길사

萩原秀三郎, 1996, 『稻と鳥と太陽の道』, 大修館書店

彭華・王正華, 1991, 『中國象正事典』, 天津教育出版社

편집부 지음, 송재소·최경렬 외 옮김, 2015,『당시선』, 전통문화연구회

馮夢龍 지음, 이원길 옮김, 2004,『智囊』1~2, 신원문화사

馮晋仁, 1983,「无錫市環城河古井淸理」,『文物』第5期, 文物出版社

夏亨廉·林正同 編, 1996,『漢代農業畵像磚石』, 中國農業博物館

寒山子 지음, 金達鎭 역주, 1989,『寒山詩』, 세계사

韓嬰 지음, 임동석 옮김, 2000,『韓詩外傳』, 예문서원

허우범, 2009,『삼국지 기행』, 책문

胡經學, 2010,『中國傳統農具』, 中國時代經濟出版社

黑龍會, 1937~1938,『亞細亞大觀』, 黑龍會出版會

歙縣地方誌 編纂委員會, 1937,『歙縣志』

C.A.S. 윌리암스 지음, 이용찬 외 옮김, 1989,『중국문화 중국정신』, 대원사

G.푸르너 지음, 조흥윤 옮김, 1984,『中國의 神靈』, 정음사

J. needham·Wang Ling 지음, 中岡哲郎 外 옮김, 1965,『中國の科學と文明』8권, 思索社

R. P. Hommel 지음, 國分直一 옮김, 1992,『中國手工業誌』, 法政大學山出版局

일본 관계 글

NHKデタ-情報部編, 1991,『江戶事情』, 雄山閣出版

ひなう, 1990,「한국 남해안노서와 일본 대마도의 민속문화와 문학에 관한 연구」,『比較民俗學』제13호, 비교민속학회

講談社, 1973~1976,『日本の歷史』1~24卷

岡田精司, 1980,「大王と井水の祭儀」,『講座 日本の古代信仰 第3卷 呪ないと祭り』, 學生社

兼康保明, 1979,「湖西高島の低地における井戶掘りと埋め戻し」,『民俗文化』第192號

高木啓夫, 1984,『中國·四國地方の住い習俗』, 明玄書房

高野陽子, 2004,「市田齊當坊遺跡の井戶と弥生時代の木組井戶」,『京都府埋藏文化財情報』第93號, 京都府埋藏文化財調査研究センタ-

高取正男, 1973,『民俗のこころ』, 朝日新聞社

駒見和夫, 1992,「井戶をめぐる祭祀」,『考古學雜誌』77-4

久世强傳, 2001,「井戶はどうして埋められたのか」(序論),『西田先生米壽記念論集 近江の考古と歷史』

久世强傳, 2002,「井戶はどうして埋められたのか—木を入る—」,『田邊昭三先生古稀記念論文集』

君津市史編纂委員會, 1998, 『君津市史』

堀 大介, 1999, 「井戸の成立とその背景」, 『古代學研究』 146號

堀井冷以知 編, 1983, 『日本語語源辭典』, 東京堂出版

堀井令以知 編, 1988, 『語源大辭典』, 東京堂出版

宮本袈裟雄 外, 1971, 『中国の民俗』, 三一書房

宮本常一, 1962, 「生活と民俗」(1), 『日本民俗學大系』 第6卷, 平凡社

宮本常一, 1965, ?

宮田 登・馬興國編, 1998, 『民俗』 日中文化交流史叢書 5, 大修館書店

宮田 登, 1993, 『山と里の信仰史』, 吉川弘文館

金士燁, 2004, 『金士燁全集』 8・9・10, 金士燁全集刊行委員會

紀寬之 外編, 고정길 옮김, 2010, 『古今和歌集』, 소명출판

吉田兼好 지음, 천혜숙 옮김, 2000, 『徒然草』, 바다출판사

吉田金彦編, 1996, 『衣食住語源辭典』, 東京堂出版

金子裕之, 2005, 「令制下の水のまつり」, 『水と祭禮の考古學』, 學生社

奈良國立文化財研究所, 1995, 『平城宮跡資料館圖錄』

奈良國立文化財研究所, 2002, 『飛鳥・藤原京展』

奈良國立文化財研究所, 2010, 『덴쿄 시람들의 목소리를 듣는다』

奈良市教育委員會, 1990, 『奈良市埋藏文化財調査センター紀要ー』

奈良市教育委員會, 2001, 『奈良市埋藏文化財調査概要報告書』

奈良市埋藏文化財センタ-, 2011, 「平城京の小規模宅地を再利用した井戸」, 『速報展示資料』 No.43

奈良縣立橿原考古學研究所附屬博物館編, 2005, 『水と祭禮の考古學』

魯成煥, 2009, 『古事記』, 民俗苑

魯成煥, 2014, 『일본신화에 나타난 신라인의 전승』, 민속원

鹿野 疊, 2013, 「近畿地方の古墳時代から飛鳥時代の井戸」, 『續・井戸再考ー古墳・飛鳥時代の井戸』,
　　　埋藏文化財研究會

大館勝治・宮本八惠子, 2004, 『農家のモノ・人の生活館』, 柏書房

大島曉雄, 1984, 「上總の井戸掘り習俗」, 『關東地方の住い習俗』, 明玄書房

大林太良, 1992, 『正月が來た道』, 小學館

大藏永常, 1977, 『農具便利論』, 農山漁村文化協会

大藏永常, 1996, 『農稼肥培論』, 農山漁村文化協会

稻原昭嘉, 1999, 「藤江別所遺跡の祭祀井戸と儀鏡」, 『考古學ざジャ-ナル』 446號

都丸十九一, 1999, 『上洲の民俗』, 未來社

藤田三郎, 1988, 「弥生時代の井戸ー奈良・大阪の井戸を中心としてー」, 『考古學に學ぶ』, 同志士大學

考古學シリーズ IV

류시화, 2014, 『류시화의 하이쿠 읽기』, 연금술사

埋藏文化財研究會, 2013, 『續・井戸再考』－古墳・飛鳥時代の井戸－

文化廳文化財保護部, 1970, 『日本民俗資料事典』, 第一法規

梶川信行・崔光準編, 2012, 『萬葉集選』, 新羅大學校出版部

民俗學研究所編, 1970, 『總合日本民俗語彙』, 平凡社

白木小三郎, 1978, 『住まいの歴史』, 創元社

白井永二・土岐昌訓編, 1997, 『神社事典』, 東京堂出版

白川 靜, 1958, 『字通』, 平凡社

北田裕行, 2000, 「古代都城における井戸祭祀」, 『考古學研究』 第47卷 第1號

飛鳥資料館, 1987, 『萬葉の衣食住』

寺島良安, 1712, 『和漢三才圖會』

山本 博, 1970, 『井戸の研究』, 綜藝舍

山本輝雄, 1989, 「長岡宮の井戸」, 『長岡宮古文化論叢』

山中太郎, 1915, 「井神考」, 『鄕土研究』 第3卷 第6號

森貞次郎, 1981, 「弥生時代の遺物にあらわれた信仰の形態」, 『神道考古學講座』 第1卷

上江洲 均・神崎宣武・工藤員功, 1983, 『琉球諸島の民具』, 未來社

上江洲 均, 1973, 『沖縄の民具』, 慶友社

上江洲 均, 1980, 『沖縄の暮らしと民具』, 慶友社

『常陸國風土記』, 秋本吉德 註釋, 1979, 講談社

上田秋成, 2005, 『水と祭禮の考古學』, 學生社

西垣行夫, 2005, 『日本語の語源辭典』, 文藝社

西恒行夫, 2005, 『日本語の語源辭典』, 文藝社

小島 隆, 1979, 「草戸千軒の井戸」, 『考古學研究』 第26卷 第3號

小島瓔禮, 1971, 『中國地方の民家』, 明玄書房

小作壽郎, 1986, 「武藏野のまいまいずの井戸」, 『技術と民俗』 下, 小學館

小池伸彦, 1996, 「井戸と釣瓶」, 『家族と住い－考古學に依る日本歷史－』 15

小川 徹・西垣晴次, 1971

狩野敏次, 2004, 『かまど』, 法政大學出版局

守野正戸, 1976, 「竹筒をのこした井とその秘祝」, 『草戸千軒』 36

守野正戸, 1978, 「金貴大德呪口里井祝儀」, 『草戸千軒』 58

穗積裕昌, 2013, 「祭祀・儀禮と井戸－古墳時代王權・首長との關係を中心に－」, 『續・井戸再考－古墳・飛鳥時代の井戸』, 埋藏文化財研究所

勝俣天隆, 1984d, 「大樹傳說に見られる宇宙的要素と生命の水」, 『靜大國文』 29號

埴原和郎, 1993, 「日本人の集團形成」, 『日本人と日本文化の形成』, 朝倉書店

深澤靖行, 1997, ?

岩松 保, 2004, 「豊穰の井戸－糞尿と稲の儀禮－」, 『京都埋藏文化財研究所情報』 第93號

연민수·김은숙·이근우·정효운·나행주·서보경·박재용, 2013, 『譯註 日本書紀』 1~3, 동북아역사재단

榮久庵憲司, 1976, 『台所道具の歷史』, 柴田書店

鈴木棠三, 1978, 『日本年中行事事典』, 角川書店

外山德治郎, 1930, 『滿洲の在來農具』, 南滿洲鐵道株式會社 農事試驗場

龍孝明·久住猛雄·菅波正人·山崎賴人, 2013, 「九州地方の古墳時代から飛鳥時代の井戸」, 『續·井戸
　　　　再考－古墳·飛鳥時代の井戸』, 埋藏文化財研究會

宇野隆夫, 1982, 「井戸考」, 『史林』 65-5

宇野隆夫, 1986, 「井戸」, 『弥生時代文化の研究』 第7卷

雄略天皇 外, 고용환·강용자 옮김, 2009, 『萬葉集』, 지만지 고전선집

原豊一, 1990, 「平城京の井戸と祭祀」, 『奈良市埋藏文化財調査セン－紀要－』, 奈良市教育委員會

原豊一, 2005, 「平城京の井戸とその祭祀」, 『考古學ジャ-ナル』 No.537, ニュ-サイエンス社

李姸淑 옮김, 2012, 『萬葉集』 1~7권, 박이정

日色四郎, 1967, 『日本上代井の研究』, 日色四郎先生遺稿出版會

日外 アソシエ-ツ編, 高秀晩 監修, 1995, 『日本人名』, 그린비

林 義三, 1958, 『日本民俗學大系』 第6卷, 平凡社

滋賀縣埋藏文化財センタ-, 1993, 『埋もれた文化財の話 14 井戸と祭祀』

滋賀縣埋藏文化財センタ-, 1995, 「井戸とその祭祀」 埋もれた文化財の話

田邊征夫, 1992, 『平城京を掘る』, 吉川弘文館

前田富祺, 2000, 『日本語源大辭典』, 小學館

井上賴壽, 1968, 『京都民俗志』, 平凡社

町田 町, 1988, 「4 都市 E 都市生活」, 『岩波講座 日本考古學 4 集落と祭祀』, 岩波書店

朝倉治彦·安藤菊二·樋口秀雄·丸山 信 編, 2001, 『事物起源辭典』, 東京堂出版

鐘方正樹, 2003, 『井戸の考古學』, 同成社

鍾方正樹, 2013, 「6~7世紀における井戸木九十の構造と變化」, 『續·井戸再考』, 埋藏文化財研究所

竹田 統·川上行藏, 1978, 『圖說 江戸時代食生活事典』, 雄山閣

中山太郎, 1915, 「井神考」, 『鄕土研究』 第3卷 第6號

中野榮三, 1968, 『陰名語彙』, 慶友社

池田裕英, 1999, 「釣瓶考」, 『瓦衣千年 森郁夫先生還曆記念論文集』

辰巳和弘, 2008, 「水と井戸のまつり」, 『弥生時代の考古學 7 儀禮と權力』, 同成社

辰巳和弘, 2005, 「常世・女・井一神話の土壌一」, 『水と祭礼の考古學』, 奈良縣立 橿原考古學研究所 附屬博物館

天理市敎育委員會, 1996, 『長寺遺跡の弥生人骨－10次調査に伴う中間報告書』, 天理市埋葬文化財調査報告 第5輯

青柳泰介, 2005, 「'カミよる水のまつり'をめぐって」, 『水と祭禮の考古學』, 學社

秋山高志・林英夫・前村松夫・三浦圭一・森衫夫編, 1991, 『山漁村生活史事典』, 栢書房株式會社

萩原千鶴 譯註, 1999, 『出雲國風土記』, 講談社學術文庫

秋田裕毅, 2010, 『井戶』, 法政大學出版局

沖森卓也編, 2008, 『豊後國豊土記』・『肥前國風土記』, 山川出版社

沖森卓也他編, 2005, 『播磨國風土記』, 山川出版社

片山一道, 2000, 「弥生時代のミステリ-」, 『縄文人と弥生人』, 昭和堂

鶴藤鹿忠, 1971, 『中国地方の民家』, 明玄書房

海野 聰・小田裕樹, 2013, 「都城の形成と井戶」, 『續・井戶再考』, 奈良文化財研究所

戶部民夫, 2001, 『神秘の道具』, 新紀元社

黑崎 直, 1976, 「平城宮の井戶」, 『月刊文化財』 1976~4, 第一法規出版

黑崎 直, 1977, 「齊串考」, 『古代研究』 10

黑崎 直, 1995, 「藤原宮の井戶」, 『文化財論叢』 II, 奈良國立文化財研究所 創立40周年記念 論文集刊行會

찾아
보기

그림 이만익

김
광
언 金光彦

1939년 서울 출생
서울대학교 사범대학 국어교육과 졸업
서울대학교 문리과대학 고고인류학과 졸업
일본 도쿄대학 대학원(문화인류학) 졸업
국립민속박물관장
문화재위원회 민속문화재 분과위원장
현재 인하대학교 명예교수

■저서
『한국의 농기구』(1969, 문공부 문화재관리국)
『정읍 김씨 집』(1980, 열화당)
『한국의 옛집』(1982, 마당)
『한국의 민속놀이』(1982, 인하대 출판부)
『한국농기구고』(1986, 한국농촌경제연구원, 출판문화상 저작상 수상)
『한국의 주거민속지』(1988, 민음사)
『한국민속학』(1988, 새문사, 공저)
『풍수지리』(1993, 대원사)
『몽골/바람의 고향, 초원의 말발굽』(1993, 조선일보사, 공저)
『아! 고구려』(1994, 조선일보사, 공저)
『김광언의 민속지』(1994, 조선일보사)
『한국의 부엌』(1997, 대원사)
『운반용구』(1998, 국립문화재연구소)
『기층문화를 통해 본 한국인의 상상체계』 상·중·하(1998, 민속원, 공저)
『한국의 집지킴이』(2000, 다락방, 2000년 문화관광부 우수학술도서)
『우리 생활 100년·집』(2000, 현암사, 중앙일보사 올해의 좋은 책)
『우리 문화가 온 길』(2001, 민속원)
『민속놀이』(2001, 대원사)
『디딜방아 연구』(2001, 지식산업사, 2002년 대한민국학술원 우수학술도서)
『동아시아의 뒷간』(2002, 민속원, 2003년 대한민국학술원 우수학술도서)
『지게연구』(2003, 민속원, 2004년 대한민국학술원 우수학술도서)
『동아시아의 놀이』(2004, 민속원, 2004년 문화관광부 우수학술도서)
『동아시아의 뒷간』(2007, 대한민국학술원 우수학술도서, 중국에서 번역 출간)
『한·일·동시베리아의 사냥』(2007, 민속원, 2008년 대한민국학술원 우수학술도서)
『송석헌』(2008, 민속원, 공저, 2008년 문화관광부 우수학술도서)
『백불고택』(2008, 민속원)
『박장흥댁』(2009, 민속원)
『바람·물·땅의 이치』(2009, 기파랑)
『뒷간』(2009, 기파랑)
『쟁기연구』(2010, 민속원, 2011년 대한민국학술원 우수학술도서)
『동아시아의 부엌』(2015, 눌와, 2016년 세종도서 우수학술도서)
『신라우물』(2015, 민속원, 공저)
『우리네 옛 살림집』(2016, 열화당)

■수상
1986년 출판문화상 저작상(『한국농기구고』)
2005년 월산민속학술상
2006년 대한민국 문화유산상(학술 부문)